C000063697

1 MONTH OF
FREE
READING

at
www.ForgottenBooks.com

By purchasing this book you are eligible for one month membership to ForgottenBooks.com, giving you unlimited access to our entire collection of over 700,000 titles via our web site and mobile apps.

To claim your free month visit:

www.forgottenbooks.com/free355241

ISBN 978-0-428-28785-6
PIBN 10355241

This book is a reproduction of an important historical work. Forgotten Books uses
state-of-the-art technology to digitally reconstruct the work, preserving the original format
whilst repairing imperfections present in the aged copy. In rare cases, an imperfection in
the original, such as a blemish or missing page, may be replicated in our edition. We do,
however, repair the vast majority of imperfections successfully; any imperfections that
remain are intentionally left to preserve the state of such historical works.

Philosophie der Werte

Grundzüge einer Weltanschauung.

Von

Hugo Münsterberg.

Leipzig,
Verlag von Johann Ambrosius Barth,
1908.

Spamersche Buchdruckerei in Leipzig.

Seinem lieben

Kollegen an der Harvard-Universität

Professor J. Royce

in Freundschaft und Verehrung

vom Verfasser.

Vorwort.

„...Ewig Dauerndes zu verflößen in sein irdisches Tagewerk, das Unvergängliche im Zeitlichen selbst zu pflanzen...", das war das heilige Wollen, das Fichtes „Reden an die deutsche Nation" emportrug. Wohl war seine Weltanschauung ein künstliches Denkgebilde, aber wieder bewährte es sich, daß der Idealismus des abstrakten Denkers im Grunde die lebendigste und wirkungsvollste Lebensmacht ist. Sein reiner Glaube an die ewigen Werte ergriff die tiefste Seele des Volkes: in diesen Tagen ist es nun grade hundert Jahre her.

Bald kamen andere Zeiten. Der Glaube an den Geist erschien bald als ohnmächtige Philosophenschrulle. Die Naturwissenschaft rüstete sich zu ihrem Triumphzug. Der leblose Stoff und das Leben sollten erklärt und bemeistert werden. Entdeckungen und Erfindungen überstürzten sich, und die erfolgreiche Methode des Naturforschers ergriff schließlich auch das seelische Geschehen und das Gesellschaftsgetriebe. Aus Elementen und Gesetzen, physischen und psychischen, setzte sich die einzige Welt zusammen, die man kennen wollte; es war die Welt der Dinge, die Welt der Tatsachen, und alle „Welträtsel" lagen in ihr.

Langsam aber begann eine neue Wandlung. Die Wissenschaften selbst drängten zur Prüfung der Grundvoraussetzungen und lenkten so zurück zur Erkenntnisfrage, zur Frage nach dem Wert der wissenschaftlichen Behauptung. Man wurde der Anhäufung bloßer Tatsachen müde; man fühlte langsam, daß bloßes Wissen und Können weder Weltanschauung noch Lebensauffassung gewährt, daß all unser Hasten doch schließlich ziellos geworden, daß dem Zersplitterten die Einheit fehlt. Man begann wieder nach Sinn und Bedeutung zu fragen; durch die Welt der Dinge schimmerte erst schwach, dann klarer die Welt der Werte.

So ist in den letzten Jahren die Philosophie wieder neu erwacht; der Begriff des Wertes steht wieder im Vordergrund. Mit bloßer Umwertung der Werte ist freilich wenig getan, bis nicht das tiefste Wesen der Bewertung völlig erleuchtet ist. Die Gesamtheit der Werte muß grundsätzlich geprüft und aus einer Grundtat einheitlich abgeleitet werden. Das, was unserem Philosophieren heute fehlt, ist ein in sich geschlossenes System der reinen Werte; erst dann kann die Philosophie auch wieder aufs neue zur wirklichen Lebensmacht werden, wie es zu lange ausschließlich die Naturwissenschaft gewesen ist.

Ein bloßes Glauben an die Werte und Predigen, selbst ein begeisterndes, mitreißendes Bekennen genügt dazu nicht; schwere, strenge, oft ermüdende Begriffsarbeit ist unerläßlich. Und auch nicht darum darf es sich handeln, die großen Gedanken des deutschen Idealismus noch einmal auszusprechen. Die Wissenschaften sind seit jenen stolzen Tagen vorangeschritten; vor allem die Naturwissenschaft vom Seelischen, die Psychologie, hat ganz neue Ausblicke eröffnet; neue Wertgebiete des praktischen Lebens haben sich aufgetan; wir sind andere Menschen geworden. Alles das will verarbeitet und entwickelt werden, vor allem es will durch mühsame, scheinbar lebensfremde Denkarbeit im Tiefsten verankert werden. Es mag sein, daß die Zeit dafür noch nicht gekommen sei; aber sie wird niemals kommen, wenn nicht oftmals der Versuch gewagt wird

Solchen Versuch bieten die folgenden Seiten. Der kurze erste Teil des Buches entwickelt eine Theorie der Werte, der zweite Hauptteil gibt das System der Werte. Aus dem Geiste unserer eigensten Zeit heraus will es wieder sagen, was Fichte aus den Nöten seiner Zeit vor hundert Jahren bekundete, daß nämlich die wahre Philosophie ein Leben kennt, „welches es auch in alle Ewigkeit und darin immer eines bleibt...und wie lediglich in der Erscheinung dieses Leben unendlich fort sich schließe und wiederum öffne und erst diesem Gesetz zufolge es zu einem Sein und zu einem Etwas überhaupt komme". Mag es dem neuen Fühlen dienen und dem jungen Werden, das von den Gesetzen wieder zu den Idealen, von Lust und Nutzen wieder zu den reinen Pflichten, von den toten Dingen wieder zum freien Willen, von der Welt der Tatsachen wieder zu der Welt der ewigen Werte stark und verheißungsvoll hindrängt.

13. November 1907.

Hugo Münsterberg.

Inhaltsverzeichnis.

Erster Teil.

Der Sinn der Werte.

Erster Abschnitt.

Die Werte und die Natur.

Die Aufgabe. Die Frage nach den Werten der Welt steht im Mittelpunkt jeder denkbaren Weltanschauung. Wird sie in ihrer wahren Tiefe erfaßt, so kommt der Versuch zu ihrer Beantwortung durchaus dem Philosophen zu. Andere — Soziologen und Psychologen, Nationalökonomen und Theologen, Historiker und Biologen — werden von immer neuen Seiten aus die Erforschung der anerkannten Werte fördern. Sie werden die Werte in ihrer Mannigfaltigkeit beschreiben und einteilen, oder begünstigen und bekämpfen, vor allem aber werden sie erklären, wie menschliche Wertungen in ihrer unendlichen Verschiedenheit entstanden sind: die Grundfrage aber bleibt durch alles das noch unberührt.

Die philosophische Untersuchung der Werte geht zunächst nicht darauf aus, den Dingen zwischen Himmel und Erde Wert zuzusprechen oder abzusprechen, anerkannte Werte umzuwerten oder neue Werte zu prägen; und am allerwenigsten ist es ihr Ziel, eine Entwicklungsgeschichte der besonderen Bewertungen zu schaffen und so die Wertsetzung mit den Hilfsmitteln der Naturwissenschaft zu erklären. Die kritische Philosophie will vielmehr voraussetzungslos eine Antwort auf die Frage suchen, in welchem Sinne wir überhaupt von Werten sprechen dürfen. Begreifen will sie, was die grundsätzliche Bedeutung unserer Wertsetzung sein kann, und prüfen, wie schlechthin gültige Bewertungen möglich sind. Die Philosophie überläßt es ja auch der Naturforschung und der Geschichte, die einzelnen Tatsachen der Wirklichkeit festzustellen und in Zusammenhang zu bringen; für sich selbst wahrt sie nur die tiefere Frage der Erkenntnistheorie: was denn eigentlich das Wesen einer Tatsache sei und was unser Wissen von der Welt bedeutet. So mag es auch gegenüber dem Reich der Werte der Einzel-

forschung zukommen zu fragen, was hier und dort und damals und
jetzt anerkannt und verworfen wurde und welche Wirkungen davon
zu hoffen oder zu fürchten sind. Aber die philosophische Werttheorie wird die einzige Grundfrage beantworten müssen: in
welchem Sinne ist die Gültigkeit von Werten überhaupt möglich?
Gleichviel wie wir dazu kamen, wir scheiden tatsächlich zwischen
dem, was schlechthin wertvoll ist und dem, was wertlos: welche
Bedeutung, welchen Zielpunkt, welche Tragweite hat diese Scheidung? Oder täuschen wir uns gar: gibt es vielleicht nichts in der
Welt, das wertvoll oder wertwidrig wäre außer unseren persönlichen Freuden und Leiden? nichts in der Welt, das wirklich an sich
wertvoll wäre? nichts, das wir vorziehen oder abweisen ohne Rücksicht auf unser persönliches Behagen? Aber auch solche skeptische
Weltauffassung würde doch jedenfalls voraussetzen, daß wir wirklich wissen, was wir unter reinen Werten in der Welt verstehen.

Wer so die Frage stellt, muß wenigstens eines sofort aufklärend
hinzufügen: wer sind die „wir", die da bewerten sollen und von
welcher „Welt" ist die Rede, wenn es gilt, ihre Werte und Unwerte
abzuwägen? Die „Welt" läßt sich in so vielerlei Weisen bestimmen;
der Theologe wird sie anders auffassen als der Physiker, und mit
jeder Deutung wird sich die Frage nach den Werten in der Welt verändern. Von uns selbst aber gilt das gleiche; auch „wir" sind dem
Historiker und dem Biologen, dem Chemiker und dem Ethiker
grundsätzlich verschiedene Wesen und unsere Stellungnahme wird
jedesmal neuen Sinn verlangen. Dabei wird jede besondere Deutung
des Individuums auch mit besonderen Auffassungen der Welt zu-
sammengehören; die Welt, in der wir als historische Persönlichkeit
uns ausleben, ist nicht die Welt, auf die wir als physiologische Organismen reagieren. Von welcher Welt soll denn nun also die Rede
sein?

Wir könnten den Ausgang von derjenigen „Welt" nehmen, die
wir unmittelbar erleben, und die unser Wollen und Schaffen somit
in jedem Pulsschlag des wirklichen Lebens ergreift. Da hat noch
keine Theorie die Welt in feste Zusammenhänge umgearbeitet, und
keine Wissenschaft hat da unsere Dinge in Atome, unsere Freunde
in Bewußtseinsinhalte, unsere Ideale in Entwicklungsprodukte,
unsere Entschlüsse in psychophysische Wirkungen umgewandelt.
Unser Selbst umfaßt da noch unmittelbar das Vergangene und das

Künftige; unser Gedanke trägt uns zum Fernsten wie zum Nächsten; unser Wollen sucht und findet da unvermittelt das Wollen des Anderen, um mitzulieben oder mitzuhassen, um beizustimmen oder entgegenzuwirken: in selbstbewußter Freiheit greift da unsere Tat in das Reich der Dinge, das doch nur als das Reich unserer Ziele und Zwecke, unserer Hilfsmittel und Hindernisse, unserer Güter und Übel in der reinen Erfahrung uns gegeben ist.

Aber der Kulturmensch ist zunächst nicht bereit, in solcher Schilderung des Weltbildes die Wirklichkeit wiederzuerkennen. Der Wunsch, das unmittelbare, nicht umgemodelte Erlebnis rein festzuhalten, entwickelt sich naturgemäß erst dort, wo bereits vielerlei „gelernt" ist und wo somit die verschiedensten künstlichen Weltperspektiven, im Dienste bestimmter Kulturzwecke geschaffen, dem Geiste vertrauter dünken als das naiv Erschaute. Der Versuch, das flüchtige Erlebnis festzuhalten, führt zunächst stets dahin, ein vom Erlebnis Unabhängiges, Unflüchtiges unterzuschieben und so die Sprache der Naturwissenschaft zu reden. Das begrifflich Gedachte verdeckt dann schnell das unmittelbar Gefühlte so völlig, daß es schließlich energischer Denkarbeit bedarf, um von den Theorien noch einmal zur ursprünglichen Wirklichkeit zurückzukehren. Die philosophische Forderung, grundsätzlich auszugehen von der Welt, wie wir sie wirklich kennen, ehe die Wissenschaft in jedes Einzelding begrifflich ihre Erfahrungen eingefügt hat, bleibt sicherlich bestehen. Vertrauter aber bleibt es uns allen doch, das Nachdenken über die Welt vom Standpunkte der wissenschaftlichen Erkenntnis zu beginnen, die über unser wirkliches Erlebnis offenbar weit hinausgeht. So mag denn auch hier dem Weltbild, das die kausale Wissenschaft zeichnet, der erste Platz eingeräumt werden; nur wird es im Gefüge kritischer Arbeit unsere Pflicht sein, die Grundvoraussetzungen solcher Weltauffassung auch wirklich folgerichtig durchzuführen. Wir müssen somit dafür sorgen, daß sich nicht auch hier die für praktischen Gebrauch oft schwer vermeidliche Durcheinandermischung verschiedener Weltanschauungen einstellt.

Die Welt der Naturwissenschaft. Gegeben sei uns also zunächst diejenige Welt, die der Naturforscher untersucht, und deren, Raum und Zeit erfüllenden, kausalen Ablauf er als wirklich voraussetzt. Er fragt nicht und darf nicht fragen, ob Raum und Zeit und ursächliche Wirkung sich überall erweisen lassen; es ist gewiß, aus der Astronom seine Astronomie nicht vertiefen sondern verzerren würde, wenn er mit dem Fernrohr Ausschau halten wollte, ob es irgendwo keinen Raum gibt, oder Berechnungen anstellen wollte, ob es irgendwann keine Ursachen gab. Nur die Einzelheiten des Weltbildes erforscht der Wissenschaftler, seine Grundformen und seinen Grundplan besitzt er im voraus. Solch Grundplan einer Welt kausaler Abhängigkeiten, mag er auch noch so verschwommen sein, ist auch dem Schlichtesten irgendwie gegenwärtig, der einen Vorgang auf eine Ursache zurückführt oder eine Wirkung vorausbestimmt. Und nun fragen wir, wie es in solcher, folgerichtig erfaßten Natur mit den Werten bestellt sei.

Die Frage ist nicht etwa, ob es wertvoll sei, daß wir die Welt als Natur denken, ob also der gesetzliche Zusammenhang und die geforderte Wirklichkeit solcher Kausalwelt uns einen gültigen Wert darbietet. Das würde schon voraussetzen und anerkennen, daß wir, die wir urteilen und bewerten, außerhalb dieser Natur mit ihren Ursachen und Wirkungen stehen und so die ganze Natur doch nur als ein Gebilde in unserer Welt, nicht als die Welt selbst betrachten. Uns aber soll der Inbegriff aller ursächlich zusammenhängenden Vorgänge zunächst die Welt selbst sein und die Frage kann somit nur die sein, ob es in solcher Welt Teile gibt, die wertvoll und andere, die wertwidrig sind.

Wir mögen ausgehen vom mechanischen Weltbild, das zur Weltanschauung aufgeputzt einen logisch unmöglichen Materialismus darstellt, das aber als Grundlage der Körperwissenschaft unangreifbar ist. Selbst der Versuch, die unteilbaren Substanzen in Energien umzusetzen, verändert nur scheinbar das Wesen solchen Weltbildes und ist für unsere Wertfrage gänzlich ohne Bedeutung. In der Sprache von drei Jahrtausenden würden wir also zunächst sagen, daß alles Geschehen in der Welt, wissenschaftlich betrachtet, im Grunde nur Lageveränderung kleinster Körperteilchen sei, von denen jedes einzelne in seiner Bewegung vollständig durch die vorhergehenden Veränderungen des Gesamtgefüges bestimmt ist. Selbst alle Lebensprozesse sind dann nur physikalisch-chemische Vorgänge und alles Physikalische und Chemische löst sich schließlich in Mechanik der Atome auf. Wie weit die Naturwissenschaft von der Lösung solcher Aufgabe im einzelnen heute entfernt sei, ist

gleichgültig; daß sie grundsätzlich keine unmechanischen Lebenskräfte, keine übersinnlichen Einflüsse, keine mystischen Ursach-
losigkeiten gutheißen kann, ist durch ihre Voraussetzungen geboten
und bliebe bestehen, auch wenn es nicht so glänzend durch die Geschichte ihrer Erfolge bestätigt wäre.

Was soll in solchem Geschiebe der Teilchen nun gut oder
schlecht sein? Verbindungen gibt es da, von denen es gilt, daß sie
flüchtig sind und zerfallen, oder daß sie verhältnismäßig dauernd
ihren Zusammenhalt bewahren; oder wir mögen sagen, daß sie einfach oder zusammengesetzt, anderen ähnlich oder unähnlich sind:
aber daß das Verwickelte besser als das Gleichförmige, das Dauernde
wertvoller als das Vergängliche sei, dafür bietet unser Weltbild nirgends auch nur die geringste Handhabe. Der Naturforscher spricht
vom Fortschritt und von Entwicklung, wenn er den Übergang von
der Amöbe zum Wirbeltier, vom Samenkorn zum Baum verfolgt,
aber oft schon hat man darauf hingewiesen, daß er durch solche
wertprägenden Begriffe wie Entwicklung und Fortschritt seinem
eigentlichen Wollen untreu wird. Für den mechanisch denkenden
Naturforscher wäre nichts schlechter und nichts besser, wenn der
einzige verfolgbare Übergang in der Welt vom Säugetier zum Ein-
zellenwesen, vom Lebenden zum Leblosen, vom Gestalteten zum
Ungestalteten, vom Kosmos zum Chaos führte. Unsere eigene
Stellung im Weltall kann daran nichts ändern, denn in solcher
Natur sind wir selbst nur Lebewesen, und so wenig wie die Astronomie die Erde als Mittelpunkt denken darf, so wenig kann die
allgemeine Naturwissenschaft in ihre Auffassungen willkürliche
Zugeständnisse zugunsten des Menschen einschließen. Im folgerichtigen Natursystem ist das Dasein des Menschen an sich nicht
wünschenswerter als das der Kieselsteine. Daß die Erde mit all
ihrem Rindengewimmel dereinst in die Sonne sinkt oder daß noch
sehr viel reicher gestaltete Gehirnwesen künftig auf der Erde entstehen werden, sind zwei gleichmäßig wertfreie Zukunftshypothesen
der Naturwissenschaft.

Mit einem Schlage würde sich natürlich die Lage vollständig
ändern, wenn wirklich in dem einen Naturprodukt, im Menschen,
ein schlechthin Wertvolles aus dem gleichgültigen Weltall hervorleuchten würde; dann würde sofort alles von dem einen Punkte aus
bestrahlt werden und die Strahlen würden gebrochen wieder auf

anderes fallen, so daß ein jedes im Weltall nach seinem Verhältnis
zum Menschendasein abschattiert würde. Dann würde das Stam-
meswachstum in der Tat zur Entwicklung, die Abkühlung der Erdkruste in der Tat zum Fortschritt werden: aber wir zerstören das
gesamte System, wenn wir sein Gleichgewicht auch nur an einer
einzigen Stelle durch solchen willkürlichen Wertakzent aufheben.
Sowie es für das Natursystem gleichgültig wäre, ob die Kausalität an
wenigen oder an vielen Stellen durchbrochen ist, Natur überhaupt
nicht mehr Natur wäre im Sinne der Wissenschaft, wenn auch nur
irgendwo eine Zerreißung der Kausalkette grundsätzlich anerkannt
wird: so ist Natur sicherlich nicht mehr Natur, wenn auch nur irgend
wann ein ursächlicher Vorgang wertvoller als ein anderer sein soll.

Alles Bewerten und Vorziehen setzt nämlich offenbar einen
Willen voraus, der Stellung nimmt und Befriedigung findet. Im
Begriff der kausalen Natur liegt aber gerade die vollkommene Unabhängigkeit von jeder Stellungnahme. Die Dinge gehen in das
mechanische System gerade dadurch ein, daß sie nur in Beziehung
zu andern Dingen und ohne Beziehung zum Wollen des Beschauers
gedacht werden. Gewiß ist das eine wirklichkeitsfremde Einseitigkeit, aber der ganze Sinn der naturwissenschaftlichen Betrachtungsweise liegt in dieser zielbewußten Einseitigkeit, die nur ursächliche Beziehungen in der Welt gelten läßt. Die Dinge als Teile
der Natur auffassen, bedeutet geradezu, sie begrifflich so ummodeln,
daß sie nur als Ursachen und Wirkungen in Frage kommen. Das
Bewußtsein, das dem mechanischen Natursystem gegenüber-
stehend gedacht wird, ist somit kein wollendes Individuum, keine
wirkliche Persönlichkeit, sondern ein passiver Zuschauer, ein Bewußtsein, das unbeteiligt dem Wechselspiel der Kräfte zusieht.

Und noch viel weiter entfernt sich dieses zuschauende Bewußtsein von der wirklichen Persönlichkeit des Lebens. Es genügt
nämlich nicht, aus dem wirklichen Menschen sein Wollen auszuschalten und ihn so zum starren Bewußtsein umzuwandeln: es muß
auch von seiner Individualität grundsätzlich abgesehen werden,
denn die Natur ist nicht diesem oder jenem Einzelnen gegeben.
Die folgerichtig verstandene Natur ist grundsätzlich in ihrem Dasein
unabhängig von bestimmten Wesen. Die Natur ist somit gleichsam
für ein nur passiv zuschauendes, unpersönliches Bewußtsein vorhanden. Dieses vollständige Losgelöstsein von jedem Einzelbewußt-

sein und diese grundsätzliche Unabhängigkeit von jeglichem Willen ist sehr deutlich schon darin ausgesprochen, daß im unkritischen Sprachgebrauch des Naturforschers die Natur zwar als Objekt bezeichnet wird, aber einem Subjekt überhaupt nicht zugeordnet wird. Die bloße in sich ruhende Existenz der Natur gilt da als letzter Ausdruck der Wirklichkeit. Weil das willenlose und individualitätslose Bewußtsein keinerlei Einfluß auf den Ablauf und die Gestaltung der Natur haben kann, wird es stillschweigend bei Seite gelassen. Logisch geht das freilich nicht an. Das Bewußtsein bleibt unentbehrlich, da die Natur nicht als seiend gedacht werden könnte, wenn sie nicht als Gegenstand des Bewußtseins gegeben wäre; aber solch naiver Sprachgebrauch des Naturforschers bekundet richtig, daß es für den Naturbegriff unentbehrlich ist, jede Willensstellungnahme fernzuhalten.

Alles das schließt natürlich nicht aus, daß die Beziehung auf den Menschen innerhalb der Naturwissenschaft mit Recht eine wichtige Rolle spielt; dann erscheint aber der Mensch selbst als Teil der Natur. Chemische Substanzen mögen als Nahrungsmittel oder Heilmittel betrachtet werden und in solchem Zusammenhange ohne Schaden vom Naturforscher wertvoll genannt werden; die Gifte gelten dann als wertwidrig. Aber streng genommen sind im chemischen System menschenfördernde und menschentötende Substanzen gleichermaßen wertfrei, weil der Mensch selbst dann auch nur chemische Substanz ist, und Förderung oder Schädigung beliebiger anderer Stoffgebilde mit gleichem Recht zur Bildung von solchen Wertreihen verwandt werden könnten. Und daran verändert sich natürlich nicht das geringste, wenn statt des Einzelgeschöpfes das ganze Geschlecht bewertet wird. Natur ist nur ein andrer Name für die Gesamtheit der grundsätzlich wertfreien Dinge.

Das Seelische als Teil der Natur. Nun ist es aber offenbar, daß wir bisher nur von der einen Hälfte der Natur gesprochen. Wir hatten künstlich den Begriff so verengert, daß er die Körperwelt allein umfaßte und alle Seeleninhalte ausschloß. Solche vorläufige Vereinfachung erleichtert es, die Idee des wertfreien Natursystems in ihrer folgerichtigen Strenge zu erfassen, denn sicherlich führt das Bewußtseinsleben neue und ungewohntere Schwierigkeiten ein. Aber das ist ja sicher, daß die vollständige Darstellung der

vorfindbaren Weltinhalte auch die seelischen Dinge, die Vorstellungen und Gedanken, die Gefühle und Gemütsbewegungen auf-
zählen muß. Der Materialist mag sie als Produkte der Körperwelt auffassen, der psychophysische Parallelist mag ihren Ablauf
durch die Nervenprozesse bestimmt denken, der moderne Energe-
tiker mag sie in den Zusammenhang der durch mechanische Arbeit
meßbaren Energien einordnen: aber in jedem Falle bleiben sie doch
an sich von den raumfüllenden materiellen Dingen verschieden.
Eine Empfindung ist keine Nervenzelle und keine mechanische Arbeit, und niemand bestreitet, daß solche Empfindungen in der Welt
existieren, daß Psychologie somit neben der Physik zu Recht besteht.
Nur müssen wir uns dann sofort über eines klar sein. Wenn wir wirklich das Seelische als Teil des ursächlichen Natursystems betrachten
wollen, so müssen wir es wie eine Reihe vorgefundener Objekte behandeln, die beschrieben, geordnet, erklärt werden sollen; in der
Erforschung der Elemente und Ursachen des Bewußtseins-
inhaltes muß die Psychologie dann ihre Gesamtaufgabe erfüllen.

Das Charakterbild der Psychologie ist heute ja von der Parteien Haß und Gunst verwirrt. Populäre Denkweise wird immer
glauben, psychologische Arbeit auch dort anzutreffen, wo seelisches
Leben in seinem Sinn erläutert, in seinen Absichten gedeutet, in
seinem Fühlen auf Ziele bezogen, in seinem inneren Willenszusammenhang verstanden wird. Wer sich seines Innenlebens bewußt
wird, empfindet es ja zunächst durchaus als Tätigkeit, die Stellung
nimmt und Zielen zustrebt und ihren Sinn aus der Beziehung zum
einheitlichen Selbst, zur freien Persönlichkeit gewinnt. Die Vorstellungen und Gedanken überdies weisen über sich selbst hinaus.
Unsere Tätigkeiten und unsere Vorstellungen, wie sie das unmittelbare Erlebnis darbietet, verlangen somit zunächst Deutung und
Klärung des Sinns und der Absicht, verlangen innere Beziehung und
Würdigung, und alles das muß von der Wissenschaft grundsätzlich
und planmäßig vorgenommen werden. Da liegt es nahe, diese Arbeit, die dem naiven Erlebnis am nächsten steht, auch von der
Psychologie zu verlangen. So kommt es, daß es der Psychologie
heute noch nicht vergönnt ist, wie Astronomie oder Chemie, sich
vor die eine klare Aufgabe gestellt zu sehen, das ihrer Bearbeitung
zugewiesene Material zu beschreiben und zu erklären. Immer
wieder vielmehr gesellt sich ihr die andere, grundsätzlich ganz ver-

schiedene Aufgabe hinzu, das innere Erlebnis in seinem Sinn und seiner Bedeutung zu erfassen und in seinem Zielzusammenhang darzulegen.

Wer beide Problemgruppen zur Psychologie rechnen will, muß zwei grundsätzlich verschiedene psychologische Wissenschaften anerkennen. Erstens, die kausale Psychologie, für welche alle inneren Erlebnisse Bewußtseinsinhalte geworden sind, die, wie die äußeren Körper, in ihre Elemente zerlegt und aus ihrem Kausalzusammenhang erklärt werden müssen. Zweitens aber die „voluntaristische" Psychologie, von der die inneren Erlebnisse als Tätigkeiten der einheitlichen Persönlichkeit in ihrem Sinn und in ihrem ursprünglichen Zielzusammenhang gedeutet und verstanden werden. Man mag deshalb von einem doppelten Standpunkt in der Psychologie sprechen und so zwei in sich wertvolle Bearbeitungsweisen des seelischen Geschehens verkoppeln. Viel häufiger fließen die beiden Problemgruppen unreinlich ineinander über. Willensakte werden gedeutet und Sinnesvorstellungen werden erklärt, Gemütsbewegungen werden nachgefühlt und Erinnerungsbilder werden beschrieben, Aufmerksamkeitsvorgänge werden aus Zweckzusammenhängen verstanden und Ideenassoziationen aus Gehirnzusammenhängen. Solche buntscheckige Psychologie, die es allen recht machen will, wird freilich gerade dadurch keiner Aufgabe ganz gerecht werden können. Vor allem, wer tiefer zuschaut, wird bald inne werden, daß die Selbstpsychologie sich im wesentlichen mit Fragen bemüht, die teils in der Theorie des geschichtlichen Lebens, teils in der Logik, Ethik und Ästhetik ihre natürlichere Stellung fänden, und daß somit die andere, die beschreibenderklärende Seelenwissenschaft die eigentliche Psychologie sein sollte.

Hier kümmert uns jetzt aber nur das eine, daß solche naturwissenschaftsartige Kausalbetrachtung des Seelenlebens eine mögliche und berechtigte Auffassung des Psychischen sei. Daß daneben andere Auffassungen sich mit Recht oder mit Unrecht zuweilen in die Psychologie eindrängen, kann daran nichts ändern. Für uns hier darf jedenfalls nur von solcher Psychologie die Rede sein, denn unsere Frage war ja von vornherein: wie sieht es mit den Werten in derjenigen Welt aus, die vom Standpunkt des Naturforschers aus erfaßbar ist? Soll das geistige Geschehen selbst ein Stück der beschreibbaren Natur sein, so müssen doch offenbar die Seelenerleb-

nissse als vorfindbare Inhalte und nicht als Ausdruck eines
wollenden Wesens gedacht werden.

Ausgebreitet wie die Welt der Dinge im Universum liegt also
vor dem Kausalforscher der Seele die Fülle der Empfindungen und
Gedanken, Gefühle und Gemütsbewegungen, Urteile und Willensakte und ihre Abfolge im Bewußtsein gilt ihm als Naturerscheinung.
Da draußen regnet es und schneit es, da drinnen entsteht die Freude
oder der Ärger, ein Wollen tritt auf, ein Urteil stellt sich ein, die
Vorstellungen kommen und gehen. Es ist Natur, unkörperlich, aber
doch Natur, von Gesetzen beherrscht, und Zuschauer ist ein starres
Bewußtsein, das all der wechselnden Bewußtseinsinhalte gewahr
wird, aber nicht selber eingreift. Das Ich selbst ist dann nur ein
besonderer Inhalt zwischen andern Inhalten, und jede Tätigkeit und
jedes Aufmerken, jedes Wollen und jede Entscheidung muß als Veränderung und Verschiebung der Elemente in der vorgefundenen
psychischen Mannigfaltigkeit verstanden werden. Sowie die Atome
des Universums ihre Lage ändern und dadurch im Weltbild des
Physikers die unendliche Gestaltenfülle entstehen lassen, so müssen
die psychischen Elemente ihre Stärke und ihre Lebhaftigkeit
ändern, um im Seelenbild des Psychologen die unendliche Vielheit
der Erlebnisse zu erklären. Aber hier wie dort geht die Veränderung
stets in den Objekten vor sich; der Zuschauer, das Bewußtsein,
bleibt untätig, und jeder Teil, psychisch oder physisch, hat sein
selbständiges Dasein im Ganzen der Natur. Von solchem Positivismus des Psychologen gilt dasselbe, was von dem Materialismus des
Physikers gilt: sie sind beide gänzlich ungeeignet zur Gewinnung
einer abschließenden Auffassung von Welt und Mensch, aber beide
sind notwendige Hilfsmittel für wichtige wissenschaftliche Aufgaben.
Wir aber halten unsere erste Frage fest: wenn wir im Dienst
solcher einzelwissenschaftlichen psychologischen Aufgabe das
Geistesleben als Naturvorgang betrachten, finden wir dann in
solchem System der Bewußtseinsinhalte irgend etwas, dem wir Wert
zuschreiben können?

Das Lustgefühl. Die Versuchung dazu liegt nahe und zwar in
mehrfacher Richtung. Vor allem: wir finden da Lustgefühle vor, die
wir festzuhalten suchen und dadurch als wertvoll gegenüber ungewollten Unlustgefühlen herausheben. Aber wir müssen unseren Voraussetzungen treu bleiben. Die „wir", die das Lustgefühl festhalten,

sind nicht die „wir", die das Lustgefühl vorfinden. Die Voraussetzung war, daß alles Psychische als Bewußtseinsinhalt zu gelten
habe; das Lustgefühl steht dann auch nur in Reih und Glied mit all
den andern vorgefundenen Inhalten, und wir, die wir es in uns vorfinden, sind dann dem Gefühl gegenüber ebenso passive Zuschauer,
wie gegenüber den wechselnden Vorstellungen in uns. Im Spiel
dieser Vorstellungen taucht nun auch jenes andere „wir" auf, das
selbst die Vorstellung unserer sozialen Persönlichkeit ist, jene Ichvorstellung, die sich langsam um unsere Körperempfindungen
herumkristallisiert hat und in der wir Bewegungsempfindungen,
Spannungsempfindungen und viele andere Begleiterscheinungen des
Handelns unterscheiden können. Diese passiv wahrgenommene
Ichvorstellung umfaßt nun auch jene Begehrungen und Strebungen,
durch welche das Lustgefühl selbst erhalten, das Unlustgefühl beseitigt wird.

Dieses Streben und Begehren als Teil der vorgefundenen Ichvorstellung ist aber doch dann auch nur ein Glied in der Kausalkette der psychischen Objekte. Der Umstand, daß sich nach dem
Lustgefühl im Bewußtseinsinhalt ein Strebensgefühl oder ein Fest-
haltungsgefühl als Bruchstück der Ichwahrnehmung einstellt, verändert somit nichts am Verhältnis zwischen dem Lustgefühl und
dem Bewußtsein. Für das Bewußtsein bleibt das Lustgefühl auch
dann nur ein vorgefundener Inhalt, der lediglich empfunden und
wahrgenommen wird, der aber nicht bevorzugt oder abgelehnt, kurz
nicht bewertet werden kann. Ob in der Prozession der vorbeiziehen-
den Bewußtseinsinhalte nach dem Unlustgefühl ein Widerwillens-
gefühl auftritt, und nach dem Lustgefühl ein Hingebungsgefühl, das
ist für die Beschreibung der psychischen Zusammenhänge wichtig,
für die Charakterisierung der Lust und Unlust in sich aber gleichgültig. Es ist eben nicht das zuschauende Bewußtsein, das sich
hingibt oder im Widerwillen abwendet; die Hingabe und die Ablehnung sind nur Teile der Ichvorstellung, die für das erlebende Bewußtsein selbst nur ein vorgefundener wertfreier Inhalt ist. Psychologisch ist somit das Lustgefühl nicht wertvoller als das Schmerz-
gefühl; beide sind genau so wertfrei wie irgend eine gleichgültige
Vorstellung, die von keinem Strebensgefühl im Bewußtsein begleitet ist.

Das ist ja einleuchtend, daß, wenn wir das Lustgefühl als an

sich wertvoll herausheben, alles Seelenleben, ja alles menschliche
Tun, ja der gesamte Weltverlauf sich schön nach Wert und Unwert
abschattieren läßt. Wertvoll ist dann alles in dem Maße, in dem
es psychische Lustgefühle in den Bewußtseinsinhalten verursacht;
es bedarf dann nur noch einiger kleiner Vereinbarungen, wie etwa
daß das Lustgefühl in zwei Personen wertvoller ist als das in einer,
und dann scheint alles fertig, um über das Weltall und das geschichtliche Leben Gericht zu halten. So wird ja auf der Oberfläche
fortwährend vorgegangen, und die biologische und „monistische"
Ethik lebt von solchen Gedankenlosigkeiten. Es wäre ja auch
alles so einfach, wenn nur wirklich im Gefüge solcher biologisch-
psychologisch-monistischen Weltauffassung der geringste Grund
vorläge, einen Bewußtseinsinhalt für wertvoller zu halten als einen
andern, das Lustgefühl, das Glücksgefühl, das Wonnegefühl für
wertvoller als Hunger oder Zahnschmerz. Wer wirklich einmal
ernsthaft sagt: Natur!, der muß wissen, daß er eingetreten ist in
eine Welt physischer und psychischer Objekte, in der es keine Werte
gibt und geben kann, in der ein physisches Atom nicht besser sein
kann als ein anderes, ein Bewußtseinsinhalt nicht wertvoller als ein
anderer, weil alle gleichermaßen nur für einen passiven Zuschauer
da sind. Alle erschöpfen gleichermaßen ihre ganze Existenz darin,
daß sie Teile eines Kausalzusammenhangs sind, und in ihrem Wir-
kungs- und Ursacheverhältnis sind alle für sie denkbaren Beziehungen ausgesprochen; sie können nicht als Teile der „Natur"
auch noch zu dem außerhalb des Natursystems stehenden Zuschauer in Beziehung treten, durch sein Gefallen und Mißfallen, durch
seine Bewertung beeinflußt werden. Alles Gefallen und Mißfallen
sind dann selbst nur gleichgültige Naturvorgänge, die da kommen
und gehen, bewirkt sind und Wirkungen üben, aber auch wieder in
der Gesamtheit ihrer Beziehungen auf den Naturlauf beschränkt sind.

Und bei alledem handelt es sich nun nicht etwa nur darum, daß
der Physiker als solcher und der Psychologe als solcher keine Werte
in der Welt beachten darf, daß aber irgend ein anderer, mit anderen
Aufgaben und Interessen, in dieser selben physikalisch-psychologischen Welt seine Wertauslese mit gutem Gewissen vornehmen
kann. Nein, wo die Wertauslese einsetzt, ist das Objekt eben nicht
mehr rein als Teil der physikalisch-psychologischen Welt gedacht.
Auch ihr Dasein und ihr Zusammenhang kommt nicht als Wert in

Betracht, solange die Welt nur einem zuschauenden Bewußtsein gegeben ist und nicht in Beziehung zu einem wollenden Wesen gedacht wird, das durch seine Stellungnahme den Daseinswert und Zusammenhangswert anerkennt. Kurz, immer das gleiche Ergebnis: die physischen Dinge und die Bewußtseinsinhalte können als solche überhaupt niemals einen Anhalt für die Bewertung bieten, und wer mit andern Interessen an sie herantritt, der verwandelt das Objekt, das nur Wirkung oder Ursache sein soll, in ein neues, das sich dem Natursystem gar nicht einfügt.

Haben wir erst einmal erklärt und zugegeben, daß der lebende Mensch wertvoller ist als das Sandkorn am Meeresboden, und daß das Gefühl des Jubels und der sittlichen Erhebung wertvoller sei als die Geruchsempfindung, welche Schwefelwasserstoff in uns erweckt, dann ist natürlich alles preisgegeben, das Gleichgewicht zerstört, der archimedische Punkt gewonnen, von dem aus die „Natur" aus ihren Angeln gehoben werden kann. Aber wir wissen zunächst nur, daß der Mensch komplizierter ist als das Sandkorn, und daß das Wonnegefühl sich mit der einen Art Strebensgefühlen, die Geruchsempfindung sich mit einer ganz andern Art Strebensgefühlen verbindet; daß eines besser sei als das andere, wissen wir nicht. Würde die Kurbel der Weltmaschine rückwärts gedreht, die Veränderung nur in dem Sinne vor sich gehen, daß Zusammengesetztes zerfällt und der Schmerz sich durchsetzt, so hätten wir keinen Grund, das übler zu finden als die gewohnte Veränderungsreihe, die nur inkonsequente Naturforscher eine Entwicklung und nur inkonsequente Sozialpsychologen einen Fortschritt nennen.

An alledem verändert sich auch dann nichts, wenn wir statt des Lustgefühls vielleicht das Wertgefühl selbst herausheben wollten. Die Illusion liegt nahe, in dieser Richtung den Ausweg zu sehen. Daß psychologische Lustgefühle wertvoll sein sollten, mag eine unhaltbare Forderung sein, aber wir können nicht bestreiten, daß es in unserem Bewußtseinsinhalt wirkliche Bewertungsgefühle gibt. Können oder müssen wir nicht zugeben, daß wertvoll alles das in unserem Bewußtsein ist, das solche Wertgefühle erweckt? In Wahrheit hat sich da aber nichts verschoben. Gedanken, Eindrücke, Erregungen, Entschlüsse sollen wertvoll sein, weil sie ein Wertgefühl wachrufen. Bleiben wir im psychologischen Natursystem, so handelt es sich aber doch wieder nur um eine zeitliche Folgeerscheinung, bei der die Ursache nur dann Wert erhält, wenn die Wirkung, jenes Wertgefühl, selbst Wert besitzen würde. Wir haben aber gar keinen Grund, dem psychischen Inhalt, das wir Wertgefühl nennen, selbst nun Wert anzudichten.

Im Natursystem ist das Wertgefühl eine ebenso wertfreie Erscheinung wie das Unwertgefühl, und die Ursache des Wertgefühls kann somit sich keinen Wertzuwachs von seiner psychischen Wirkung herüberholen. Anders läge es freilich, wenn wir das Wertgefühl und die Erregung nicht in ihrem Kausalzusammenhang betrachteten, sondern in ihrer inneren Beziehung, in der das Wertgefühl sich wirklich auf das andere Erlebnis richtet. Dann ist die Erregung aber nicht mehr Ursache des Wertgefühls, sondern Gegenstand und Zielpunkt des Wertens; das Wertgefühl ist dann nicht mehr ein vorgefundener psychischer Inhalt, sondern eine Leistung und ein Akt wirklicher Stellungnahme seitens der erlebenden Persönlichkeit: die Voraussetzung der kausalen Psychologie ist dann also aufgehoben. Als Bewußtseinsinhalt ist das Wertgefühl lediglich wertfreies Objekt und somit gänzlich ungeeignet, die übrigen psychischen oder physischen Erscheinungen in Wertreihen umzugestalten. Auch dieser Ausweg ist also versperrt. Die Welt, als physisch-psychische Natur gedacht, ist grundsätzlich wertfrei, gleichviel ob in dem Molekülgeschiebe menschliche Organismen erhalten werden oder zugrunde gehen, ob in den Menschenverbänden Freude oder Leid, Wert- oder Unwertgefühle durch die Seelen ziehen. Im Reiche der Physik und Psychologie ist dieses das letzte Wort.

Die Welt des wirklichen Erlebnisses. Aber kann Physik und Psychologie je dem denkenden Geist als das letzte Wort im Reiche der Wirklichkeit gelten? Kann die Welt, die unter den Voraussetzungen der reinen Naturbetrachtung gedacht wird, je als der Umkreis unseres wirklichen Lebens anerkannt werden? Könnte auch nur die Wissenschaft der Physik und die Wissenschaft der Psychologie als solche vor uns stehen, wenn der physische Weltrauminhalt und der psychische Bewußtseinsinhalt die Gesamtheit des Wirklichen wäre, wenn es also nur Objekte für ein passives Subjekt, für einen untätigen Zuschauer gäbe? Man könnte ja freilich behaupten, die Gedanken des Naturforschers und des Seelenforschers wären dann eben selbst nur solche psychischen Objekte, die als

Bewußtseinsinhalte neben den andern wertfreien Objektgruppen entstehen und vergehen. Aber das bloße Dasein der psychischen Inhalte ist ja selbst noch keine psychologische Beschreibung und Erklärung, so wenig wie das Dasein der Sterne Astronomie ist. Die Gedanken des Physikers und Psychologen können ja nur darin als psychische Vorgänge betrachtet und so zu Gegenständen der Psychologie umgestaltet werden, wenn ein Psychologe höherer Ordnung dahinter steht und diese Vorgänge wie alle übrigen Bewußtseinsinhalte vergleicht, zerlegt, beschreibt, verbindet, erklärt. Die Wissenschaft von den kausalen Vorgängen, die dem passiven Zuschauer gegeben sind, ist selbst also doch nur dadurch möglich, daß ein durchaus nicht passiver Zuschauer sich dazu gesellt und stellungnehmend, auslesend, verknüpfend und mitteilend das Material wissenschaftlich verarbeitet.

Der Geist muß die Welt als Inhalt eines untätigen Bewußtseins denken, um sie als kausales System zu erfassen; aber dieses Denken selber ist Tat. Und dem entspricht aufs genaueste, daß dieses Gefüge physikalischer und psychologischer Inhalte als wertfrei gedacht wird, dieses Denken selbst aber notwendig den Sinn einer Bewertung hat. Die Objekte sind wertfrei, denn da sie nur voneinander abhängig sein sollen, kann nichts an ihnen von der Stellungnahme eines Subjekts abhängig gedacht werden; die wissenschaftlichen Urteile aber, die sich mit diesen wertfreien Objekten befassen, sind Bewertungen. Die einfache Tatsache der naturwissenschaftlichen Behauptungen beweist somit, daß die Wirklichkeit mehr ist als ein System von Naturobjekten. Die Frage, ob es wirklich Werte gibt, ist also noch in keiner Weise verneint, wenn zunächst einmal festgestellt ist, daß es in dem physischen und psychischen Natursystem keine wahren Werte gibt und geben kann. Jene reinen Natursysteme sind als solche erst aus der die Welt umdenkenden Arbeit des Naturforschers hervorgegangen, die mit logischer Notwendigkeit die Welt wertfrei denken muß, um sie kausal zu denken. Aber diese Arbeit selbst bewegt sich in einer Wirklichkeit, die dem gedachten Natursystem somit logisch vorangeht und in der die Denktätigkeit selbst in ihrem Streben nach dem Erkenntniswert schon die Beziehung auf Werte bekundet.

Sind wir aber erst einmal von dem System der Natur, das der Gedanke des Forschers gestaltet, zu jener unmittelbaren Wirklichkeit zurückgeschritten, in der dieses Beschreiben und Erklären des Naturforschers vor sich geht, so erkennen wir leicht, daß sie nicht nur die Sphäre unserer naturforschenden Denkbewegung, sondern die wirkliche Welt unseres gesamten praktischen Lebens ist. Wenn ich im wechselnden Tagesgetriebe meinen Neigungen folge und meinen Pflichten getreu bin, die Dinge nütze und die Menschen begreife, wenn ich mich freue oder sorge, wenn ich lobe oder tadle, so weiß ich zunächst weder von den Dingen noch von den Menschen, noch von mir selber irgend etwas in dem Sinne, in dem der Naturforscher und Psychologe alles dieses kennt und behandelt. Mein Fühlen und Wollen, mein Zuwenden und Abwenden ist da für mich zunächst kein Bewußtseinsinhalt, der wie ein Objekt vorgefunden wird, sondern ist ein Akt, der unmittelbar erlebt wird und der sein ursprüngliches Wesen eingebüßt hat, wenn er als Inhalt dem Beschauer gegenübergestellt wird. Wir sind in der Wirklichkeit unseres reinen Erlebnisses für uns selbst nicht geschaffene Natur, sondern freie Schöpfer; unser Selbst ist nicht vorgefunden, sondern in unmittelbarer Gewißheit im Akt der Stellungnahme selbst gefühlt und behauptet.

Aber mit dem Ich ist auch das Du gegeben. Auch da ist das unmittelbare Erlebnis in ein Ergebnis künstlicher Denkarbeit umgewandelt, wenn an die Stelle des andern Wesens ein Stück psychologische Natur geschoben wird. Solche naturwissenschaftliche Umwandlung mag wertvoll und für gewisse Zwecke notwendig sein, aber es ist nicht mehr das frische pulsierende Leben, das in der Du-Erfahrung des reinen Erlebnisses zu uns spricht. Der Psychologe mag uns erklären, daß wir in der Natur nur physische Organismen wahrnehmen und daß wir nur aus den Bewegungen jener Körper und aus ihrer Ähnlichkeit mit unsern eignen zum Schluß gelangen, daß die andern Körper ebensolche psychischen Begleitinhalte haben. Das ist alles vollkommen wahr im Begriffssystem der Naturwissenschaft, aber die lebendige Erfahrung jeder Stunde sagt uns, daß unsere wirkliche Beziehung zum Freund und zum Feinde denn doch ganz andren Sinn hat. Wenn wir im Gespräch uns begegnen, so kommen wir für einander zunächst gar nicht als Objekte in Betracht. Der andere, mit dessen Plänen ich mich in Übereinstimmung oder in Widerspruch finde, ist für mich noch zunächst kein Gegenstand der Wahrnehmung, sondern ein Subjekt der Anerkennung, kein Ding, das ich finde, sondern ein Wollen, das ich unterstütze oder bekämpfe, kurz ein Stück Wirklichkeit, das als solches gar nicht in das System der Natur gehört. Sowie ich mich selbst als Subjekt des Fühlens, der Stellungnahme, des Wollens empfinde, so gelten mir auch die andern Wesen zunächst als Stellung nehmende Persönlichkeiten, die begriffen, verstanden, gewürdigt werden wollen.

Und schließlich die Dinge: auch sie sind im unmittelbaren Wirklichkeitserlebnis nicht die wertfreien physischen und psychischen Objekte, die wir hinter dem Begriffsgitter der Kausalwissenschaften sehen. Der Physiker sagt mir, daß die Blütenbäume da draußen vor meinem Fenster unabhängig von mir als physische Dinge dastehen; der Psychologe fügt hinzu, daß jene Bäume meine Wahrnehmungsvorstellung und somit mein Bewußtseinsinhalt sind. Zwei Gruppen von Objekten zählt mir so der Naturbeschreiber auf, die psychischen und die physischen; die psychischen mit ihrem Farbenreichtum, eingeschlossen in mein Bewußtsein, die physischen, farblos, aus gleichartigen Atomen zusammengesetzt. Aber wenn ich die Augen den Bäumen und ihrer bunten Blütenpracht zugewandt, so weiß ich nichts von jener Zweiheit, von der die Wissenschaft ausgeht. Ich finde, im Erlebnis selbst, gar keine Wahrnehmungsvorstellung in mir, sondern da draußen vor dem Fenster nehme ich die Blüten und die Zweige wahr; da draußen ist mein Vorgestelltes und kein wirkliches Erlebnis verlegt ein Abbild in meine eigne Person. Wieder mag der Kausalgedanke genötigt sein, die Spaltung zu vollziehen, das Objekt der Wirklichkeit in das allen gemeinsame Physische, und das dem einzelnen zugehörige Psychische, zu zerteilen. Aber daß die zwei getrennten Objektsysteme am Anfang der Dinge ständen, wird durch kein unmittelbares Vorfinden bestätigt.

Da gibt es aber dann keine Grenze. Ist das Wahrgenommene noch ungespalten, so muß das gleiche von allem gelten, was die Erinnerung uns zuträgt und was die Phantasie gestaltet. Die künstliche Doppelheit ist nirgends der Inhalt der Wirklichkeit. In meinem Erinnern beispielsweise ergreife ich zunächst wirklich ein mir Vergangenes und weiß noch nichts von dem physischen äußeren Objekt vergangener Tage im Gegensatz zur gegenwärtigen Erinnerungsvorstellung in mir. Und wie die kausale Wissenschaft alles mir Gegebene in ein Äußeres und ein Inneres zerspaltet, so lockert und zerreißt sie auch alle Beziehungen der Dinge zu meinem wirk-

lichen Wollen. In jener unmittelbaren Wirklichkeit, in der die
Dinge weder physische Atome da draußen noch psychische einge-
kapselte Bewußtseinsinhalte in mir sind, sondern noch unge-
spaltene wirkliche erlebte Dinge: in jener Wirklichkeit bin ich
selbst auch niemals passiver Zuschauer für die Dinge, sondern stets
ein Wollender, dem die Dinge Mittel und Ziel, Furcht und Begehren sind.

Wir fragen hier nicht, ob wir die Pflicht haben, für gewisse
Zwecke die wirklich erlebte Welt in das physisch-psychische Natursystem umzudenken; die Frage wird vor uns stehen, wenn wir den
Wert der Wissenschaft prüfen. Aber das leuchtet nun ein, daß wir
die Wirklichkeit in der Tat verlassen haben, wenn wir im Natursystem Umschau halten. In der Wirklichkeit sind wir, und die
andern für uns, Stellungnehmende wollende Subjekte, und die
Dinge sind nicht Objekte für einen untätigen Zuschauer, sondern
Zwecke und Mittel des bewußten Willens. Daß die kausal gedachte Natur wertfrei begriffen werden muß, steht uns nun fest; in
welchem Sinne aber gibt es Werte in der reinen Wirklichkeit des
unmittelbaren Erlebnisses, in jener wahren Welt, in der unser Gedanke eines wertfreien Natursystems selbst nur als eine geistige
Tat im Dienste eines wertvollen Zweckes auftritt?

Zweiter Abschnitt.

Die Werte und die Persönlichkeit.

Bedingte und unbedingte Werte. Im wirklichen Erlebnis kennen wir uns selbst und die andern zunächst nicht als körperlich-seelische Dinge, die in den Naturlauf eingeschlossen sind, sondern als freie Persönlichkeiten, deren Handlung mit selbständiger Entscheidung zugunsten der begehrten Ziele einsetzt. Die Frage des Kausalforschers, was es verursacht, daß wir beim Akt der Wahl grade diesem und nicht jenem Motive nachgeben, kommt garnicht in unsern Gesichtskreis, solange wir nur wirken und nicht erklären wollen; unsere Entscheidung wendet sich innerlich dem zukünftigen Ziel und nicht der vorangehenden Ursache zu und in der Aufzeigung ihres Sinnes und ihrer Absicht ist für uns als Handelnde ihr gesamtes Wesen ergriffen. Das gleiche aber gilt für die Handlung des andren. Seine Zustimmung oder sein Widerstand, sein Begehren und sein Verabscheuen fangen für uns dort, wo die Willensentscheidung eingreift, als ein schlechthin neues an, das nicht als Wirkung verstanden sein will. Und in dieser freien Betätigung, die zwischen Gegensätzen entscheidet, in dieser selbständigen Zuwendung zu dem Begehrten lebt die Persönlichkeit; im Wechselspiele solcher Persönlichkeiten aber bewegt sich unser wirkliches Dasein. Haben wir hier nun endlich den festen Ankergrund für die wahren Werte der Welt?

In dem Reich der Natur, der körperlichen und geistigen, konnten wir keine Werte finden, weil die Natur als solche keine Beziehung zum Wollen erlaubt; das Reich der Persönlichkeiten ist beherrscht von Willensbeziehungen: kann das Wollen der Persönlichkeiten nun bieten, was die Natur versagt? Kann der Wert in seiner reinen Gültigkeit aus dem Begehren der Individuen begriffen werden?

Die Frage hat nun aber offenbar keinen Sinn, wenn Wert und Wollensziel von vornherein gleich gesetzt werden. Dann nämlich können wir ja nichts begehren, ohne es eben durch unser Verlangen zur Würde eines Wertes zu erheben. Für mancherlei Betrachtungszwecke ist solche Wortwahl unvermeidlich; der Nationalökonom würde es schwierig finden, die begehrten Dinge unter bezeichnenderem Wort zusammenzufassen. Will der Philosoph auf diesem Wege folgen, so muß er natürlich noch Zusätze beifügen, wenn seiner Untersuchung der Werte irgend ein Sinn verbleiben soll; denn daß er bei der Untersuchung nach dem Wesen der Werte nicht an den Wert von Butter und Eiern denken will, das bedarf nicht der Betonung. Der Philosoph wird sich vielleicht sträuben, in seinem Betrachtungskreis überhaupt die Nahrungsmittel als wertvoll zu bezeichnen, obgleich der Hungernde sie begehrt, der Schmausende sie genießt, der Händler sie bei Kauf und Verkauf an andren begehrten Dingen abmißt. Aber sobald er bereit ist, um den Wortstreit zu meiden, das Wort so farblos auch in seinem Umkreis zu verwenden und nach der Art der Volkswirtschaftler zuzugeben, daß alles, was begehrt wird, dadurch zum Werte würde, so muß er selbstverständlich sofort die Werte selber in Gruppen sondern.

Er muß vor allem dann einen scharfen Grenzstrich ziehen: bedingte Werte und unbedingte Werte. Ob es solche zwei Arten der Werte in der Wirklichkeit gibt, muß ja erst geprüft werden; es wäre ja denkbar, daß es überhaupt nur bedingte Werte gäbe, die nur für diesen oder jenen in dieser oder jener Lage unter diesen oder jenen Bedingungen wertvoll sind; aber auch dann, wenn die Wirklichkeit unbedingter Werte bestritten wird, bleibt offenbar die begriffliche Scheidung bestehen.

Könnte der kritische Philosoph allein den Sprachgebrauch bestimmen, so würde er den Begriff des Wertes wohl nur da verwenden, wo ein unabhängiger unbedingter Wert vorliegt; alle bedingten Ziele des Verlangens müßten dann durch Begriffe bezeichnet werden, die weniger an die höchsten Güter des Daseins erinnerten. In diesem Sinne ist die „Philosophie der Werte" durchaus eine Untersuchung der unbedingten Werte und auch weiterhin soll uns dort, wo kein Mißverständnis droht, als „Wert" das schlechthin Wertvolle gelten. Da das Wort aber sowohl bei Psychologen wie bei Nationalökonomen von jeher in seinem weiteren Sinne beliebt war, und die „Werttheorien", die zahlreich auf solchem Boden wachsen, sich stets auf die Gesamtheit des Begehrten bezogen, so sei unsre erste Fragestellung von vornherein in den Worten dieses weiteren Sprachgebrauchs wiederholt. Daß es für die wollenden Persönlichkeiten Objekte des Verlangens und in diesem Sinne Werte gibt, ist nunmehr selbstverständliche Voraussetzung. Die einzige offene Frage ist, ob sich in diesem Kreise des individuellen Verlangens auch unbedingte Werte finden, also Werte, die ohne Rücksicht auf dieses oder jenes Individuum und seine Wünsche, schlechthin wertvoll sind. Solange wir von der „Natur" sprachen, war die Scheidung in bedingte und unbedingte Werte überflüssig, da es dort überhaupt keine Werte gab, die Ablehnung also beiden Gruppen gemeinsam galt.

Sind alle Werte in der Welt darauf zurückzuführen, daß Individuen als Individuen gewisse Dinge für sich begehren und bevorzugen, so gibt es grundsätzlich nur eine Klasse von Werten, die bedingten. In diesem Falle müßte, wer nur unbedingte Werte als wahre Werte anerkennt, von vornherein behaupten, daß es nur Scheinwerte in diesem Dasein geben kann. Und hier sei, nur um die Perspektive des ganzen Gebiets zu gewinnen, sofort auf den entscheidenden Punkt hingewiesen: es läßt sich in der Tat niemals ein unbedingter Wert in der Welt aus den persönlichen Begehrungen ableiten. Es gibt keine Brücke von der individuellen Lust und Unlust zum allgemeingültigen Werte; solange wir vom selbstischen Verlangen der einzelnen ausgehen, und sie mögen ungezählte Millionen sein, werden wir immer nur zu sozialen und wirtschaftlichen Werten gelangen, die bedingte Gültigkeit haben: von einem Werte, der ohne Rücksicht auf menschliche Lust und Unlust der Weltwirklichkeit selbst zugehört und der somit über allem individuellen Begehren steht, kann da niemals die Rede sein. Im Reiche der physischen und psychischen Naturobjekte und im Reiche der persönlichen Begehrungsobjekte fehlt es somit gleichermaßen an unbedingten Werten; die Natur kann keine unbedingten Werte kennen, weil ihr überhaupt jede Beziehung zum Stellung nehmenden Willen fehlt, und die Begehrungswelt kennt keine unbedingten Werte, weil ihrer Beziehung zum Wollen der allgemeingültige notwendige Charakter fehlt. Wer da überzeugt ist, daß alle Werte in der Welt sich letzthin auf das Lustverlangen der Individuen zurückführen lassen, der ist

jedenfalls folgerichtiger, wenn er alle unbedingten Werte überhaupt
leugnet, als wenn er, wie es viel häufiger geschieht, bedingte Werte
zu unbedingten aufbauscht.

In der Tat hat es niemals an Versuchen gefehlt, auch im Umkreis menschlichen Lustverlangens dauernde, von zufälligen Bedingungen losgelöste Werte festzuhalten. Die werttheoretischen
Erörterungen der Nationalökonomen zeigen den Weg. Gewiß war
man sich einig, daß der Wert der Dinge auf die Bedürfnisse der Personen zurückwies; aber aus der Wechselbeziehung menschlicher
Begehrungen erwuchsen doch gewisse Systeme von Gütern, deren
Tauschwert durch ihre Stellung im wirtschaftlichen System und
nicht durch zufällige individuelle Wünsche bestimmt wird. Gleichviel ob wir den Gebrauchswert vom Tauschwert sondern oder ob
wir jeglichen Wirtschaftswert aus dem Verhältnis der Bedürfnisse
zur verfügbaren Menge ableiten und somit dem unbegrenzt Verfügbaren trotz des Gebrauchs den wirtschaftlichen Wert bestreiten,
stets zielen wir auf eine überindividuelle, soziale Festsetzung; sie
allein erlaubt uns, von wirtschaftlichen Werten zu sprechen, ohne
zu fragen, ob sie just Hinz oder Kunz behagen. Wenn der Nationalökonom zufügt, daß solche Wertbestimmungen natürlich auf subjektive, nicht auf objektive Verhältnisse hinweisen, so nimmt er
den Begriff des Objektiven im Sinne von Physisch gegenüber
Psychisch; er will sagen, daß wenn Diamanten wertvoller sind als
Kiesel, es sich da nicht um eine physische Beschaffenheit der
Mineralien handelt, sondern um ein seelisches Begehren der Menschen in ihrer Schmucksucht und Eitelkeit. Gilt aber als objektiv,
was nicht von subjektiver Laune des einzelnen abhängt, so bleibt
es dabei, daß die Kiesel objektiv weniger wertvoll sind als die Diamanten. In der Geldwirtschaft sind diese objektiven Werte zu über-
sichtlichstem Ausdruck gebracht; der einzelne muß sich fügen, daß
in der Welt, in der er sich bewegt, dies billig und jenes teuer ist.

Nur darüber kann im Wirtschaftsgebiet keine Unklarheit
herrschen, daß solche Bewertungen lediglich bedingten Charakter
haben und nicht Werte schlechthin, nicht absolute Werte auf-
decken wollen. Die Werte der Wirtschaftsgüter sind doch und
bleiben stets bestimmt durch die Bedeutung, die sie für die Bedürfnisbefriedigung wirtschaftender Menschen haben. Verändern sich
die Bedürfnisse der Individuen, werden die Bedingungen der Wirt-

schaft umgestaltet, so stürzt die ökonomische Wertpyramide zusammen. Zum Wesen der Welt, zum Urgrund der Wirklichkeit gehört es nicht, daß dieses hoch und jenes niedrig im Marktwert steht. Würde die Natur unsere Bedürfnisse so ordnen, daß die Mittel zu ihrer Befriedigung jedem unbegrenzt zur Verfügung ständen, so würden die Wirtschaftswerte verschwinden und doch würde am Wesen der Welt nichts verändert sein. Das also steht fest: diejenige Allgemeingültigkeit der Werte, die der Marktpreis bekundet, liegt noch vollständig im Umkreis der durch individuelle Bedürfnisse bedingten Werte.

Psychologische Werttheorien. Weiter hinaus führen nun aber tatsächlich auch die psychologischen Betrachtungen nicht, die in neuerer Zeit sich so gründlich dem Wertgebiet zuwandten. Hier handelt es sich nun nicht mehr nur um Tauschobjekte, sondern um jeden möglichen Empfindungs- und Denkinhalt. Auch hier streiten wir nicht um die feineren Unterscheidungen. Ob wir mehr die Gefühlsseite oder mehr den Trieb betonen, ändert nicht die Grundanschauung. Wir haben nichts grundsätzlich Verschiednes im Sinn, wenn wir den Wert als die Begehrbarkeit des Dinges oder aber als die Verknüpftheit des Dinges mit Lustgefühl bestimmen. Näherer Begrenzungen und Ergänzungen bedarf es in jedem Fall. Nicht die ganze Ursachengruppe eines Lustgefühls ist wertvoll, sondern nur die besondere Teilursache, auf die sich das Lustgefühl bezieht. Nicht jeder Wert setzt tatsächliches Begehren voraus, sondern es muß für die Werthaltung oft genügen, daß ein Begehren vorauszusetzen sein würde, falls das Objekt nicht bereits vorhanden wäre: was ich besitze, bleibt mir wertvoll, obgleich es mir nicht mehr Anlaß zu wirklichem Begehren gibt. Noch weniger kümmern uns hier die unbegrenzten Einteilungen solcher Gefühlswerte. Die umfassendste gilt der Trennung von Eigenwerten und Wirkungswerten; die einen sind unmittelbar gefühlsbetont, die andren als Ursache gefühlswichtiger Folgen. In jeder Klasse aber läßt sich nun die Mannigfaltigkeit ordnen und in Unterabteilungen sondern bis hinab zu den feinsten Verzweigungen des Annehmlichen und Nützlichen. Die Unterscheidungen aber werden durchaus nicht auf die Dinge selbst beschränkt sein, sondern sich auf das gesamte Verhältnis der Dinge zu uns und andern beziehen.

Von solchen unbeständigen Begehrungen und Lustgefühlen zu

„objektiven" Werten vorzuschreiten, verlangt nun jegliche psychologische Werttheorie und der Weg ist offen. Zunächst lassen die
gefühlsbetonten Inhalte sich nicht nur in Gruppen teilen, sondern
auch, nach Art der Wirtschaftsgüter, abstufen und einander über-
ordnen. Wir können als Maßstab dabei entweder die Kraft oder die
Ausdehnung des Gefühls verwenden. Das Begehren nach flüchtigem
Reiz ist weniger kräftig als das nach beharrender Beglückung. Aber
die abstufende Kraft des Gefühls muß nicht nur im Sinne der Stärke,
sondern auch im Sinne der Ausgestaltung und Vertiefung gedacht
werden. Das Drama und die Symphonie sind mir wertvoller als der
Knittelvers und der Gassenhauer; die edle Tat des Freundes erweckt
mir lebhaftere Freude als die gefällige Höflichkeit; ein wissenschaftliches Werk schafft mir mehr Genuß als eine oberflächliche
Plauderei.

So mag ich schließlich Gipfelwerte finden, vielleicht gar einen
höchsten, den ich allen vorziehe: es mag der stille Friede einer
wunschlosen Seele sein oder ich mag die Erfülltheit eines harmonisch tätigen Daseins über alles werten. Habe ich aber erst solch
höchsten Wert anerkannt, so wird er notwendig und mit Recht
zum objektiven Vergleichspunkt, auf den alle einzelnen Wertungen
bezogen werden. Aber das läßt sich doch nicht bestreiten, daß auch
solch überragender, alles beherrschender Wert seine Sonderstellung
nur durch die vergleichende Betrachtung gewinnt, an sich aber in
keiner Weise von allen übrigen Freudensquellen verschieden ist.
Vom flüchtigsten Kitzel meiner Zunge bis zum höchsten Lebens-
ideal führt ein stetiger Stufenweg hinauf und nirgends gibt es da
eine grundsätzliche Wendung vom Persönlichen zum Überpersönlichen; der scheinbar feste Vergleichspunkt hat da seine Geltung
durchaus nur innerhalb eines Systems, das selbst nicht wirklich fest-
gelagert ist.

Die Vergleichung nach dem Maßstab der Gefühlsausbreitung
kann zu keinem andern Ergebnis führen. Sie verleiht höheren
Rang dem Wert, der viele und nicht nur einen beglückt: die größte
Lust der größtmöglichen Zahl wird da der scheinbar selbständige
Hintergrund jeder Bewertung. Aber selbst wenn ein Wunder uns
beschieden wäre, durch das jedes Begehren auf Erden befriedigt
und jedes Menschenherz von Lust erfüllt würde, auch dann läge
offenbar kein Grund vor, solchen Wert seinem Wesen nach von den

Freuden einer Tafelrunde und schließlich von dem Genuß des vereinzelten Epikuräers abzusondern.

Noch lebhafter tritt der Schein der Absolutheit auf, wenn wir von den wirklich gegebenen Individuen überhaupt ganz absehen, und uns eine Idealperson schaffen, um auf sie die Werthaltung zu beziehen. Solange wir den Wert durch die Zahl der Beglückbaren bestimmen, sind wir noch immer von wirklichen Einzelwesen abhängig; wenn wir dagegen Wert und Unwert an den Gefühlstönen eines nirgends existierenden Wesens abmessen, so haben wir offenbar alles Zufällige abgestreift und, so scheint es, die Möglichkeit unbedingter Wertbestimmung gewonnen. Solche Idealperson ist in der Tat in die Begriffswelt eingeführt, wenn wir die Werte der Dinge auf ein Wesen beziehen wollten, dessen Gefühle von einer vollendeten Kenntnis der Beschaffenheit jener Dinge ausgehen. Kein wirklicher Mensch besitzt diese vollendete Kenntnis und jede tatsächliche Wertschätzung besitzt daher Fehlerquellen; wir mögen uns täuschen über die Wirkungen des Dinges, die erwartete Lust mag durch begleitende Unlust aufgehoben werden; nur ein erdachtes Idealwesen kann schlechthin gültige Werturteile aus seinen Gefühlen ableiten.

Aber ist dadurch wirklich ein grundsätzlich Neues gewonnen? Solch Idealwesen kann ja nichts weiter vollbringen, als die Leistung jedes Einzelnen berichtigen und ergänzen, aber dem Wesen nach ist seine Leistung der jedes Einzelnen gleichartig. So wie der statistisch berechnete physische Durchschnittsmensch nirgends auf Erden wandeln mag und trotzdem in seinen Kräften keine übermenschlichen Vermögen darstellt, so sind auch die Gefühlsurteile des vollständig unterrichteten Idealmenschen nur zuverlässiger, aber nicht weniger einzelmenschenartig als die der wirklichen Zufallswesen. Solchen Hilfsbegriffen ist keine Grenze gezogen; in der Tat, wir können Wertsysteme schaffen, bei denen von beliebigen Begrenzungen der Persönlichkeiten abgesehen wird, so daß die gewonnene Rangordnung bestimmter Freudensquellen dem Geschmacksurteil aller Mitglieder einer ganzen Gemeinschaft oder einer Nation oder eines Zeitalters übereinstimmend entspricht. Aber es sind doch stets die Begehrungen von Einzelwesen, auf die sich solche Wertordnung stützt. Die Loslösung vom Einzelnen wird da nur insofern möglich, als ein Abstraktionsergebnis an seine

Stelle gesetzt ist, aber das individuelle Lustsuchen und Unlustfliehen
mit rein individueller Färbung bleibt doch immer noch das eigentliche Wesen solcher Idealperson, und ein vom Individuellen unabhängiger Wert der Dinge kann sich niemals aus ihren Begehrungen
ergeben.

Noch in andrer Richtung kann die Bewertung von der vereinzelten Begehrung losgelöst werden. Man hat es zuweilen auch vom
rein psychologischen Standpunkt abgelehnt, den Gegenstand eines
bloßen Lustverlangens als wirklichen Wert anzuerkennen; der Duft
einer Blume mag angenehm sein, aber es widerstrebe dem Sprachgebrauch, ihn wertvoll zu nennen. Zum Wesen der Bewertung
gehöre die Beständigkeit des Verlangens und als Wert könne daher
nur das gelten, wofür eine dauernde Begehrungsanlage entstanden
ist. Man hat in diesem Sinne eine Übereinstimmung der Wertbildung und der Begriffsbildung feststellen wollen; so wie die Begriffe
eine Mannigfaltigkeit von Wahrnehmungsmöglichkeiten zusammenfassen, so sollen die Wertungen Einheit in das Chaos der Begehrungs-
möglichkeiten bringen. Wir können das anerkennen; wir können
sogar zugeben, daß aus wiederholten Lustbegehrungen sich eine
psychische Anlage entwickeln möge, aus der heraus das Ding eine
Zeitlang auch dann noch bewertet wird, wenn keine Lust mehr im
Einzelfall erwartet wird. Aber sicherlich haben wir auch auf solchem
Wege keinen unbedingten Wert erreicht. Unser auf Lust gerichtetes
Verlangen mag in der Bewertung einheitlich organisiert sein oder
mag in ihr mechanisch nachwirken, aber ein über alles individuelle
Begehren erhabner Wert ist offenbar dadurch nicht verständlicher
gemacht.

Kurz, wie wir uns auch wenden mögen, es bleibt dabei und muß
notwendig dabei bleiben, daß wir vom individuellen Verlangen und
Begehren, von der persönlichen Lust und Unlust aus niemals zu
Werten aufsteigen können, die mehr beanspruchen könnten, als
daß sie eben diesem oder jenem oder vielen oder den meisten jetzt
oder dann oder gewöhnlich angenehm und erfreulich sind. Trotzdem ist gewiß nichts dagegen einzuwenden, wenn Psychologen ihr
Interesse am Wertproblem zunächst auf Werte dieser Art einschränken, und schon hat die voluntaristische Psychologie dem
Studium dieser Art geistvolle Untersuchungen über Wertgefühle
und Werturteile zu verdanken.

Die Philosophie der bedingten Werte. Immer aufs neue hat man nun versucht, auch im Gebiet der allgemeinen Weltanschauung mit solchem individualistischen Wertbegriff auszukommen. Ja, der moderne Relativismus und Pragmatismus und Empiriokritizismus prunkt mit seiner Blöße. Und was von diesen mühsam erkenntnistheoretisch begründet wird, beansprucht die Naivität des Monismus und Positivismus ganz mühelos und spielend. Dem genügt es schon und kann es für seine Begriffsarmseligkeit vollauf genügen, wenn da gezeigt wird, wie der Geschmack verschieden ist und wie selbst die wichtigsten Wertschätzungen wechseln. Ja, ist nicht selbst, so argumentiert er, in der Sphäre der höchsten menschlichen Werte alles schwankend und veränderlich? Welch wunderliches Gewirre in den künstlerischen Bewertungen, wenn selbst im engeren Kulturkreis das Gleiche verhimmelt und verabscheut wird, welch groteske Widersprüche in den bewerteten Weisheiten, die der nächsten Generation schon als Irrtümer gelten, welch erschreckende Gegensätze in den Glaubenswerten, die sich mit Vorliebe als übermenschlich ausgeben und so völlig den Stempel vergänglicher Kulturen tragen, welch Chaos in den sittlichen Bewertungen der Völker, deren eines als sittlich wertvoll preist, was ein andres als Verbrechen verdammt.

In der Tat haben die Soziologen so überreiches Material dieser Art zusammengetragen, daß es dem Spencertum unserer Zeit höchst unwissenschaftlich dünken muß, wenn jemand an der Bedingtheit aller Wertsatzungen zweifeln wollte. Ja, es bedarf dazu kaum der anthropologischen Forschungsreisen zu den pazifischen Inseln: jeder von uns kann in seinem engsten Kreise solche Widersprüche der Bewertung nur wenig tief unter der Oberfläche finden. Und da setzt nun der „Pragmatismus" ein und zeigt, daß alles Wissen nur eine Organisierung der Erlebnisse im Dienste unserer wechselnden Zwecke ist und somit der Wahrheitswert seiner ganzen Aufgabe gemäß nur als ein bedingter Wert verstanden werden darf. Alles das aber stimmt trefflich mit dem Lieblingsgedanken der evolutionistischen Philosophie zusammen, die längst bewiesen hat, daß nur diejenigen Gehirnvorgänge mit den entsprechenden Ideen sich entwickeln konnten, die biologisch der Menschheit nützlich sind, und daß somit alles, was wir als Wahrheit bewerten, nur ein Ausleseergebnis der Stammesentwicklung sei.

Nun sind solche Beiträge zur Ethnologie, zur Soziologie, zur Biologie und zur Psychologie von zweifellos hoher Wichtigkeit für die anthropologische Seite der Bewertungserscheinung, aber das allein kann nicht ihre Bedeutung für die letzten Fragen der Welt-anschauung bestimmen. Wir mögen ja durchaus, im Kreise der Biologie, dem Problem nachgehen, wie sich die Vorgänge des Den-kens unter dem Gesichtspunkt der natürlichen Auslese und der stammesgeschichtlichen Anpassung entwickelt haben; aber wir können dabei doch nicht im Zweifel sein, daß der Sinn und die Bedeutung dieser Betrachtung vollkommen davon abhängt, ob wir solchen biologischen Argumenten Wahrheitswert zuschreiben oder nicht. Letzthin hängt somit der Wahrheitswert nicht von der Ent-wicklung ab, sondern unser Recht, eine Entwicklung zu verfolgen, hängt ab von der Anerkennung des Wahrheitswertes. Jene stammes-geschichtlichen Anfänge, von denen wir dabei ausgehen, sind uns ja nicht als unmittelbares Erlebnis bekannt, sondern im Dienst kau-saler Betrachtung haben wir sie durch weitabführende Hypothesen aus der wahrgenommenen Welt entwickelt. Nur wenn die ursach-suchenden Gedankengänge wahr und wertvoll sind, kann es Sinn haben, jene erschlossenen Anfänge auch der Wirklichkeit zuzu-rechnen und von ihnen aus mit den Hilfsmitteln der Naturwissen-schaft das gegenwärtig Gegebne als spätes Endergebnis zu be-trachten. Daß unser Denken der Wahrheit ein Anpassungsprodukt vergangner Generationen sei, ist somit ein Gedanke, dessen Wahr-heitswert nicht selbst wieder als Anpassungsprodukt gedeutet werden kann, sondern in seiner ganzen Bedeutung aus unsern gegen-wärtigen logischen Zielsetzungen verstanden werden muß. Unser Denken schafft den Gedanken biologischer Entwicklung mit ihrer Selektion und Anpassung; wie sich nachträglich das Denken selbst als Teil solcher Entwicklung erklären läßt, bleibt eine rein biolo-gische Frage, und ihre Beantwortung gehört somit nicht in den Kreis der Philosophie, die sich mit den wirklich letzten Problemen des Denkens befassen will.

Nichts andres aber gilt im Grunde für die gesamte pragma-tische und relativistische Theorie. Der Wert der Wahrheit wird als ein bedingter Wert erwiesen, der wechselnden Erlebnissen ange-paßt ist und seine ganze Bedeutung daraus herleitet, daß er die individuellen Bedürfnisse befriedigt. Alles das aber wird uns er-

wiesen mit logischen Argumenten und Schlüssen, und doch haben
die Schlüsse und Beweise keine Kraft, ja nicht einmal Sinn, wenn
die unabhängige Bedeutung des Wahrheitswertes nicht im voraus
anerkannt ist. Ist solch ein Nachweis der individuellen Bedingtheit des Wahren selbst nur individuell bedingt, so hat er keine allgemeingültige Beweiskraft und die Möglichkeit seines Gegenteils
muß dann von vornherein mit anerkannt werden. Oder dieser Nachweis beansprucht für sich selbst, allgemeingültig zu sein; dann ist
die Möglichkeit schlechthin unabhängiger Wahrheit wenigstens für
diese eine Behauptung von vornherein zugegeben und von dem
einen festen Punkte aus läßt sich dann die ganze Irrwelt des Relativismus aus den Angeln heben.

Hier aber kommt es uns zunächst gar nicht darauf an, den
Nachweis zu führen, daß es unbedingte Werte geben muß. Nur das
soll hier deutlich werden, daß wir tatsächlich, etwa in der Wahr-
heitserforschung, Werte suchen, die unmöglich nur als individuell
bedingte gedacht werden können. Daß wir unbedingte Werte
voraussetzen, mag ja Illusion sein; im individuellen Suchen und
Streben nach dem Überindividuellen liegt noch kein Beweis seiner
Gültigkeit. Wir wollen nur feststellen, daß alles, was wir aus Indi-
viduellem ableiten können, nicht mit dem tatsächlich von uns Gesuchten und Anerkannten gleichwertig sein kann.

Die Wahrheit, die ich in meinem Streben nach Erkenntnis
suche, ist eine unbedingte, denn sie hat ihren Sinn als Erkenntnisziel für mich vollständig verloren, sobald ich voraussetze, daß ihr
Gegenteil möglicherweise den gleichen Wahrheitswert beanspruchen
darf. Es handelt sich da ja nicht um den wechselnden Standpunkt
der Individuen: daß für mich links liegt, was andern zur Rechten,
daß für mich vergangen ist, was andren zukünftig war, daß ich
Dinge in das Weltbild eintrage, die früheren Zeiten unbekannt
waren, das alles sind keine Widersprüche in der Wahrheit selbst,
auf die sich mein Wahrheitssuchen erstreckt. Es fragt sich da überhaupt nicht, wie weit ich der Wahrheit teilhaftig werde, sondern nur
darum, ob ich mein Wahrheitsstreben auf eine Wahrheit beziehen
kann, zu deren Begriff die individuelle Bedingtheit gehört. Suche
ich in der Erkenntnis wirklich nur etwas, das mir oder meinen Nachbarn oder Millionen der Zeitgenossen angenehm und nützlich ist?
Verlangen wir nicht von der Erkenntnis, daß ihr Wert unabhängig

ist von den Gefühlen beliebiger Majoritäten und Zeitströmungen, und daß wir uns der Wahrheit unterzuordnen haben in einer Weise, die jegliche Beziehung auf Individuen ausschließt, gleichviel wie sehr diese in ihren Bedürfnissen einig sind? Wir mögen uns mit vorübergehenden Formulierungen behelfen, aber ihre Aufgabe ist doch dadurch bestimmt, daß sie sich nach einem Wahrheitswert richten, dessen unbedingte Wirklichkeit vorausgesetzt wird. Jeden mehr als relativen Wahrheitswert leugnen, heißt unserem Denken, einschließlich des skeptischen Denkens, seine Voraussetzung rauben.

Wer aber glaubt, daß er der Weisheit letzten Schluß schlechthin individualistisch ziehen müsse und deshalb die Ansicht vertritt, daß alles Denken über die Welt nur persönliches Gruppieren und Gestalten des eigensten Erlebens sei, der muß sich doch sofort bewußt werden, daß er im letzten Grunde das selbst gar nicht glaubt, sobald er daran geht, seine Ansicht andern gegenüber zu vertreten. Andere Geister überzeugen zu wollen, muß aussichtslos sein, wenn nicht im voraus anerkannt ist, daß alle in den Grundformen des Gestaltens übereinstimmen und die Welt, auf die sich das Denken bezieht, somit letzthin von allen gleichermaßen gestaltet werden muß. Die im Gedankenaustausch angestrebte, nicht weiter umzugestaltende Auffassung muß eine allgemeingültige Wahrheit sein. Wer das nicht zugibt, sollte darauf verzichten, sein Denken auf eine Welt zu beziehen, die er mit anderen teilt. Er kennt tatsächlich nur eine unzusammenhängende Traumwelt, der gegenüber nicht mehr von Denken und Wahrheitssuchen die Rede sein kann.

Die Möglichkeit jeglicher Erkenntnis wäre um so mehr ausgeschlossen, als der Skeptizismus, der sich gegen die anderen Wesen richtet, sich mit demselben Recht gegen die eigenen Geistesakte richten muß, die außerhalb des gegenwärtigen Augenblicks vollzogen sind. Daß mein gegenwärtiges Erlebnis meine früheren Erfahrungen verwertet, ist ja auch nur sinnvoll, wenn ich von vornherein voraussetze, daß jene anderen Akte und die jetzigen sich auf dieselbe objektive Welt beziehen. Überschreite ich den jetzigen Augenblick, um die Einheit meiner persönlichen Erfahrungen und Formungen zu gewinnen, so gewinne ich dadurch wenigstens den ersten Ansatz zum Gedanken einer wirklichen Welt und einer überdauernden Wahrheit. Der Akt aber, durch den ich mein vergangenes Ich dem gegenwärtigen als gleichartig anerkenne, übersteigt mein unmittelbares Erlebnis nicht weniger als der Akt, durch den ich fremde Subjekte als logisch gleichwertig voraussetze. Scheue ich vor dem einen, so darf ich den anderen nicht leichtsinnig vollziehen. Kurz, will ich logischer Skeptiker sein, so zerfällt auch mein eigenes Ich und es bleibt ein aufblitzendes Einzelerlebnis, das als solches nicht überindividuellen, nicht einmal übermomentanen Erkenntniswert verlangt.

Der sittliche Skeptizismus. Und gleicherweise selbstvernichtend wie der logische Relativismus ist jener Skeptizismus, der an dem überindividuellen Wert der sittlichen Handlung rüttelt und sich einredet, daß er nichts anderes als individuelle Werte anerkennt. Wer da behauptet, daß es keine Pflicht gäbe, die ihn unbedingt bindet, und jedes Motiv zum Handeln nur persönliche Bedeutung besäße, der will durch solche Behauptung selbst eine Handlung vollbringen und dadurch ein Ziel erreichen: die Anerkennung der sittlichen Leugnung beim Hörer. Aber der Hörer, der dem Skeptiker trauen wollte, müßte ja dann von vornherein zweifeln, ob jener sich überhaupt verpflichtet fühle, seine wirkliche Überzeugung zum Ausdruck zu bringen. Wer durch keine Pflicht gebunden ist, mag lügen, mag also seine wahre Ansicht verleugnen und mag somit, seinem Wort zum Trotz, sehr wohl überzeugt sein, daß es überindividuelle Pflichten gibt. Er kann somit keinen Glauben für seine Behauptung erwarten und unternimmt eine Handlung, deren Ziel er durch seine eigene Tat unerreichbar macht.

Aber auch hier ist es kaum nötig, die Gegensätze so künstlich zuzuspitzen. Es fragt sich zunächst nicht, wann das Wollen sich selbst vereitele, sondern was es überhaupt anstrebt. Die Selbstbesinnung unseres sittlichen Bewußtseins besagt uns da unmittelbar, daß, wenn wir von sittlichem Wollen erfüllt sind, wir keine Ziele suchen, deren Wert von unserer Neigung und Abneigung bestimmt ist. Wir wissen, daß, wenn wir das Sittliche wollen, wir sicherlich mit unserer Freude auf der Seite des Guten sein mögen, aber daß es deshalb, weil es uns Freude macht, von uns noch nicht als das Gute anerkannt wird. Und wenn wir selbst die Lust und den Wunsch anderer Einzelwesen als Ziel für unser sittliches Handeln zulassen, so ist auch damit keine Zurückführung des Sittlichen auf die Lust gegeben, denn das Wesentliche läge ja doch darin, daß wir uns gebunden fühlen und es als Pflicht empfinden, der Lust der anderen zu dienen. Diese Pflicht kann aber nicht selbst wieder nur unsere Lust sein.

Was die erklärende Wissenschaft dazu sagt, steht nicht in Frage. Sie mag es biologisch verständlich machen, daß die Wohlfahrt der Gesamtheit zum treibenden psychologischen Impuls für den Einzelnen wird. Was wir unmittelbar als gewiß empfinden, wird in seinem Wesen und Sinn gar nicht berührt durch solche Erklärungsversuche. Die Erfahrung ist in sich vollständig und verweist gar nicht auf vorangehende Ursachen; sie will in ihrer Lebenswirklichkeit verstanden und gewürdigt werden. Wir wollen das Rechte und Gute und in diesem Wollen liegt eine Beziehung auf ein Ziel, das innerhalb dieses Aktes von jeder bewußten Beziehung auf eigenes Wohlergehen unabhängig ist. Der Sinn dieses zielbewußten Wollens wird daher nicht im geringsten verschoben, wenn wir es unter anderem Gesichtspunkt als einen Vorgang betrachten, der kausal mit dem Wohlergehen des Individuums verknüpfbar ist. In dem Willenszusammenhang selbst kann kein Zweifel an der überpersönlichen Beziehung solchen Wollens möglich sein, und mag die Handlung selbst sich auf diesen oder jenen Nachbar oder auf die Nation und die Menschheit beziehen: daß wir deren Förderung wirklich wollen, ist uns ein über alles Persönliche hoch Erhabenes, ein schlechthin Gültiges. Zu erklären kann es da zunächst nichts geben, denn ein Wollen will in seinem Sinn innerlich verstanden, nicht äußerlich mit Ursachen verknüpft sein; das aber steht an der Schwelle solchen Verstehens: ein Wert, der im Einzelwesen begründet sein soll, ist nicht gemeint. Der sittlich Handelnde weiß, daß sein wirkliches Verlangen gefälscht ist, wenn die Beziehung auf ein vom Individualwunsch Unabhängiges aus seinem Wollen herausgerissen ist.

Das alles aber gilt ja weit über das Wahre und Sittliche hinaus. Ob das Schöne zugleich uns persönliche Lust erweckt, ob der Fortschritt der Menschheit uns persönliche Freude bringt, ob die religiöse Erfüllung uns persönlich angenehme Erwartung weckt, das alles entscheidet nichts in unserem Glauben an den Wert der Kunst, des Fortschritts, der Ewigkeit. Gleichviel was der Biologe und der Psychologe aus den Bedingungen des Individuums erklären mag; wer den wahren Sinn der großen Kunst erlebt hat, kennt da eine Beziehung auf ein schlechthin Gültiges, für welche alle Erklärungsfragen zunächst bedeutungslos bleiben. Jene Beziehung selbst, jenes Unterordnen unter die unerbittlichen Gesetze der reinen Schönheit will in seinem Sinn ergriffen werden ohne Beimischung von fremdartigen, kausalen oder sozialen Betrachtungsweisen. Welches Dasein ist so ärmlich, daß der Gedanke des Kulturfortschritts nicht wärmend hineingeleuchtet und doch, wer kann da sagen, daß der Einzelne selbst von solchem Fortschritt mehr Gewinn gezogen, als wenn es alles rückwärts gegangen wäre. Wer will selbst behaupten, daß solch ein Fortschritt der Geschichte an sich die ungezählten Einzelwesen lustreicher und unlustfreier macht. Der Wert der Kulturentwicklung wird von uns als gültig anerkannt, ohne daß wir das Ziel mit dem persönlichen Wollen irgendwelcher Einzelwesen verbinden. Der Sinn unseres Lebens ist zerrissen, die Welt, auf die sich unser Wirken erstreckt, muß zerfallen, wenn unser Wollen sich nicht mehr an einem Zielgefüge orientieren kann, das von allem Wünschen der Einzelmenschen, und mögen sie nach Milliarden zählen, im letzten Grunde unabhängig ist.

Die moderne Sophistik. Wer alles das für objektiv unbegründet hält, die ewigen Ideale als Illusionen, die überindividuellen Werte als individuelle Willensprodukte behandelt, der steht doch zuletzt da, wo von jeher die Sophisten standen. Und mögen unsere modernen Relativisten und Pragmatisten und Immediatisten und Empiriokritizisten uns auch noch so sehr überzeugen wollen, daß es keine Überzeugungen geben kann, es bleibt schließlich doch die alte Sophistenweisheit, die immer aufs neue vergißt, daß Sokrates sie ein für allemal innerlich überwunden hat. Das muß nicht mißdeutet werden, als sei die neue Bewegung, der sich heute einige der geistreichsten und verführerischsten Denker in allen Landen angeschlossen haben, ohne wertvolles Ergebnis für die Weltanschauung unsrer Zeit. Wie die alten Sophisten kämpfen sie gegen überwundene Götter und so wie Sokrates in diesem Kampf mit den Sophisten einig war, so mag auch heute der Idealismus mit froher Überzeugung die Relativisten dort willkommen heißen, wo sie Vergangenes überwinden wollen. Vergangen aber ist der plumpe Naturalismus, der die Gebilde der Physik und der Psychologie als letzte Tatsachen anerkennt, aus denen alle Wirklichkeit abgeleitet und erklärt werden muß. Da setzt die sophistische „Unmittelbarkeitsphilosophie" der Gegenwart ein, die das individuelle Erlebnis als Ausgangspunkt festhält und alle physikalischen und psychologischen Dinge, das Gewebe der Assoziationen so gut wie das Getriebe der Moleküle als Konstruktionen kennzeichnet, die von dem

wirklichen Erlebnis abliegen und durch Willensantriebe geschaffen
wurden. An die Stelle von Abstraktionsprodukten, wie das physische
Atom und die psychische Empfindung, tritt endlich wieder das wirkliche Leben mit dem Pulsschlag der Individualität. Die Geschichte
tritt wieder in ihr Recht. Der wollende Mensch wird zum Ausgangspunkt und der psychophysische Mechanismus verschwindet endlich aus der Metaphysik. Dem Positivismus folgt der Voluntarismus.

        Da soll kein Schritt zurückgetan werden. Wer dort nun aber
stehen bleibt, der hat im Grunde doch nichts für die Weltanschauung erreicht. Zum wirklichen Erlebnis als Ausgangspunkt zurückzukehren, ist gewiß notwendig; es hat sich als Irrweg für die Philosophen erwiesen, von dort die Richtung zum Naturalismus einzuschlagen, wenn aus dem Augenblickserlebnis ein wahrhaft Dauerndes und Festes gewonnen werden soll. Trotzdem ist aber noch nichts
gewonnen, wenn der Denker einfach nun zum Erlebnis zurückkehrt
und überhaupt nicht wagt, den Ausgangspunkt zu verlassen. Was
wir da vor uns haben, ist sicherlich mit unmittelbarer Lebhaftigkeit
gegeben, aber es ist doch eben nur ein Erlebnis, nicht eine Welt.
Wir haben das Wollen in seiner Unmittelbarkeit wiedergewonnen,
aber wir sehen nirgends ein Ziel, nach dem es sich richten kann;
wir haben statt dürrer Begriffe das Leben selbst wieder gefunden,
aber keinen den Augenblick überwindenden Inhalt, der das Leben
des Lebens wert macht.

        Es ist nicht leicht, den Standpunkt des unmittelbaren Erleb-
nisses festzuhalten; zu glatt kann die Betrachtung in diese oder jene
Art der Psychologie zurückgleiten. Freilich gegen die oberfläch-
liehsten Einwände ist solche Weltanschauung gefeit. Hält man ihr
entgegen, daß es im unmittelbaren Erlebnis keine anderen Wesen
gäbe, so mag mit Recht erwidert werden, daß ich die Fragen und
Antworten, die Zumutungen und Einwände der anderen Personen
im eigenen Erlebnis genau so unmittelbar vorfinde wie die Widerstände und Hilfe der Dinge. Und wer da sagt, daß wir unmittelbar
ja nur die physischen Dinge wahrnehmen, und die Wirklichkeit
somit überall mit Gedanken umkleidet ist, die nicht aus dem Erlebnis selbst stammen, der überwindet die Lehre von der reinen Erfahrung nicht. Denn das ist gewiß: im Erlebnis ist das, was wir als
Ding und Gedanke späterhin trennen mögen, zunächst eine Einheit
und gleichermaßen unmittelbar. Aus dem gedankendurchwebten

Erlebnis lösen wir das Ding heraus; nicht aber, daß wir das Ding erleben und Gedanken darüberschütten.

Wer aber gar einwenden wollte, daß wir unmittelbar ja nur unserer psychischen Empfindungen gewiß sind und erst aus diesem Psychischen in uns auf die physischen Dinge außer uns schließen, der steckt natürlich noch vollständig im alten Naturalismus mit seiner naiven Einkapslung aller äußeren Erfahrung in den individuellen Bewußtseinsinhalt. Im wirklichen Erlebnis wissen wir noch nichts von dieser künstlichen Zweiheit eines wahrgenommenen Dinges außerhalb und einer Vorstellung in uns; unser Vorstellen ist da draußen und erst durch Abstraktionen komme ich dazu, die Dinge auch auf mich selbst zu beziehen und mit ihrem Abbild in mich selbst zu verlegen. Da bedürfte es nur noch des letzten Schrittes: diese eingekapselten Empfindungen müssen nun selbst noch im letzten Grunde als Funktionen des Gehirns gedacht werden — dann ist das Erlebnis sowohl wie die Erkenntnistheorie wirklich mit jeder Behauptung auf den Kopf gestellt.

Nein, vor solchen Einwänden hat sich kein Relativismus und kein Pragmatismus zu fürchten. Und dennoch bleibt es dabei: solche Erlebnisphilosophie ist eine Weltanschauung, der nichts weniger fehlt als die Welt. Sie spricht von einem Zufallstraum, in dem die Laune spielt: da beugt kein Wille sich vor einem Allgemeingültigen, einem schlechthin Wertvollen, einem Ewigen, und deshalb kann es da keinen Platz geben für eine unwandelbare Sittlichkeit und Schönheit und Wahrheit, für eine absolute Wirklichkeit. Nach all den naturalistischen Irrungen einer philosophieverlassenen Periode war es der Anfang einer besseren Zeit, zum wollenden Individuum als Ausgangspunkt zurückzukehren; aber beim schlechthin Individuellen stehen zu bleiben, auch wenn es sich um Millionen solcher Individuen handelt, hieße den Dogmatismus schließlich mit dem Nihilismus vertauschen.

Die überpersönlichen Werte. Das also behaupten wir: alles Streben nach Wahrheit und Schönheit und Sittlichkeit und Fortschritt und Recht und Religion wird von dem Strebenden tatsächlich auf eine Welt bezogen, deren Werte unabhängig gedacht werden von den Neigungen und Begehrungen beliebig vieler Einzelwesen. Die Welt, die wir erkennen und würdigen und umgestalten wollen, hat unserem eigensten Voraussetzen und Verlangen gemäß unbe-

dingte Werte, die niemals aus persönlichen Beziehungen ableitbar
sind; jeder Versuch, solch Absolutes aus Vereinbarungen oder individuellen Befriedigungen abzuleiten, ergibt sich als hoffnungslos.

Daß wir unser Suchen nach Erkenntnis, Vollkommenheit und
Würde auf eine Welt beziehen, die allem Persönlichen enthoben ist,
besagt ja noch nicht, daß solche Welt Gültigkeit besitzt. Unser
Streben mag nur einem Phantom nachjagen, die Wirklichkeit, die
wir suchen, mag eine Illusion bleiben, das Erlebnis mag im letzten
Grunde ein chaotischer Traum sein. Aber das ist klar, daß dieses in
der Tat die einzigen beiden Möglichkeiten sind: entweder haben wir
eine Welt mit überpersönlichen unbedingten Werten oder wir haben
überhaupt keine Welt, sondern nur einen wertlosen Zufallstraum,
in bezug auf den es überhaupt keinen Sinn haben kann, nach Wahrheit und Sittlichkeit zu streben. Werte, die nicht schlechthin überpersönlich und somit allgemein gültig im Sinne der Ewigkeit sein
wollen, erweisen sich als trügerischer Schein, wenn es gilt, die Werte
derjenigen Welt zu suchen, auf die sich unsere letzte Weltanschauung beziehen will.

Die Wahl aber, ob wir unser Erleben und Streben wirklich auf
eine Welt oder nur auf ein wertloses, sinnloses Zufallsgewirr beziehen
wollen, steht uns hier nicht offen. Wir sahen, daß jeder Zweifel an
Werten schließlich sich selbst vernichtet, als Gedanke sich selbst
widerspricht, als Tat sich selbst vereitelt, als Glaube sich selbst
schließlich aufgibt. Kein Weg führt von dort zur Wirklichkeit der
anderen Wesen; ja, nicht einmal zur Anerkennung des eigenen
Selbst jenseits des einen augenblicklichen Aktes. Alles Streben und
alles Streiten hat dann sein Ziel verloren: wir aber streben hier und
wir streiten, denn wir wollen auf andere überzeugend wirken. Wir
also haben bereits gewählt; wir sind entschlossen, an der Überzeugung festzuhalten, daß es eine Welt gibt. Ewige Werte sind somit
für uns wirklich; sie haben Gültigkeit, unabhängig von den relativistischen Werten, mit denen das Willensleben der geschichtlichen
Einzelwesen umsäumt ist.

Vor uns kann somit nur die Frage liegen: was ist das eigentliche Wesen und die wahre Bedeutung dieser unbedingten Werte,
wie hängen sie innerlich zusammen und wie werden wir ihrer teilhaftig, was tragen sie bei zum Gehalt unseres persönlichen Daseins
und was ist letzthin dieser Werte tiefster Sinn?

Dritter Abschnitt.

Die Werte und das Sollen.

Der Standpunkt. Zweifache Einsicht haben wir gewonnen: erstens, das Kausalsystem der Natur kennt keine absoluten Werte, weil die Natur überhaupt grundsätzlich wertfrei ist, und zweitens, das Zwecksystem der Individuen kennt keine absoluten Werte, weil die Beziehung auf individuelle Persönlichkeiten stets nur zu bedingten Werten führen kann. Die unbedingten allgemeingültigen Werte der Welt sind somit weder physikalisch-psychologische Inhalte, noch historisch entstandene Satzungen; sie müssen zum überkausalen und zum überindividuellen tiefsten Wesen der Welt gehören.

Ehe wir nun aber zu unserer Grundfrage nach der Bedeutung dieser Werte übergehen, sei wenigstens das denkbar ärgste Mißverständnis von vornherein ausgeschaltet. Die Werte sollen im unbedingten Wesen der Welt begründet sein und sollen schlechthin gültig bleiben, gleichviel wie weit geschichtliche Wesen sie ergreifen. Solche Forderung schlägt nun vollkommen in vorkantische Metaphysik um, wenn ihr Sinn so mißdeutet wird, als sei das ewige Dasein einer vom erfahrenden Bewußtsein grundsätzlich unabhängigen Welt behauptet. Die Vernunftphilosophie und die Erfahrungsphilosophie der vorkritischen Zeit begegneten sich ja gerade in solcher Voraussetzung: es gibt eine in sich bestehende Wirklichkeit, die von den geistigen Bedingungen der Erkenntnis durchaus unabhängig ist, und nur darin gingen die Ansichten auseinander, ob es das vernünftige Denken oder das sinnliche Erfahren sei, das uns den Zugang zu jener Welt vermittelt und so uns Wahrheit bietet.

Aber mit solcher Überwirklichkeit hat die Vernunftkritik aufgeräumt. Die Welt unserer Erfahrung ist die einzige, auf die sich unser Erkennen bezieht und eben deshalb ist die Wirklichkeit, die

wir in unserem Wahrheitsurteil ergreifen wollen, durchaus an die
Bedingungen der geistigen Erfassung gebunden. Sie ist unabhängig von der Einzelpersönlichkeit als solcher, und deshalb dem
Individuum gegenüber unbedingt, aber sie kann die Welt, auf die
sieh Erkenntnis erstrecken soll, nur dann sein, wenn das Bewußtsein durch seine eigenen Bedingungen möglicher Erfahrung ihre
wirklichen Formen im voraus bestimmt hat. Eine Welt, deren
Wesensart und Grundform überhaupt zu keinem Bewußtsein in
Beziehung gedacht wird, kann nicht als denkbares Erkenntnisziel
begriffen werden. Die absoluten Werte müssen sich somit durchaus in einer Welt finden, deren Gesamtheit unter den Bedingungen
der Erlebbarkeit steht; und selbst wo die Überzeugung über die
Welt der Erfahrung hinausgreift und eine Übererfahrung sucht,
muß sich die letzte Wirklichkeit nach der Tat des Bewußtseins
richten.

Die absolute Welt mit ihren Werten schwebt also nicht in
einer eigenen Ewigkeitsatmosphäre, abgeschlossen, unerreichbar,
jenseits unseres Wollens. Das ist uns unverlierbares Ergebnis der
kritischen Bewegung: daß die Werte, die wir in der erlebten Wirklichkeit suchen, uns nicht aus der erlebten Welt zu einer vom Erlebnis unabhängigen Sphäre weisen, aus der die Ideale nur wie Sterne
von .weither blinken, daß alles Unbedingte vielmehr durchaus in
Beziehung zu unserer Bewußtheit bleiben muß und schlechthin
gültig nur für die Welt sein will, an der Geisteswesen teil haben
können. Die Werte sind unbedingt nur für die einzige Welt, die wir
kennen können und die selbst somit durchaus in Beziehung steht
zu den geistigen Voraussetzungen des Erlebens. Diese Wechselbeziehung gilt so durchaus, daß wiederum als Geisteswesen von uns
nur der anerkannt werden darf, der unsere Welt erfassen kann.
Wäre irgend ein Wesen auf eine höhere Welt gerichtet, so hätte der
Gedankenaustausch für uns seinen Sinn verloren und nichts Un-
bedingtes könnte aus jener für uns unbegriffenen Sonderwelt her-
übergeholt werden. Die absoluten Werte sind allgemein gültig, weil
sie für jedes Geisteswesen gültig sind, das mit uns unsere Welt teilt
und sein Denken und Streben auf unsere Welt bezieht. Sie bleiben
dabei unabhängig von jedem individuellen Wollen, gleichviel ob die
Einzelpersönlichkeiten vereinzelt Stellung nehmen oder in Milliar-
dengruppen zusammen wollen.

Wir fragen nun also noch einmal nach dem Sinn der unbedingten Werte.

Müssen und Sollen. Wir finden unser Wollen durch die Werte schlechthin gebunden: was bindet unseren Willen? Die zwei Antworten, die sich immer wieder zu solcher Frage zuerst herandrängen, sind: ein Müssen oder ein Sollen. Fast klingt es wie ein Gegensatz der Lösung, bei dem es kein Drittes geben kann. Aber das ist von vornherein klar, daß der Hinweis auf ein Müssen im Sinne des Naturgesetzes für uns keine Lösung sein kann. Er führt uns aus dem Umkreis der freien Persönlichkeit zurück zu der Sphäre gesetzmäßigen psychischen Geschehens. Daß im Gebiete des kausalen Bedingtseins das psychische Phänomen des Begehrens keine Ausnahme darstellen kann, ist selbstverständlich. Die Unterordnung des Wollens unter die Wertidee und die psychische Hemmung des entgegengerichteten Wollens muß somit irgendwie als notwendige Wirkung vorangehender psychischer oder physischer Ursachen erklärt werden können; alles das ist durch die Kausalauffassung des inneren Lebens von vornherein vorausgesetzt. Die Behauptung, daß die Unterordnung unter den Wert ein Müssen darstelle, fügt dem nun die besondere Bestimmung bei, daß die Wertidee selbst im seelischen Mechanismus notwendig zur Ursache eines zustimmenden Wollens werde.

Das ist nun aber im besten Falle eine psychologische Feststellung, gleichwertig der einer Verbindung zwischen zwei Assoziationen oder zwischen Schmerzreiz und Abwehrimpuls. Gewiß liegt da in der Tat ein interessantes psychologisches Problem vor, warum eine Wertvorstellung so beherrschenden Einfluß auf den Willen hat; es ist ein Kapitel der Suggestionspsychologie und steht in dieser Form in naher Nachbarschaft zum Problemkreis der Aufmerksamkeit, der Hemmung, der Hypnose und Verwandtem. Aber selbst wenn wir solche psychophysische Regelmäßigkeit zugeben wollten, so fehlte ihr doch durchaus der Charakter der Absolutheit. Es wäre eine psychophysische Verknüpfung, die wie jegliche ererbte oder erworbene Reaktion durch Neueinübungen umgemodelt und aufgehoben werden kann. Daß wir den Wert auf Grund psychologischer Gesetze wollen müssen, ist somit eine Behauptung, die uns nicht fördern kann. Für die Ergründung der ewigen Unbedingtheit der Werte wäre sie gänzlich belanglos. Ihre philosophische Bedeu-

tung ist überdies von vornherein dadurch aufgehoben, daß die Wahrheit des Kausalzusammenhanges selbst ein Wert ist, dem wir bereits
zustimmen, wenn wir die Erscheinungen durch Gesetze zu erklären
versuchen.

Dazu kommt aber, daß eine solche psychische Gesetzmäßigkeit
der Verbindung offenbar gar nicht vorliegt, da es sonst ja unverständlich wäre, daß andere den gleichen Tatbestand auf ein
Sollen zurückführen. Das Sollen besagt ja doch gerade, daß sich
unser Wille durchaus nicht immer nach den Werten richtet. Es
wäre sinnlos vom Sollen zu sprechen, wenn die Möglichkeit des
Anderswollens gar nicht vorläge. Wir sollen die wertvolle sittliche
Aufgabe erfüllen, aber unser Wille ist auf das Wertwidrige einge-
stellt; wir unterliegen der Versuchung und handeln sündhaft. Daß
wir dem Wert entsprechend auch wirklich wollen müssen, scheint
also auch unter diesem Gesichtspunkt unhaltbar.

Die grundsätzlich tiefere Antwort ist somit die, daß der Wert
uns bindet, weil er ein Sollen bedeutet. Nun läßt sich freilich auch
das Sollen leicht ins naturwissenschaftlich Zweckmäßige umsetzen.
Die biologische Behandlung des Sollens erscheint geradezu als der
notwendige Abschluß jeder sozialpsychologischen Willenstheorie.
Wer davon ausgeht, daß wertvoll für jeden das ist, was Lust bringt,
muß in der Tat anerkennen, daß Überlegung, Erfahrung und Gewöhnung langsam über die unmittelbare Bewertung des gegenwärtig Angenehmen hinausführen. Eine ganze Reihe von Zwischenstufen läßt sich unterscheiden und die psychologische Behandlung
hat den Vorgang oft klargelegt. Zunächst tritt da etwa die Erfahrung ein, daß die wirklichen Folgen nicht die erwartete Lustwir-
kung brachten und solche Wahrnehmung der wahren Folgen gewinnt Einfluß auf die ursprüngliche Bewertung. Zur unmittelbaren
Stellungnahme gesellt sich so eine Überlegung in bezug auf die fern-
abliegenden Wirkungen. Diese Überlegungen werden nun allmählich verkürzt; bei häufiger Wiederholung verbindet sich das Endergebnis der Überlegung allmählich fast ohne Zwischenglied mit
dem Ausgangspunkt. Das Erlebnis verknüpft sich so mit einem
Werturteil, das sich auf die erfahrungsgemäß häufigsten und ty-
pischsten Folgen bezieht. Daraus entwickeln sich dann für jeden
gewisse Regeln für sein Handeln, die sich schließlich in Geboten
kristallisieren.

Das Endergebnis ist: der Einzelne handelt aus einem inneren Drange in seinem eigensten Interesse im Sinne der Gebote, auch wenn die besonderen Verhältnisse den Wunsch zur Abweichung von der Norm erregen. Das Sollbewußtsein ist somit die psychische Begleiterscheinung eines durch Erfahrung erworbenen Hemmungsapparates; es ist ein Antrieb, zu tun, was im großen Durchschnitt sich als nützlich erwies, und eine Warnung, zu unterlassen, was im Augenblick verlockend, sich doch gewöhnlich als schädlich erwies. Das Sollgefühl leistet somit für unser gesamtes Wollen, was etwa das Geruchsgefühl für unseren Willen zur Nahrungsaufnahme vermag. Hätten wir die volle Kenntnis sowohl der chemischen Beschaffenheit eines Stoffes wie seiner physiologischen Wirkung auf den Organismus, so wäre es unnötig, das Gefühl zu beachten, das sich bei der Nahrungswahl an den vorausgehenden Geruchseindruck knüpft. Die Natur ersetzt all diese Kenntnis aber durch verkürzte Assoziationen: wir verlassen uns darauf, daß im großen Durchschnitt das Wohlriechende uns gut bekommt, das Übelriechende schlecht, obgleich im Einzelfall diese Verknüpfung durchaus falsch sein mag, und das Süßduftende ausnahmsweise ein Gift sein kann.

Daß nun ein solcher Begriff des Sollens uns keinen Schritt näher zu unserem Ziele führt, ist klar. Das Gesollte ist ja hier im Grunde nur das um seiner Annehmlichkeit willen Gewollte, wenn auch die Erwartung der Annehmlichkeit sich nicht auf unmittelbare Einsicht sondern auf eine durch Übung verkürzte Durchschnittsberechnung stützt. Das persönliche Wohl des Wollenden ist wieder im Mittelpunkt, nur kann er die Wirkung auf seine Persönlichkeit nicht durchschauen und verläßt sich daher auf die Wahrscheinlichkeitsberechnung, deren Ergebnisse in Regeln zusammengepreßt sind. Gegen das Sollen sich auflehnen heißt somit nur, ein gewagtes Spiel spielen; der mögliche Gewinn mag verführerisch sein, aber die Wahrscheinlichkeit ist, daß man das Spiel verliert. Der gesollte Wert ist dann nicht nur nicht unbedingt, sondern er hat vor dem nichtgesollten Gegenwert überhaupt nichts im Grunde voraus als die größere Wahrscheinlichkeit der eintretenden Lust.

Die sozialen Normen. In demselben Kreise bewegen sich die landläufigen Ableitungen der sozialen Norm. Wenn der Stärkere den Schwächeren zwingt, ihm zu Willen zu sein, von ihm verlangt, daß er auch etwas gegen seinen eigenen Wunsch ausführt, so bleibt

der Handelnde natürlich noch vollkommen bei der einfachen Ab-
wägung von Lust und Unlust. Er leistet, was von ihm verlangt
wird, und was er tun „soll“, weil die angedrohte Strafe im Fall der
Nichtleistung noch stärkere Unlust erwarten läßt als die uner-
wünschte Handlung selbst. Der Wille des Stärkeren wirkt da dem
Schwachen gegenüber genau wie eine Naturbedingung, die uns ein
lästiges Schaffen nötig macht, damit wir der Vernichtung entgehen.
Die Unterordnung unter die Macht erinnert aber sicherlich am
wenigten an die Anerkennung ewiger Normen; solch ein Sollen
beruht auf der Geltendmachung eines selbstischen Willens, der dem
Schwächeren mit Unlust droht. Der Drohende und der Gehorchende
sind also gleichermaßen durch Lust-Unlustmotive getrieben.

Alle sozialen Normen im Sinne der Sozialpsychologie sind nun
auf dieses Grundschema zurückführbar, so mannigfach auch die
Entwicklungsformen sein mögen und die seelischen Abkürzungen
der Zwischenprozesse. Tausendfach sind die Quellen der Macht und
Autorität; tausendfach sind die Mittel, die Wünsche des Stärkeren,
der Mehrheit, der Gesamtheit zu erzwingen, und tausendfach die
Vorstellungen von Sitte, Sittlichkeit, Recht, Religion, in denen die
Forderungen der sozialen Gruppe sich zum Ausdruck bringen. In
seinem letzten Wesen führt aber der sozialpsychologische Vorgang
stets darauf zurück, daß die Mitglieder des Verbandes, von der Familie und der Gemeinde bis zum Volk und der Kulturmenschheit, in
ihrem sozialen Selbsterhaltungstrieb Bewertungen schaffen, die der
Einzelne anzuerkennen gezwungen wird. In der Seele des Einzelnen
verschwindet aber das Bewußtsein des wirklichen Zusammenhanges. Der Gefühlswert der Scheu wird durch geistige Abkürzungen von der angedrohten Unlust auf die verbotene Handlung selbst
übertragen; sowie auch das Kind, im Verlauf der Erziehung, die
Unlust, die zunächst den Strafen zugehört, bald auf die strafbaren
Akte selbst bezieht, und Lust allmählich auf alles ausdehnt, das
zunächst künstlich mit Belohnungen verknüpft wird. Alles was sich
in den verschiedenen Einzelverbänden gleichartig als sozialselb-
stisches Interesse entwickelt, wird schließlich die Würde fester,
dauernder Werturteile gewinnen, und die entsprechenden Normen
werden über die Bedürfnisse von Zufallsmehrheiten erhaben sein:
ihrem Wesen nach bleiben aber auch die höchsten sozialpsychologischen Normen auf dem Niveau der sozialen Hygiene. Hygienische

Polizeivorschriften würden aber, auch selbst wenn sie für die gesamte Menschheit lustfördernd und somit zweckmäßig wären, doch wohl grundsätzlich von allem zu trennen sein, was wir im philosophischen Sinne schlechthin gültige Werte nennen.

Damit ist kein Wort gegen das Recht jener Konstruktion gesagt. Wird die Wertsetzung als sozialpsychologische Erscheinung geprüft, so darf die Untersuchung sich gar nicht in anderen Bahnen bewegen. Allgemein gültig ist dann in der Tat jegliche Bewertung, deren Aufhebung notwendig zur Zersetzung des sozialen Verbandes führen würde: das Gedeihen der psychophysischen Gesellschaft bleibt dann das letzte, durchaus empirische, durchaus utilitarische Ziel. Wollte die Soziologie aus sich heraus zu Werten vordringen, die grundsätzlich über die Gesellschaftserhaltung hinausgehen, so würde sie notwendig ihre eigenen Voraussetzungen aufheben. Der Gedanke einer metaphysischen Bewertung würde für den Sozialpsychologen nur dann Bedeutung gewinnen, wenn der Vorgang solcher überempirischen Bewertung selbst utilitarisch gedeutet werden kann. Es mag ja für das Wohlbefinden der Gesellschaft nützlich sein, daß ihre Mitglieder in dem Glauben leben, es könnte auch Werte geben, deren Gültigkeit von Lust und Wohlergehen schlechthin unabhängig sind. Sollte sich aber herausstellen, daß solche Auffassung versagt, der idealistische Glaube also nicht gesellschaftserhaltend ist, so wird der utilitarische Soziologe weder seinen Standpunkt deshalb aufgeben, noch die Wirklichkeit der idealistischen Gefühle bestreiten: er wird den Glauben einfach unter die zufälligen Nebenerscheinungen der Gesamtpsyche verweisen, zusammen mit anderen Illusionen, die im letzten Grunde für das Volksbewußtsein so überflüssig sind, wie die Träume im Schlaf für das individuelle Bewußtsein.

Die sozialpsychologische Aufgabe besteht also zu Recht; die biologische Erklärung des Sollens aus individuellen und sozialen Erfahrungen vermöge der Reaktionen, Assoziationen und verkürzten Einübungen läßt sich mit strenger Konsequenz durchführen, ohne irgend welche Erscheinungen zu vernachlässigen. Und dennoch bleibt die philosophische Frage von alledem unberührt; solange das Sollensgefühl nur als ein Lockmittel oder als ein Warnungssignal in Betracht kommt, um dem Handelnden oder der Gemeinschaft die Wohlfahrt zu verbürgen, solange stehen wir noch

immer am alten Fleck: auch das Sollen hat uns dann noch immer
nicht aus dem Umkreis der bedingten, auf menschliche Individuen
bezogenen, und somit nur relativen Werte hinausgetragen.

Wir können noch weitergehen. Um Relativismus wird es sieh
auch dann noch handeln, wenn selbst die Scheu vor dem Begriff des
metaphysischen Wertes einmal abgelegt wird, die Normen dann aber
doch schließlich als Hinausverlegung der persönlichen Begehrungen
gedeutet werden. Gewiß steht da nicht mehr bloße Sozialpsychologie in Frage, sondern sehr ernsthafte Erkenntnistheorie. Man sagt,
das sei des Menschengeistes tiefstes Vermögen, daß er sein eigenes
Erfahren und Bewerten aus sich selbst heraus in eine Jenseits-
sphäre verlegen kann, so daß es dann mit unabhängiger Geltung
dem Einzelnen gegenübersteht. Gerade so baut sich ja aus unseren
eigenen Empfindungen die objektive Natur auf, um mit ihren über
jede subjektive Erfahrung erhabenen Gesetzen nun die Erkenntnis
des Einzelnen zu regeln. So schafft das menschliche Wollen ein
metaphysisches System der Werte, das jedem Einzelwollen gegenüber in sich beruht, gleichgültig gegen alles Anerkanntwerden —
und doch ist es nur geschaffen, um dem subjektiven Bewerten des
Einzelnen objektive Berechtigung zu verleihen. In der Loslösung
vom Einzelnen liegt der Sinn solcher überpersönlichen Norm; in der
Rückbeziehung auf den Einzelnen aber liegt der schließliche Wert
und die Aufgabe dieser Loslösung.

Aber verhält es sich wirklich so, daß die reinen Werte nur
Projektionen der persönlichen Begehrungen sind? Gewiß kennen
wir solche Objektivierungen: der wirtschaftliche Wert ist ein klares
Beispiel. Aus dem Begehren der Einzelnen heraus wird dem Gegenstand, der in den Wirtschaftsverkehr eintritt, eine objektive Wert-
umkleidung verliehen, die dann fernerhin vom schwankenden
Wollen des Zufallssubjektes ganz unabhängig bleibt. Entscheidend
ist dann aber, daß die vom Wert schließlich angeregte Begehrung
gleichartig ist mit derjenigen, aus der die Wertschätzung selbst
ursprünglich entstand. Gerade das trifft nun aber für die „metaphysischen" Werte durchaus nicht zu: ihre Wirkung deckt sich mit
keinem persönlichen Begehren. Aus dem individuellen Begehren
naeh dem Angenehmen beispielsweise ließe sich durch solche Gegenüberstellung der Wert eines schlechthin Angenehmen ableiten; solch
objektiv Angenehmes würde die Aufgabe haben, den wechselnden Sinn

des Einzelnen nunmehr zu lenken und sein Annehmlichkeitsgefühl
gutzuheißen. Nun gibt es ja einen Wert, der allgemein angenehm
ist: die Schönheit. Und trotzdem wäre es ganz unzulässig, das
Schöne einfach als das schlechthin Angenehme aufzufassen. Das
Schöne, das wirklich absoluten Wert erheischen darf, ist schön nicht
deshalb, weil es jedem gefallen soll; der letzte Sinn der Schönheit
liegt in ihrem selbstübereinstimmenden inneren Wesen, nicht in
ihrer Beziehung auf den Genießenden. Es gibt kein Lustbegehren,
das, ins Metaphysische hinausversetzt, den wahrhaft ästhetischen
Wert gewähren könnte.

Genau das Gleiche gilt für alle anderen Werte, die Ewigkeits-
rechte fordern. Gewiß, wenn das Schöne zum schlechthin Angenehmen, das Gute zum schlechthin Glückbringenden, das Wahre
zum schlechthin Nützlichen, das Religiöse zum schlechthin Trost-
bringenden umgewandelt wird, dann läßt sich unschwer das subjektive Begehren dartun, das jene objektiven Werte trägt. Aber der
tiefste Sinn ist dann verflüchtigt. Die sittliche Tat ist in sich wertvoll ohne jede Rücksicht auf die Glückserhöhung, die sie im Gefolge
bringen mag; das Wahre bleibt ewig wertvoll ohne Beziehung zu
persönlichem Verlangen. Es liegt also nicht so, daß jene Werte nur
über das zufällige mißratene Wollen von diesem und jenem erhaben
sind, das persönliche Begehren anderer aber erfüllen, sondern in
keinem Falle ist die Lust, die sie dem individuellen Willen bringen,
ein Ausdruck ihres wahren Wesens. Das Schöne wird ja häufig zugleich angenehm sein, das Wahre fördernd, das Gute hilfreich, aber
das Eigenste des Guten, Wahren und Schönen ist dadurch sicherlich nicht ausgesprochen. Solange die Werte somit als metaphysische Hinausverlegung persönlicher Lustbegehrungen gedeutet
werden, können wir wohl das Sollen verstehen, aber wir geben den
tiefsten Sinn der reinen Werte preis. Das Sollen ruht dann
nicht in schlechthin unbedingten Werten der Wirklichkeit, sondern
geht von Werten aus, die selbst nur durch ihre stete Beziehung zu
persönlichem Genuß einen Sinn haben. Dann aber hat uns schließlich auch die Scheinbewegung ins Metaphysische nicht über den
Relativismus hinausgetragen.

Das unbedingte Sollen. Die Verbindung der Werte mit dem
Sollen kann aber auch in viel reinerer Höhe gesucht werden; da, wo
aller Relativismus und alle Sophistenlehre weit zurückgelassen ist

und die kritische Philosophie entschlossen ihre letzten Konsequen-
zen zieht. Mit wachsender Energie arbeitet sich gegenwärtig in der
deutschen Gedankenwelt wieder die Überzeugung durch, daß der Begriff des Seins selber auf den Begriff des Sollens zurückführt. Das
Sein der Wirklichkeit ist uns in Urteilen gegeben, deren Bejahung
keinen anderen letzten Grund zuläßt, als daß unser Denken sich
einer Regel gegenüberfindet, einer unseren Willen verpflichtenden
Urteilsnotwendigkeit, kurz einem Sollen. Es gibt kein positives Wirklichkeitsurteil, in dem nicht der Wille bejahend, kein negatives, in
dem nicht der Wille verneinend auftritt. Aber der Wille, der dem
Urteilsinhalt den Wirklichkeitswert zuspricht, folgt nicht einem individuellen Belieben. Der Einzelne folgt da dem Druck der Notwendigkeit. Aber ist dieser Druck, der auf den Einzelwillen ausgeübt
ist, etwa die Wirkung einer unabhängig seienden Wirklichkeit,
nach der unser Urteilsinhalt sich zu richten hat? Das würde uns
ja sofort wieder in die roheste Metaphysik zurückstossen, zumal
das Sein jener überwirklichen Welt selbst wieder nur für den Urteilenden Wahrheit hätte und somit aufs neue die Frage offen ließe,
nach welchem Vorbild sich denn solch metaphysisches Seinsurteil
richte. Nein, der Wille, der das Wirklichkeitsurteil bejaht, ist
nicht durch ein Seiendes bestimmt, sondern durch ein Sollen, das
über Wert und Unwert entscheidet. Das gesollte Urteil ist das wertvolle und das bedeutet: das wahre Urteil. Solch Sollen haftet
nicht an einem seienden Objekt, sondern gehört als tiefste, die Erfahrung erst ermöglichende Wesenheit zum wollenden Subjekte.
Wer seinen Eigenwillen dem absoluten Sollen unterordnet, indem
er bejaht, was sich mit dem Gefühl der Urteilsnotwendigkeit darbietet, nur der nimmt an der Erkenntnis der Wirklichkeit teil.

Wahrdenken bedeutet somit, den bejahenden Willen einem
Sollen unterordnen, und damit schwindet der Gegensatz zwischen
Erkenntnis und Sittlichkeit. Wer die Wahrheit sucht und wer seine
Pflicht tun will, ordnet sich gleichermaßen einem Sollen unter, das
von seinen individuellen Neigungen unabhängig ist. Es ist die absolute Gültigkeit dieses Sollens, die unserem Willen Ideale der Tat
und zugleich durch die Erkenntnis eine seiende Welt gibt. Daneben
aber stellt sich die Mannigfaltigkeit der ästhetischen Werte. So
und nicht anders sollen wir die Welt auffassen. Der Künstler gehorcht da seinem ästhetischen Gewissen; ein Sollen, das sich an seinen

Schönheit suchenden Willen wendet, lenkt sein freies Schaffen ebenso wie ein Sollen den Wahrheit suchenden Willen des Denkers
leitet. Wir denken, fühlen und wollen wertgemäß und deshalb
wertvoll, wenn wir uns darnach richten, wie wir denken sollen,
fühlen sollen und wollen sollen; lehnen wir uns eigenmächtig gegen
das Sollen auf, so verfallen wir dem Unwahren, dem Unschönen,
dem Unsittlichen, dem Unheiligen. Hier haben wir es nun endlich
mit einer Weltanschauung zu tun, die, allem Naturalismus und
allem Relativismus weit überlegen, die absoluten Werte wirklich
anerkennt und ihren Sinn im Geist der kritischen Philosophie erleuchtet. Daß die Bewertung dem Sein vorangeht, daß alle Werte
auf Willensbeziehungen beruhen und jedem Eigenwollen übergeordnet sind, daß die logischen, ethischen, ästhetischen und religiösen Werte auf die gleichen Grundtatsachen weisen und diese
letzten Grundlagen nicht ein metaphysisches Sein sondern eine
Willensbestimmung darstellen: das alles sollte unverlierbar bleiben.
Und dennoch fragt es sich, ob die Lehre vom Wert als Sollen wirklich das letzte Ziel ist. Es mag ja sein, daß die kritische Auflösung
der Erfahrung wirklich zum Sollen hinführt, aber sind wir deshalb
genötigt, dort stehen zu bleiben? haben wir auf diesem Wege wahrhaft eine einheitlich abschließende Wertauffassung gewonnen? Ja,
ist der Begriff des Sollens überhaupt geeignet, uns wirklich in die
letzten Tiefen des schlechthin Gültigen zu führen? Gewiß bleibt auf
der Seite des Sollens alles philosophische Recht, wenn der Begriff
des Sollens nur dem realistischen des Müssens gegenübergestellt
wird oder dem relativistischen des Begehrens. Aber sind denn die
Gegensätze des Willens damit erschöpft?

Eines tritt sofort hervor: das Sollen, das im Werte liegen soll,
trägt nichts dazu bei, die zerstreuten Werte unseres Daseins einheitlich zusammenzufassen. Die Wahrheit ist wertvoll und so die
Schönheit, das Recht ist wertvoll und so die Sittlichkeit, die historische Entwicklung ist wertvoll und so die religiöse Erfüllung, aber
kein Band verknüpft die auseinanderstrebenden Ideale. Hat die
Erkenntnis, die Kunst, die Staatenbildung, die Moral, die Religion
jede für sich ihren Ankergrund in einem Sollen besonderer Art, so
bleiben es getrennte Lebensgebiete. Auf die Geschichte werden wir
verwiesen, um zu verstehen, wie das eine gesollte Gebilde nach und
neben dem andern sich entwickelte; aber kein anderer Rat ist damit

verbunden, als daß wir rein äußerlich die historischen Bekundungen
des Wertbewußtseins zusammensammeln, unwissend, ob nicht
morgen ganz andere absolute Wertungen auftauchen mögen und
unfähig, einzusehen, warum nicht andere schon entstanden sind.
Das logische Sollen, dem sich der Mathematiker unterwirft, das
ästhetische Sollen, das den Bildhauer bindet, das ethische Sollen, um
dessen willen der Märtyrer für seine Überzeugung leidet, haben an
sich nichts da miteinander gemeinsam. Nicht ein geschlossenes
System von Werten, sondern ein Chaos auseinanderstrebender
Werte bietet sich uns dar. Wer aber eine Weltanschauung sucht,
muß doch schließlich fordern, daß sich die Gliederung der Werte
einheitlich ableiten läßt.

Das darf natürlich nicht etwa so versucht werden, daß das seelische Leben, in psychologisierender Weise, in Einzelteile zerhackt
wird und jeder seelischen Funktion nun ein besonderes Sollen zugeordnet wird. Nach der Schablone veralteter Seelenkunde läßt sich
ja allerdings das Denken, das Fühlen und das Wollen trennen und
die philosophische Gruppierung der Werte scheint damit gesichert.
Aber zunächst wird unser Dasein von Werten erfüllt, die sich dem
einfachen Fächerwerk nicht einordnen; schon der Wirklichkeitswert der Dinge und Menschen oder der Ewigkeitswert des Göttlichen oder der Fortschrittswert der historischen Kultur und mancher
andere schlechthin gültige Wert verlangt unsere Anerkennung, ohne
sich an eine einzelne seelische Leistung zu wenden. Andererseits
müßten wir fragen, warum es denn für alle übrigen geistigen Funktionen kein Sollen geben mag, warum nicht für die Aufmerksamkeit
oder die Phantasie oder das Gedächtnis. Und schließlich bleibt von
jener traditionellen Zuordnung selbst nichts bestehen, denn der
logische Wert wendet sich nicht minder an das Wollen, der ethische
Wert nicht minder an das Fühlen, ja, im Grunde verlangt jeglicher
Wert die ganze einheitliche Persönlichkeit. Die psychologische Zerlegung in Sonderteile ist ja selbst nur das Ergebnis einer Arbeit, die
auf bestimmte logische Werte gerichtet ist. Die Gliederung der
letzten Werte kann niemals dadurch gewonnen werden, daß der
wahren Persönlichkeit und ihrem einheitlichen Erlebnis ein kon-
struierter psychologischer Mechanismus untergeschoben wird. Auf
solcher Grundlage läßt sich wohl eine Psychologie der Wertgefühle,
aber nicht eine Philosophie der Werte gewinnen. In der Welt der

Werte selbst muß sowohl die Einheit wie die Gliederung des Anzuerkennenden gesucht werden; die Zerlegung des Seelischen ist dem
gegenüber ein nachträgliches Unternehmen, das selbst von der Anerkennung gewisser Werte abhängig bleibt. Bietet aber das Sollen
in seiner Zersplitterung keinen Anhaltspunkt für die Einteilung und
Verknüpfung, so kann es unmöglich die letzte Deutung der Wertwelt bieten.

Können wir uns denn aber auch darüber täuschen, daß der
Begriff des Sollens gar nichts zu einem tieferen Verständnis der Wert-
gültigkeiten beiträgt? Wertvoll ist das, was wir sollen, und wir
sollen das, was wertvoll ist. Wir fügen also dem Begriff des Wertes
gar nichts Neues hinzu, wenn wir ihn auf ein Sollen zurückführen,
oder richtiger, es ist gar nicht ein Zurückführen, da wir uns überhaupt nicht fortbewegen. Damit wird die Behandlung der Werte
als Formen des Sollens durchaus nicht überflüssig. Auch wenn die
Heranziehung des Normbegriffs unfähig sein sollte, die Werte aus
einem Tieferliegenden abzuleiten, so handelt es sich deshalb doch
durchaus nicht um bloße Neubezeichnung. Sagen wir Sollen statt
Wert, etwa Denkensollen statt Wahrheitswert, so ist durchaus nicht
nur ein anderer Name eingeführt, sondern die wesentlichen Merkmale des neuen Begriffs tragen in der Tat sehr Wesentliches zum
Verständnis des Problems bei. Nur das wird sich behaupten lassen:
das Neue, das durch das Sollen ausgedrückt wird, ist im wesentlichen
ein Negatives.

Daß der Wahrheitswert auf einem Sollen beruht, soll nämlich
in erster Linie besagen, daß er nicht aus einem metaphysischen Sein
stammt. Der Empirismus sagt, das wahre Urteil sei deshalb wertvoll, weil es mit einer vom Denken unabhängigen seienden Wirklichkeit übereinstimmt; solche Unphilosophie will die Sollenslehre
abweisen. Sie betont, daß jenseits der Urteilsnotwendigkeit es
keinen Anhalt für die Wertbildung gibt. Und wie im Sollen die
Abwehr gegen den Empirismus sich ausdrückt, so wendet es sich
ebenfalls gegen den Relativismus, der eine absolute Notwendigkeit
nicht kennt. Nach beiden Richtungen ist der Begriff des Wertes zunächst machtlos, die irrige Deutung zurückzudrängen; sobald er
aber den Nebenbegriff des Sollens annimmt, so ist die negative Aufgabe vollendet: jede Vermengung des Wertes mit empiristischen und
mit relativistischen Ideen ist nunmehr ausgeschlossen. Vom ethi-

sehen und ästhetischen Werte gilt das gleiche. Der Wert der sittlichen Tat beruht nicht auf ihrer objektiven Wirkung in der seienden
Welt, wie der Utilitarismus es haben möchte; diese negative Wendung bringt der Sollensbegriff aufs deutlichste zum Bewußtsein.

Soweit es also nur gilt, den Idealismus der Weltanschauung
dadurch zu sichern, daß die übliche Verflachung, Verfälschung und
Vernichtung der absoluten Werte bekämpft wird, bietet sich uns in
der Tat kein wirksameres Mittel, als den Gegensatz zwischen dem
Sein und dem Sollen heranzuziehen. Für diese negativen Zwecke
bleibt der Begriff des Wertes als ein Sollen vortrefflich, auch wenn
er uns positiv keine Vertiefung des Wertbegriffs verschafft und zur
Systembildung untauglich bleiben muß.   .   .

Das Sollen und die Wahrheit. Dieser negativen Leistung gegenüber muß nun aber festgestellt werden, daß seinem positiven Wesen
nach der Sollensbegriff geradezu in die Irre führt und in den Wertbegriff Merkmale hineinträgt, die ihm nicht zukommen und der tiefsten Erfassung der Werte eher hinderlich im Wege stehen. Solange
es nur auf die Abwehr ankommt, ist der Sollensbegriff vorüber-
gehend vielleicht unentbehrlich, um schnell die Gegensätze herauszuarbeiten; sobald es aber zur abschließenden Erkenntnis kommt,
muß der Sollensbegriff wieder beseitigt werden, weil im letzten
Grunde im Werte gar kein Sollen gegeben ist. Den vollen Nachweis
zu erbringen, daß der Wert durch die Verkoppelung mit dem Sollen
sein wahres Wesen einbüßt, geht hier nicht an. Es würde uns sofort
zu Erörterungen führen, in die wir erst späterhin langsam im einzelnen eintreten dürfen. Mit ein paar Grundstrichen muß doch aber
schon hier die Gegenwendung bezeichnet werden. Ausgehen
können wir da zunächst von dem Sollensbegriff, der jeglichem am
nächsten liegt und am klarsten ist, dem Sollen im Gebiet der sittlichen Pflicht. Vor uns liegt eine Mehrheit von Handlungsmöglichkeiten; manche ist lustversprechend und lockend, aber nur eine
ist von der Pflicht geboten. So stellt das Sollen sich vor unsere
Wahl. Wir können, weil wir sollen, aber deshalb können wir auch
das Nichtgesollte und mit uns steht die Entscheidung. Hier zweifellos wurzelt der Alltagsbegriff des Sollens.

Lassen wir diesen ethischen Begriff zunächst einmal unan-
gefochten, so müssen wir doch verlangen, daß auch in anderem
Umkreis vom Sollen nur dann die Rede sein darf, wenn eine Wahl,

eine Entscheidung vorliegt, zum mindesten also die Möglichkeit
vorliegt, auch das Nichtgesollte zu wollen. Trifft das nun aber
irgendwie etwa für den Wahrheitswert oder den Schönheitswert
oder den Rechtswert zu? Wenn ich urteilen will, stehe ich da wirklich vor einer Entscheidung, ob ich das als wahr erkannte Urteil
wählen will oder das entgegengesetzte? Ist es nicht vielmehr so,
daß, wenn ich überhaupt urteilen will, ich niemals etwas zu wählen
verlange als das wahre, das wertvolle Urteil. Ich mag am Urteilen,
am Erkennen, am Wahrheitsuchen nicht sonderlich interessiert
sein, und die Gesellschaft mag mir dann es als Pflicht vorhalten, ich
solle die Erkenntnis fördern und die Wahrheit ermitteln, aber solch
ein Sollen ist dann eine ethische nicht eine logische Pflicht; ich soll
mich für die Wahrheit bemühen. Will ich aber überhaupt Denkarbeit leisten, so ist von einem Sollen, einem Gebot und einer entsprechenden Wahl zwischen Gesolltem und Nichtgesolltem nirgends
die Rede: ich will dann immer nur das eine, das wahre Urteil, und
niemals den Irrtum.

Nun könnte man erwidern, das Problem sei dadurch nur zurück-
geschoben, denn wenn ich urteilen will, so meine ich eben, daß ich
diejenigen Urteile suche, die ich fällen soll; ich bin daher durch
meinen eigenen Willen genötigt, das Gesollte zu wählen. Aber so
liegt es doch nicht. Wenn ich urteilen will, so stehe ich vor einer
Frage, die ich beantworten will, vor einem Problem, das ich lösen
will; was ich suche, ist eine Antwort und Lösung, die mir wertvoll
ist, weil sie mein Verlangen nach Beseitigung der Schwierigkeit befriedigt und somit meinem Wollen genügt. Die Wahrheit befriedigt
mich, weil sie die Aufgabe der gegebenen Situation für mich vollständig löst; darin hat der Relativismus vollkommen Recht. Der
Relativismus hat Unrecht, wenn er zufügt, diese Befriedigung ist
von der Persönlichkeit abhängig, hat somit keine allgemeine Notwendigkeit. Solche Notwendigkeit empfinden wir in der Tat; solche
Notwendigkeit besteht. Aber hier setzt nun der Irrtum von der
andern Seite ein, wenn die Notwendigkeit dieser Willensbefriedigung
ein Sollen genannt wird. Ein Sollen steht ja dem Einzelnen allerdings als Allgemeingültiges, Notwendiges gegenüber, aber damit
ist nicht gesagt, daß jedes allgemeingültige Wollen auf ein Sollen
zurückweist. Suche ich die Wahrheit, so suche ich einen Zusammenhang, durch den eine Aufgabe gelöst wird; empfinde ich, daß die

Aufgabe nicht vor mir als Individuum liegt, sondern allen gemeinsam ist, welche die Welt mit mir teilen, so empfinde ich die vollständige Lösung als eine Befriedigung, die sich auf kein persönliches
Bedürfnis bezieht, sondern schlechthin gültig ist. Aber dadurch
setzt nirgends ein Sollen ein; es bleibt eine überpersönliche, reine
Willensbefriedigung.

Gewiß mag mich ein Irrtum verlocken, aber doch nur solange
als ich selbst ihn für Wahrheit, für wirkliche Lösung meines Problems halte. Den Irrtum als solchen will ich niemals; ich will niemals ein Urteil vorziehen, das nicht für mich selbst den Wahrheitswert besitzt und somit mich glauben läßt, daß jeder andere es in
gleicher Weise als Befriedigung seines Wollens empfinden würde.
Das ist natürlich sofort seines Sinnes beraubt, wenn es ins Psychologische umgebogen wird und nun einfach behauptet wird, daß ich
vermöge meines psychischen und psychophysischen Mechanismus
nicht anders kann als die wahren Urteile zu wollen und die unwahren
abzulehnen. Um ein kausal bedingtes Können und Nichtkönnen
handelt es sich hier so wenig wie um ein Sollen; weder ein Naturgesetz noch ein Vernunftgebot wird im Wahrheitwollen erlebt. Ich
will die Wahrheit, weil das, was sie bietet, wirklich für meine Willensbefriedigung genügt, und doch ist ihr Wert unbedingt, weil mein
Wille sich gar nicht auf mich, sondern auf ein Überpersönliches bezieht. Gewiß mag es zunächst ein Problem sein, wie es möglich ist,
daß ich etwas will und es doch ohne Rücksicht auf mich will, aber
soviel da auch noch der Lösung bedürfen mag, nur diese Begriffe
sind uns durch das Erlebnis aufgenötigt; von einem Sollen ist da
keine Spur, und wer das Überpersönliche durch den Sollensbegriff zu
bezeichnen sucht, schiebt etwas ganz Fremdes, Unerlebtes in die
unmittelbare Erfahrung.

In gleicher Weise mag es ein praktisches Sollen geben, das da
besagt, du sollst das Schöne schaffen. Aber dieses Gebot verlangt
doch eben nur, daß du verwirklichst, was ästhetisch wertvoll ist,
der ästhetische Wert und seine Anerkennung ist also dabei schon
vorausgesetzt. In der Tat ist der Schönheitswert offenbar in seinem
Wesen ganz unabhängig davon, ob er erst vom Künstler verwirklicht werden soll oder bereits dem Genießenden fertig gegeben ist.
In beiden Fällen ist die Schönheit eine Vollendung, die von uns gewollt wird und die, wenn wir sie überhaupt erfassen, gar nicht anders

gewollt werden kann; die Nötigung eines Sollens, gegen das irgend
ein Anderswollen in uns ankämpft, tritt da nirgends hinzu. Wohl
aber ist auch hier nun, im Gegensatz zur Willensbefriedigung des
Reizvollen und Angenehmen, die Unabhängigkeit vom persönlichen Verlangen durchaus wesentlich. Der Einzelne ist in seiner
Versenkung in das Schöne nicht durch ein Sollen gezwungen, sondern er selber will es mit eigenstem unbeeinflußten Wollen. Aber
sein Wollen erhebt ihn über die Willensregungen der Persönlichkeit;
es ist ein reiner Wille, dessen Freude über alles Einzelwollen hinaus-
trägt. Immer wieder dasselbe Rätsel: wie können wir wollen ohne
Rücksicht auf uns selbst? aber dieses allein ist die vom Erlebnis
uns gestellte Frage; wer da Sollen sagt, schneidet die entscheidende
Frage ab, statt sie zu beantworten.

Das Sollen und die Sittlichkeit. Nun bleibt ja freilich auch
dann noch das Sollen des moralischen Wertes, der sich doch wenigstens mittelbar mit dem Schönen und Wahren verbindet. Wir sollen
so und nicht anders handeln, das Gute tun und die Wahrheit suchen,
die Schönheit schaffen und das Glück verbreiten: da sicherlich gibt
es eine wirkliche Wahl zwischen der gesollten Handlung, die uns die
Pflicht gebeut, und der gewollten Handlung, die uns Lust verspricht.
Im Sittlichen also wenigstens scheint die Gleichung von Wert und
Sollen der natürlichen Erfahrung durchaus angepaßt. Tatsächlich
führt aber auch hier der wahre Sinn des allgemeingültigen Wertes
in die entgegengesetzte Richtung: auch der sittliche Wert ist ein
Wert, den wir schlechthin wollen und gegen den sich gar kein
Nichtwollen jemals auflehnt. Auch der sittliche Wert ist daher in
sich ohne jeden Sollenscharakter.

Die übliche Auffassung verschiebt den wahren Schwerpunkt.
Sie geht zunächst von der äußeren Handlung aus. Wer den andern
verletzt, handelt wertwidrig, wer den andern beschenkt, handelt
wertvoll; wir haben die freie Wahl, ob wir dem Gebote folgen oder
es verbrecherisch übertreten wollen. Aber schon auf der Oberfläche
ist es klar, daß es keine Handlungen gibt, die als äußere Wirkungen
an sich sittlich gut oder schlecht sind. Wer den andern beschenkt,
handelt nicht sittlich, wenn er ihn damit zur Amtsverletzung verleiten will, und wer den andern verletzt, handelt nicht unsittlich,
wenn er als Arzt die Wunde im Dienst einer Operation verursacht.
Die Muskeltätigkeit ist gleichgültig, erst das Motiv entscheidet über

den sittlichen Wert der Handlung. Der Moralist trägt seine Sollenslehre daher meistens in der veredelten Form vor, daß es im Grunde
nur ein Sollen gäbe: wir sollen unsere Pflicht erfüllen, wir sollen die
Handlung ausführen, die wir im tiefsten Grunde selber wollen.
Welche Handlung wir im Einzelfalle für die richtige halten, das
hängt von tausend Umständen ab und gehört zu unserer Vorgeschichte und zu den sozialen Bedingungen; mit dem sittlichen Wert
hat das nichts zu tun. Die wahre Sittlichkeit verlangt von uns nur,
daß wir unserer Überzeugung treu bleiben und trotz ablenkender
Lust und Verlockung doch das tun, was wir mit unserem besten
Wissen für die rechte Tat halten, ohne Rücksicht auf die äußeren
Folgen für uns selber.

Im ersten Augenblick mag es scheinen, als sei damit die Sachlage noch verwickelter, denn was wir für die rechte Tat halten, die
Tat, die wir wollen, ist ja doch eben die gesollte Tat. Es scheint
somit, als sei das Sollen hier nun geradezu verdoppelt. Erstens
sollen wir die wertvolle Handlung und nicht die wertwidrige bevorzugen, und zweitens sollen wir die bevorzugte Handlung auch wirklich ausführen. Aber so liegt es nicht. Halten wir uns zunächst an
die erste Forderung. Das Sollen bezieht sich also zunächst darauf,
daß wir die ehrliche Handlung und nicht die ehrlose bevorzugen
sollen, die Rückgabe des Anvertrauten und nicht die Veruntreuung.
Aber solche Gegenüberstellung fälscht die Lebenswirklichkeit.
Stiehlt denn der Dieb deshalb, weil er die Handlung des Stehlens
bevorzugt? Er will die Beute und ist, sobald er diesem Willen nach-
gibt, gezwungen zu stehlen, aber das Stehlen selbst ist keine erwünschte Handlung. Auf der andern Seite das ehrliche Handeln ist
an sich eine gewünschte bevorzugte Tat. Auch der Dieb bevorzugt
sie; hätte er überhaupt keine Bevorzugung der ehrlichen Handlung
über die unehrliche erlernt, so bliebe er amoralisch, nicht unmoralisch. In der Sprache der Psychologie: es wäre moralischer Irrsinn.
Und ebenso wäre es Irrsinn, wenn ihm die verbrecherische Tat als
Handlung, ohne Rücksicht auf den Erfolg, ein Ziel des Verlangens
wäre.

Die Lage des Verbrechers ist also die, daß er schwankt zwischen
einer Handlung, die er als solche will, nämlich die ehrliche, und einer
Handlung, die er ausführen muß, wenn er einen gewollten Erfolg
erreichen will. Soweit die Handlungen allein in Frage stehen, be-

ginnt die Lebenslage also jedesmal mit der Gegenüberstellung einer Handlung, die als solche ohne Rücksicht auf den Erfolg gewollt ist, und einer nichtgewollten Handlung, die im Dienst eines gewollten Erfolges in Betracht kommt. Wo diese Gegenüberstellung fehlt, kann niemals von einer sittlichen Entscheidung die Rede sein. Und nun ist es klar, daß es in diesem ersten Teil des Vorgangs noch gar kein Sollen gibt. Was uns dahin führte, gerade diese Handlung als solche zu wollen, das gehört, wie gesagt, zu unserer Vorgeschichte und nicht zur sittlichen Tat. Gewiß werden wir für soziale Zwecke die Menschen vorziehen, bei denen gewisse Handlungsgruppen Gegenstand des Bevorzugens sind, und die Gesellschaft wird ihre Erziehungseinflüsse in solcher Richtung geltend machen; aber der Einzelne tritt in den Kreis der sittlichen Beurteilung erst dann ein, wenn diese Vorbedingungen erfüllt sind. Er muß gewisse Handlungsweisen tatsächlich vor andern bevorzugen und somit wirklich wollen; der sittliche Kampf beginnt erst dann, wenn der tatsächlich gewollten Handlungsweise sich die nichtgewollte als Hilfsmittel eines gewünschten Erfolges gegenüberstellt. Das Sollen bedeutet in diesem Zusammenhang dann nur einen sozialen Druck auf die Neigungen des Einzelnen, hat also nichts mit dem Wertproblem zu tun.

Hier setzt nun aber das eigentliche Sollen ein. Der sittliche Mensch soll die Handlung, die er tatsächlich als Handlung bevorzugt, auch wirklich um jeden Preis zur Ausführung bringen und sich durch keine Hoffnung auf Lust oder Furcht vor Unlust verleiten lassen, die tatsächlich ungewollte entgegengesetzte Handlung zu vollziehen. Ausgangspunkt ist also, daß von zwei in Betracht kommenden Handlungen nur die eine wirklich um ihrer selbst willen, als Betätigungsweise der Persönlichkeit, gewollt wird. Sittliches Verdienst gebührt aber dem, der sich selber treu bleibt, die gewollte Handlungsweise und somit sich selbst wirklich zum Ausdruck bringt. Was ist dann nun aber sittlich wertvoll? Offenbar nicht etwa die erfolgende Handlung und auch nicht das vorausgehende Wollen, sondern die Übereinstimmung zwischen beiden, die Selbsttreue, die Selbstverwirklichung, die Kraft der Seele, durch welche die Betätigungsweise, die allein gewollt ist, auch äußerlich sich bekundet. Dieses Sichselbertreubleiben ist das einzige in der Welt, das sittlich wertvoll ist: haben wir diesem Wert gegenüber aber nun

wirklich noch das Recht, von einem Sollen zu sprechen? Ist dieser
Wert nicht genau wie die Wahrheit und die Schönheit eine Willensbe-
befriedigung, der niemals ein unwilliger Wille gegenübersteht?

So wenig wie ein Denkender jemals den Irturm wollen kann, so
wenig kann ein Handelnder je sich selber preisgeben wollen, sich
selber untreu sein wollen, sich selber vernichten wollen. Selbst der
Verbrecher bevorzugt nicht nur die ehrliche Handlung als solche
vor der ehrlosen, sondern bewertet auch notwendig die wirkliche
Durchführung der bevorzugten Handlung. Sein ehrloses Handeln
besagt durchaus nicht, daß die Selbstuntreue ihn mehr lockt als die
Selbsttreue. Im Gegenteil, der Wert der Treue bleibt — wenn er
ein Verbrecher und nicht ein Irrsinniger ist — dauernd vor seiner
Seele, und gerade weil er ihn bewertet und ohne Schwanken festhält,
gerade deshalb empfindet er deutlich, daß seine Seele wertlos wurde,
als er die tatsächlich nicht gewollte Handlung unter dem Reiz einer
Lust zur Ausführung brachte. Er hat also niemals zwischen dem
Wollen der sittlichen Selbsttreue und dem Wollen der Untreue ge-
schwankt; den Wert der Selbsttreue und somit der Sittlichkeit
konnte er niemals nicht wollen. Er schwankte nur zwischen dem
gewollten Wert der Sittlichkeit und dem gewollten Lusterfolg und
unterlag der Verlockung; der sittliche Wert wurde dadurch in
seinem Bewußtsein nicht entwertet. So mag der Künstler das
Niedriggefällige, das auf dem Markt Gewinn bringt, an die Stelle
des Schönen setzen, aber dadurch kann er für sich selbst nicht das
Schöne zum ästhetisch Ungewollten verwandeln.

Jeder einzige bewertet in sich die sittliche Seelenkraft, welche
die tatsächlich gewollte Handlungsweise auch zur Ausführung
bringt und damit seine wahre Persönlichkeit verwirklicht. Dieser
einzige wahre Sittlichkeitswert verlangt für sich selbst also kein
Sollen, sondern nur ein Wollen: niemand kann ihn nicht wollen.
Wieder aber gilt es, daß auch dieses Wollen im letzten Grunde überpersönlich, notwendig, allgemeingültig ist. Ich will die Handlungsweise, die ich als Ausdruck meiner Persönlichkeit empfinde, auch
wirklich zur äußeren Geltung bringen, kurz, ich will selbst sein,
nicht um eine persönliche Lust davon zu spüren, sondern um ein
überpersönliches Wollen in mir dadurch zu befriedigen. Es ist ein
Wollen, das im letzten Grunde, so sehr es sich auch um meine Persönlichkeit dreht, doch sich gar nicht auf meine Persönlichkeit be-

zieht; es ist ein Wollen, das der Sache der ewigen Wirklichkeit dienen will und das mein Selbstsein nur als Hilfsmittel für den Aufbau einer schlechthin wertvollen Welt benutzen will.

So ist denn schließlich der eigentliche Sittlichkeitswert so wenig ein Sollen wie der Wahrheitswert und der Schönheitswert; sie alle werden durchaus vom Wollen getragen. Niemals kann der Wille das Unwahre, das Unschöne, das Unsittliche wirklich bevorzugen; das Sollen verliert aber jeden Sinn, wenn eine Wahl, eine Entscheidung, eine mehrfache Möglichkeit von vornherein ausgeschlossen ist. Der Wille, der den Wert bevorzugt, erwies sich aber in jedem Falle als ein von der Persönlichkeit ganz unabhängiger; es ist ein reiner Wille, den persönliche Lust und Unlust nicht berührt. Es war ein Mißverständnis, dieses Überpersönliche als ein Sollen zu deuten; es wäre nicht minder mißverständlich zu glauben, daß dies Problem schon gelöst ist, wenn wir statt dessen, dem wirklichen Erlebnis entsprechend, von überpersönlichem, reinem Wollen sprächen. Im Gegenteil, das Problem, das durch den Sollensbegriff einfach beiseite geschoben war, wird dadurch nun erst deutlich vor uns hingestellt. Die absoluten Werte verstehen heißt begreifen lernen, wie unser Wille, fern von allem Sollen, zu einem überpersönlichen Verlangen werden kann, das, ohne Beziehung zu persönlicher Lust und Unlust, im Wahren, Schönen, Sittlichen und Heiligen seine Befriedigung findet.

Vierter Abschnitt.

Die Werte und das reine Wollen.

Die Willensbefriedigung. Jetzt endlich stehen wir vor dem entscheidenden Ausblick. Der Weg, den wir durchschritten, führte uns notwendig zu dieser Stelle. Wir fanden, daß es sinnlos sei, an schlechthin gültigen Werten zu zweifeln. Es gilt sie aufzusuchen und zu verstehen. Die Natur, die körperliche und die geistige, ist wertfrei, weil sie ohne Beziehung zum Wollen bleibt. Alles individuelle Wollen andererseits ist von Lust und Unlust bestimmt; es dient dem persönlichen Verlangen und ist somit niemals allgemeingültig; auch wenn Millionen Einzelwesen das gleiche begehren, im Wesen des persönlichen Wollens liegt es, daß es nicht schlechthin notwendig sein kann und somit niemals unbedingte Werte setzen kann. In diesem Sinne ist alles Natürliche wertfrei, weil es nicht gewollt ist, und alles Individuelle wertfrei, weil das Wollen nicht notwendig ist. Die Notwendigkeit des Wollens durch ein Müssen zu erklären, geht nicht an, denn dann würde es selbst nur ein Stück Natur. Verlockend schien es, die Gebundenheit aus einem Sollen abzuleiten; wir überzeugten uns aber, daß auch dieser Ausweg verschlossen ist: das Werterlebnis verträgt sich nicht mit dem Begriff des Sollens, da es kein Nichtwollen des Wertes gibt und somit Wahl und Entscheidung fehlen. Die Vorbedingungen des Sollens sind nicht gegeben; wir müssen uns also auf neue Weise mit der Grundtatsache abfinden, daß es ein Wollen gibt, dessen Erfüllung befriedigt und das doch, von jeder individuellen Beziehung zu Lust und Unlust frei, schlechthin notwendig für jedes Wesen gültig ist.

Es sind im Grunde also zwei gesonderte Fragen: erstens warum wollen wir etwas, das gar nichts mit uns zu schaffen hat, und zweitens warum fühlen wir Befriedigung von etwas, das keine Be-

ziehung zu Lust und Unlust hat. Die Sollenstheorie hatte eine glatte
Antwort auf beide Fragen; wir wollen es, so behauptet sie, weil wir
es wollen sollen, und wir sind befriedigt, weil wir die Anerkennung
des Gesollten als unsere Aufgabe empfinden. Das Üble war nur, daß
damit nichts wirklich beantwortet war, die Frage vielmehr nur um-
schrieben und überdies durch den Nebensinn der verwendeten Begriffe verworren und unlösbar wurde. Wir müssen uns hüten, Fremdes in die Aufgabe einzumischen: aus sich selbst heraus will sie gelöst sein, denn Lösung bedeutet hier ja nicht ein Erklären des Erlebnisses aus abliegenden Ursachen, sondern ein Aufklären des Erlebnisses aus seinem innersten Wesen.

Wir wenden uns zunächst unserer zweiten Frage zu, die eigentlich nur eine Vorfrage ist: wie können wir Befriedigung von etwas
fühlen, das keine Beziehung zu Lust und Unlust hat? Worin liegt
denn aber eigentlich die Befriedigung, mit der wir die Erfüllung
unseres Wollens erleben? Wir tragen Verlangen nach einem Genuß,
und wenn er uns beschert wird, so fühlen wir eine Befriedigung,
durch welche das Wollen zur Ruhe kommt. Der häufigste Vorschlag
zur Erklärung ist der nächstliegende. Die Psychologie hat nur vorauszusetzen, daß der Wille stets von vorgestellter Lust und Unlust
geleitet wird. Der Wille ist befriedigt, wenn die erhoffte Lust erreicht ist, denn die Lust ist eben die Befriedigung, die wir suchten.
Dem entspricht die Abwehr der gefürchteten Unlust; erreicht unser
Wollen es, daß die Unlust abgewendet oder beseitigt wird, so ruht
die Befriedigung hier in dem Aufhören des Unbehagens; durch den
Gegensatz wird diese Befreiung von Schmerz selbst lustbetont. Was
wir auch erstreben mögen, es muß stets ein Schimmer von Lust vom
Ziele ausstrahlen, damit es unsern Willen überhaupt in Bewegung
setzt, und wird das Ziel erreicht, leuchtet die ersehnte Lust in unser
Bewußtsein, so bedarf es keiner weiteren Erklärung, daß wir befriedigt sind, denn das meint eben, daß wir lusterfüllt sind.

Aber vielleicht verhält es sich denn doch nicht ganz so einfach,
wie die Lehre vom Gefühlsmotiv es uns darstellen will. Das Wort
Gefühl ist freilich so vieldeutig, daß es zuerst nottut, klar zu unterscheiden, was denn eigentlich gemeint sei. Wenn wir etwa vom
Schmerze als einem Gefühl sprechen, so bleibt zunächst dahingestellt, ob wir den Schmerzinhalt meinen oder das Unbehagen, das
er uns erweckt. Kopfschmerz und Zahnschmerz sind zwei ver-

schiedene Gefühlsinhalte, aber das Unbehagen an beiden mag das
gleiche sein. In ähnlicher Weise sind etwa der Kitzel oder die Wollust zunächst Gefühlsinhalte, von denen das Behagen am Körperzustand unschwer zu trennen ist. Nun wollen wir die Worte Lust und
Unlust fürder nur in dem engeren Sinne verwenden, in dem sie
jenes Behagen und Unbehagen, nicht aber den körperlichen Kitzel
oder Schmerz bezeichnen; Lust und Unlust sind für uns also Ausdruck der inneren Stellungnahme und nicht Wahrnehmungs-
inhalte.

Nun könnte jemand einwenden, daß wir dann gerade den wichtigsten Teil des Gefühls aus dem Lust-Unlustbegriff ausscheiden;
gerade jene Inhalte sind es vielleicht, die unseren Willen lenken und
in der Erfüllung befriedigen. Aber davon kann nicht die Rede sein.
Wenn der bittere Geschmack in uns Unbehagen, der süße aber Behagen weckt, so schiebt sich zwischen die bittere Geschmacksempfindung und das die ganze Persönlichkeit ergreifende Unbehagen
durchaus kein schmerzartiger Körperzustand, der die Ablehnung
auslöst; die Bitterempfindung selbst wird abgelehnt. Und wer bei
Geschmack, Geruch und Getast noch im Zweifel wäre, ob nicht doch
vielleicht ein wollustartiger oder schmerzartiger Körperzustand
sich dazwischenschaltet, und ob nicht auf diesen Gefühlsinhalt,
statt auf die Empfindung, sich unser Behagen und Unbehagen be-
zöge, der kann sich an den höheren Sinnen Klarheit verschaffen. Wir
haben das Lustbehagen an dem Farbenerlebnis und nicht an einem
körperlichen Lustinhalt, den die Farbe in uns erweckt. Noch deutlicher aber tritt alles das an dem Gefühlswert der Vorstellungen hervor. Wer wollte sagen, daß ein Verlust unser Gefühl schmerzlich
berührt, weil er mit einem vorgestellten oder empfundenen Körper-
schmerz verkoppelt ist, der seinerseits das Unbehagen auslöst.

In der Tat in den Gefühlen, die sich auf die höheren Sinnes-
empfindungen und auf die Vorstellungen beziehen, sind Lust und
Unlust immer nur als Akte der Stellungnahme vertreten; besondere
Gefühlsinhalte gibt es da neben den Empfindungsinhalten kaum.
Und wenn wir so von den höheren seelischen Gebilden aus zu den
Kitzel- und Schmerzinhalten herabsteigen, so wird es uns deutlich,
daß auch diese im Grunde den übrigen Empfindungen angereiht
werden müssen. Der Schmerz etwa ist eine besondere charakteri-
stische Empfindung wie die Tast- und Kälteempfindung, und wenn

sie gemeinhin als Gefühl behandelt wird, so besagt das nichts
anderes, als daß diese Empfindung in ganz besonders fester und
schier unlöslicher Weise mit dem Gefühl des Unbehagens, mit der
Unlust verknüpft ist. In genau gleicher Weise haben dann alle die
Wonnegefühle und Wollust und Kitzel sich den Empfindungen bei-
zugesellen, in Reih und Glied mit den Muskelspannungsempfin-
dungen und Wärmeempfindungen, und wieder ist es nur ihre besonders enge Verknüpfung mit dem Gefühl des Behagens, mit der
Lust, um deren willen sie selbst den Gefühlen zugerechnet werden.
Die Gefühlsinhalte sind somit lediglich körperliche Empfindungen,
die von besonders lebhaften Lust- und Unlustgefühlen begleitet
sind; für die meisten Gefühlsvorgänge kommen diese Kitzel- und
Schmerzempfindungen gar nicht in Betracht. Die Befriedigung oder
Unbefriedigung, die sich aus erfülltem oder unerfülltem Willen ergibt, kann somit nicht aus den Gefühlsinhalten stammen, selbst
wenn wirklich jeder Willensakt von Gefühlen geleitet wird.

Die Grundlage des Gefühls. Die wahren Leitmotive des Wollens
sind somit jene Gefühle, die selbst nicht Inhalte wie Kitzel und
Schmerz sind, sondern Akte der Stellungnahme wie Lust und Unlust im engeren Sinne des Wortes. Was haben wir nun unter diesen
Gefühlen zu verstehen? Was ist die Lust am Süßen und die Unlust am Bitteren? Um sofort das Wesentlichste herauszuheben:
die Lust am Reiz ist ein Streben nach seiner Fortwirkung, das mit
der Reizwahrnehmung selbst verschmilzt; die Unlust ein Streben
nach Beseitigung des Reizes, das ebenfalls mit der Wahrnehmung zusammenfließt. Wir verdeutlichen uns die Lage am
schnellsten, wenn wir die Verhältnisse in die Begriffe der physiologischen Psychologie umsetzen. Der Reiz erregt den Organismus und
löst in der Hirnrinde eine Empfindung aus. Ist der Reiz beispielsweise nervüberreizend, so ist die Erregung eine Schmerzempfindung.
In diesem Falle wird im Gehirn eine Reihe von Folgevorgängen
ausgelöst; die Atmung, der Blutkreislauf, die Drüsentätigkeit werden beeinflußt, Hemmungen in anderen Empfindungszentren ver-
engen die Aufmerksamkeit, vor allem aber setzen Impulse zu
Bewegungen ein, die sich in Spannungen ausdrücken und den
ganzen Körper ergreifen mögen: alle diese Vorgänge aber ordnen
sich dem einen Ziele unter, die schmerzende Reizeinwirkung
abzubrechen.

Das sei nicht mißverstanden, als wenn da eine bewußte Absieht vorläge, die zweckbewußt solche Körperleistungen wählt, um
den Reiz zu beseitigen. Und noch weniger dürfen wir den Schein
erwecken, als wenn da eine dunkle Erkenntnis vorschwebt, die uns
wissen läßt, daß der Reiz dem Körper gefährlich ist. Solche Beziehungen ergeben sich wohl bei der naturwissenschaftlichen Betrachtung des Biologen, der die Bewegungen stammesgeschicht-
lieh erklären muß, aber in der Erfahrung des Fühlenden ist sicherlich kein Bewußtsein der weiteren Folgen. Das Abweisen des
Schmerzes durch eine allgemeine Auflehnung des Organismus gegen
den verletzenden Reiz geht ohne seelische Weisung und ohne seelischen Einblick vor sich; das Bewußtsein erlebt beides, die Schmerzempfindung und die Abwehrtätigkeit, als fertige Vorgänge. Und
nun setzt die für das Gefühlserlebnis entscheidende Tatsache ein:
jenes Auflehnen und Widerstreben verschmilzt mit der Reizempfindung zu einer seelischen Einheit, es wird scheinbar zu einem Element des eindringenden Reizes und die Schmerzempfindung gewinnt somit zu ihrer eigentümlichen Stärke, Art und räumlichen
Bestimmtheit noch eine weitere Eigenschaft: die Unangenehmheit.
Unser eigenes Abwehren wird somit gewissermaßen ein Teil der
Empfindung und nur hierin liegt der Unlustton der Störung.

Genau der gleiche Vorgang spielt sich bei allen anderen Ge-
fühlsbetonungen äußerer Reize ab, nur mit dem Unterschied, daß die
Schmerzempfindung allein so vollkommen regelmäßig die Abwehr
herausfordert. Bei allen übrigen Erregungen wird es von der besonderen Bereitschaft oder Unbereitschaft der Persönlichkeit abhängen, ob die eindringende Erregung Reaktionen auslöst, durch die
der Reiz zum Weiterwirken und Anwachsen geführt wird, oder
Reaktionen, die auf sein Aufhören hinarbeiten. Am ehesten werden die niederen Sinne mit gewisser Regelmäßigkeit ihre Antwort
finden. Gewisse Geschmäcke und Gerüche werden fast immer wider-
wärtig erscheinen, da der Organismus sieh mit allen psychophysischen
Hilfsmitteln gegen sie auflehnt, und mancher Kitzel wird immer wieder den Organismus so umstimmen, daß alles sich dem Reize zudrängt
und seine Verstärkung begünstigt. Dieses Zudrängen, das sich seelisch
ganz mit der Reizempfindung verbindet, wird dann wieder zum Lust-
ton der Erregung und das Auflehnen gegen den Zungenreiz gibt dem
üblen Geschmack denselben Unlustton, den der Schmerz besitzt.

Jeder angenehme oder unangenehme Reiz kann, ohne in seinem Empfindungsinhalt verändert zu sein, sich schnell dem Gleichgültigkeitspunkte der Gefühlslage nähern, sobald die organischen Reaktionen unterdrückt oder künstlich ins Gegenteil verändert werden. Wer seine bittere Medizin wiederholt mit erkünsteltem Lächeln nimmt, merkt bald, daß ihr Geschmack derselbe bleibt, ihre Unannehmlichkeit aber verschwindet. Bei mittelstarken Reizen aber wird es selbst bei den niederen Sinnen im wesentlichen vom besonderen Zustand des Organismus abhängen, ob das psychophysische System sich anpaßt, herandrängt und den Reiz verlängert oder ihn ablehnt; dem Seekranken schmeckt die beste Mahlzeit nicht, dem Überhungrigen schmeckt die schlechteste. Immer aber gilt es, daß die Reaktion ohne irgend welche Erkenntnis oder Überlegung sich vollzieht und nicht gesondert als unsere Handlung aufgefaßt wird, sondern unmittelbar mit dem äußeren Reize zu unlöslicher Einheit verschmilzt. Unsere Freude oder unser Widerwille mit entsprechender zweckmäßiger Willenstätigkeit erscheint uns als Folge der Annehmlichkeit oder Unannehmlichkeit des Reizes, obgleich tatsächlich diese selbst aus der Reaktion unseres eigenen Systems entspringt.

Für die höheren Sinne wird der Vorgang wesentlich verwickelter. Die Zuwendung zum Reiz wie die Abwendung vom Reiz wird hier von sehr viel mannigfaltigeren Bedingungen abhängig und ist selbst von feinerer Art; Hemmungen und Aufmerksamkeitsvorgänge, Umstimmungen des ganzen motorischen Nervensystems beherrschen das Geschehen, und die Lust und Unlust selbst gewinnen dadurch weniger sinnliche Färbung. Aber auch hier ist die Reaktion, als Ergebnis der Gesamtlage des individuellen Systems, die Grundlage des Gefühls; und auch hier geht die Reaktion mit Notwendigkeit aus der gegebenen persönlichen Lage hervor, ohne das bewußte Eingreifen eines Wollens oder Überlegens. Schreiten wir von der höheren Sinnesempfindung zur vielgestaltigen Wahrnehmung oder zur Vorstellung und zum Gedanken vor, so ist die Gefühlsbetonung im Grunde stets die gleiche; immer wieder verschmilzt das Bewußtsein der automatisch entstehenden Reaktion mit dem gegebenen Inhalt und färbt ihn gefühlsmäßig, je nachdem die Reaktion auf Fortdauer oder Beseitigung hinarbeitet. Das reagierende System ist hier nun nicht mehr der Organismus mit seinen gegebenen In-

stinkten, sondern die unendlich zusammengesetzte Persönlichkeit
mit dem gesamten Reichtum ihrer Erinnerungen und Erwartungen.
Auch da vollzieht sich die Gegenwirkung ohne ein bewußtes Zutun;
aus dem Gesamtgefüge der seelischen Zustände ergibt sich in jedem
Einzelfalle, ob die entstehende Gesamtbewegung auf Weiterwirkung oder auf Beseitigung zielt.   Immer aber verschmilzt diese
innere Bewegung mit dem Inhalt und verleiht ihm den Gefühlston;
immer ist das Gefühl lediglich eine automatische Persönlichkeits-
reaktion, die mit dem Inhalt so verschmilzt, daß sie als der subjektive Teil des objektiven Eindrucks, gewissermaßen als ein psychischer Oberton des Wahrnehmungsgrundtons empfunden wird.

Von hier aus begreift es sieh auch leicht, warum neuerdings oft
behauptet wurde, daß es falsch sei, die Gefühle auf Lust und Unlust zu beschränken.   Man sagt, daß Ruhe und Unruhe den Eindrücken einen ganz andersartigen Gefühlston beilege; andere haben
Ernst und Heiterkeit als ebensolche unmittelbare Gefühlswirkung
bezeichnet, oder Spannung und Lösung, Erregung und Besänftigung
und ähnliches.   In der Tat läßt sich sehr wohl ein zweidimensionales
oder dreidimensionales Gefühlssystem aufbauen, und wer den Blick
aufs Ganze richtet, muß einsehen, daß schließlich eine unbegrenzte
Mannigfaltigkeit von Gefühlsrichtungen anerkannt werden darf.
Es gibt eben genau so viel Gefühle, als es Reaktionen gibt, die im
Bewußtsein mit dem Eindruck selbst verschmelzen. Wenn der Reiz,
etwa eine Farbe oder ein Klang, eine Nachricht oder ein Gedanke,
unseren Reaktionsmechanismus in Erregung und Spannung versetzt,
ohne bereits Abwehr oder Verstärkung vorzubereiten, so wird das
Bewußtsein dieser Wirkung sieh als Gefühlston an den Inhalt an-
lagern ohne Unlust oder Lust einzuschließen.   Der leichte Wechsel
der Reaktionen oder die langsame Folge wird neue und neue Obertöne erklingen lassen, und jede Aussonderung einzelner bestimmter
Reihen wird willkürlich sein. Trotzdem liegt sicherlich guter Grund
vor, derjenigen Reaktion, die auf Andauer oder Beseitigung des
Reizes zielt, eine Sonderrolle zu überlassen, da ihre Beziehung zum
ganzen Tätigkeitssystem eine unmittelbarere sein muß. Lust und
Unlust bleiben somit die Grundgefühle.

Wir können nun also zusammenfassend sagen: der Gefühlston
besteht darin, daß sich zu dem Eindruck die Empfindung einer
eigenen Tätigkeit gesellt, die auf seine Festhaltung oder Beseiti-

gung gerichtet ist. Diese Tätigkeit geht in der Persönlichkeit automatisch von statten und ist durch die Gesamtlage des psychophysischen Systems bedingt. Entscheidend ist aber, daß der Gefühlston eben die Empfindung dieser Erhaltungs- oder Beseitigungstätigkeit selbst ist und daß sie mit dem Eindruck zur Einheit verschmilzt. Die Tätigkeit setzt also nicht ein, weil ein Gefühl vorangeht, sondern ein Gefühl ist da, weil eine Reaktionstätigkeit einsetzt. Daß diese Tätigkeit nicht etwa auf Muskelkontraktionen beschränkt ist, haben wir betont, und daß beim entwickelten Wesen die Empfindung der einsetzenden Tätigkeit assoziativ erweckt sein kann, ehe die Reaktion selbst einsetzt, versteht sich von selbst. Das Lustgefühl ist somit an sich durchaus nicht ein besonders angenehmer Bewußtseinsinhalt; als Inhalt für sich ist es vielmehr durchaus gleichgültig; als Inhalt ist es eine Summe von Tätigkeitsempfindungen, Zuwendungsempfindungen, Aufmerksamkeitsverschiebungen und ähnhchem, die alle nur durch ihre Aufgabe zusammengehalten werden, den Reiz zu verstärken. Und ebenso ist das Unlustgefühl als Inhalt an sich nicht peinlich sondern neutral; eine Summe von Spannungen, Abwehrempfindungen, Hemmungen, Gemeinempfindungen und ähnlichem. In beiden Fällen wird alles erst bedeutsam als Zusatz zu dem Eindruck, der es ausgelöst hat und mit dem es nun verschmilzt. Die Lust ist nicht angenehm und die Unlust nicht unangenehm, sondern ihr Vorhandensein bekundet uns nur, daß der Reizeindruck oder die Vorstellung, mit der sie verschmelzen, dem psychophysisehen System willkommen ist oder nicht. Es ist somit der Reiz, der angenehm ist, und nicht die Lust; die zutretende Lust ist es, die dem Reiz den Charakter des Angenehmen zufügt, und es ist die Unlust, die, an sich gleichgültig, den Reiz zu einem unangenehmen macht.

Das Gefühl und der Wille. Liegt es aber so, dann ist es offenbar widersinnig zu behaupten, daß wir durch unseren Willen auf die Erzeugung von Lustgefühl und die Beseitigung von Unlustgefühl hinarbeiten. Ich will eine Erregung, etwa den Geschmack einer Frucht oder den Anblick einer Landschaft. Ich beiße in die Frucht oder wandere zur Landschaft, und mein Wille ist befriedigt. Wir fragten nach der Quelle dieser Befriedigung und erhielten die Antwort, es sei das gewonnene Lustgefühl, das die Befriedigung darstellt. Jetzt ist es klar, daß da Ursache und Wirkung vertauscht waren. Gewiß ist der Fruchtgeschmack lustvoll, aber es ist nicht die Lust, die ich suchte, denn die Lust ist nur Ausdruck der Tatsache, daß ich den Fruchtgeschmack festhalten will. Die Lust verband sich mit der Geschmacksempfindung bereits, als der Saft noch nicht meine Zunge berührte, sondern als die Empfindung lediglich als Vorstellung in mir wirksam war; gerade weil ich so lebhaft empfand, wie sich zu der Vorstellung der Empfindung innere Bewegungen gesellten, die jene Empfindung verstärken möchten, gerade deshalb war mein Wille erregt, die Frucht zu besitzen.

Was mein Wille mir verschafft, ist also nicht die Lust, die von dem Fruchtgeschmack ausgelöst wird, und die an sich keine Annehmlichkeit besitzt, sondern der Fruchtgeschmack, der uns festhaltenswert und somit lustvoll dünkte. Das Ziel des Willens ist mithin nicht die Lust, sondern die Verwirklichung des lustbetonten Reizes und zwar um seines Reizinhalts, nicht um seiner Lustbetonung willen. Die Lustbetonung brachte es nur mit sich, daß der Wille sich überhaupt diesem Ziele zugewandt; wir müssen wollen, was lustbetont ist, denn Lust entsprach ja eben der inneren Bewegung zur Verstärkung des Reizes. Solange diese Bewegung im Bewußtsein mit dem Reizeindruck verschmilzt, gilt sie uns als Gefühl; führt sie zur Tat über und löst sich vom Eindruck ab, so daß sie ein selbständiger Teil unserer Persönlichkeit wird, so haben wir eine Handlung.

Was die Willenstätigkeit erzielt und tatsächlich erreicht, ist somit die Verwirklichung des vorgestellten Reizes, und wenn die Erfüllung des Wollens Befriedigung gewährt, so muß es diese Verwirklichung sein, in der die Befriedigung ruht. Daß der verwirklichte Reiz lustbetont ist, trägt dann zur Befriedigung an sich nichts bei; daß er lustbetont ist, besagt nur, daß der Reiz sich in die gegebene Gesamtlage der einzelnen Persönlichkeit so einordnet, daß sie aus ihren eigensten Bedingungen heraus seine Fortdauer begünstigt. Jede lustbetonte Vorstellung wird somit für das Individuum notwendig ein Anreiz zum Willen, die Vorstellung in Wirklichkeit umzusetzen und das lustvoll Vorgestellte somit zu erreichen, aber die Befriedigung an der Willenserfüllung stammt aus dieser Verwirklichung, nicht aus dem begleitenden Lustgefühl.

Die Befriedigung wird somit auch dann vorhanden sein, wenn die vorgestellte und durch den Willen verwirklichte Erregung von keinem Lustgefühl begleitet ist. Die Abwesenheit des Gefühlstons besagt dann ja nur, daß der Reiz, vorgestellt oder verwirklicht, in keinem bestimmten Verhältnis zu dem Gefüge der bestimmten Persönlichkeit steht, also weder mit einer Störung des inneren Gleichgewichts droht, noch eine vorhandene Störung auszugleichen verspricht noch eine Förderung anregt. Und damit haben wir unsere unvermeidbare Vorfrage beantwortet. Willensbefriedigung ist unabhängig von Lust und Unlust; die Willensbefriedigung entsteht durch die Verwirklichung des vorgestellten Reizes, Lust und Unlust dagegen drücken die Beziehung des Reizes zur Persönlichkeit aus, ohne selbst eine Quelle der Befriedigung oder Unbefriedigung zu sein. Wenn der vorgestellte Reiz gefühlsbetont ist, so regt er den Willen zur Verwirklichung an; entsteht der Wille, ohne daß der vorgestellte Reiz Beziehung zum Gleichgewicht der Persönlichkeit hat, so wird die Erfüllung des Willens ohne Lust oder Unlust von statten gehen, nicht aber deshalb mit geringerer Befriedigung.

Der Schluß, auf den wir hingedrängt werden, ist somit der, daß es sehr wohl möglich ist, tiefste Befriedigung in einer Sphäre zu finden, in der es nicht Lust und nicht Unlust gibt. Können wir zeigen, daß es Willen, und das heißt Streben nach Verwirklichung, geben kann ohne Beziehung zu Lust und Unlust, so verstehen wir nun, daß auch die Erfüllung solchen gefühlfreien Strebens innerste Befriedigung im Gefolge haben muß. Kehren wir zum Wertproblem zurück, so können wir nun wenigstens eine neue Einsicht zufügen. Sind die Werte überpersönlich, so hängen sie nicht von dem zufälligen Befinden und der Lage der Einzelpersönlichkeit ab, sind also nicht mit individueller Lust und Unlust verknüpft; sind sie aber ohne Beziehung zu Lust und Unlust, so scheinen sie gerade ihren Wertcharakter einzubüssen, da wir keinen Wertbegriff bilden können, zu dem nicht die Befriedigung am Wert gehört, und jede Befriedigung scheint Herstellung von Lust oder Beseitigung von Unlust zu sein. Jetzt wissen wir, daß es nicht so ist; Befriedigung hat nichts mit Lust oder Unlust zu tun — die Werte mögen also durchaus überpersönlich, durchaus lust- und unlustfrei sein und dennoch auf unserer tiefsten Befriedigung beruhen.

Wir nannten alles dieses eine Vorfrage, und wir mußten es so nennen, denn die Hauptfrage, wie Werte möglich sind, ist noch immer nicht beantwortet. Wir haben nur gezeigt, daß Erfahrungen ohne jede Beziehung zu persönlicher Lust oder Unlust uns

Befriedigung geben können, falls sie ein vom Willen Erfaßtes verwirklichen. Offen aber ist für uns noch die tiefere Frage: kann es
in uns überhaupt Willensregungen geben, die nicht von lust- und
unlustbetonten Vorstellungen geleitet werden? Können wir eine
Verwirklichung anstreben, die ohne Beziehung zu unseren persönlichen Bedürfnissen steht, oder muß die Gefühlsneutralität den
Willen ausschalten? Wir wollen, der Kürze halber, den Willen, der
nicht von Lust oder Unlust oder richtiger von lust- oder unlustbetonten Erregungen gelenkt wird, fortan den reinen Willen nennen.
Und nun fragen wir: kann es reine Willenshandlungen geben? Falls
es solche gibt, verstehen wir jetzt wenigstens das eine, daß auch die
reine Willenstat nicht weniger uns Befriedigung bringen kann als die,
welche Lust schafft oder Unlust beseitigt. Aber auch das ist klar,
daß, falls es überhaupt reinen Willen gibt, in der einzelnen Handlung
beide Arten des Wollens und somit auch beide Arten der Befriedigung vermischt sein mögen.   Der reine Wille mag aus seinen
eigenen Motiven heraus ein Ziel anstreben, das gleichzeitig Beziehungen zum persönlichen Gleichgewicht aufweist.   Die Verwirklichung mag somit den reinen Willen befriedigen und so einen reinen,
schlechthin gültigen Wert darstellen und mag doch auch gleichzeitig eine persönliche Unlust beseitigen und eine persönliche Lust
an die Stelle setzen, kurz einen selbstischen gefühlsgeleiteten Neben-
willen ebenfalls befriedigen.   So mag das Schöne wohl auch sinnlich
angenehm sein, das Wahre mag uns durch seine Nützlichkeit Lust
bereiten, das Sittliche mag ein Glück schaffen, das lustvoll auf uns
zurückstrahlt, das Heilige selbst mag uns das Behagen des Trostes
gewähren.   Aber dann bleibt es in der Tat ein Doppelspiel, das an
sich auch wohl in ein Gegenspiel umschlagen mag; der reine Wille
mag und muß sich oft gegen den Gefühlswillen wenden.   Für uns
aber steht das noch nicht zur Erörterung; wir wissen noch gar nicht,
ob wir ein Recht haben, das Schöne, das Wahre, das Sittliche, als
Ziele eines reinen Willens anzuerkennen, da wir noch nicht wissen,
ob es reinen Willen überhaupt geben kann. Wir wissen bisher nur,
daß alle jene Ideale nur dann ihren Sinn erfüllen, wenn sie ohne
Beziehung zu persönlicher Lust und Unlust gedacht werden und
daß auch die gefühlsfreien Willensstrebungen zu innerlicher Befriedigung führen können.

Die Verwirklichung des Gewollten. Auf eines aber sei, beim

Rückblick auf die Willenserscheinungen doch noch besonders hingewiesen, weil es im Mittelpunkt aller unserer Betrachtungen künftig bleiben soll. Die Befriedigung entspricht der Verwirklichung
des Gewollten; zwischen dem Gewollten und dem Erreichten muß
also inhaltliche Identität herrschen. In der Sprache der Psychologie
würden wir sagen: in jeder Willenshandlung muß die Vorstellung
des Erfolges der Wahrnehmung des Erfolges vorangehen und wir
werden gerade darin das Wesentliche des Willens suchen, denn
nur die vorangehende Vorstellung kann noch rechtzeitig Assoziationen wecken, welche die Handlung hemmen. Nur weil die
Vorstellung des Erfolges vorangeht, ist die ganze Persönlichkeit für
die Handlung verantwortlich. Strebe ich nach dem Saft der Frucht
und finde als Erfolg, daß ich Schokolade schmecke, so mag auch
dieser süße Geschmack mir Lust bereiten, aber die Befriedigung des
Willens, die aus der Verwirklichung des Gewollten stammt, muß notwendig ausbleiben. Damit ist durchaus nicht gesagt, daß ich das
Gewollte schon in demselben Empfindungsmaterial denken muß,
in dem es sich später verwirklichen soll; durchaus nicht, es muß
nur inhaltlich dasselbe bleiben. Ich mag das, was ich erreichen
will, noch gar nicht kennen; es ist dann für mein Wollen zunächst
ein Unbekanntes, ein x, das nur durch seine Beziehungen bestimmt ist und doch fühle ich die Befriedigung der Willenserfüllung, wenn die Gleichung sich auflöst, wenn das Unbekannte
sich enthüllt.

Suche ich mich auf einen Namen zu besinnen, so wird mein
Streben erfüllt, sobald unter dem Druck meines Wollens der Name
ins Bewußtsein tritt. Der Schalleindruck dieses Namens selbst war
da offenbar nicht vorher durch mein Wollen ergriffen, denn sonst
hätte ich ihn nicht gesucht, aber das, was ich fest hielt, die Vorstellung des entfallenen Namens war inhaltlich mit dem Gefundenen
identisch. Wäre diese Vorstellung dem Streben überhaupt nicht
vorangegangen, so wäre das schließliche Auftauchen des Namens
gar nicht als Ergebnis des Besinnens und somit nicht als Willens-
wirkung empfunden worden. So mag das Schaffen unserer Phantasie oder die Arbeit unseres Denkens zu Endergebnissen führen, die
sicherlich nicht selbst vorher im Bewußtsein waren, und doch
würde die künstlerische Leistung oder die Denkarbeit als Zufalls-
ergebnis und nicht als Willenstat vor uns stehen, wenn nicht das

erreichte Ziel seinem Inhalt nach mit dem bewußt Erstrebten
identisch wäre. Die Herausarbeitung des zuvor unklar Erfaßten, die
genaue Bestimmung des zuvor allgemein Gedachten ist dann eben
die erstrebte Verwirklichung, sowie bei der körperlichen Bewegung
es die äußere Veränderung ist, welche die gewollte Vorstellung verwirklicht. Wesentlich bleibt für den Tatbestand des Wollens nur,
daß ein noch nicht wirklicher Inhalt irgendwie von uns innerlich
ergriffen wird und durch unser Streben für uns verwirklicht wird.
Das Ergebnis muß also mit dem Ausgangspunkt inhaltlich identisch bleiben und nur der seelische Aggregatzustand wechselt: aus
dem Gewollten wird ein Erreichtes, aus dem Vorgestellten wird ein
Verwirklichtes. Solch Übergang ist die einzige Quelle unserer Befriedigung, und da kein Wert ohne Befriedigung Sinn hat, so muß
auch der Wert eine Verwirklichung eines gewollten inhaltlich Identischen sein. Nur kann dieser Wille nicht von Lust oder Unlust
gelenkt sein; es muß der reine Wille sein, der nach der Verwirklichung seines Ziels strebt.

Der Begriff des Erreichen und Verwirklichen ist hier noch unbestimmt und fast scheint es unmöglich, die zahllosen Formen der
Verwirklichung unter eine Formel zu bringen. Sicherlich müssen
wir uns jedenfalls davor hüten, den Gegensatz von Gewolltem und
Verwirklichtem so zu deuten, als handle es sich stets um den Gegensatz von Psychischem und Physischem. Gewiß kann die Verwirklichung darin bestehen, daß ich ein Geräusch zuerst vorstelle und
dann physisch herstelle, einen Tasteindruck erst festhalte, wie er
in meiner Erinnerung von früher her erhalten ist und dann körper-
lich auf mich wirken lasse. Aber selbst in diesem Falle ist der
wesentliche Übergang doch der von einem Seeleninhalt zum andern,
von der Vorstellung zur Wahrnehmung, und es bleibt wieder die
Frage bestehen, wie sich nun die wirklichkeitsfrische Wahrnehmung
von der blassen Erinnerung unterscheidet; die Beziehung auf die
außerpsychische Wirklichkeit hilft da nicht. Der Gegensatz bleibt
daher auch da bestehen, wo von einer Außenwirklichkeit gar nicht
die Rede ist. Habe ich eine unklare Idee, und entwirre und ent-
wickele sie durch logische Gedankenarbeit, so ist mein Gedanken-
plan durch mein Wollen verwirklicht, obgleich die Verwirklichung
nur in meinem Denken erfolgt ist.

Was bedeutet es denn nun, wenn wir vom Gewinnen der niedersten Reizwahrnehmung bis hinauf zum Gewinnen einer Weltanschauung die Verwirklichung dem Vorgestellten gegenüberstellen? Offenbar ist der Zustand des Verwirklichens dann erreicht, wenn das Festgehaltene uns eine neue bestimmte Handlungsweise ermöglicht. Die Verwirklichung wird selbst zwar durch Handlung herbeigeführt, aber jede Verwirklichung wird Ausgangspunkt neuer Handlungsweise. Ob ich ein Werkzeug zur Hand nehme oder die Frucht an die Lippen bringe, mir einen Namen zurückrufe oder eine Überlegung zu Ende denke, stets wird erst durch die Erreichung des beabsichtigten Erfolges die eigentliche Tat möglich, in der jener Inhalt seinen Sinn sucht. Erst bei der Verwirklichung kann ich das Werkzeug benutzen, die Frucht saugen, den Namen aussprechen, den überlegten Plan ausführen. Verwirklichen ist somit ein Ende und doch auch stets ein Anfang; verwirklichen bedeutet stets, einen Seeleninhalt, der für eine geplante Handlung noch keinen festen Anhaltspunkt gibt, so umgestalten, daß die entsprechende Handlung nunmehr möglich wird und dabei doch den ursprünglichen Inhalt festhalten. Aller Übergang vom Gewollten zum Verwirklichen ist ein Übergang von unsicheren, unbestimmten, unzureichenden Anhaltspunkten eines geplanten Handelns zu einer festen bestimmten zureichenden Grundlage, die inhaltlich mit dem Ausgangspunkt identisch ist.

Der Wille zur Selbstbehauptung der Welt. Unsere Betrachtung hatte uns notwendig zu einer Doppelfrage geführt. Wir hatten klar erkannt, daß es schlechthin gültige Werte gibt und das heißt, schlechthin gültige Willensbefriedigungen. Sie fanden sich aber weder im wertfreien System des Naturgeschehens noch in dem nur individuell gültigen Willenssystem der von Gefühlen bewegten Einzelpersönlichkeiten. Es mußte somit eine Befriedigung geben, die von persönlicher Lust und Unlust unabhängig ist. Die versuchte Zurückführung auf ein Sollen ergab sich als ein Irrweg. Wir standen somit in der Tat vor der doppelten Frage: wie kann uns etwas befriedigen, das nichts mit Lust und Unlust zu schaffen hat und wie kann es ein Wollen geben, das nicht aus persönlichen Gefühlsmotiven entspringt. Die erste dieser beiden Fragen haben wir nun vollständig beantwortet und das Ergebnis leuchtet ein. Willensbefriedigung als solche ist überhaupt von Lust und Unlust unabhängig; die Verwirklichung des Gewollten ist an sich Befriedigung,

ohne Rücksicht darauf, ob das Erreichte Lust gewährt. So bleibt
uns denn die tieferführende andere Frage: was bewegt uns, etwas
zu wollen, das ohne Beziehung zu Lust und Unlust steht, auf das
Gleichgewicht unseres persönlichen Seins also keinen Einfluß besitzt?

Die volle Antwort sei nun sofort gegeben und betont; von ihr
aus muß sich alles weitere entwickeln. Ja, es gibt einen grundsätzlichen Willensakt, von dem wir nicht lassen wollen und der doch
nichts mit unserer Lust und unserem Leid zu schaffen hat: der Wille,
daß es eine Welt gibt, daß unser Erlebnisinhalt also uns nicht
nur als Erlebnis zu gelten habe, sondern sich in sich selbst unabhängig behaupte. Von hier aus muß sich alles erleuchten. Hier ist
die eine ursprüngliche Tathandlung, die unserem Dasein ewigen
Sinn gibt und ohne die das Leben ein schaler Traum, ein Chaos, ein
Nichts ist.

Als eine Welt wollen wir unseren Erlebnisinhalt gelten lassen.
Wir sagen nicht, daß er auf solche Welt hinweise oder solche Welt
abspiegele, als wenn da außerhalb des Erlebnisses noch ein Überwirkliches unveränderlich vorhanden sei; würden wir solche Überwelt ergreifen, so müßte sie ja doch wieder zum Erlebnisinhalt
werden und somit zu den gleichen Problemen führen. Nein, der
erlebte Inhalt selbst gilt uns als solche Welt. Da drängt sich kein
Sollen hinein. Der ganze Sinn und die wahre Bedeutung dieser Tat
ruht gerade darin, daß sie eine Tat der Freiheit ist. Wer diese Tat
nicht vollbringen will, wer alles Erleben nur just als sein persönliches Erfahren auffassen will, alles Geschehen nur nach seinem
Behagen und Unbehagen abstuft, dessen Wollen verstößt gegen
kein Sollen, das seinem Willen überlegen wäre. Mond und Sterne
sind für ihn persönliche Gefühlswerte, Freunde und Feinde sind
Erlebnisse seines persönlichen Bewußtseins, Gebote sind für ihn
persönliche Empfindungen; nichts hat Gültigkeit hinaus über das
Erfahrenwerden, nichts hat selbständigen Gehalt, nichts eigne
Bedeutung, nichts unabhängige Lebendigkeit, aber eine Nötigung
kann es nicht geben, darüber hinauszugehen. Daß die Erfahrung
nicht nur persönliches Erlebnis sondern eine in sich gültige überpersönliche Welt sei, das ist weder eine Wahrheit noch eine Schönheit noch eine Pflicht noch ein heiliges Gut, denn alle Wahrheiten,
Schönheiten, Pflichten und Heiligkeiten der Welt sind notwendig
selbst abhängig von der Forderung, daß es eine Welt gibt.

In voller Freiheit setzt die Entscheidung ein. Und doch, nur
für die, welche sie vollzogen, hat es überhaupt Sinn, über das Wesen
der schlechthin gültigen Werte dieser Welt zu sprechen. Wir wollten
ja keinen Beweis erbringen, daß die Werte da sind und wollten
nicht predigen, daß der Ungläubige an sie glauben solle; wir fragten
nur, was die Werte für denjenigen bedeuten, der sie kennt. Wer sie
nicht kennt, wer deshalb also von vornherein keinen Wirklichkeitswert für seine Erlebnisse zuläßt, der verneint ja damit schon die von
seinem Erlebnis unabhängige Wirklichkeit des Fragenden und steht
somit ganz außerhalb des Kreises derer, die zu gemeinsamer Überlegung sich vereinigt. Wer hier mit uns erörtern und prüfen will,
muß die Wirklichkeit der Anderen und damit die unabhängige Gültigkeit dieses Erlebnisses schon bejaht und somit anerkannt haben.
Nur wir, die wir diesen ersten Schritt getan, das überselbstische Sein
unseres Selbsterlebnisses bejaht haben, wir allein können irgend
etwas miteinander gleichberechtigt durchmustern und erwägen;
gibt es Wesen, die solchen Schritt nicht vollziehen wollen, so scheiden sie als Träger der Überlegung für uns aus. Wir aber, die wir die
Bejahung vollzogen, wollen nun prüfen, ob es zutrifft — was dieser
Erörterungen letzter Sinn sein soll — daß dieser eine Akt der Bejahung einer unabhängigen Welt notwendig alle Werte einschließt.

Wer da will, daß diese Erlebnisse als eine selbständige Welt
gelten, der muß nun offenbar jedes Erlebnis mit dem Verlangen erfassen, daß es in dem dahinrauschenden Strom seiner Erlebnisse sich
selbst behaupte. Wenn jedes Erlebnis, in sich vereinzelt, nur auf-
tauchte, um spurlos zu verschwinden, so hätten wir eben keine
Welt. Das Sichselbstbehaupten kann uns aber doch nur darin
bestehen, daß jedes in einem neuen Erlebnis wiederkehrt, daß also
ein neues, neuen Zwecken dienendes Erlebnis mit dem alten ineinsgesetzt wird — das aber war genau die Beziehung, die wir als Verwirklichung kennen lernten, und jede Verwirklichung ist für den
Erlebenden eine Befriedigung. Treten wir an die Erlebnisse mit
dem Willen heran, daß sie nicht nur ein Traum, sondern eine für sich
bestehende, in sich gültige, unabhängige Welt darstellen, so muß
jedes Wiederkehren, jedes Erhaltenbleiben, kurz jedes Sichidentisch-
erweisen innerhalb der Erlebnisse den Willen befriedigen. Und da
dieser Wille zur Welt keine Beziehung zu persönlicher Lust und
Unlust hat, so muß diese Befriedigung schlechthin gelten, für jedes

überhaupt mögliche Bewußtsein, das mit uns eine Welt will. Die schlechthin gültige Befriedigung aber ist der reine Wert; schlechthin wertvoll ist also die Beziehung der Identität zwischen den wechselnden Erlebnissen. Und nur insofern als solche Identität sich darbietet, ist die Welt schlechthin wertvoll. Nur insofern als solche Identität sich darbietet, ist aber, wie wir sehen, das Erlebte überhaupt eine unabhängige, selbständige, wirkliche Welt. Die Welt der Werte ist also die einzige wahre, sich selbst behauptende Welt, und für jeden, für den es überhaupt eine Welt gibt, müssen alle Beziehungen, die sich aus der Selbstbehauptung der Erlebnisse ergeben, schlechthin wertvoll sein. Das System der Werte muß sich also dann ergeben, wenn wir fragen, was durch diesen Akt der Weltbejahung gesetzt ist oder, mit anderen Worten, in welcher Weise die Selbstbehauptung der Welt vor sich gehen kann.

Das System der Werte. Die Grundrichtungen der Bewertung übersehen wir nun sofort, obgleich ihr Sinn und ihre tiefere Bedeutung sich uns erst langsam später entfalten wird. Sollen sich die Erlebnisse als unabhängige Welt behaupten und somit sich in immer neuen Erlebnissen selbst verwirklichen und somit im Wechsel der Erfahrung untereinander identisch erweisen, so muß eine vierfache Beziehung gefordert werden. Erstens muß jeglicher Teil im Wechsel der Erlebnisse mit sich selbst identisch erhalten bleiben. Zweitens müssen die verschiedenen Teile in gewissem Sinne unter einander identisch sein, also miteinander übereinstimmen und somit in sich selbst einig sein. Drittens muß jegliches auch in seinem Anderswerden mit sich identisch bleiben und somit sich selbst betätigen. Diese dreifache Identität im Chaos der Erlebnisse gibt so eine dreifache Selbstbehauptung, eine dreifache Verwirklichung des Gegebenen in neuem Erlebnis und somit eine dreifache überpersönliche Befriedigung des Erlebenden und somit einen dreifachen Wert: der Wert der Erhaltung, der Wert der Übereinstimmung und den Wert der Betätigung. Soll aber die Welt sich vollkommen selbst behaupten, so müssen auch diese letzten Werte wieder miteinander identisch sein, der eine sich im andern verwirklichen; erst dann wird dem überpersönlichen Willen die schlechthin letzte Befriedigung, und wir gewinnen so den vierten Wert: den Wert der Vollendung.

Es sind also vier Forderungen, die sich ergänzen, damit überhaupt eine Welt möglich ist und das bloße Erlebnis überwunden wird. Wer die Welt bejaht, muß diese Erhaltung, Übereinstimmung, Betätigung und Vollendung der Welt als Gewähr der Selbstbehauptung des Erlebnisses verlangen. In jeder dieser vier Formen verwirklicht sich das Erlebnis als ein Stück wahrer Welt. Das Wollen vom Erlebnis zu dieser Verwirklichung hin ist jenes reine Wollen, das, fern von persönlicher Lust und Unlust, Befriedigung findet, sobald die Erhaltung, Übereinstimmung, Betätigung und Vollendung des Erlebten gewonnen ist. Das einzelne Erlebnis als solches ist wertfrei, aber daß es sich selbst behauptet und so eine Welt aufbaut, das ist schlechthin wertvoll und wo unser tastendes Wollen den Anschluß an diese Welt der Verwirklichung erreicht, das Erlebnis identisch mit sich selbst verwirklicht wiederfindet, da ist ein reiner Wille ewig befriedigt und ein Wert gewonnen.

Die wahre Welt ist also die Welt unserer Erlebnisse insofern als sie sich selbst behaupten und so, in eignem unabhängigem Selbstsein sich verwirklichen, während sie als Erlebnisse nur für uns da sind. Auf diese wahre Welt allein kann sich unsere Frage nach der Gültigkeit der reinen Werte beziehen und nun ist es klar, daß es geradezu sinnlos wäre, die Frage zu verneinen. Diese wahre Welt ist erfüllt von reinen Werten, denn sie ist ja gerade die Welt, die wir aufbauen, indem wir das Selbstsein des Erlebnisses bejahen und somit die unabhängige Verwirklichung des Gegebenen fordern. Die wahre Welt selbst hat also überhaupt nur Gültigkeit insofern sie diese Forderung erfüllt, und somit den reinen Willen befriedigt und das heißt: insofern sie schlechthin wertvoll ist. Wir Einzelne mögen die wahre Welt nicht erfassen, aber die Welt, die wir suchen und deren unbedingte Werte wir erspüren wollen, ist eine Welt, für welche die Gültigkeit der Werte bereits vorausgesetzt ist, es ist eine Welt, für deren Aufbau der reine Wert das einzige Apriori ist. Unser Erlebnis ist nichts als unser Erlebnis oder es ist eine schlechthin wertvolle für sich seiende Welt; ein drittes kann es nicht geben. Wo auch immer ein Erlebnis — es mag ein Erlebnis der Außenwelt oder der Mitwelt oder der Innenwelt sein — sich identisch in der Erfahrung verwirklicht, und so sein unabhängiger Sinn sich bekundet, da wird unser reiner Wille zur Selbstbehauptung des Erlebnisses erfüllt und dadurch für uns eine reine Befriedigung, für die Welt ein reiner Wert gewonnen.

Diese Tat, das Erlebnis zur Selbstheit zu erheben, vollziehen wir naiv; schon wenn wir den Dingen oder den Wesen eigenen Daseinswert beilegen, ist ja solche Bewertung gesetzt. Aber aus diesen naiven Bewertungen des Lebens entwickeln sich die zweckbewußten Strebungen, die dem Aufbau solcher sich selbstbehauptenden und deshalb schlechthin wertvollen Welt mit zielsicherem Wollen dienen; das gerade ist die Arbeit der Kultur. Und so werden wir die naiven Lebenswerte von den zielbewußt gesetzten Kulturwerten überall scheiden müssen; in jeder dieser beiden Hauptgruppen haben wir dann die vier großen Gebiete der Erhaltungswerte, der Einstimmigkeitswerte, der Betätigungswerte und der Vollendungswerte. Wenn so acht Klassen entstehen, wird jede sich dreimal teilen müssen, da wir stets die Erlebnisse der Außenwelt, der Mitwelt und der Innenwelt sondern müssen. So gelangen wir zu einem System von achtmal drei Wertgruppen, und doch sind alle diese vierundzwanzig Werte nur Verzweigungen des einen Wertes, daß unser Erleben zu einer unabhängigen sich selbst behauptenden Welt gehört.

Wir überschauen jetzt also den Grundplan des Systems. Wir haben vier Hauptklassen der Werte, die Erhaltungs-, Übereinstimmungs-, Betätigungs- und Vollendungswerte. In jeder der vier haben wir als ersten Teil die unmittelbaren Lebenswerte; nämlich die Daseins-, die Einheits-, die Entwicklungs- und die Gotteswerte. Und in jeder haben wir als zweiten Teil die zweckbewußten Kulturwerte: die Werte des Zusammenhangs, der Schönheit, der Leistung und der Weltanschauung. So entstehen viermal zwei Abteilungen, und in jeder dieser acht unterschieden wir die Beziehungen auf die Außenwelt, die Mitwelt und die Innenwelt. So ordnet sich das gesamte Reich der Werte, die alle von individuellen persönlichen Interessen, von Lust und Unlust unabhängig sind und notwendig durch den einen Grundwillen gesetzt sind, den Erlebnisinhalt als selbständig und sich selbst behauptend aufzufassen. Wer diesen Willensakt nicht vollzieht, der nimmt an unserer gemeinsamen Welt nicht teil, für ihn kann also auch kein Erörtern und Ansichtenaustauschen denkbaren Sinn besitzen. Wer aber mit uns den Akt vollzieht und da sagt, daß sein Erlebnis ihm eine Welt bedeutet, der hat damit auch schon gesagt, daß jeder dieser Einzelwerte für ihn als schlechthin gültig gelte.

Die Welt, die er sucht, ist somit unter mannigfachen Gesichtspunkten absolut wertvoll und nur insofern als sie wertvoll ist, sucht er sie. Da die Werte aber Identitätsbeziehungen sind, die er selber setzt, so ist das Suchen letzthin ein Schaffen. Der Erlebnisinhalt, der weder in Erhaltungswerte noch in Übereinstimmungswerte noch in Betätigungswerte noch in Vollendungswerte eingesetzt werden kann, ist in keinem Sinne eine Verwirklichung dessen, was durch den Willen naeh einer Welt gewollt wird. Solch Inhalt bleibt wertlos und gehört somit nicht zu der einen Welt, die unser gemeinsamer Wille sucht und im Suchen aufbaut; es ist das Nichtdaseiende, das Häßliche, das Unrechte, das Sündhafte. Was dureh den Willen nach einer Welt notwendig gewollt ist, gehört notwendig zur Wirklichkeit jener Welt, unabhängig von dem Verlangen der einzelnen Persönlichkeit. Die Befriedigung jenes Willens, der den Erlebnisinhalt festhalten will, muß dem Suchenden als erreichbar gelten; nur, was diesen Willen befriedigt, darf wirklich als Teil jener Welt anerkannt werden, die mehr als ein gleichgültiger, im Erlebnis selbst bereits erschöpfter, Traum sein will. Diese reine Bewertung, die wir das Apriori der Welt genannt, ist somit reine Ineinssetzung der Erfahrungen — eine Willenstat, die über jedes nur persönliche Verlangen erhaben ist und somit jeden Relativismus unmöglich macht. Es ist das Wollen, ohne das es überhaupt keine Welt und keine Weltanschauung geben kann. Es ist das Wollen, den Erlebnisinhalt als selbstseiend anzuschauen und deshalb zu fordern, daß er sich selbst erhält, sich selbst erfüllt, sich selbst betätigt und sich selbst vollendet: die vier notwendigen verschiedenen Ausdrucksformen des einen Verlangens, daß er für sich selbst und somit wirklich ist. Die Verwirklichung des Erlebten, das unser Wille erfaßt, ist aber das einzige in unserem Dasein, das uns Befriedigung gibt, gleichviel ob der persönliche Gefühlswille oder der gefühlsfreie Wille zur Welt in Frage ist. Die Verwirklichung des Willens zur Welt ist daher immer und für jeden, der an der Welt teilnimmt, notwendig befriedigend, und somit ist jede Selbsterhaltung, Selbstübereinstimmung, Selbstbetätigung und Selbstvollendung schlechthin und ewig wertvoll. Wir warfen auf das Reich der Werte bisher nur, wie aus der Vogelperspektive, einen flüchtigen Blick, so daß wir kaum der gröbsten Umrisse gewahr werden konnten; das Recht und die Kraft der neuen Grenzordnung in diesem Reich kann sich aber erst dann erweisen, wenn wir nun sorgsam die Gebiete selbst durchwandern.

DIE REINEN WERTE
(Die Selbstbehauptung der Welt)

(Gegenstand der reinen Befriedigung)

	Die logischen Werte (Die Selbsterhaltung der Welt)	Die ästhetischen Werte (Die Selbstübereinstimmung der Welt)	Die ethischen Werte (Die Selbstbetätigung der Welt)	Die metaphysischen Werte (Die Selbstvollendung der Welt)
Lebenswerte: (Unmittelbar gesetzte Werte)	Daseinswerte (Gegenstand der Anerkennung)	Einheitswerte (Gegenstand der Freude)	Entwicklungswerte (Gegenstand der Erhebung)	Gotteswerte (Gegenstand des Glaubens)
Außenwelt:	Dinge	Harmonie	Wachstum	Schöpfung
Mitwelt:	Wesen	Liebe	Fortschritt	Offenbarung
Innenwelt:	Bewertungen	Glück	Selbstentwicklung	Erlösung
Kulturwerte: (Zielbewußt geschaffene Werte)	Zusammenhangswerte (Gegenstand der Erkenntnis)	Schönheitswerte (Gegenstand der Hingebung)	Leistungswerte (Gegenstand der Würdigung)	Grundwerte (Gegenstand der Überzeugung)
Außenwelt:	Natur	Bildende Kunst	Wirtschaft	Weltall
Mitwelt:	Geschichte	Dichtung	Recht	Menschheit
Innenwelt:	Vernunft	Musik	Sittlichkeit	Über-Ich

Zweiter Teil.

Die Welt der Werte.

Fünfter Abschnitt.

Die Daseinswerte.

Die Aufgabe der Erkenntnis. Wir haben in unserem ersten Teil eine Theorie der Werte gewonnen: jetzt gilt es, in ausführlichem zweiten Teil, das System der Werte auszuarbeiten. Wir haben untersucht, in welchem Sinne die Werte überhaupt möglich sind und wie sie abgeleitet werden müssen; jetzt gilt es, die gesamte Welt der Werte zu durchforschen und ihre Teile sorgsam voneinander abzugrenzen. Mit den Werten der Selbsterhaltung der Welt wollten wir beginnen; sie sind die logischen Werte, die selbst sich wieder in die Daseinswerte und die Zusammenhangswerte zerlegen.

Vom Dasein also wollen wir sprechen, vom wirklichen Gegebensein, von jener schlechthin gültigen Existenz, der das Nichtsein gegenübersteht. Keine andere Stellungnahme wird da von uns gefordert als die bloße Anerkennung, die sich im bejahenden Urteil ausspricht. Das Dasein eines Dinges oder eines Wesens verlangt an sich keine Würdigung und keine Bewunderung, wie wir sie einer Leistung zollen, verlangt keine Hingabe und keine Freude, wie wir sie dem Schönen entgegenbringen, verlangt auch keinen Glauben und keine Überzeugung, wie sie den metapsysischen Gütern zudrängt: das Dasein will lediglich zugegeben, anerkannt, bejaht sein und verlangt somit nur jene Unterordnung, die mit dem Gegebenen rechnet. Wer das wirklich Daseiende anerkennt, bleibt daher noch durchaus im Kreise des praktischen Lebens, ohne Rücksicht auf philosophische Abschlußgedanken über den letzten Sinn der Wirklichkeit; der soll uns viel später erst beschäftigen. Hier fragen wir zuerst nur im alltäglichen Gebrauchssinn nach dem, was in der Erfahrung da ist und somit Wirklichkeit hat.

Die Vielstimmigkeit der Worte führt leicht dahin, die Fragen zu verwirren. Es hat ja klaren Sinn, wenn ich im täglichen Leben

6*

sage, daß ich eine Absicht ausführe und so in Wirklichkeit umsetze. Und doch hat der Psychologe Recht, der da einwendet, daß nicht nur die Ausführung sondern auch die Absicht als seelisches Geschehen schon Wirklichkeit besaß, und andererseits hat der Philosoph Recht, der umgekehrt vielleicht behauptet, daß auch die Ausführung mir nur eine Erscheinung und nicht die Wirklichkeit darbietet. Der Psychologe, der Absicht und Ausführung gleichermaßen für Teile der wirklichen Welt nimmt und der Philosoph, der Ausführung und Absicht gleichermaßen vielleicht als unwirklich auffaßt, entfernen sich aber beide von dem zunächst Erlebten; beide geben uns Ergebnisse der denkenden Bearbeitung, die selber doch erst von gegebenen Tatsachen ausgeht und mit gegebenen Denkmitteln fortschreiten muß. Wir also fragen hier zunächst nach der Wirklichkeit im Sinne des praktischen Daseins, das, fern von allen philosophischen Gedanken, im einfachen Gegebenheitsurteil zum Ausdruck kommt.

Wir stehen somit im Bannkreis der Erkenntnis. Aber das Wirkliche vom Nichtwirklichen, das Daseiende vom Nichtseienden zu scheiden und den absoluten Wert der Existenz anzuerkennen, ist nur der Anfang der Erkenntnis. Wir wollen nicht nur wissen, was in der Außenwelt und Mitwelt und Innenwelt wirklich ist, sondern vor allem auch wie das Wirkliche zusammenhängt und verbunden ist. Wir spüren den Ursachen und Wirkungen, den Gründen und Beziehungen nach und entdecken so in den Dingen und Menschen den ebenfalls schlechthin gültigen Wert ihres Zusammenhangs. Hätten wir alle Existenzen und alle Beziehungen zur Mitteilung gebracht, so wäre die Erkenntnis vollendet. Aber offenbar gibt es einen tiefgreifenden Unterschied zwischen dem Erfassen des Daseins und dem Erfassen des Zusammenhangs; das eine ist unmittelbar, das andere verlangt ein Suchen und Fragen. Die Wirklichkeit in ihrem Inhaltsbestande anzuerkennen, ist der naivsten Erkenntnis schon notwendig; in die Erfahrung Ordnung hineinzutragen und vom Gegebenen aus die kausalen und historischen und logischen Beziehungen zu verfolgen, wird zwar schon auf niederster Stufe des Erkennens vorbereitet, verlangt aber immer ein suchendes Umschauen und führt schnell zu zielbewußter Arbeit. Und da wir im System der Werte stetig die unmittelbar gegebenen Werte, die Lebenswerte, von denen trennen wollten, die durch zwecksetzendes

Bemühen gewonnen sind, den Kulturwerten, so müssen in der Tat die Werte, auf die sich das Erkennen bezieht, von vornherein in Daseinswerte und Zusammenhangswerte gesondert werden.

Daß wir die Werte, auf die sich unsere Urteile beziehen, allen anderen voranstellen, ist nicht zufällig. Wollten wir unsere Wanderung im Gebiet der ästhetischen oder ethischen Werte beginnen anstatt im Umkreis der logischen Werte, so würden wir immer wieder zur Daseins- und Zusammenhangsfrage zurückgeführt werden. In der Tat, wenn alle Werte ihren Ursprung darin haben, daß wir das Erlebte von uns als Individuen ablösen und es als ein Selbständiges festhalten, so wird notwendig an der Schwelle aller Bewertung der reine Daseinswert zu suchen sein. Soll das Erlebnis mehr sein als ein persönlicher Traum, so muß das doch in der Tat die erste Forderung sein, daß jedes Einzelne über das gegenwärtige Erleben hinaus sich erhält, und somit in einer anderen Erfahrung wiederkehrt. Jenes Wiederkehren des Identischen aber erkannten wir ja als die grundsätzliche Bedingung jeglicher Bewertung. Wir suchen das Erlebte jenseits seiner bloßen zufälligen Gegebenheit und finden das Gesuchte nun verwirklicht; das ist ein Suchen und ein Finden, das von jedem gewöhnlichen Wünschen und von jeder Lust und Unlust vollkommen frei ist. Wo ein Erlebtes zusammentrifft mit dem Willen, das Erlebte als Welt zu nehmen, da muß das Wiederfinden des Erlebten somit die schlechthin gültige Erfüllung eines schlechthin wirksamen Wollens sein. Gerade damit vollendet sich aber für uns ein absoluter Wert, den wir rückhaltlos anerkennen.

Das Urteil und das Beurteilte. Der Daseinswert wird Gegenstand der Mitteilung in der Form des Existentialurteils. Der erste Eindruck erweckt wohl das Bedenken, daß der Akzent des Bewertens hier auf die falsche Stelle gelegt sei. Wertvoll, so scheine es, ist nicht das Dasein, das im Urteil zum Ausdruck kommt, sondern das Urteil selbst, dessen Wahrheit den gültigen Wert darstellt. Wertvoll ist das Urteil, das mit dem wirklichen Dasein übereinstimmt, denn wertvoll ist doch die Erkenntnis, nicht das Erkannte. Aber wer so vorschreitet, vermischt Werte verschiedener Art: logische Werte und ethische Werte. Der im Urteil behauptete und anerkannte Tatbestand des Daseins oder des Zusammenhangs hat logischen Wert, das begriffliche Formulieren und gewissenhafte Mitteilen des anerkannten Tatbestandes ist dagegen eine Handlung,

die der sittlichen Beurteilung unterliegt. Die populäre Verschiebung
aber, als käme der logische Wert nur der begrifflichen Ausprägung
zu, hat tiefere Gründe, die wir nur dann würdigen können, wenn wir
deutlich verstehen, in welchem Sinne uns die erkannte Welt gegeben
ist. Denn schließlich beruht die übliche Ansicht doch auf der un-
haltbaren dogmatischen Vorstellung, daß unsere Urteile sich auf
eine von unserem Erlebnis unabhängige Welt beziehen, deren Dasein
und Sosein in unseren Urteilen enträtselt wird.

Wer den Dogmatismus überwinden und den kritischen Gedanken durchführen will, muß nicht nur verlangen, daß alle Erkenntnis sich auf die Welt der Erfahrung bezieht, sondern auch daß
die Erfahrung selbst sich erst in der Erkenntnis vollzieht. Wir haben
keine nur vorgestellte Erfahrungswelt, sondern eine anerkannte,
logisch geformte, beurteilte Erfahrung. Die Objekte der Erkenntnis
und der Akt der Erkenntnis fallen somit nicht auseinander, sondern
sind eines, und die begriffliche Formulierung im Dienste der Mitteilung ist ein hinzukommendes. Logisch bedeutsam ist zunächst nur
die Anerkennung des allgemeingültig Gegebenen, und diese Anerkennung verlangt an sich keine Begriffe und keine Urteilsform, sondern nur den Willensakt der Bewertung des Erlebnisses als daseiend.

Das System unserer Anerkennungen, sowie sie in den Urteilen
Ausdruck finden, ist gleichzeitig das System unserer wirklichen Erfahrung; eine unbeurteilte Erfahrung gibt es für uns so wenig wie
eine hinter der Erfahrung versteckte Wirklichkeit. Den logischen
Wert darin zu suchen, daß das Urteil wirklich die Erfahrung wiedergibt, ist also unmöglich, da die Erfahrung als Gegenstand der Erkenntnis eben nur als das Beurteilte in Frage kommen kann.
So fremd es auch klingen mag: der Wert des Urteils als Akt der Anerkennung ist gleichbedeutend mit dem Wirklichkeitswert des Be-
urteilten; der Wert des Existenzurteils ist gleichbedeutend mit dem
Daseinswert der Welt. Da wir als Gegenstand der Erkenntnis gar
keine andere Wirklichkeit kennen als diejenige, die in Daseins- und
Zusammenhangsurteilen geformt und anerkannt ist, so kann von
einer Übereinstimmung zwischen beiden und von einem Wert auf
Grund dieser Übereinstimmung nicht mehr die Rede sein.

Dem scheint zu widersprechen, daß dem Daseinswert und dem
Urteilswert sehr verschiedene Gegensätze gegenüberstehen. Dem
wirklichen Dasein steht das Nichtsein gegenüber, dem wahren Ur-

teil aber steht das falsche Urteil, der Irrtum gegenüber, und es ist offenbar, daß ein Urteil, welches ein Nichtsein behauptet, durchaus nicht deshalb ein irrtümliches Urteil sein muß. Aber so liegt es nicht. Es ist durchaus unzulässig, den tiefsten logischen Gegensatz in der Gegenüberstellung von Wahrheit und Irrtum zu suchen. Solange wir den Irrtum nicht als solchen erkennen, ist das falsche Urteil für den Denkenden nicht verschieden von dem wahren. Es mag, wenn die Umgebung den Irrtum durchschaut, soziale Minderwertigkeit darstellen, und wenn bei größerer geistiger Mühewaltung der Irrtum vermieden werden konnte, so mag sich sittliche Schuld dazugesellen. Logisch aber bleibt der Irrtum für den Irrenden selbst der Wahrheit gleich, und die Wirklichkeit, die er erkennen will, besitzt zunächst tatsächlich den falschen Daseinswert. Wird der Irrtum aber erkannt, so stellt sich das Denkgefüge dem Beurteiler als Ausdruck eines nichtseienden Zusammenhangs von Erkenntniswerten dar, und diese neue Erkenntnis spricht sich nun nicht in einem Irrtum, sondern in einem wahren negativen Urteil aus. Der Gegensatz des bejahenden und verneinenden Urteils, der Zustimmung und der Verwerfung, ist in der Tat die tiefste logische Gegenüberstellung und ihr entspricht nun durchaus das Dasein und Nichtsein der Welt.

Daß wir alle schwer den Dogmatismus überwinden, steht fest. Wie wir immer wieder glauben, daß die Erde feststeht und die Sonne sich bewegt, so beziehen wir den Wert unserer Erkenntnis immer wieder auf die Übereinstimmung zwischen den Urteilen und einer von den Urteilen unabhängigen Welt. Wir machen uns um so schwerer von solcher Denkgewohnheit frei, als unsere Zeit mit Vorliebe psychologistisch denkt. Der Psychologe kennt die Erfahrungen als Bewußtseinsinhalte in uns, völlig gesondert von den physischen Dingen, und unser persönliches Wollen ist für ihn ebenfalls Bewußtseinsinhalt, zusammengesetzt aus Empfindungen. Für ihn ist es somit selbstverständlich, daß jedes Urteil eine Vorstellungsverbindung in unserem Bewußtsein ist, und der Wert des Urteils beruht dann darauf, daß diese eingekapselten Vorstellungen einer Welt da draußen entsprechen. Alles das mag innerhalb der Psychologie zutreffend sein, aber die wertvollen Ergebnisse der wissenschaftlichen Psychologie werden mißverstanden, wenn sie als Ausdruck der reinen Lebenswirklichkeit gelten sollen. Soll unsere Persönlich-

keit in ihrem wirklichen Wollen und Denken aufgefaßt werden, so
darf sie nicht unter den Gesichtspunkt einer Wissenschaft gebracht
werden, die grundsätzlich mit weitgehenden künstlichen Abstraktionen und Umformungen arbeitet. Es ist im Grunde der gleiche
Mißbrauch, wie der, welcher in vergangenen Tagen die richtigen
Lehren der Physik fälschlich zur Weltanschauung aufbauschte. Damals entstand ein seichter Materialismus, der vor der ersten ernst-
haften Philosophenfrage zerfallen mußte; im Schutte seiner Trüm-
mer hat sich der Psychologismus angesiedelt.

Der Sinn der Daseinsforderung. Wollen wir uns den Sinn der
Daseinsbehauptung wirklich vorurteilslos verdeutlichen, so müssen
wir also von dem unmittelbaren Erlebnis ausgehen, so wie wir es
finden, ehe es von der Wissenschaft einseitig bearbeitet ist. Was
bedeutet es in der reinen Lebenswirklichkeit, daß wir irgend etwas
als wirklich daseiend anerkennen? Jeder muß da natürlich vom
eigenen Selbst ausgehen.

Ich finde mich nun einer Mannigfaltigkeit von Inhalten als
stellungnehmendes Selbst gegenüber. Die Verschiedenheit von Inhalt und Selbst finde ich in der Tat in jeglichem Erlebnis, von dem
ich mir überhaupt Rechenschaft gebe. Aber dieser Gegensatz
hat auch nicht das geringste mit der Scheidung von Physischem und
Psychischem zu tun. Der Inhalt des wirklichen Erlebnisses ist
weder physisch noch psychisch, weil er noch beides zugleich ist, noch
ungeschieden das von mir ergriffene Ding da draußen ist. Das
stellungnehmende Selbst aber ist weder psychischer noch physischer
Inhalt, weil es überhaupt niemals als Inhalt in Frage kommt. Das ist
das Wesentlichste: das wirkliche Selbst in mir erlebe ich nicht als
einen vorgefundenen Inhalt, den ich wahrnehme, sondern ich weiß
von mir selbst, dadurch, daß ich durch mein Streben und durch
meine Betätigung meiner selbst gewiß werde, in meiner Stellungnahme mich selbst wirklich weiß. Wer da zugibt, daß er sich selbst
nur als Bewußtseinsinhalt vorfindet, der ist schon halb dem
Psychologismus verfallen und kann nicht mehr zum wahren Erlebnis zurück.

Und meinem stellungnehmenden Ich gegenüber stehen die
Inhalte. Aber nicht in mir sind sie zusammengepackt, sondern über
den Weltkreis sind sie zerstreut. Noch sind sie nicht vom Physiker
in Atome zerrieben und noch vom Psychologen nicht in Empfin-

dungen verwandelt. Da draußen in der Ferne erlebe ich die Sterne am Himmel, und weiß nichts von meinem Bewußtsein, das sie spiegelt und am allerwenigsten von meinem Gehirn, das sie beherbergt. Das Vorstellungsding ist überall, nur nicht in mir, dem stellungnehmenden Selbst. So aber wie meine wirklichen Gegenstände nicht räumlich in mir sind sondern da und dort, so sind sie mir auch nicht in den gegenwärtigen Augenblick zusammengedrängt. Meine psychologisierten Inhalte sind alle jetzt in mir gegenwärtig: die Wahrnehmungsvorstellungen, die Erinnerungsvorstellungen, die Erwartungsvorstellungen, alle sind jetzt in mir, und nur durch ihre Beziehungen weisen sie auf Vergangenes und Künftiges. Im wirklichen Erlebnis dagegen fehlt auch diese Doppelheit; der Erinnerungsinhalt hat keine gegenwärtige Wirklichkeit, sondern meine Stellungnahme wendet sich unmittelbar dem Vergangenen und, in der Erwartung, dem Zukünftigen zu.

Die Inhalte, die ich im Erlebnis kenne, sind niemals einem passiven Zuschauer dargeboten. Der Physiker mag und muß von jedem stellungnehmenden Selbst geflissentlich absehen, und die Dinge zu nur wahrnehmbaren Gegenständen machen. In Wirklichkeit kenne ich die Dinge nur als Ansatzpunkte meiner Anteilnahme, meines Zustrebens und Ablehnens, meines Verwertens und Verwerfens. Die Dinge sind mir Mittel und Ziele, Gegenstände meines Wollens und meiner Aufmerksamkeit, niemals nur Inhalte des gleichgültigen Gewahrseins. Das wirkliche Erlebnis ist somit im Grunde ein auf Ziele gerichtetes Wollen, und erst nachträglich löst sich das Wollen als gefühlte Selbsttat vom Ziel als erlebtem Inhalt ab. Frage ich mich aber, wie sich im Einzelereignis meines Lebens der Wille vom Ziel, das Selbst vom Inhalt überhaupt sondert, so bleibt mir im Grunde ein einfacher letzter Tatbestand: im Bewußtsein des Selbst erlebe ich stets eine innere Gegensätzlichkeit, die dem Inhalt fehlt. Inhalt ist mir der Rest des Erlebnisses, wenn das Gegensatzmoment des Wollens ausgeschieden ist. Im Wollen ist stets die innere Beziehung zum Gegensatze mitgemeint; ich kann nicht zustimmen ohne die Ablehnung auszuschließen und ich kann nicht ablehnen, ohne die Zustimmung zu verweigern. In jedem Mögen und Nichtmögen, Lieben und Hassen, Streben und Widerstreben liegt solch Gegensatz und nur in solcher Gegensätzlichkeit kenne ich mich selber als wirkliche Persönlichkeit. Das wirkliche

Leben kann dieses Grundverhältnis nie überwinden; gleichviel wie
tief die Erfahrung im wissenschaftlichen Denken umgestaltet wird,
auch die Welt des Forschers ist schließlich Willensinhalt eines stellungnehmenden Selbst. Wenn etwa der Physiker das Universum
so vorstellt, daß es als Gegenstand für einen untätigen Zuschauer
gedacht ist, so gewinnt er ein aus dem mechanischen Weltall einerseits und dem passiven Zuschauer andererseits bestehendes System,
das nun als Ganzes durchaus nicht Gegenstand für einen passiven
Zuschauer ist, sondern für den wollenden zwecksetzenden Physiker.

Aber die Lebenswirklichkeit ist noch reicher. Als wollendes
Selbst finde ich mich nicht nur in Beziehung zur Außenwelt, sondern
von vornherein auch in Beziehung zur Mitwelt. Im unmittelbaren
Erlebnis nehme ich Stellung zu Freund und Feind, und wirke, mit-
strebend oder widerstrebend, in steter Rücksicht auf andere wollende
Wesen. So findet der Einzelwille sich sowohl Dingen wie Wesen
gegenüber, nach denen er sich richtet und auf die das Streben sich
bezieht. Aber schließlich ein drittes. Der Einzelwille findet seine
Schranken nicht nur in der Außenwelt und in der Mitwelt, sondern
auch in der eigenen Innenwelt. Im Gefüge der eigenen Wollungen
findet das Selbst seine Gebundenheit; Wollungen sind in mir
lebendig, die ich nicht nach Willkür umwandeln kann, Bewertungen,
die mit überpersönlicher Kraft sich in mir geltend machen. So tritt
die Außenwelt, die Mitwelt, die Innenwelt an meinen Einzelwillen
heran. Auf jedem der drei Gebiete muß ich mich dann aber entscheiden, ob das, was meinen Willen da erregt, nur mein Erlebnis
ist und sich in dem einen Erlebtwerden erschöpft oder ob es selbst-
ständige Wirklichkeit besitzt.

Ist der Eindruck der Außenwelt, die Zumutung der Mitwelt,
das Verlangen der Innenwelt nur das als was es sich darbietet, ein
Eindruck, eine Zumutung, ein Verlangen, so haben sie kein wirkliches Dasein, kein Recht auf schlechthin fraglose Anerkennung,
kurz keinen schlechthin gültigen Wert. Ist Eindruck, Zumutung
und Verlangen nur unser persönliches Erlebnis, so wird unser Wille
aus unseren persönlichen Bedürfnissen und Neigungen heraus dazu
Stellung nehmen, ohne daß die Entscheidung Tragweite über den
einzelnen Akt hinaus hätte. Hält unser Wollen dagegen den außen-
weltlichen Eindruck, die mitweltliche Zumutung, das innenwelt-

liche Verlangen innerlich fest mit der Forderung, daß sie auch außerhalb unseres Erlebnisses sich tatsächlich wirksam erweisen und in
ihrer Betätigung als identisch wiedergefunden werden können, so
ist die Erfüllung dieser Willensforderung wie jede Verwirklichung
für uns eine vollständige Befriedigung. Diese Willensforderung ist
aber unabhängig von jedem persönlichen Wünschen, denn sie ist
gleichbedeutend mit der Forderung, daß es überhaupt eine Welt
gibt. Auch die Befriedigung dieses Wollens ist daher überpersön-
lieh, es ist ein schlechthin gültiger Wert, der Daseinswert.

Es gilt somit zu prüfen, ob der Wille, daß unsere Eindrücke,
Zumutungen und Verlangen sich jenseits des einzelnen Erlebnisses
erhalten, auch wirklich zur Erfüllung kommt, kurz ob es wirkliches
Dasein gibt; das Dasein der Dinge, der Wesen, der Bewertungen.
Schlechthin wertlos ist von diesem Standpunkt alles, was nicht zur
daseienden Welt der Dinge, Wesen und Bewertungen gehört und
somit nichts als unser persönliches Erlebnis sein will. Die Viel-
sinnigkeit des Wortes Wirklichkeit geht so weit, daß wir nun, ohne
Mißverständnis, das Problem auch so aussprechen können: es fragt
sich, was im wirklichen Erlebnis Erlebnis des Wirklichen sei. Die
Einzeluntersuchung aber mag sich weiterhin spalten, da wir getrennt naeh dem Daseinswert in der Außenwelt, in der Mitwelt und
in der Innenwelt ausschauen wollen. Die Trennung bleibt aber doch
nur eine oberflächliche, da alle drei Gebiete in enger Beziehung
stehen; vom Daseinswert der Dinge wissen wir, weil wir die Wesen
anerkennen und der Daseinswert der Wesen wäre nicht gültig, wenn
wir nicht die Dinge kennten.

A. Die Dinge.

Die Feststellungen des praktischen Lebens. Wer noch im Psychologismus befangen ist, hat sieh mit dem Problem zu quälen, wie
wir es anfangen, die gegenwärtig in uns gegebenen Vorstellungen in
den Raum und in die Zeit hinaus zu verlegen. Das Ferne ist als Abbild in uns hier, das längst Vergangene ist als Erinnerung in uns
jetzt gegenwärtig, und wenn wir es nicht jetzt und hier wahrnehmen, so verlangt die Hinausverlegung besondere Erklärung.
Von unserem Standpunkt des reinen Erlebnisses stellt es sieh in
entgegengesetzter Ordnung dar. Nahe und fern, vergangen und
zukünftig liegen die sachlichen Anhaltspunkte unseres Willens,

die Gegenstände, vor uns ausgebreitet, und, was Erklärung erheischt, ist nur, wie wir dazu kommen, das räumlich und zeitlich
Entfernte in ein Hier und Jetzt zu verwandeln, indem wir es in
unsere körperliche Persönlichkeit, in unser Hirn, hineinverlegen.
Im wirklichen Erlebnis sind die Dinge mein, nicht weil sie in mir
sind, sondern weil sie Gegenstände meiner Aufmerksamkeit und
meines Strebens sind; das Ich aber, das sich ihnen zuwendet, ist
nicht der Körper, den ich stetig im Mittelpunkt meiner Dingwelt
wahrnehme, sondern das wollende Ich, das seiner selbst in der
Gegensätzlichkeit seiner Entscheidungen bewußt ist. Erst wenn ich
an die Stelle dieses wahren grundlegenden Ich mein wahrnehmbares
Körperich setze, dann muß ich allerdings das mir Gegebene als ein
in meinem Körper Erregtes vorstellen, muß die Sinnesorgane zur
Vermittlung rufen und die Welt als Produkt meines Zentralnerven-
systems erklären. Aber bei alledem bewege ich mich dann eben vollkommen im Geleise des wissenschaftlichen Erklärens; es handelt
sich dann nur noch um Beziehungen zwischen Objekten. Die
Ausgangsbeziehung bestand aber zwischen einem stellungnehmenden Willen, der als solcher niemals Objekt ist, und einer Objekt-
welt, die zunächst nicht Wahrnehmungsding sondern Willens-
interesse ist, und von dieser allein unmittelbar gegebenen Beziehung ist bei all den Übertragungen in die Sphäre der Wahrneh-
mungsdinge nichts übrig geblieben.

Wir haben es hier also nicht mit der Welt in unserem Gehirn,
sondern mit den uns wirklich im unmittelbaren Erlebnis gegebenen,
fernen und nahen, zukünftigen, gegenwärtigen und vergangenen
Gegenständen zu tun, denen unser Selbst mit ursprünglichem Wol-
lensinteresse gegenübersteht. Und nun fragt es sich, wann wir
diesen erlebten Inhalten den Wert selbständiger, vom Erlebnis und
vom Erlebenden unabhängiger Existenz beilegen.

Wie geht das praktische Leben vor? Das Gleichgültigste mag
uns belehren. Ich glaube mich zu entsinnen, daß am Ende dieses
Waldwegs eine bretterne Bank stand; täusche ich mich oder hat die
Bank, an die ich mich erinnere, Wirklichkeit? Ich wandere meinen
Weg weiter; dann wird sich schon zeigen, ob das Ding nur für mein
Erinnern Geltung hat oder unabhängig existiert; kann ich das Ge-
suchte wiederfinden, so gilt sein Daseinswert mir als bewiesen.
Und wie mit dem Erinnerten verhält es sich mit dem Wahrge-

nommenen. Dort im Moose glaube ich einen seltsamen Vogel zu sehen. Täusche ich mich, ist es vielleicht nur ein Schatten oder ein Stein? Ich trete näher heran, um herauszufinden, ob das Ding, das meine Aufmerksamkeit erweckt, sich auch in der weiteren Erfahrung als solches darbietet und erhalten bleibt. Die Wiederkehr in neuem Erlebnis erhebt das Einzelne somit über den unwirklichen Charakter.

In gleicher Weise wirkt ein anderes Verfahren, das uns praktisch vielleicht noch häufiger zurecht führt. Das Ding, das nur als sichtbar sich darbot, versuche ich zu ergreifen und zu betasten, oder was ich bisher nur hörte, versuche ich nun auch zu schauen, oder zu fühlen; kurz was ich in einer Gestalt wahrnahm, versuche ich nun in ganz anderer Form und doch als inhaltlich Gleiches wiederzufinden. Nahm ich irrtümlicherweise einen Lichtschein für ein Ding, so lehrt mich die tastende Hand, daß jenes Erlebnis, wie ich es zuerst aufgefaßt, kein wirkliches Dasein besaß. Übersetze ich alles das in die Sprache der Psychologie, so müßte ich sagen: ich vergleiche die Erinnerungsvorstellung mit der Wahrnehmung oder die unvollständige Wahrnehmung mit der vollständigeren desselben Sinnesgebietes oder die Empfindungen des einen Sinnes mit denen des anderen. Dahin gehört es ja schließlich auch, wenn ich durch praktischen Versuch herausfinde, ob das Erwartete wirklich da ist und vor allem so da ist, wie ich es in meinem ersten Erlebnis hinnahm; jede Enttäuschung belehrt mich über das Dasein der Dinge.

Das ist nun alles durchaus brauchbar und eine weite Strecke Weges leidlich zuverlässig, zumal die Erfahrung uns fortwährend zur Vorsicht mahnt und uns gewöhnt, das Verfahren nur dort anzuwenden, wo es sich meistens bewährt. Glaube ich, einen Schrei wahrzunehmen, und will feststellen, daß es keine Täuschung war, so wäre es töricht, nachzuforschen, ob der Schrei noch immer andauert, in der Art wie die Bank noch immer am Wegrand steht. Ebenso kann kein anderer Sinn mich lehren, ob der Mond, den ich schaue, wirklich am Himmel steht oder meine Halluzination ist. Selbst die Waldbank mag ja sehr wohl bei meiner letzten Wanderung dagestanden haben und jetzt beseitigt sein, oder sie mag damals noch nicht dagewesen sein, so daß mich die Erinnerung tatsächlich täuschte, inzwischen aber hingestellt sein, so daß ich sie jetzt dennoch finde. Von irgend einer grundsätzlichen Erfassung

des wirklichen Daseins kann auf diesem Wege also gar nicht die
Rede sein. Wer wollte grundsätzlich behaupten, daß die Eindrücke
ein wirkliches Dasein nur dann darstellen, wenn sie in unseren
späteren Erlebnissen sich unverändert wiederholen oder wenn sie
verschiedenartige sinnliche Auffassungen zulassen.

Trotzdem deutet selbst dieses unzureichende Verfahren auf den
entscheidenden Punkt hin: das Erlebte wird als ein Identisches in
neuer Erfahrung gesucht; die Betätigung im neuen Erlebnis erfüllt
so das Verlangen des Betrachters und gewährt ihm dadurch Befriedigung. Quelle dieser Befriedigung ist also jene Identität, die
zwischen dem Ausgangspunkt und der Verwirklichung in neuer Erfahrung besteht. Die Verwirklichung und Betätigung an sich ist
nicht wertvoll; sie steht nicht anders da als das ursprüngliche Erlebnis; daß aber beide identisch sind und so das eine erfüllt, was das
andere will, das ist das Befriedigende und Wertvolle: das ist der
Daseinswert.

In dieser unzuverlässigen Form könnte nun aber doch nur da
von wirklichem Daseinswert die Rede sein, wo wir überzeugt sind,
daß es sich im Grunde um sehr viel mehr als um die einfache Wiederkehr oder Ergänzung des Eindrucks in unserer Erfahrung handelt.
Denn sobald wir wirklich in grundsätzlichem Sinne vom Dasein der
Dinge sprechen wollen, so fordern wir doch eine viel umfassendere
Erneuerung. Schon in der Breite des praktischen Lebens verlassen
wir uns mit Vorliebe auf ein gründlicheres Untersuchungsmittel:
die Bestätigung durch andere Beobachter. Ob der Schrei, den ich zu
hören glaubte, wirklich erschallte, ist schnell ermittelt, wenn sich
herausstellt, daß meine Nachbarn denselben Schrei gehört; und
sicher war es nur eine Täuschung, dem Geräusch kam kein wirkliches Dasein zu, wenn keiner der Nebenstehenden es vernommen
hat. Die Außenwelt gilt uns als wirklich, wenn sie die soziale Probe
besteht und uns gemeinsames Objekt ist. Aber auch hier handelt
es sich um dieselben Grundzüge. Auch hier wird das Erlebte in
neuer Verwirklichung wieder gefunden und zwar im anerkannten
Erlebnis der Genossen, und auch hier ist es das Wiederfinden des
Identischen, das befriedigt, ist es die Wiederkehr, die den eigentlichen Wert, den Daseinswert, ausmacht.

Aber selbst die soziale Zustimmung hat engbegrenzte Bedeutung; gewiß reicht sie im praktischen Leben viel weiter als die

Bestätigung durch die eigenen Sinne, aber schließlich können die anderen Beobachter ebensogut sich irren wie ich selbst, können mit mir gemeinsam unter Vorurteilen und Suggestionen stehen. Vor allem, jeglicher muß die Gegenstände von seinem eigenen Standpunkt aus wahrnehmen, und das gilt nicht nur räumlich und zeitlich, sondern nicht minder im geistigen Sinne; jeder sieht die Dinge und ihre Art somit unter besonderem Gesichtswinkel, und was ich erlebe, wird oft somit gar nicht genau das Gleiche für den Nachbar sein. Manches kann überhaupt kein anderer mit mir praktisch teilen. Die letzte Entscheidung, ob wir ein wirkliches Dasein anerkennen, kann nicht von solchen äußerlichen Zufälligkeiten abhängig bleiben; der grundsätzliche Sinn des Daseinswertes ist durch die tatsächliche Zustimmung seitens einiger Mitmenschen so wenig gekennzeichnet wie durch unsere eigene Bestätigung in späterer Zeit.

Der absolute Daseinswert. Wir können uns auf derselben Linie fortbewegen und haben nur einen Schritt weiterzugehen. Daß andere zufällig in ihren Erlebnissen das gleiche fanden, reicht in der Tat nicht aus, um den Sinn des Daseinswertes grundsätzlich auszuprägen, aber alles ist getan, wenn wir statt dessen sagen, daß unser Erlebnisinhalt als Erlebnis für jedes andere Wesen unter gleichen Erfahrungsbedingungen gefordert wird. Die bloße Erfahrung ist damit überschritten und eine Forderung ist an die Stelle gesetzt. Wir verlangen, daß unser Außenweltinhalt möglicher Gegenstand für jedes denkbare Selbst ist: erst dann haben wir ihn vollständig und grundsätzlich von unserem persönlichen Bedürfnis losgelöst; erst dann ist er durchaus selbständig und unabhängig. Andererseits kann die Selbständigkeit des Inhalts natürlich nicht bedeuten, daß er aufhört, Objekt zu sein; wäre seine Objektnatur aufgehoben, so wäre er in seinem Wesen vernichtet: unser Gegenstand wird selbständig und von uns unabhängig nicht dadurch, daß er aufhört, überhaupt Objekt für wollende Subjekte zu sein, sondern dadurch, daß er aufhört, Objekt für uns allein zu sein. Erst wenn er grundsätzlich jedem Subjekt erlebbar gedacht wird, erst dann hat er schlechthin gültige Selbständigkeit.

Erst damit sind nun vollständig die Bedingungen erfüllt, die wir für jeden absoluten Wert verlangten. Wir erleben den Eindruck und wollen ihn als selbständig festhalten: da finden wir ihn wieder

im möglichen Erlebnis jedes denkbaren Wesens, und dieses Identitätsverhältnis zwischen dem Erlebten und dem in der Erfahrung
der anderen Erhaltenen gibt unserem Verlangen nach einer selbständigen objektiven Welt vollständige Befriedigung; es ist somit ein
von allen Zufallsbedürfnissen unabhängiger absoluter Wert. Der
Schwerpunkt muß hier nicht verschoben werden: daß jenes Objekterlebnis bei meinem Nachbar eintritt, ist an sich nicht wertvoller,
als daß ich es habe; der Wert, der Daseinswert, liegt ausschließlich
darin, daß es das inhaltlich gleiche Objekt ist, welches mein Nachbar und ich erleben. Die Identität zwischen dem einen und dem
anderen Erlebnis ist hier wie in jedem einzigen Gebiete das Wesen
des absoluten Wertes, und nur diese Identität kann Werte setzen,
weil wir ja einsahen, daß die Übereinstimmung von festgehaltener
Vorstellung und neuer Erfahrung die einzig mögliche Quelle von
wirklicher Befriedigung ist. Der Umstand aber, daß die gesuchte
neue Erfahrung sich auf jedes denkbare Subjekt bezieht, erhebt die
Befriedigung über jeden persönlichen Wunsch und prägt sie als
schlechthin gültige Bewertung; ihr Gegenstand ist somit ein absoluter Wert.

Das ist offenbar, daß solche Bewertung Tat des fordernden
Willens ist, denn das mögliche Erlebnis jedes denkbaren Subjektes
liegt unmöglich im Umkreis unserer wirklichen Erfahrung. Trotzdem kann davon nicht die Rede sein, daß solche Tat und solche
Forderung von der Erfahrung unabhängig sei. Schon jeder Widerspruch eines anderen Wesens, jede Gegenerfahrung muß die Forderung hinfällig machen, jede übereinstimmende Erfahrung muß
sie bekräftigen. Will ich mein Phantasiespiel und meine Träume
zum Erfahrungsmaterial für jedes andere Wesen erheben, so finde
ich den Widerstand meiner Genossen, und bin ohnmächtig, als wenn
ich in Luftschlössern mich ansiedeln wollte. Und umgekehrt, wenn
ich meine Erinnerungen zu bloß persönlichen Erlebnissen verflüchtigen will und so das wirkliche Dasein der erinnerten Dinge bestreite,
so stellt sich sofort der soziale Widerspruch ein, der mein eigenes
Wollen vernichtet. So liegt es denn tatsächlich so, daß der Daseinswert zwar keine Erfahrungstatsache ist, aber auch keine von der
Erfahrung unabhängige willkürliche Denktat. Der Wert ist bedingt durch unsere freie Forderung, die aber durchaus von der Erfahrung geleitet wird und nur aus der Erfahrung den Anlaß nimmt,

sich zu erheben und weit über alle Erfahrung hinaus sich durchzu-
setzen. Genau dieses Verhältnis aber werden wir in jedem Wertgebiet wiederfinden: die freie schöpferische Tat, die von der Erfahrung ausgeht und von der Erfahrung geleitet jene Verwirk-
lichungen festhält, deren Identität mit dem Erlebnis den Willen
schlechthin befriedigt.

Der Daseinswert der Dinge ist somit keine physikalische Entdeckung, keine experimentell gewonnene Tatsache. Wo keine
Willensforderung einsetzt, die überhaupt eine Welt will, kann kein
Erlebnis ihn uns aufzwingen. Wer die Flamme für unwirklich hält,
weil er grundsätzlich kein wirkliches Dasein anerkennt, kann natürlich nicht dadurch eines Besseren belehrt werden, daß er sich an ihr
die Finger verbrennt; der Feuerschein und der Schmerz in der Hand
bleiben gleichermaßen persönliche Erlebnisse. An sich steht das
Schwere, das Harte, das Schmerzende dem Daseinsbewußtsein nicht
näher als das Leuchtende und Duftende und Tönende. Das Pla-
stische hat daher durchaus nicht höheren Daseinswert als das
Flache; die populäre Vorstellung, als wenn das persönliche Erlebnis
eine Art Oberflächendarstellung böte und die Daseinsbewertung
gewissermaßen die dritte Dimension dazu ergänzt, ist gänzlich
haltlos: die als nichtseiend vorgestellte Phantasielandschaft hat
ihre echte Tiefenrichtung.

Raum und Zeit. Die objektive Bewertung wird nun aber in
ganz anderem Sinne doch auf die Raumauffassung und ebenso auf
die Zeitauffassung tatsächlich zurückwirken. Der Daseinswert
setzt voraus, daß unser Erlebnis sich inhaltlich gleich in jedermanns
Erlebnis wiederfindet; an die Stelle der individuellen räumlich-
zeitlichen Perspektive muß daher ein unabänderliches Raum-
Zeitsystem gesetzt sein, durch das es möglich wird, die individuellen
Ungleichheiten des Inhaltes auszuschalten. Was mir zur Rechten
und dir zur Linken ist, könnte nicht als das identische Objekt gedacht werden, wenn die Rechtsheit und Linksheit zum Wesen des
Objektes gehörte, und was diesem vergangen ist, jenem aber noch
gegenwärtig war, könnte nicht dasselbe sein, wenn dies persönliche
Zeitverhältnis ein Element des Dinges bliebe. Im unmittelbaren
persönlichen Erlebnis ist die Raumrichtung und die Zeitrichtung,
in der wir die Dinge erfassen, in der Tat zunächst ein gleichberechtigter Bestimmungsbestandteil. Die Dinge sind vor mir oder

hinter mir, rechts, links, oben, unten, nahe, fern und jede Richtung
und Entfernung verlangt von mir ihre ·besondere Handlungsweise;
das Ding da oben und das hier unten regen verschiedenes Wollen an.
Das gleiche gilt von der Zeit: Vergangenheit, Gegenwart, Zukunft
sind Eigenschaften der Dinge, die in unmittelbarster Beziehung zu
meinem Wollen stehen; gegenwärtig ist das, worauf mein Handeln
gerichtet ist, zukünftig das, für das ich mich vorbereite, vergangen
das, wofür es kein Handeln gibt. Alle diese Raum- und Zeitrich-
tungen sind so in meinem persönlichen Geistessystem vollständig
gegeben, ohne daß ich zunächst irgend etwas über den objektiven
Raum und die objektive Zeit weiß.

Und noch in ganz anderem Sinne finde ich räumlichzeitliche
Bestimmungen in meinem Gefüge der Dinge. Jedes einzelne mag
seine räumliche Gestalt haben, ist rund oder eckig oder sternförmig
oder baumförmig oder hausförmig; und ebenso mag das einzelne
Zeitgestalt besitzen, mag jambisch oder daktylisch, mag im Walzer-
takt oder im Trauermarschrhythmus erklingen, mag regelmäßig
oder unregelmäßig aufleuchten, mag schnell oder langsam mich
berühren. Aber stets bleibt auch hier die zeitliche oder räumliche
Gestalt wie Ton und Farbe eine Eigenschaft des Dinges, in der noch
kein Hinweis auf eine allgemeine Raumzeitform liegt. Die Dinge
sind räumlich geformt, aber sind nicht Teile eines Raumes, sind
zeitlich gestaltet, aber liegen nicht in der Zeit. Treten verschiedene
Dinge nebeneinander oder nacheinander zusammen, so bilden sich
neue verwickeltere Gestalten; aber so lange· ich alles nur als mein
Erlebnis deute, habe ich keinen Grund, über diese Urgestalt hinaus-
zuschauen.

Das ändert sich mit einem Schlage, wenn ich das Objekt so
auffassen will, daß es als gleiches in jedermanns Erfahrung mitgedacht werden kann. Was ich rund sehe, mag mein Nachbar von
seinem Standpunkte elliptisch sehen. Es gilt alle räumlichen und
zeitlichen Gestalt- und Richtungsunterschiede so umzudenken, daß
sie vom persönlichen Standpunkte unabhängig sind und doch nicht
verflüchtigt werden. Verschiedene Wege wären möglich. Der einfachste, der sich vollständig bewährt, führt dahin, die Richtungsunterschiede, die sich zunächst nur auf unser Handeln gegenüber
den Dingen beziehen, von uns loszulösen und auf die Wechselbeziehungen der Dinge zu übertragen. Erkenne ich nämlich die Gleich-

berechtigung des Standpunktes anderer Wesen an, so muß ich zugeben, daß jedes Ding sowohl rechts wie links, wie oben, wie unten,
sowohl nah wie fern, sowohl vergangen wie gegenwärtig wie zukünftig sein kann; mit anderen Worten, die Richtungsstrahlen, die zunächst von mir ausgingen, können dann von jedem einzigen Objekt ausgehen, und so entwickelt sich ein System von Beziehungen
zwischen den Objekten selbst, ohne Rücksicht auf wollende Subjekte. Das eine Ding ist jetzt vergangen oder zukünftig in bezug auf
das andere Ding; der eine Gegenstand ist nah oder fern vom anderen,
über oder unter oder neben dem anderen. So wird ein Netz von
räumlich-zeitlichen Beziehungen gewonnen, und mit ihrer Hilfe läßt
sich nun auch jede räumlich-zeitliche Gestalt selbst in eine Reihe
von Richtungs- und Entfernungsbestimmungen umsetzen. Sobald
das erfolgt ist, sind die Dinge vom zufälligen persönlichen Standpunkt unabhängig; was dem einen rund ist, ist dem anderen nicht
mehr elliptisch, denn die Gestalt wird nun durch räumliche Messungen ausdrückbar und so kann das Ding räumlich und zeitlich für
jedermanns Erfahrung das gleiche bleiben, auch wenn jedermann
aus einem anderen Fenster in die Straße schaut und der eine früher,
der andere später dazukommt.

Das unabhängige Dasein der Dinge verlangt so eine unabhängige Raum- und Zeitform. Von dem absoluten Raum und der absoluten Zeit, in denen so die Objekte in ihrem wirklichen Dasein
gelagert sind, gilt aber genau das Gleiche was von dem Dasein
selbst galt: es ist eine freie Denkforderung, die jegliche mögliche
Erfahrung weit überschreitet, und die trotzdem durchaus von der
Erfahrung geleitet ist und sieh nur entwickelt, wo die Erfahrung
Anhalt gibt. Zugefügt sei aber doch sofort, daß auch in dieser
Denkforderung der eine Raum und die eine Zeit nur für das Dasein der Dinge in Frage kommt. Nur die Objekte hatten ja auch
räumlich-zeitliche Gestalt, und nur die Objekte waren Zielpunkte
der räumlich-zeitlichen Richtungsstrahlen; daß auch die wollenden
Subjekte in diesen einen Raum und diese eine Zeit gebannt sind, ist
in der Behauptung des Daseinswertes sicherlich nicht mitgefordert.

Gewiß geht nun aber die Umgestaltung des persönlichen Erlebnisses, wenn es zum allgemeinen Objekt erhoben werden soll,
noch viele Schritte weiter. Um inhaltlich identisch in jedermanns
Erfahrung bleiben zu können, muß es nicht nur von der räumlich-

zeitlichen Perspektive, sondern möglichst auch von jeder anderen Eigenschaft befreit werden, die sich mit dem Beschauer ändern kann. Kein Zweifel, daß daher schon die Herausarbeitung des Daseinswertes zu einer Reihe von künstlichen Ablösungen führt, zur Unterdrückung gewisser wechselnder Seiten des Dinges und zur Hervorhebung der in diesem Sinne dauernden Eigenschaften. So ergibt sich schon aus der bloßen Daseinsforderung wenigstens ein Ansatz zur mechanischen Dingauffassung. Alles das aber kommt zu grundsätzlicher Entwicklung doch erst unter dem Druck der eigentlichen Wissenschaft, welche innerhalb des Daseienden die Zusammenhänge herausarbeitet.

Das Nichtsein. Daseinswert kommt somit den über Raum und Zeit zerstreuten Objekten zu, wenn wir sie wahrnehmen, oder erinnern, oder erwarten, mit dem Bewußtsein, daß eben diese Dinge auch Gegenstände des Erlebnisses für jeden anderen sein können. Was wir nicht festhalten können mit diesem Glauben an Identifizierung in jedermanns möglicher Erfahrung, das besitzt für uns keinen wirklichen Daseinswert und gehört somit nicht zu den daseienden Dingen in der Welt. Auf den ersten Blick scheint dem ja freilich zu widersprechen, daß wir doch schließlich gewohnt sind, auch etwa der Phantasievorstellung volle Wirklichkeit beizulegen; sie hat ihr Dasein im einzelnen Bewußtsein und der Psychologe setzt dieses Dasein für seine zerlegende Arbeit voraus. Aber solch Ausblick ist trügerisch. Vom Standpunkt des Erlebnisses, auf dem wir zunächst beharren mußten, hat die Phantasievorstellung durchaus keine Wirklichkeit, denn als psychischer, in die Person eingekapselter Bewußtseinsinhalt kommt sie da überhaupt noch gar nicht in Frage.

Baut meine Phantasie bunte Schlösser im Märchenwald, so sind das im wirklichen Erlebnis nicht Schloßvorstellungen verbunden mit Waldvorstellungen, beide eingeschlossen in mein Gehirn, sondern die Türme und Zinnen sind da draußen, wo ich sie mir vorstelle; genau so wie ich die Landschaft, die ich wirklich hier von der Veranda sehe, da draußen wahrnehme und nicht in mir. Von diesem Erlebnisstandpunkt aus hat nun die Landschaft vor mir Daseinswert und das Märchenschloß nicht. Was grundsätzlich nur für mich Gegenstand des Erlebnisses sein soll, hat als solches nicht eine Art verminderter, abgeblaßter, durchsichtiger Wirklichkeit, sondern

hat schlechthin keinen Anteil an der von absolutem Daseinswert
getragenen Welt.

Läge der Daseinswert einfach darin, daß ein Objekt vielen
Subjekten gegeben ist, so könnte man es sich ja vorstellen, daß dem
nur einem einzelnen Subjekt erlebbaren Inhalt wenigstens ein
kleiner Bruchteil der echten Existenz zukäme und somit dem phan-
tasierten Objekt jener verdünnte Daseinswert bliebe, den wir
psychische Existenz nennen mögen. Aber so liegt es ja nicht. Der
Daseinswert stammt nicht aus dem bloßen Vorhandensein in vielen,
sondern aus dem Bewußtsein der Identität des in den vielen Vorhandenen, und wo dieses Wiederfinden des Gesuchten, dieses Erfüllen des Gewollten, dieses Verwirklichen fehlt, kann es keine überpersönliche logische Befriedigung, keinen Daseinswert geben. Das
Luftschloß hat deshalb schlechthin gar keinen Daseinswert. In
meiner ursprünglichen Erfahrung zielt somit meine grundsätzliche
Scheidung notwendig zunächst darauf, zu ermitteln, welche Objekte wirklich sind und welche nicht; diejenigen, denen ich nicht
absoluten Daseinswert beilegen kann, weil ich sie nicht in jeglicher
Erfahrung wiederfindbar denken kann, sind von diesem Standpunkt
aus schlechthin wertlos.

In ganz anderem Sinne und auf ganz anderem Wege tritt nun
freilich auch das Geträumte, Gewünschte, Erwogene, Erwartete in
die Welt des Daseins. Wir haben bisher nur von den Objekten gesprochen, nicht vom Dasein der Subjekte; das wollende Wesen ist
an sich niemals ein existierendes Objekt, aber sein Dasein als Subjekt trägt die Wirklichkeit. Das Subjekt nun wird in seinen Tätigkeiten, in seinen Akten der Stellungnahme verstanden, und diese
Tätigkeiten beziehen sich auf seine Objekte, gleichviel ob diese
Objekte wirkliche sind oder nur individuell erlebte. Um die wirklichen Subjekte zu verstehen, wird es daher notwendig sein, auch
die rein persönlich erlebten Dinge, die bloßen Annahmen und Illusionen der Einzelpersönlichkeit in Betracht zu ziehen und so mit der
Welt des Daseienden zu verknüpfen. Und dort setzt nun schließlich die zusammenhangsuchende Wissenschaft ein und überträgt
den Begriff des allgemein zugänglichen Daseins auf jene Gebilde, die
nur als Bestimmungsmomente des Ich erlebt werden.

Sie muß zu dem Zweck das individuell Erfahrene in den Körper
hineinverlegen, und so erhält schließlich auch das Phantasiebild und

der Traum seinen objektiven Daseinswert als Funktion der körperlichen Persönlichkeit, als Begleiterscheinung der Gehirntätigkeit.
Diese verwickelten Umsetzungen liegen aber bereits völlig im Gebiet des zusammenhangschaffenden Erklärens, auch wenn es auf
vorwissenschaftlicher Stufe erfolgt. Solange es sieh um das bloße
Dasein der erlebten Objekte handelt, ist das Phantasiebild nicht ein
wirklicher Vorgang in uns und auch nicht ein daseiendes psychisches
Objekt in unserem Bewußtsein, sondern nur ein Ding da draußen,
dem keinerlei Wirklichkeit zukommt, weil es gar nicht im Erlebnis
der anderen wiedergesucht werden will.

Ob die Daseinsbewertung im einzelnen Falle berechtigt ist, ob
also das besondere Existentialurteil richtig ist, hat mit unserer grundsätzlichen Prüfung des Daseinswertes natürlich nichts zu tun. Die
Philosophie hat nicht zu untersuchen, welche Dinge wirklich sind
und welche nicht; das ist eine Frage von sozialer Bedeutung, und
die Gesellschaft untersucht sie mit all ihren Hilfsmitteln der Spezial-
wissenschaft. Wenn ich sage, daß ich dort auf dem Felde einen
Raben sehe, so wird an dem Charakter des behaupteten Daseinswertes nichts geändert, wenn der Zoologe mir nachweisen kann, daß
es eine Krähe ist, oder wenn ich selbst bei näherem Zusehen finde,
daß es ein Stück Kohle sei, oder wenn der Arzt feststellt, daß ich
an Halluzinationen leide. Entscheidend ist nur, daß es für mich und
für jeden einen verständigen und notwendigen Sinn hatte, als ich
dem Dinge, das ich erlebte, tatsächlich einen absoluten Daseinswert beilegte; wir hatten zu prüfen, was mit diesem überempirischen
Werte gemeint sei und in welchem Sinne es ein Wert ist. Ob dieser
mein Rabe wirklich den Wert besitzt, ist ohne jede grundsätzliche
Bedeutung.

Wir müssen nur fordern, daß es überhaupt eine wirkliche Welt
der Dinge mit absolutem Daseinswert gibt, aber ob dem Dasein sich
dieses oder jenes Sosein verbindet, das müssen wir der besonderen
Ermittelung überlassen. Die Philosophie der Werte will verstehen,
wie Existentialurteile möglich sind, aber sie überläßt es der Einzel-
forschung festzustellen, welche Existentialurteile irrtümlich sind;
die Aufdeckung von Irrtümern ändert nichts an dem Wesen der
Wahrheit. Wir wissen nun, daß die Bejahung, die solchem Urteil
Sinn gibt, ein Ausdruck davon ist, daß das erlebte Objekt festgehalten wird als eines, das in der Erfahrung jedermanns inhaltlich

gleich erneuert werden könnte; im negativen Existentialurteil wird gerade dieses bestritten. Wer da bejaht oder verneint, mag sich irren und mag Widerspruch finden, aber was Bejahung und Verneinung bedeutet, muß nicht nur für ihn selbst feststehen, sondern muß über jeden Widerspruch erhaben sein, wenn seine Aussage überhaupt Sinn haben soll.

B. Die Wesen.

Die falsche Auffassung der Persönlichkeit. Immer wieder als wir von dem Dasein der Dinge sprachen, fanden wir uns auf das Erlebnis anderer wollender Wesen zurückgewiesen. Daß mein Gegenstandserlebnis ein wirkliches Stück Welt sei, hatte geradezu zur Voraussetzung, daß ich nicht allein die Wirklichkeit empfinde, daß andere Wesen mit mir in seelischer Beziehung stehen. Wie weiß ich von jenen anderen, und in welchem Sinne schreibe ich auch ihnen schlechthin gültiges Dasein zu?

Die Naturwissenschaft und die naturwissenschaftlich denkende Psychologie haben eine einfache und bequeme Lösung für den ganzen Problemkreis. Die anderen Lebewesen, so versichert man uns, sind für uns zunächst nur äußerlich wahrnehmbare Objekte in der Außenwelt. Ihre eigentümlichen Bewegungsreihen erinnern uns aber lebhaft an unsere eigenen Bewegungen, sowie ihre Gestalt uns an unsere Gestalt mahnt. Nun wissen wir aus innerer Erfahrung, daß wir selbst nicht nur eine physische sondern auch eine psychische Mannigfaltigkeit darstellen. Wir finden in uns Bewußtseinsinhalte; es wird also ein berechtigter Schluß sein, daß auch jene anderen Organismen mit solcher Innenzutat versehen sind und ebenfalls Vorstellungen und ähnliches in sich eingekapselt mit herumtragen.

Daß unsere Ableitung des gegenständlichen Daseins durch solche Schlußweise hinfällig würde, ist klar. Wenn wir die Mitwelt nur als Teil der Außenwelt kennen, die anderen Menschen ihr Dasein für uns also daraus ableiten sollen, daß sie zur daseienden Körperwelt gehören, so kann das Dasein der Körper nicht aus der Zugehörigkeit zum Erlebnis anderer Wesen abgeleitet werden. Aber entspricht eine solche Auffassung denn auch nur im geringsten dem wirklichen Erlebnis, von dem wir auszugehen haben? Ist nicht vielmehr der ganze Sinn unserer Mitweltbeziehung mit ihrer Wärme und Unmittelbarkeit vollkommen zerstört durch jeden Versuch, die lebendige Wechselwirkung von Wesen zu Wesen durch die plumpen Formen der Dingwahrnehmung auszudrücken? Wer kein anderes Erlebnis kennt als die Inhaltsempfindungen, muß ja freilich die Gesamtheit des Seienden auf physische und psychische Dinge beschränken und somit alle Lebensbeziehungen auch schließlich irgendwie auf Dingverhältnisse zurückführen. Da solche Betrachtung die besondere Aufgabe der Naturwissenschaften ist, so wird im Rahmen solcher Weltanschauung die vergegenständlichende Betrachtungsweise der Biologie und Psychologie allein imstande sein, uns zu sagen, was uns der Nebenmensch sei!

Es ist erstaunlich, welche überwältigende Macht die naturwissenschaftliche Denkgewohnheit auf uns alle ausübt und wie schwer es uns daher wird, zum reinen Persönlichkeitserlebnis zurückzukehren, wenn wir gar so viel von den glatten Erklärungen im Kreis der Dingbeziehungen gelernt haben. Das Bemühen, uns und die anderen aus Ursachen zu erklären, drängt sich unwillkürlich vor, auch wenn wir ausgehen, uns und unser Verhältnis zu anderen überhaupt erst einmal in seinem eigenen Wesen zu verstehen. Jeder Erklärungsversuch aber verweist sofort auf die Gegenstände und bestärkt die Suggestion der Dingwissenschaften, daß alles und jedes vollständig als Objekt begriffen werden könne.

Und doch muß unser Weltbild verzerrt bleiben, wenn wir uns von solcher Suggestion nicht zu befreien vermögen. Wir müssen sie abschütteln, wenn wir nicht uns selber verlieren sollen. Schon hier aber an der Schwelle tut völlige Klarheit not, hier wo wir zum ersten Mal dem einzelnen in seinem undinglichen Dasein, in seiner Willenswesenheit begegnen. Wir dürfen nicht warten, bis wir dem Zusammenhang der einzelnen in der Geschichte nachgehn. In der Tat regt sich ja heute auf vielen Seiten das Bemühen, die Geschichtsauffassung von der Naturwissenschaft loszureißen und den Gegensatz zwischen dem historischen Geschehen und der Naturgesetzlichkeit zur Geltung zu bringen. Aber immer wieder begnügt man sich damit, den Gegensatz nur in die Betrachtungsweise zu verlegen; der Historiker und der naturwissenschaftliche Biologe haben die Menschenwelt unter ganz verschiedenen Gesichtspunkten zu untersuchen, der eine mit Rücksicht auf Werte, der andere mit Rücksicht auf Gesetze, und so muß notwendig aus dem gleichen Material ein grundsätzlich verschiedener Zusammenhang herausgearbeitet werden. Nun soll das alles hier zunächst gar nicht bestritten sein, nur das sei bestritten, daß Naturwissenschaft und Geschichte überhaupt das gleiche Material vor sich finden. Die Scheidung setzt logisch zu spät ein, wenn nur die verschiedenen Betrachtungsweisen desselben Daseins gesondert werden; es gilt vielmehr beim ersten Schritt einzusehen, daß das Daseiende selbst von verschiedene Art ist. Wer davon ausgeht, daß der Historiker zwar die Objekte auf besondere Art ordnet, es aber ebenfalls mit Objekten zu tun hat, ja, daß jedes Wesen, sofern es verstanden und beurteilt werden soll, als Objekt erfaßt werden müsse, der schlägt von Anfang an eine falsche Richtung ein.

Schon die vorurteilslose Selbstauffassung sollte uns richtiger leiten. Wir gingen bei früherem Anlaß auf ihre Lehren ein, aber noch einmal muß es betont sein, daß wir uns selbst, im gegenwärtigen Erlebnis, durchaus nicht als Objekt vorfinden. Gewiß kann ich mich jederzeit, nach dem Vorbild der beschreibenden und erklärenden Psychologie, als ein erfahrbares Ding anschauen; dann stehen meine Körperempfindungen im Mittelpunkt, in meinen Handlungen sind dann die Gelenk- und Muskelempfindungen die Hauptsache und das Ich ist der Inbegriff meiner psychophysischen Reaktionsvorgänge. Wenn ich aber mitten im Leben stehe, so weiß ich von mir in einer Weise, die mit solchem Verdinglichen meines Selbst nichts gemein hat. Dann nehme ich mich nicht wahr, sondern ich fühle mich, dann ist mein Handeln nicht ein Vorgang, den ich im Bewußtsein als Inhalt vorfinde, sondern ich selber bin die Stellungnahme, bin die Entscheidung, bin der Wille. Ich kenne mich in meinem Willenserlebnis aufs unmittelbarste in einer Weise, die grundsätzlich von jeder Objektkenntnis verschieden ist; wer es beschreiben wollte, würde schon wieder ins Dingliche abbiegen, aber wer es leugnen wollte, hat nur auf sein Leugnen zu achten, um gewiß zu werden, daß sein Wollen in solchem Akt des Widerspruchs selbst nicht als etwas Vorfindbares, sondern als Tat zur Geltung kommt. Wenn wir unser Taterlebnis begrifflich festhalten, um es mitzuteilen und um es zu erörtern, dann sind die Begriffe, durch die wir es denken, selbstverständlich Objekte für uns, aber das, was durch die Begriffe gedacht werden soll, darf dadurch nicht selbst in ein Objekt umgedacht werden. Unsere Begriffe erfüllen ihre Aufgabe nur dann,

wenn sie unser Taterlebnis auch in der mitteilbaren Form als einen
gefühlten Akt festhalten.

Das Wissen vom anderen. Solch Akt der Stellungnahme, wie
wir ihn in jedem Pulsschlag der Selbstgewißheit erleben, ist somit
seinem innersten Wesen nach von jedem denkbaren Objekterlebnis
verschieden, und genau von dieser Art, nicht von der Art des Wahrnehmbaren und Vorfindbaren, ist für uns jedes wollende Wesen.
So wie wir unserer selbst im Stellungnehmen selber bewußt werden,
so tritt uns auch der andere in jedem Akt durch seine Tat und nur
durch seine Tat unmittelbar gegenüber. Der Wille trifft unmittelbar den Willen. Wer unlösbar in den Netzen der naturwissenschaftlichen Begriffsbildung gefangen ist, dem dünkt solche Willensbeziehung mystisch oder „metaphysisch"; er denkt vielleicht an
Telepathie, bei der ja auch das Psychische in dem einen Körper auf
das Psychische im anderen Körper in unerklärlicher Weise einwirken soll. Aber derlei stellt das vollständigste Gegenteil dar.
Die Telepathie ist ein unerklärlicher Vorgang im System der körperlichen Natur, in der alles erklärt werden will.

Wenn mein Wille dagegen deinen Willen trifft, ihm widerspricht
oder mit ihm harmoniert, so ist da gar nichts unerklärlich, weil es
sich gar nicht auf ein zu erklärendes System bezieht. Es gehört
vielmehr zu einer Mannigfaltigkeit, bei der die Frage nach Erklärung, nach Ursache und Wirkung so sinnlos wäre wie die Frage, ob
der Wille viereckig oder violettfarbig sei. Der Wille in seiner Wirklichkeit will nicht erklärt, sondern in seinem Sinn verstanden, in
seiner Tragweite begriffen, in seinen Absichten entfaltet werden.
Den Willen des anderen erlebe ich daher nicht als etwas, das ich
durch Analogieschluß auf Grund von äußeren Ähnlichkeiten in den
wahrgenommenen Körper hineindenke, sondern umgekehrt: das
fremde Wollen tritt als erstes an mich heran, und ich kenne es, indem
ich seine Absicht mitfühle, seine Entscheidung verstehe und zu
seinem Sinn nachstrebend oder widerstrebend, zustimmend oder
ablehnend Stellung nehme.

Wer da fragt, wie ich jenes fremde Wollen anders erfahren kann
als durch Wahrnehmung der Körperbewegungen, ist schon wieder
auf dem naturwissenschaftlichen Erklärungspfad. Soll meine
Kenntnisnahme des fremden Willens ursächliche Erklärung finden,
so muß natürlich das ganze System von Beziehungen in der Form

von wahrnehmbaren Gegenständen ausgedrückt werden, aber in Wirklichkeit ist das Verstehen des fremden Willens immer von neuem ein wahrer Ausgangspunkt, der gar nicht auf vorangehende Ursachen zurückweist. Dort beginnt unser Erlebnis, und der gesamte Tatbestand ist vollkommen erleuchtet, sobald er vollkommen in seinem Sinn dargelegt ist. Daß wir einen anderen Willen anerkennen, ist das erste; daß wir den anderen Willen in seiner Beziehung zu dem für ihn zentralen Gegenstand, und somit in der Beziehung zu seinem Körper auffassen, ist erst das zweite. So wie wir selbst unserer zunächst durchaus als fühlbarer Willenssubjekte gewiß sind und erst weiterhin als wahrnehmbarer Objekte, so ist auch der andere für uns zunächst das nachfühlbare Subjekt der Stellungnahme und erst zweithin das wahrnehmbare körperliche Objekt. Hat dieses körperliche Objekt für uns doch nur deshalb Interesse, weil es dem Willen des anderen die persönliche Raumzeitordnung seiner Gegenstände verleiht und somit die Weltperspektive begreiflich macht, auf die sich sein Wollen bezieht. Aber das Wollen allein hält diese Welt des anderen zusammen und weckt unseren Anteil an seinem Geschick.

Das alles sei nur nicht als künstliche Konstruktion mißdeutet; im Gegenteil, die Erfahrung jedes Lebensaugenblicks enthält da die ganze Wahrheit, und es gilt nur, die künstlichen Überarbeitungen der Kausalwissenschaft aus dem Wege zu räumen, um das reine Erlebnis wieder zu gewinnen. Geschehen muß das aber, denn gerade in den Ausgangspunkten muß alles geklärt sein, wenn sich nicht späterhin unlösbare Schwierigkeiten entwickeln sollen. Wer aber erst einmal die nur zu bequem gewordenen Fesseln zersprengt hat und seiner selbst und der Mitwirkenden und Entgegenwollenden in ursprünglicher Willensgemeinschaft gewiß geworden ist, der weiß, daß er nur von hier aus eine Weltanschauung gewinnen wird. Da zerfällt der Scheinzwang der kausalen Gesetze für unseren Willen und wir sind frei, da fällt die Schranke der Zeit und wir sind ewig, da schwindet die Bedingtheit unserer Ziele und unsere Werte wachsen zur Höhe des schlechthin Gültigen.

Aber noch ist nicht von den letzten erfüllenden Zwecken die Rede; wir stehen erst am Ausgangspunkt, wo nicht in abschließenden Erlebnissen, sondern im gleichgültigsten Zufallstun alles Wesentliche zu finden sein muß. Wenn ich mit Freunden übereinstimme

und mit Gegnern streite, wenn ich dem Nächsten helfen oder ihn
bekämpfen will, wenn ich verstehe, was der Nachbar sagt oder
seinem Vorschlag zustimme, wenn ich mit seinem Schmerz Mitleid
habe, wenn ich ihn überzeugen will, ihn lobe oder tadle, kurz in den
Winzigkeiten jeder Lebensstunde kommt mir der andere zunächst
als ein stellungnehmendes, wollendes Subjekt in Betracht. Es ist
eine Zumutung, eine Aufforderung, ein Vorschlag, eine Entscheidung, eine Frage, ein Widerspruch, lange ehe es ein Vorgang ist; ein
Sinn ist verstanden, ehe ein Inhalt als solcher wahrgenommen wird.

Das Dasein der Mitmenschen. Auf diesem Boden nun entsteht
die Frage, was es bedeutet, wenn ich dem Mitwesen Dasein zuschreibe und es somit als wirklich anerkenne. In meinem Erlebnis
ist es ja doch zunächst nur eine Anregung, die ich als Aufforderung
und Zumutung fühle und die somit nichts anderes als eben dieses
eigentümliche Erlebnis meines Wollens sein mag. So wie das Objekt für mich zunächst nur ein Mittel und Ziel, ein Ansatzpunkt
meines Willens ist und erst durch einen hinzutretenden Akt zum
unabhängigen Gegenstand erhoben wird, so ist das fremde Subjekt
für mich zunächst nur ein Ansporn, einer Stellungnahme zuzu-
stimmen oder entgegenzustreben. Ob es sich um mehr als solche
von mir gespürte Anregung und Zumutung handelt, weiß ich im
frischen Erlebnis noch nicht, und wie ich skeptisch bestreiten mag,
daß die Dinge mehr sind als meine Eindrücke, so mag ich auch
leugnen, daß die fremden Wesen mehr sind als Zumutungen, die
mein Wille in sich spürt als Anlaß zur Stellungnahme.

In Wirklichkeit zweifeln wir nun aber nicht, daß, so wie den
Dingen ein Dasein zukommt, nun sicherlich und vor allem auch den
anderen Wesen ein unabhängiges Sein gehört. Dieselbe Realität,
die unserem eigenen Selbst seinen Sinn gibt, erkennen wir dem
Nächsten zu. Der Ernst des Problems, das sich dabietet, wird zu
leicht übersehen; ja, in der Geschichte der Erkenntnislehre ist keine
Frage so unzureichend beantwortet worden, wie die nach der Wirklichkeit der anderen Subjekte. Die kümmerlichsten Aushilfsmittel
des naturwissenschaftlichen Denkens wurden da achtlos in Weltanschauungen aufgenommen, deren Grundrichtung solchen Gedanken entschieden widersprach.

Wir fragen also auf dem Boden des wirklichen, noch nicht
künstlich objektivierten Erlebnisses, was es bedeutet, wenn wir der

erlebten Willenszumutung den Sinn beilegen, daß da ein Subjekt mit wirklichem Dasein an uns herantritt. Wir kennen nun aber bereits den Weg, der uns weiterführt. Daseinswert hat nur, was sich in neuer Erfahrung wieder betätigt; wird das Ausgangserlebnis als ein selbständig Bestehendes festgehalten, so muß es sieh mit sich selbst identisch in frischem Erlebnis wiederfinden lassen; nur dann ist der Wille zum Festhalten befriedigt, nur dann ist das Gegebene in seinem Selbstsein anerkannt, nur dann ist der Daseinswert vollendet. Wie kann nun aber die Anregung, die meinen Willen trifft, als fortbestehend und von meinem Erlebnis unabhängig gedacht werden?

Wieder mag uns, genau wie bei den Objekten, zunächst die praktische Erfahrung den Anhalt geben. Dort bei den Dingen sahen wir, daß ich dem Hause, das ich wahrnehme, Dasein zuschreibe, dem Märchenpalast meiner Phantasie aber nicht, weil nur jenes von meinen Nachbarn gefunden wird, dieses aber in keinem anderen Erlebnis wiederkehrt. Nun sollen wir es hier nicht mehr mit Objekten zu tun haben, sondern mit Subjekten. Als Subjekt aber galt uns zunächst nur der Akt der Stellungnahme, den wir miterleben. Nun ist Stellungnahme aber stets Stellungnahme zu einem Gegenstand. So wie es kein Ding gab ohne ein Wesen, in dessen Erfahrung es eintritt, so kann es keine Stellungnahme geben ohne einen Objektgegenstand, auf den sein Streben oder Widerstreben gerichtet ist. Wenn ich einer Zumutung zustimme, so bedeutet es, daß ich einem Ding gegenüber die gleiche Stellung nehme wie die vorgeschlagene und angeregte. Das Objekt hatte sein Dasein, wenn es auch anderen Subjekten erfahrbar war; das Subjekt wird sein Dasein haben, wenn es über die erlebte Zumutung hinaus auch zu anderen Objekten Stellung nimmt.

In der Tat urteilen wir so schon im täglichen Leben. Denn darüber dürfen wir uns nicht täuschen: Zumutungen treten fortwährend an unseren Willen heran, und wir müssen fortwährend zwischen denen scheiden, die auf das Dasein von wirklichen Wesen deuten, und denen, die für uns nichts als eine vereinzelte Zumutung sind, genau so wie wir fortwährend zwischen den wirklichen Dingen und den nur gedachten sondern. Der Nachbar, der mit mir plaudert, mutet mir in jedem Satz Akte der Stellungnahme zu, die ich nachahme oder bekämpfe; und so das Kind, das neben mir lacht oder weint,

der Hund, der gestreichelt werden will, die Blume, die gepflückt,
die Frucht, die geschmeckt werden will, die schön geschwungene
Linie, die uns lockt, ihr zu folgen, der rhythmische Klang, der uns
auffordert, uns im Tanz zu bewegen. Der Psychologe sagt uns
zwar freilich schnell, daß in den letzteren Fällen es sich ja nur um
Objekte handelt, deren Wahrnehmung nur durch Assoziation gewisse Handlungsantriebe auslöst. Aber das nützt uns nichts.
Solche Erklärungsweisheit taugt ebensogut für die Fälle der ersteren
Art. Wir stehen hier nun einmal vor keinem Problem, das durch
Ursachenerklärung berührt werden kann. Die Zumutung, die vom
rhythmischen Klang und von der geschwungenen oder aufstrebenden
Linie zu uns spricht, ist als Willenserlebnis ebenso ursprünglich
und eigenartig wie jene Zumutung, die aus den Sätzen der Rede oder
aus dem lachenden Blick an uns herantritt. Wenn wir nur die eine
und nicht die andere auf Wesen beziehen, dem Nachbar, dem Kind,
dem Hund, vielleicht auch dem Regenwurm selbständiges Dasein
als Subjekt zuschreiben, der Blume, der Melodie, der Linie aber nicht,
so muß ein neues Prinzip der Auslese hinzugetreten sein.

Der sanfte Rhythmus des schwankenden Blütenzweigs vor mir
weckt meine Zustimmung zu der leisen schwebenden Bewegung;
was der Zweig will und durch seine Anregung mir zumutet, findet
ein Willkommen in mir genau wie das, was das lachende spielende
Kind zu meiner Seite mir erweckt. Ich lache mit dem Kind und
gebe mich mitwollend dem Spiel der hebenden und senkenden Bewegung hin. Was das Kind will und was der Zweig will, ist für mich
gleichermaßen eine Anregung, dasselbe zu wollen. Nun zeige ich
dem Kind ein Stück Zuckerwerk, und es greift danach mit lebhaftem
Wollen; ich nehme sein Spielzeug fort, und aus seinen Tränen
spricht sein Unwille: derselbe Wille nimmt so zu neuen und neuen
Gegenständen Stellung. Der schwankende Zweig, die aufwärts-
weisende Linie, die Blume selbst, sie alle wollen etwas, aber ihr
Wollen wendet sich niemals einem neuen Ziel zu. Die eine Zumutung, die wir von ihnen erleben, enthüllt ihr gesamtes Wollen;
ein über das erste Erlebnis hinausgehendes Wollen gegenüber anderen
Objekten ist ihnen versagt. Des Kindes Willen finden wir in immer
frischen Betätigungen wieder, weil es bei jedem Wechsel der Ge-
legenheit zu immer anderen Dingen Stellung nimmt; das Wollen
der toten Linie ist mit der einen erlebten Anregung für uns er-

schöpft. Dieses gleiche Wollen kann sich keinem anderen Ziele anpassen.

Darauf beruht in der Tat die Entscheidung, mit der sich das tägliche Leben begnügt; wir sondern die Zumutungen, deren Willen sich auch an anderen Objekten bekundet, von jenen, deren Wollen in der einen Anregung sich ausspielt. Die Sachlage entspricht also wirklich durchaus der Scheidung unserer Objekte. Bei unseren erlebten Eindrücken müssen wir uns fragen, ob dieses Objekt auch anderen Subjekten erfahrbar ist; bei den erlebten Zumutungen fragen wir uns, ob dieses Wollen auch anderen Objekten gegenüber Stellung nimmt. Wo aber der letztere Fall eintritt, wo also ein Wollen, das in der gegenwärtigen Anregung erlebt wird, darüber hinaus sich betätigt, das Erlebnis also festgehalten werden kann und in neuer Bekundung als das Identische wieder gefunden wird, da ist uns wieder die Bedingung für den Daseinswert gegeben. Nur die Zumutungen, die für andere Dinge andere Stellung nehmen, bedeuten uns daher das Wollen wirklich daseiender Subjekte. Die Anregungen, die sich im gegenwärtigen Erlebnis erschöpfen, sind dagegen so wenig wirklich daseiende Wesen wie die im eigenen Erlebnis allein gegebenen Phantasieobjekte wirklich daseiende Dinge sind.

Die Grenzlinie zwischen den Wesen und dem Wesenlosen hat nun also nichts mehr mit der äußeren Ähnlichkeit zu tun. Wenn der Naturforscher glaubt, daß wir dem Regenwurm oder der Qualle Bewußtsein zuschreiben, weil sie uns selber äußerlich ähnlich sind und somit wohl auch innerlich so ähnlich aufgebaut sein werden, so ist das so gut und so schlecht wie alle die übrigen biologischen Beweise für die Existenz von Bewußtsein im Tiere. Andere mögen die Lernfähigkeit oder das Gedächtnis oder das Anpassungsvermögen als entscheidendes Merkmal herausheben. Wer tiefer zugreift, muß sich klar werden, daß die von außen kommende Untersuchung überhaupt niemals Beweise für das Vorhandensein psychischer Vorgänge zu bringen vermag, weder bei der Qualle noch bei der Ameise noch beim Hund noch beim Nebenmenschen.

Wer erklären will, der muß die scheinbar psychisch bewirkten Gedächtnisbewegungen und die den unseren ähnlichen Handlungen aus rein physischen Ursachen ableiten; ob es daneben Psychisches gibt, läßt sich niemals durch Erklärungsnötigkeiten bestimmen.

Beim Tier wie beim Menschen müssen wir zuerst den fremden Willen anerkennen, um von diesem einzigen festen Ausgangspunkt das dem besonderen Willen zugehörige Weltbild zu finden. Wo die Grenze liegt, hängt also durchaus von unserer tatsächlichen Anerkennung ab, über die uns kein biologisches Experiment unterrichten kann. Wer, in sinnigem Gemüt, im Ausdruck der Blume nicht nur eine gegenwärtige Zumutung spürt, sondern so weit geht zu glauben, daß der gleiche Wille auch zu anderen Zielen Stellung nimmt, etwa sich sträubt, daß der Stengel geknickt wird, an erfrischendem Tau sich netzen will, der gibt dem Blumenleben tatsächliche Wesenheit.

Das absolute Dasein der Wesen. Wenn wir beobachten, daß ein Wille, der uns als Zumutung begegnet, auch diesem und jenem anderen Ziel gegenüber in unserer Erfahrung Stellung nimmt, so wird das für praktische Zwecke ausreichen, um das Dasein eines Wesens zu behaupten. Trotzdem ist solch Erfahrungsmotiv nicht weiterreichend als das genau entsprechende bezüglich der Dinge. Auch da gaben wir dem Dinge Dasein, wenn dieser oder jener Nachbar es mit uns teilte oder wir selbst es wieder fanden; so geben wir hier dem Wesen Dasein, wenn der Wille sich diesem oder jenem Objekt weiterhin zuwendet oder demselben Objekt gegenüber veränderte Stellung nimmt. Um aber festen, von Zufallserfahrungen ganz unabhängigen Boden zu gewinnen, gingen wir weiter und forderten, daß ein daseiendes Ding jedem denkbaren Subjekte erfahrbar sein muß; dieselbe Loslösung von Erfahrungszufälligkeiten erreicht das Subjekt offenbar erst dann, wenn es nicht zu diesem oder jenem Objekte Stellung nimmt, sondern grundsätzlich zu jedem denkbaren Objekt Beziehung haben kann. Erst wenn ein Wesen als mögliches Subjekt für die gesamte Welt der Dinge anerkannt wird, ist sein Selbst vollständig von der einzelnen Stellungnahme losgelöst, die es uns gegenüber zufällig geltend macht; erst dann hat es somit ein schlechthin gültiges Dasein. Erfüllbar aber wird diese Forderung erst dann, wenn wir an die Stelle der Erfahrungsdinge eine Welt von Worten, von Begriffen, setzen. Erst durch die Sprache wird es möglich, die ganze Umwelt des Möglichen in den Willenskreis jedes Wesens zu bringen; erst durch die Gewinnung von Begriffen vollendet sich für das Subjekt die Unabhängigkeit vom zufälligen Objekte, sowie sich für das Objekt die Unabhängigkeit vom zufälligen Subjekt durch die Gewinnung der Raum- und Zeitform vollendete.

Wieder haben wir damit die Erfahrung weit überschritten; es ist eine Forderung, die wir an die Mitwelt herantragen, wenn wir von jedem Wesen verlangen, daß es zu jedem begrifflich Bestimmbaren und dadurch zur Gesamtheit der Dinge Stellung nehmen kann. Aber wieder ist es die Erfahrung, die unsere Denkforderung leiten muß und ohne die solche Wesenserfassung haltlos wäre. Wollten wir jeglicher erlebten Zumutung ohne Erfahrungsmotiv wirkliches Subjektdasein beilegen, so ständen wir in einer romantischen Traumwelt ebenso wie wenn wir jedem Phantasieding gegenständliches Dasein andichten wollten; beides würde gleichermaßen sich in jeder Erfahrung selbst vernichten.

Das daseiende fremde Wesen ist also der von uns als Zumutung empfundene Wille, der von uns festgehalten und in der Stellungnahme zu anderen Objekten wieder gefunden wird. Der Schwerpunkt aber liegt auf dem Wiederfinden, das hier wie bei jedem Werte die entscheidende Bedingung für unsere Befriedigung ist. Vielleicht tritt das Wesentliche deutlicher hervor, wenn wir ein mögliches Mißverständnis beleuchten. Man könnte etwa einwenden, daß sich ein zusammenhängendes Wesen erst dann entwickeln möge, sobald die Stellungnahme zu verschiedenen Dingen erfolge, daß aber die einzelne Stellungnahme dann doch ein blitzartiges Aufleuchten von subjektiver Wesenheit darstellen müsse. Die Linie, die uns aufwärts weist, schlösse dann doch immerhin eine vereinzelte Willensregung ein, die als solche wirkliches Dasein hätte. Aber solch Einwand würde gerade den Hauptpunkt übersehen. Das fremde Wesen hat Dasein, nicht weil ich es in meinem Erlebnis finde oder weil es in anderen Erlebnissen vorkommt, sondern weil eben dasselbe, das ich finde, als ein identisches in den anderen wiederkehrt. Erst diese Wiederkehr, die unser Festhalten belohnt und unser Erwarten erfüllt, schafft jene Befriedigung, die wir Wert, in diesem Falle Daseinswert, nennen.

Das ursprüngliche Gegebensein, sofern es nicht zum Identischen weiterführt, hat deshalb an sich noch keinen Daseinswert und ist somit vom Standpunkt der Daseinsbeurteilung schlechthin unwirklich. So wie ja auch das Phantasieobjekt nicht etwa einen flüchtigen Daseinswert in der Welt der wirklichen Dinge hat,

sondern tatsächlich durchaus unwirklich ist, so gibt es auch keinerlei flüchtige Wesenheit in derjenigen Zumutung, die nicht in der
Stellungnahme zu anderen Dingen wiederkehrt. Nicht der vereinzelte Akt genügt zum Dasein des Subjekts; in seiner zumutenden
Vereinzelung bleibt er im Gegenteil ohne die geringste Wirklichkeit
in der wahren Mitwelt. Es bewährt sich da, was aus unserer Grundbehauptung notwendig folgt und was sich in jedem Gebiet aufs
neue zeigen wird, daß nämlich ein einzelnes Erlebnis an sich überhaupt keinen schlechthin gültigen Wert haben kann. Jeder Wert,
sahen wir, verlangt Befriedigung durch die identische erfüllende
Wiederkehr des festgehaltenen Erlebnisses; auch der Daseinswert
der Wesen ist ohne diese Wiederkehr, also ohne ein zweites, das zum
ursprünglichen Erlebnis hinzutritt, unmöglich.

Wir haben den Daseinswert der anderen Wesen vom Standpunkt des Erlebenden betrachtet, an den die fremde Zumutung
herantritt. Es ergibt sich aber daraus auch zugleich, worin nun das
Dasein des Subjektes für sich selbst bestehen muß. Wir erkennen
Daseinswert an, sobald wir einen Willen in neuer Stellungnahme zu
neuen Zielen mit sich selbst identisch wieder finden. Wir müssen
also fordern, daß ein wirklich daseiendes Wesen die Fähigkeit hat,
in jedem neuen Willensakt sich selbst zu erhalten. Dieses Erhaltenbleiben kann aber natürlich nicht das zeitliche Andauern der Dinge
sein, denn solches Andauern bedeutet ja doch nur stetig Objekt zu
sein; sahen wir doch, daß wir zunächst nur die Objekte in der Zeit
finden. Wenn ein wollendes Subjekt mit sich selbst identisch bleiben
soll, so kann es sich nicht um zeitliche Unveränderlichkeit handeln,
sondern um eine stetige Selbstbehauptung, durch die der Wille sich
in jedem neuen Akt als derselbe weiß. Es ist eine subjektive Selbstbeharrung, die an sich zeitlos ist und alle Einzelakte innerlich verbindet. Die innere Selbstbeziehung des Wollens ist aber das, was
wir die Seele nennen.

Das unabhängige, absolute Dasein des Dinges besteht also
darin, daß ein Objekt in der Erfahrung jedes möglichen Subjekts
identisch bleibt, und das absolute Dasein des Wesens, der Seele,
darin, daß der Wille in der Stellungnahme zu jedem möglichen
Objekt sich selbst identisch setzt. Daß zum Dasein der Dinge
somit die Wesen und zum Dasein der Wesen die Dinge gehören, ist
kein störender Zirkel, denn beide Gruppen bewerteter Erlebnisse

finden sich in der Tat in unserer Erfahrung stetig vereinigt; unsere
Selbstbesinnung verweist uns vom eigenen Erlebnis auf die Außenwelt und auf die Mitwelt und willkürlich wäre es, nur die eine zur
Bedingung der anderen zu erheben. Beide sind wesentliche Bestandteile unserer Erlebnisse und beiden wird, unter der Leitung der
Erfahrung, durch notwendige Denkforderung der schlechthin
gültige Daseinswert beigelegt. Hat sich das Erlebnis aber erst zur
wirklichen Außenwelt und Mitwelt befestigt, so hat unser Einzelwille beide schlechthin als daseiend anzuerkennen und sich ihrer
Wirklichkeit unterzuordnen.

C. Die Bewertungen.

Das unaufhebbare Wollen. Unser Eigenwille ist nicht nur durch
die Mitwelt und die Außenwelt gebunden; nicht nur die anderen
Wesen und Dinge müssen wir als erhaben über unser persönliches
Wollen und Wünschen anerkennen. Auch in der Innenwelt
findet der Wille seine Schranken vor, die kein individuelles Bedürfen
errichtet hat. Das steht uns ja lange fest, daß für das unmittelbare
Erlebnis, von dem wir immer ausgehen, die Innenwelt nicht etwa
gleichbedeutend mit der Gesamtheit des Psychischen im Sinne der
Psychologie sei. Das Vorgestellte gehört da noch durchweg zur
Außenwelt, und nur die Akte des Stellungnehmens, unser Eigenwesen, unsere Seele als Tat ist unsere ursprüngliche Innenwelt.

Wenn dieses Gefüge unseres eigenen Wollens in sich nun ein
Überpersönliches treffen soll, so kann es nur wieder ein Wollen sein.
Jeder Bestandteil im Erlebnis, der nicht ein Wollen darstellt, müßte
ja durch Wahrnehmung erfahren werden und somit zur Welt der
Eindrücke, aber nicht zum Selbst gehören. Nur ein Wollen, das wir
selbst vollziehen und doch nicht als Einzelpersönlichkeit wollen,
kann in der Innenwelt jenen objektiven Wert behaupten, der den
Dingen in der Außenwelt und den Wesen in der Mitwelt zukommt.
Es mag ungewöhnlich erscheinen, auch in diesem Fall vom „Dasein" zu sprechen. Wir sind gewohnt zu sagen, daß die überpersönlichen Dinge Dasein haben, daß aber die überpersönlichen Wollungen nicht Dasein sondern Gültigkeit haben. Wir aber dürfen das
Wort nicht verschmähen, weil uns alles daran liegt, das Gemeinsame in den Vorgängen zu betonen. Würde der Daseinswert notwendig sich auf ein Gegenständliches beziehen, so wäre unser Aus-

druck freilich unverwendbar, denn sicherlich ist das überindividuelle Wollen niemals ein vorfindbares Objekt. Aber dann hätten
wir ja auch nicht vom Dasein der Wesen sprechen dürfen, deren
Wirklichkeit uns ja auch durchaus in Willensbeziehungen aufging.

In unserem Erlebnis hatten die Eindrücke und die Zumutungen
wirkliches Dasein, wenn sie über das Erlebnis hinaus sich selbständig und unabhängig zeigten, indem sie in weiterer Erfahrung identisch wiedergefunden wurden, und ihr Dasein war absolut, wenn sie
notwendig zu jeder Erfahrung gehörten. So wird denn in unserem
Erlebnis unser Wollen als ein wirkliches unabhängig Daseiendes
gelten müssen, wenn dieses Wollen ebenfalls als ein in jeder gleichen
Lage identisch Wiederkehrendes gedacht wird. Unser Wollen kann
somit in dreifacher Weise in die Sphäre des wirklichen Daseins eintreten. Erstens können wir es psychologisieren, gewissermaßen es
zum Gegenstand machen; dann tritt es als psychophysischer Vorgang
im Organismus in die daseiende Außenwelt. Zweitens ist jedes Wollen
in uns ein Teil unserer Betätigung als Subjekt, als Wesen und
selbstverständlich sind wir selbst ebensogut für uns daseiende Wesen
wie alle Mitmenschen, die wir anerkennen. Drittens aber sind nun
gewisse Wollungen in uns Teile einer daseienden Welt, die von
unserem Eigenwesen grundsätzlich unabhängig ist; es ist die Welt
der überpersönlichen Wollungen, die dem schwanken Einzelwillen
festen Hintergrund gibt wie die Welt der wirklichen Dinge dem
wechselnden Spiel unserer persönlichen Vorstellungen.

Solche überpersönlichen Willensakte sind die absoluten Bewertungen; ihnen gegenüber tragen die Willensakte aus persönlichem Bedürfnis und persönlicher Neigung nur Zufallscharakter.
Im System der absoluten Bewertungen sind diese rein persönlichen
Akte so unwirklich, so nichtseiend wie die Phantasiedinge im Reich
der wirklichen Natur. Das aber, was den Wollungen der ersten
Art den absoluten Daseinswert verleiht, ist wieder die eine Tatsache, daß wir sie wollen mit dem Bewußtsein, daß sie nicht nur
in diesem einzelnen Erlebnis gewollt sind. Auch hier setzen zunächst
die Erfahrungsmotive ein. Wir wollen irgend etwas heute mit dem
Gefühl, daß wir es praktisch immer wieder wollen werden. Aber
das bleibt doch noch in der Grenze der bedingten Bewertung, so
sehr es auch zum Anlaß werden mag, den Schritt zur vollständigen
Ablösung von der Zufallslage zu vollziehen. Erst wenn wir wollen

mit dem Bewußtsein, daß wir gar nicht anders können als immer so zu wollen, solange wir eine Welt wollen, daß wir uns preisgeben würden und die uns gegebene Welt allen Sinn verlieren würde, wenn wir nicht so wollten, erst dann ist die Wollung im tiefsten verankert und zur Bewertung mit absolutem Dasein geworden.

Der Vorgang ist aber offenbar derselbe wie bei den Dingen und den Wesen. Auch hier wird das ursprüngliche Erlebnis, das vereinzelte Wollen, festgehalten, um in neuer Erfahrung, der Forderung nach, unbegrenzt wiedergefunden zu werden. Auch hier, wie bei den Dingen und Wesen, beruht also das Dasein nicht darauf, daß ein Erlebnis häufig oder immer wieder tatsächlich eintritt, sondern daß es im Erlebnis festgehalten wird als etwas, das mit sich selbst identisch wiedergefunden werden kann und somit selbständig ist; das Wiederfinden des Wollens in jeder als denkbar gedachten Lage unseres Selbst gibt uns die überpersönliche Befriedigung, auf die wir den Daseinswert stützen. Daseinswert der Bewertungen unterscheidet sich vom Daseinswert der Dinge und Wesen also nur dadurch, daß diese über das Selbst hinausführten, die Dinge verlangten fremde Wesen, die Wesen verlangten äußere Dinge; der Daseinswert der Bewertungen führt innerhalb der Erfahrung nur immer wieder zum Selbst, zur Innenwelt.

Die Bewertungen, denen wir so wirklichen Daseinswert und somit selbständig absolute Existenz zurechnen, müssen, wie jedes Wollen, ein Objekt besitzen; ihre Objekte sind die Werte. Vom schlechthin gültigen Sein der Bewertungen und vom schlechthin gültigen Sein der Werte zu sprechen, bedeutet genau dasselbe, nur ist der Standpunkt verschieden gewählt. Die Werte gehören der gewollten Welt zu, die Bewertung dem auf die Welt bezogenen Willen. Daß die Werte absolut sind, kann ja nichts anderes besagen, als daß ihre Bewertung ein vom Einzelwollen unabhängiges Wollen ist. Und nun sahen wir, wann unser Wollen schlechthin wirkliches Dasein hat und absolut wird: sobald wir es wollen mit dem Bewußtsein, daß es überhaupt keine Wirklichkeit geben könnte, wenn wir nicht in jeder Lage dieses Wollen in uns festhalten würden. Auf diesem Grunde ruht also der absolute Wirklichkeitswert der Bewertungen, und auf dem absoluten Wert aller Bewertungen ruht die Absolutheit aller bewerteten Werte.

Es muß mithin möglich sein, die Gesamtheit aller schlechthin

wirklichen absoluten Bewertungen und somit aller denkbaren
schlechthin gültigen Werte aus diesem einen Grundprinzip abzuleiten. Diejenigen Wollungen begründen absolute Werte, die sieh
aus der Forderung ergeben, daß es überhaupt eine Wirklichkeit gebe.
So wie wir das Dasein der Dinge und Wesen ergründeten, ohne zu
fragen, welche Dinge und welche Wesen wir tatsächlich in der Welt
finden, so könnten wir hier auch die absolute Wirklichkeit der Bewertungen ableiten, ohne in die Frage einzutreten, welche Werte es
tatsächlich gibt, und welche Werte sich aus jenem Grundprinzip
systematisch ableiten lassen.

Uns aber ist die Frage nicht mehr neu und fremd, denn es ist
ja genau und ausschließlich die Frage dieses ganzen Buches. Die
Philosophie der Werte kann ja nichts anderes sein als die grundsätzliche, systematische Ableitung aller denkbaren schlechthin
gültigen Werte aus einem Grundsatz. Und dieser eine Grundsatz
ist für uns nun in der tiefsten Tiefe der Innenwelt verankert, dort wo
der Wille wirkt, selbst zu sein und eine Welt zu haben.

Sechster Abschnitt.

Die Zusammenhangswerte.

Die bewußte Herausarbeitung der Identitäten. Daß die Dinge, die wir wahrnehmen, die Wesen, mit denen wir uns verständigen, die Werte, die wir schätzen, ein von unserem persönlichen Erlebnis unabhängiges wirkliches Dasein haben, ist ein Lebensverlangen, das sich mit unmittelbarer Gewißheit erfüllt. Wir beugen uns vor den Dingen, nehmen Rücksicht auf die Wesen und erkennen die Werte an, ohne nachzudenken. Wir fühlten, daß diese Daseinswerte uns mit der Forderung einer Weltwirklichkeit unmittelbar gegeben sind. Anders mit den Zusammenhängen, die das Erlebte verbinden. Vor allem, unsere Welt der zusammenhängenden Dinge, Wesen und Bewertungen ist unendlich weiter als der Kreis der Eindrücke, Zumutungen und Bestrebungen, die wir zunächst im unmittelbaren Erlebnis finden. Wir überschreiten den Kreis durch Überlegen und Untersuchen, durch Erklären, Erforschen, Ergründen, und gewinnen so durch eigne Tat neue Erfahrungen. Das eine führt uns zum andern, das Gegenwärtige zum Vergangenen und Zukünftigen, das Gegebene zum Erschlossenen. Aus dem Vereinzelten wird so ein Zusammenhang, dessen unabhängige Wirklichkeit wir ebenso anerkennen wie das bloße Dasein. Nur gilt es hier, durch eigene Arbeit das Seiende zu gewinnen; es ist nicht mehr unmittelbar gegeben, sondern muß entdeckt werden. Die Erschließung des Zusammenhangs ist daher zwecksetzende bewußte Leistung, die im geschichtlichen Leben langsam vollbracht wird und die niemals abgeschlossen ist. Es ist die Aufgabe der Wissenschaft.

Wenn ich sage, es regnet, so will ich sagen, daß ich das unabhängige Dasein des gegenwärtigen Regens behaupte. Wenn ich aber sage, es hat geregnet, denn es ist naß, so gehe ich über die

Daseinsbehauptung der wahrgenommenen Nässe hinaus und behaupte auf Grund von Überlegung, daß zwischen der Feuchtigkeit und dem von mir nicht wahrgenommenen Regen ein wirklicher Zusammenhang besteht, der ebenso selbständige Wirklichkeit hat wie die Nässe selbst. Habe ich erst einmal erkannt, was in meinem Erlebnis Wirklichkeit ist und was nicht, und habe ich alle Zusammenhänge erkannt, in denen das erlebte Wirkliche steht, so habe ich alles gefunden, das überhaupt meine Anerkennung beanspruchen und somit mögliches Objekt der Erkenntnis sein kann. Was uns zu zeigen übrig bleibt, ist nur, daß solche Zusammenhänge ebenfalls nicht etwa nur persönliche Denkakte sind, sondern überpersönlichen Wirklichkeitswert haben; wir werden den Zusammenhängen aber absoluten Wert dann zuschreiben, wenn wir zeigen können, daß in ihnen ebenfalls nur das Erlebte als mit sich selbst identisch festgehalten und unter neuen Bedingungen wiedergefunden wird.

Gerade das aber wird in der Tat unser Zielpunkt sein. Wir müssen einsehen, daß Zusammenhänge ermitteln im letzten Grunde stets bedeutet, die Dinge, die Zumutungen, die Werte in ihrer geforderten Selbsterhaltung weiterzuverfolgen und zwar zu verfolgen in neue Erfahrungen hinein. Es bedarf somit der Bemühung, das Identische zu entdecken; der Wille, das Gegebene festzuhalten, hat hier somit Hindernisse zu überwinden und ist nicht wie beim einfachen Daseinswert schon aus der bloßen Forderung zu befriedigen. Aber auch hier gibt erst die Erfüllung dieses Willens vollkommene Befriedigung und verleiht der Beziehung zwischen Gegebenem und Wiedergefundenem jenen unabhängigen Wert, den wir als Zusammenhangswert anerkennen.

Beruht aller Zusammenhang auf Identität, so können im letzten Grunde Dinge nur mit Dingen, Wesen nur mit Wesen, Bewertungen nur mit Bewertungen zusammenhängen, und so ergeben sich die drei Hauptgebiete, in denen unabhängige Zusammenhangswerte unsere Anerkennung fordern. Den Zusammenhang der Dinge nennen wir Ursache und Wirkung; ihr System ist die Natur; Ideal bleibt die Auffassung der Naturvorgänge als Bekundungen vollständiger Identität aller gegebenen Dinge in jeder denkbaren neuen Erfahrung. Solange wir nur das Dasein des Gegebenen prüfen, fordern wir lediglich, daß unser gegenwärtiger Eindruck zugleich

Gegenstand für jedes andere Wesen sein kann. Wenn wir aber verlangen, daß ein Gegebenes von der gegenwärtigen Erfahrung vollständig unabhängig sei und somit gänzlich für sich selbst bestehe, so muß es überhaupt in jeder neuen vollständigen Erfahrung noch möglicher Gegenstand sein und somit überhaupt nicht zu existieren aufhören. Auf dieses Ideal hin arbeitet die Wissenschaft, und zwar im Fall der Dinge die Naturwissenschaft. Die Naturwissenschaft will somit im Grunde dasselbe, was die einfache Daseinsbehauptung auszuführen trachtet, nämlich die Loslösung und Selbständigkeitserklärung des Dinges; nur während es hier genügt, festzustellen, daß unser Ding auch bei anderen Subjekten vorkommt, wird dort noch außerdem verlangt, daß es nie aufhört, wirkliches Objekt zu sein. Die Gesamtheit der gegenwärtigen Dinge muß dann identisch sein mit der Gesamtheit des Vergangnen und Künftigen, und um die Welt derart zu begreifen, wird das Einzelne in der Auffassung umgeformt werden müssen. Natur ist also die Welt der Dinge so aufgefaßt, daß sie durch alle Zeit mit sich selbst identisch gedacht werden kann. Natur ist die Welt der Dinge mit Rücksicht auf ihre Identität.

Der Zusammenhang der Wesen steht unter ganz anderen Bedingungen, da bei der Natur sich alles aus dem Charakter des Objekts ergibt, die Wesen aber als Subjekte in den Zusammenhang eintreten. Die Hinarbeit auf die Identität ist aber auch hier entscheidend. Die naive Daseinsbehauptung verlangt von dem Wesen nur eines: der Wille, dessen Stellungnahme zu einem Ding wir als Zumutung an unsern Willen erleben, muß sich auch anderen Dingen zuwenden können. Wird der Gedanke weitergeführt, so muß offenbar das gegebne fremde Wollen festgehalten werden mit der Absicht, es in anderen Wesen identisch wiederzufinden. Hier im Reiche der freien Subjekte kann es sich nicht, wie in der Natur, darum handeln, daß nichts Neues entsteht und nichts Altes verschwindet; aber nur soweit als im neuen Wollen das Alte wiedergefunden wird, nur soweit gibt es wirklichen Zusammenhang zwischen den Wesen. Der Zusammenhang der Wesen ist die Geschichte; die Welt der Geschichte ist somit die Welt der wollenden Wesen unter dem Gesichtspunkt der Identität. Das Ideal ist, daß jegliches erlebte Wollen in seiner Identität mit dem Wollen anderer Wesen begriffen wird; nur in dieser Identität liegt wieder die Wirklichkeit des historischen Zusammenhangs.

Auch die Bewertungen hängen zusammen, und auch hier wie
bei den Wesen handelt es sich um Willensakte. Aber die geschiehtlichen Taten sind die Akte der Einzelwesen, die als solche frei sind,
so daß in der historischen Persönlichkeit selbst ein Akt nicht den
andern bindet. Würden sie sich binden, so wären sie von der
freien Entscheidung der Persönlichkeit unabhängig und somit überpersönlich. Die Bewertungen aber waren uns überpersönliche
Wollungen; ihre Identitätsbeziehungen sind somit ebenfalls von
den Einzelwesen unabhängig und dieses Wiederfinden der einen
Bewertung in der anderen muß nun wieder einen schlechthin
gültigen Zusammenhang teleologischer, zwecksächlicher Art herstellen. Das Vernunftsystem ist diese Welt der Bewertungen unter
dem Gesichtspunkt der Identität; ihr Ideal ist die Ableitung aller
logischen, ethischen, ästhetischen, religiösen Bewertungen als zwecksächlich identisch mit einem Grundwollen, dessen Absolutheit keinem
Zweifel zugänglich ist.

Die Wissenschaften. Die Urteile, in denen die Ergebnisse
solcher Arbeit zur Mitteilung kommen, nennen wir Wahrheiten,
ursächliche, geschichtliche, zwecksächliche Wahrheiten. Sie bilden
die eigentlichen Wissenschaften und setzen die Gegebenheitsurteile
bezüglich der Dinge, Wesen und Bewertungen voraus. Der Wert
der Wissenschaft liegt also nicht im wahren Urteil als solchem; wertvoll ist nicht die Übereinstimmung des Urteils mit der Welt, sondern
wissenschaftlich wertvoll ist die Umarbeitung des Gegebenen im
Interesse eines Identitätssystems und somit im Interesse der Festhaltung einer selbstseienden Welt. Die Urteile der Wissenschaft
sind wertvoll nur, weil sie diese wertvolle Umarbeitung zum Ausdruck bringen. Jede Verbindung, die das System der Identitäten
herauszuarbeiten fördert, dient der Anerkennung des seienden Zusammenhanges. Ihre Bejahung ist somit überpersönlich wertvoll;
jede Gegenbewegung ist Irrtum.

Das vollständige System der Natur, der Geschichte und der
Vernunft ist selbstverständlich ein unerreichbares Ideal, da die
Mannigfaltigkeit der Dinge, Wesen und Bewertungen unbegrenzt
ist und da nicht minder die Erfahrungen, in welche sie identisch
eintreten mögen, unbegrenzbar vor uns liegen. Der erkennbare
Zusammenhang der gesamten Welt ist somit durch kein Denken
und Forschen zu gewinnen, aber er ist dauernd vorausgesetzt,

weil er als Forderung die Welt erst möglich macht. Ein schlechthin Vereinzeltes kann somit gar nicht in die Welt unseres Wissens eindringen. Dagegen hat die wirkliche Wissenschaft durchaus nicht eine uferlose Aufgabe; vor ihr liegen fortwährend neue, aber stets bestimmte Probleme, da die Forschung selbst durchaus von der Erfahrung geleitet wird. Wir sahen, wie der Daseinswert auf einer Denkforderung beruht, die zwar allgemein ist, die aber bei der Durchführung stets von sozialen Erfahrungen geleitet wird. Dasselbe gilt vom schlechthin wertvollen Zusammenhang, den die Wissenschaft finden soll. Auch hier ist wohl die Denkforderung durch das Ideal bestimmt, die Durchführung aber stets von der wirklichen Erfahrung geleitet. Gegebene Motive müssen uns veranlassen, gerade für einen bestimmten, und zwar durch unsere Erlebnisse bestimmten, Ausschnitt aus der geforderten Welt die Identitäten zu suchen. Jede uns beschäftigende Erfahrung, die mit dem Gegebenen noch nicht vollständig zusammenhängt und deshalb noch nicht verstanden ist, wirkt da wie eine Gleichung, deren Unbekannte gefunden werden soll; aber die Erfahrung muß die Gleichungen aufstellen. Die Situation, für welche wir den unbekannten Identitätswert suchen, muß sich aus unseren nächsten Zielen und Zwecken ergeben.

Der Übergang vom Gegebenen zum Identischen in neuer Verwirklichung ist so das einzige, das allen wissenschaftlichen Erkenntnissen im Grunde gemeinsam ist, so sehr auch gerade dieses Wesentliche oft sich dem Blick entzieht. Wer die Wirkung zur Ursache sucht, verbindet ja zunächst zwei ganz ungleiche Dinge. Dennoch hat die Verbindung nur deshalb Wahrheitswert, weil durch sie Ursache und Wirkung als Teile zweier auf einander folgenden Gesamtlagen eines mit sich identischen Dingsystems gedacht werden können. Die überpersönliche Befriedigung an diesem Übergang ruht aber stets wieder in der Erfüllung des absoluten Bedürfnisses, das Gegebene als vom Erlebnis unabhängig und in sich selbst bestehend und beharrend zu denken. Das, was diese Befriedigung auslöst, ist der Zusammenhang zwischen den beiden Phasen des identischen Teils im System der Natur, der Geschichte oder der Vernunft. Aber der Wert kommt auch wirklich nur dem Dasein dieses Zusammenhangs, nicht etwa den zusammenhängenden Dingen oder Wesen oder Werten zu.

Der Existenzwert galt uns als ein absoluter Wert, der nicht
das geringste mit der anderen Frage zu tun hat, ob das existierende
Ding oder Wesen nun auch in anderer Beziehung, etwa ethisch
oder ästhetisch, wertvoll sei. So ist für die Wissenschaft der Zusammenhang als solcher wertvoll, ohne Rücksicht auf die weitere
Frage, ob die Beziehung, die sich da ergibt, vielleicht einen Fortschritt oder Rückschritt bedeutet. Wertvoll sind nicht die verbundenen Teile, sondern wertvoll ist, daß die Teile verbunden
sind, daß jede Vereinzelung aufgehoben werden kann, daß wir
eine Welt vor uns haben, in der jegliches durch anderes bestimm-
bar ist, in der also Ordnung und Zusammenhang in schlechthin
gültiger Weise herrschen. Denn das ist doch das letzte Wort bezüglich aller Wissenschaft: diese mühselig und niemals vollständig
ermittelten Zusammenhangswerte entstehen zwar aus unserem
Streben nach Identität; alles aber, was dieses Streben befriedigt,
besitzt nicht persönlichen sondern absoluten Wert, weil das Streben
nach Identität aus dem schlechthin notwendigen Verlangen stammt,
daß überhaupt eine Welt sei und nicht nur ein Erlebnis. Die
absolute Gültigkeit alles dessen, was dieses unser Streben znr
Selbstheit der Welt befriedigt, ist somit die notwendige Voraussetzung für jede mögliche Erkenntnis von Zusammenhängen
in der Welt, es sei die Welt der Natur, der Geschichte oder der
Vernunft.

Nun aber gilt es, die Wesenheit dieser drei Reiche klar zu
erleuchten, denn erst aus den besonderen Bedingungen läßt sich
begreifen, wie in jedem Falle das Gegebene umgearbeitet werden
muß, um die Aufgabe der Naturwissenschaften, der Geschichtswissenschaften und der Wertwissenschaften zu lösen. Das aber
wissen wir jetzt: jede Umarbeitung, die der Zusammenhangs-
aufgabe und das heißt der Identitätserfassung wirklich dient, ist für
uns wissenschaftlich wertvoll und ihre Bejahung ist Wahrheit; die
so umgearbeitete Welt ist also die einzige, die für die wissenschaftliche Erkenntnis die wirkliche ist. In diesem Sinne ist
dann die gegebene Welt, so wie sie gegeben ist, nur ein Schein, und
erst die Wissenschaft erfaßt die Wirklichkeit und das gilt gleichermaßen von den Dingen wie von den Wesen und Werten.

A. Die Natur.

Natur und Naturwissenschaft. Es gilt, die Natur in ihrem schlechthin gültigen Wert zu bestimmen; Natur aber war uns der Inbegriff aller daseienden Dinge in ihrem Zusammenhang, in ihrer Ordnung, in ihrer Selbsterhaltung. Nur diejenigen Dinge, die wirkliches Dasein haben, treten in die Natur ein, nicht jene, denen wir den Daseinswert absprachen, weil sie nur für eine Persönlichkeit Gegenstand sind. Und andererseits nur die Dinge treten in die Natur ein, nicht die Wesen, nicht die wollenden Subjekte, die zu den Dingen wechselnde Stellung nehmen. Und nur die Dinge soweit sie zusammenhängen treten in die Natur ein; kein Vereinzeltes kann Teil ihres Ganzen sein. Dieses allein ist die Natur, deren Geheimnisse die Naturwissenschaft zu ergründen sucht, deren Ordnung die Naturwissenschaft in ihren Beschreibungen und Erklärungen festhält.

Als wir dem Sinn des Wertbegriffs nachgingen, war unsere erste Feststellung, daß es im System der Natur keine Werte geben kann. Fast könnte es scheinen, als sollte diese Grundbehauptung hier wieder aufgehoben werden, denn jetzt fragen wir gerade nach den Werten der Natur. Aber von einem Gegensatz darf da keine Rede sein. Im Natursystem als solchem kann sich kein Wert entwickeln, weil es lediglich aus Objekten besteht; jedes Bewerten, so behaupteten wir, verlangt die vom Objekt gänzlich verschiedene Stellungnahme eines Wesens, und Wesen haben in der Natur keinen Platz. Wird an die Stelle der wirklichen Wesen der als Gegenstand gedachte Mensch gesetzt, so können die Vorgänge im Menschen als Naturteil niemals wirkliche Wertsetzung darstellen. Von alledem haben wir nichts zurückzunehmen; wäre die Wirklichkeit und wir in ihr nur Natur, so gäbe es überhaupt keine Werte. Hier aber fragen wir nach den Werten, die daraus entstehen, daß die an sich wertfreie Natur als Objekt eines Beziehung setzenden, wollenden Wesens gedacht wird. Die Natur ist hier noch der Inbegriff der Dinge, aber nicht der gesamten Wirklichkeit; das Gesamtsystem besteht jetzt also aus Natur und Naturforscher, und in diesem unendlich reicheren Ganzen kann es nun sehr wohl schlechthin gültige Werte geben, die sich auf die Natur beziehen. Den einfachen Daseinswert der Naturdinge erfaßten wir als den ursprünglichsten dieser Werte; der reichere

Daseinswert, der die Selbsterhaltung der Dinge durch alle Zeiten einschließt und somit den Zusammenhang der wechselnden Erscheinungen in dauernder Ordnung verbürgt, ist der vermittelte, den erst die zweckbewußte Naturwissenschaft herausarbeitet.

Wer da wieder einwenden wollte, daß wertvoll doch nicht der erkannte Zusammenhang sondern die Erkenntnis, nicht die Natur sondern die Naturwissenschaft sei, der kann uns jetzt nicht mehr von unserem Wege abdrängen. Wir kennen solchen Gegensatz nicht. In der Erlebnissphäre, in der die Wirklichkeit der logischen Werte entsteht, hat sieh das physische Ding und die psychische Vorstellung vom Ding und dem entsprechend der physische Zusammenhang und die psychische Erkenntnis noch nicht gespalten. Das Urteil, das wir bejahen, und das im Urteil gedachte Ding, dessen Dasein wir anerkennen, sind uns noch in ursprünglicher Einheit gegeben. Wir besitzen nicht eine wirkliche Natur, der gegenüber es wertvoll ist, daß wir Urteile bilden, die jene Natur wahr wiedergeben. Wir kennen nur die eine Natur, die sieh in unseren Urteilen ausspricht, und wir nennen wahr die Urteile, in denen die Natur die überpersönlichen Werte des Daseins und Zusammenhangs aufweist. Nur diese Urteilswahrheit hat erkenntnistheoretische Bedeutung. Es gibt ja freilich auch eine Schuljungenwahrheit: die wirkliche Natur ist darin die, von der die Lehrer und die Lehrbücher wissen, und wertvoll ist das Schülerurteil, wenn es das Erlernte wiederholt, irrtümlich, wenn es abweicht. Aber das ist ein lediglich soziales Problem; auch die Wirklichkeit, die im Lehrbuch festgelegt ist, besteht ja aus Urteilsinhalten.

Viel tiefer scheint der Einwand zu dringen, wenn der Gegensatz von Natur und Naturwissenschaft in ganz anderer Weise gedeutet wird. Die Wirklichkeit, auf die sich alle Erkenntnis bezieht, ist die eine einmal gegebene zusammenhängende Welt; bilden die Urteile aber, in denen sich dieses einmalige Dasein und sein Zusammenhang zur Mitteilung bringen, wirklich die Naturwissenschaft? Der Naturforscher, so wendet man ein, sucht das allgemein gültige Gesetz und die allgemeinen Begriffe; die Naturwissenschaft ist somit von der Darstellung des einmaligen Weltverlaufs sorgsam zu trennen. Naturwissenschaft wäre dann als ein geistiges Hilfsmittel der Zusammenfassung und Überwindung der wirk-

lichen Mannigfaltigkeit anzusehn; die bloße Wiedergabe des tatsächlichen Zusammenhangs dieser einmaligen Dinge wäre aber überhaupt
nicht Naturwissenschaft. Dürfen wir auf diesem Wege nun folgen?

Die Naturwissenschaft und der einmalige Ablauf der Dinge.
Der Weg ist heute schon zur breiten Heeresstraße geworden. Auf
allen Seiten hören wir es, daß die Herausarbeitung der Gesetze,
die der Naturwissenschaft obliegt, von der Darstellung der einmaligen wirklichen Welt zu trennen sei und die letztere durchaus
den geschichtlichen Wissenschaften zukäme. Der Grundgedanke,
daß eine Trennung von Naturwissenschaft und Geschichte notwendig sei, ist von überragender Kraft und beginnt bereits, in die
verschiedensten Gebiete modernen Denkens und Schaffens mit
reichem Erfolge einzugreifen. Nie wieder darf uns dieser Gewinn
verloren gehen. Aber wo liegt der Schwerpunkt? Es gilt, Naturwissenschaft und Geschichtswissenschaft grundsätzlich zu trennen;
es gilt einzusehn, daß die Auffassung der Welt vom naturwissenschaftlichen Standpunkt niemals das wirkliche Leben ergreifen
kann; es gilt anzuerkennen, daß unsere wahre Persönlichkeit mit
ihren Pflichten und Kämpfen, daß unser Leben in Sittlichkeit
und Recht, in Wahrheit und Schönheit, sich niemals durch naturwissenschaftliche Betrachtung in seinem tiefsten Wesen verstehen
läßt. Es war die notwendige Gegenbewegung gegen die Übergriffe
der triumphierenden Naturforschung. Als Physik und Chemie
und Biologie von Entdeckung zu Entdeckung eilten und durch
erfinderische Ausnutzung des neuen Wissens das wirtschaftliche Leben umgestalteten und alle menschlichen Kräfte steigerten,
da konnte ein unphilosophisches Zeitalter sich eine Weile in dem
Glauben wiegen, daß die Naturforschung der einzige wahre Weg
zur Erkenntnis sei. Die Psychologie und die Soziologie folgten mit
Eifer; das geistige Leben des Einzelnen und der Gesellschaft ward
so zum Gegenstand der Erklärung und Beschreibung nach naturwissenschaftlichen Grundsätzen. Die Rechte und Pflichten und
Ideale der Menschheit wurden zum notwendigen Ergebnis psychophysischer Ursachen, und so bleibt nichts in der Wirklichkeit,
über das die Naturwissenschaft nicht das letzte Wort zu sprechen
hätte. Daß solche Kurzsichtigkeit nicht lange haushalten kann,
ist nicht zu verwundern. Nun hat die Gegenbewegung eingesetzt,
und sie besteht zu Recht.

Aber ihr Grundgedanke kann vielerlei Formen annehmen. Ist jene Theorie, die·den Gegensatz im Erforschen der allgemeinen Gesetze und dem Festhalten des Einmaligen sucht, wirklich die wirksamste Waffe, den modernen, psychologisch aufgeputzten Naturalismus zu überwinden? Freilich wer davon ˚ausgeht, daß alle Erlebnisinhalte grundsätzlich nur von einer Art sind, daß alles und jedes sich uns als Objekt darbietet, wir den Willen in uns in gleicher Weise wahrnehmen wie die Dinge, daß auch der andere uns ein Gegenstand der wahrnehmungsartigen Erfahrung ist, kurz daß alle Erkenntnis sich auf dasselbe Urmaterial erstreckt, der muß den Gegensatz der Wissenschaften in der Art der Bearbeitung suchen. Wenn die Naturforschung nicht die Gesamtheit der Erkenntnis ausmacht, es vielmehr daneben noch eine ganz andere Wissenschaft von der Persönlichkeit und ihren Zwecken geben soll, so liegt es ja nahe zu sagen, daß es sich da um zwei verschiedene Betrachtungsweisen desselben Gegenstandes handele; einmal wird die Wirklichkeit unter dem Gesichtspunkte des Allgemeinen bearbeitet, so daß zum Ziel der Erkenntnis die allgemeinen abstrakten Gesetze werden, das andere Mal wird sie in ihrer erlebten Mannigfaltigkeit festgehalten.

Gerade diese übliche Voraussetzung aber hatten wir von vornherein abgelehnt. Wir kennen unser Wollen und die fremden Zumutungen in vollständig anderer Weise als die Dinge; das Urmaterial selbst ist also von vornherein von zweifacher Art: das Wahrnehmungsartige und das Willensartige. Ist diese Trennung erst einmal durchgeführt, und ist das Wahrnehmungsartige als Gegenstand der Naturwissenschaft abgesondert, so bleibt mithin von Anfang an jenes Willensartige als ein besonderes Gebiet anderer Wissenschaften, eben der historischen, übrig. Es bedarf dann garnicht mehr der Scheidung der Methoden, um ein neues Erkenntnisfeld neben der Naturwissenschaft abzustecken, denn die Zweiheit ist jetzt durch die Inhalte selbst gegeben. Man mag zugeben, daß Naturwissenschaft niemals Geschichtswissenschaft verdrängen darf, und mag trotzdem fordern, daß jede überhaupt mögliche Untersuchung der Vorgänge in der Dingwelt, und zwar der einmaligen so gut wie der gesetzmäßigen, durchaus der Naturwissenschaft erhalten bleibt; die Geschichtswissenschaft hat es eben überhaupt nicht mit den Dingen zu tun.

Wer da glaubt, daß die zwei Wissenschaftsgruppen durch die Verschiedenheit des Standpunktes zu sondern sind, so daß alle weiteren Eigentümlichkeiten sich aus dem verschiedenen Zielpunkt ergeben, der muß sie auch im letzten Grunde ungleich würdigen. Die Untersuchung, die auf das Allgemeine gerichtet ist, lehrt uns durch einfache Begriffe das Gesamtgefüge zu ordnen und übersehbar zu machen, aber die andere Forschung, die das Einzelne festhält und unter dem Gesichtspunkt unserer Kulturinteressen es so ordnet, daß es als Einzelnes erhalten bleibt, die hat allein doch die Wirklichkeit im Auge. In diesem Sinne wird dann die Naturwissenschaft, etwa die Physik, in der Tat ein künstliches Geistesprodukt, ein System von Urteilen, das zur Bewältigung der Wirklichkeit wertvoll ist, selbst aber keine Wirklichkeit ausdrückt. Der Urteilsinhalt der Naturwissenschaften rückt dadurch weit von dem Naturerlebnis ab, und die Bejahung eines naturwissenschaftlichen Urteils ist dann grundsätzlich von dem Daseinswert eines einmaligen Vorgangs zu trennen. Wenn wir dagegen jegliches wahre Urteil, das sich auf die Dinge als Objekte bezieht, der Naturwissenschaft zurechnen, so können wir auch jene Einheit von Gedanke und Geschehen, von Wissenschaft und Wirklichkeit festhalten. Ob wir im Einzelurteil das Einzelne oder im allgemeinen Urteil die regelmäßigen Wiederholungen festhalten und mitteilen, es ist die Natur selbst, die wir im Urteil bejahen, indem unsere Bejahung ihrem Inhalt und Zusammenhang Dasein beilegt. Das allgemeine Urteil, das die Mannigfaltigkeit überwindet, ist dann selbst nur Hilfsmittel zu einem höheren Zweck in der Naturwissenschaft selbst: der Erfassung des wirklich gegebenen einmaligen Naturlaufs selbst.

Der Schein nur spricht dagegen. Wir haben uns zu sehr gewöhnt, das Allgemeine in der Naturwissenschaft als das wichtige anzusehen und das immer wiederkehrende Gesetz als das Hauptstück der Forschung. Aber diese Gewohnheit hat praktische, soziale, zufällige Gründe, nicht logische Bedeutung. Wird diese Scheidung noch verschärft dadurch, daß sich der berechtigte Gegensatz von Naturwissenschaft und Geschichte an die Gegenüberstellung von Gesetz und Einzelnem anlehnt, so wird die nicht auf Gesetze hinarbeitende Forschung im Rahmen der Naturwissenschaft ganz entwertet. Sobald wir aber erkennen, daß dieser Gegensatz

sich tiefer aus der Verschiedenheit des verschieden erlebten Ur-
materials ergibt, so wird doch die ganze Frage einer Nachprüfung
bedürfen. Wir müssen dann unbedingt fordern, daß auch der einmalige Naturlauf als solcher in der Naturwissenschaft seine Behandlung findet, und sobald wir die Bedeutung dieses Zieles gewürdigt, wird sich sehr schnell alles Gesetzsuchen und Verallgemeinern dieser letzten umfassenden Aufgabe, der Erkenntnis des
einmaligen Weltenlaufs unterordnen.

Alles, was von der Gegenseite über den Charakter und die
Aufgabe der allgemeinen Begriffe und Gesetze behauptet wird,
bleibt dadurch unangetastet. Sie werden nur selbst in die umfassenderen Urteile, die sich auf das Einmalige beziehen, als Hilfsbegriffe eingeordnet. Sie sind nicht selbst Ziel der Forschung.
Ziel der Forschung bleibt die in Zusammenhang aufgefaßte einmalige Natur und somit das Einmalige, auch wenn es durch das
Allgemeine erleuchtet wird. Das bejahte Ganze der naturwissenschaftlichen Urteile ist die wirkliche Natur in ihrer einmaligen Gegebenheit. Daraus folgt dann aber umgekehrt, daß die wahre Welt,
die einzige Welt der Dinge, auf die sich unser Erkennen beziehen
kann, auch wirklich alle die Eigenschaften hat, die der Allgemein-
begriff und das Gesetz in sie hineinverlegen mag. Sind die Begriffe
und die Gesetze wahr, so sind die entsprechenden Umdenkungen
Ausdruck der einzigen Wirklichkeit, neben der es dann keine andere
Wirklichkeit geben kann. Verlangt etwa die Chemie, daß ich einen
Stoff als Vereinigung von Atomen denke, so ist der Stoff als Teil der
einzigen erkennbaren Natur wirklich aus Atomen zusammengesetzt.
Der Naturforscher ist da vollkommen im Recht; sein Unrecht
fängt erst dann an, wenn er meint, daß der Stoff nur als Teil der
Natur, nicht als Ziel des Willens dem Urteil zugänglich sei. Der
Philosoph aber ist nicht minder im Unrecht, wenn er aus den
Atomen nichts als ein Denkprodukt macht, das der wirklichen
Natur nicht zukommt, und das nur hineingedacht wird, um ge-
wisse gesetzmäßige Vorgänge zu berechnen. Ja es wird hinein-
gedacht, aber die gedachte Natur ist die einzige wirkliche.

Wir behaupten also, das Allgemeine und das Gesetz ist nicht
das Ziel des Naturforschers, sondern nur, in gewissen Fällen, ein
Hilfsmittel. Das Ziel bleibt stets die Auffassung des einmaligen
Naturverlaufs als eines Zusammenhanges, und im letzten Grunde

verlangten wir, daß selbst diese Forderung nach Zusammenhang schließlich nur auf dem tiefsten Wollen beruht, das Gegebene als selbständig, vom Erlebnis unabhängig, schlechthin überdauernd zu denken.

Wenn die Aufgabe die Erfassung des einmaligen Zusammenhangs ist, so ist es klar, daß der allgemeine Begriff nur ein Werkzeug sein kann, kein Endergebnis. Der allgemeine Begriff ist für die Naturwissenschaft so äußerlich wie das sprachliche Wort. Wenn Raffael ein großer Maler geworden wäre, auch wenn er ohne Hände geboren, so würden sicherlich die Newtons, Lavoisiers und Helmholtzens auch große Naturforscher geworden sein, wenn sie ohne Organ für allgemeine Begriffe und für kausale Gesetze geboren wären. Der große Naturforscher hat den Naturlauf in neuer Verbindung vorzustellen, hat zeitlich getrennte Naturinhalte so in Zusammenhang zu bringen, daß der eine durch die identische Beharrung des anderen verstanden wird. Ob dieses neu verbundene Paar nur einmal da ist oder so ähnlich sich millionenmal zugetragen, setzt keinen entscheidenden Unterschied. Die astronomische, die zoologische, die pathologische Entdeckung ist vollendet und wirkt bahnbrechend, wenn sie in einem einzigen Falle sich durchführen läßt, und es macht keinen Unterschied, daß sich vielleicht das kosmische Ereignis in unserer Erfahrungswelt niemals, das biologische manchmal, das klinische häufig wiederholen kann. Selbst wer eine allgemeine Theorie formuliert, verlangt nur, daß sie sich wieder am Einzelfall verwirklichen läßt; dort ist ihr Zielpunkt.

Einwände liegen nahe. Zunächst betont die Wissenschaftskritik gerne, daß, gleichviel ob die Verbindung einmalig oder gesetzmäßig gedacht wird, die Zusammenhangsvorstellung allein doch noch kein Wissen vom wirklichen Naturlauf ermöglicht. Daß hier dieses und dort jenes sich ereignet, setzt doch viel mehr voraus als bloß ein Verständnis des Übergangs vom Vorhergehenden; stets muß ein Ausgangspunkt gegeben sein, eine Feststellung tatsächlicher Verhältnisse, an denen dann die Gesetzeskräfte oder die einmaligen Umwandlungen einsetzen können. Selbst wenn wir mit kosmischen Nebeln anfangen, irgend ein Tatsächliches, das zu bestimmter Zeit und zu bestimmtem Ort vorlag, muß die Grundlage der Betrachtung ausmachen und doch ist augenscheinlich die Naturwissenschaft niemals mit solchem historischen Darstellen belastet.

Es müßte also in jedem Falle dabei bleiben, daß die Betrachtung der Dingwirklichkeit zwei Aufgaben stellt, die naturwissenschaftliche, die den Übergang von einem zum anderen behandelt, und die historische, die das einmal Vorhandene feststellt. Aber solche Trennung besteht nicht und ist wieder nur suggeriert durch die Überbetonung des allgemeinen Gesetzes.

Wer mit dem kosmischen Nebel anfängt, beginnt ja mit einer Kunde, von der keine Naturwissenschaft als solche ausgehen darf. Die Darstellung des erforschten Natursystems mag mit dem zeitlich ersten beginnen, aber nicht die Forschung. Die Naturwissenschaft beginnt mit dem uns gegenwärtig Gegebenen und nur rückwärts mag von dort aus ein zeitlicher Anfangszustand erdacht werden. Mit dem hier und jetzt Gegebenen anfangen setzt aber keinerlei historische Kenntnisse voraus; es ist der feste Ausgangspunkt, von dem die Geschichte und die Naturwissenschaft gleichermaßen ausgehen. Selbst wer sich mit den landläufigsten Vorstellungen über die Naturgesetze zufrieden gibt, sollte zugeben, daß die Naturwissenschaft die Aufgabe hat, aus dem uns gegenwärtig Gegebenen die vorangehenden Ursachen und die zu erwartenden Wirkungen abzuleiten. Der ganze Sinn der Wissenschaft liegt in der Beziehung auf dieses uns Gegebene, und es wegzudenken aus dem Kausalsystem hieße, dieses selbst verflüchtigen.

Tatsächlich ist denn auch in jedem Erfahrungsgesetz — und wir sprechen hier ja vorläufig nur von der Erfahrungswissenschaft, nicht von der rein mathematischen Physik — eine Behauptung über wirklich Gegebenes mit enthalten. Chemische Gesetze über die Säuren und biologische Gesetze über die geschlechtliche Fortpflanzung, die nicht mitbehaupten, daß Säuren und geschlechtliche Organismen wirklich in unserer Welt gegeben sind, würden nicht nur wertlos sondern auch sinnlos sein. Je enger das Gesetz, desto mannigfaltiger die mitbehaupteten Tatsächlichkeiten. Ganz im Geiste dieser Mitbehauptungen werden nun aber bloße Aufzählungen von Gruppen solcher Gegebenheiten als besondere beschreibende Wissenschaften durchgeführt; nur wer im voraus die Naturwissenschaft auf Gesetze beschränkt, kann solche rein beschreibende Darstellungen von ihr ausschließen. Vor allem aber, die Gesetzesformulierung verhüllt die Gestalt, in der der naturwissenschaftliche Gedanke entsteht. Der Forscher geht nicht von einem Allgemeinen aus und fragt, welches Gesetz sich da bewähren mag. Er geht von einer einzelnen gegebenen Sachlage aus und bezieht sie auf andere, vergleicht sie, verändert sie und findet ihren Zusammenhang mit bestimmten einzelnen Vorgängen. In seinem Experiment handelt es sich immer nur um Einzelheiten, in deren Schilderung das tatsächlich Gegebene von grundsätzlicher Bedeutung ist. Wenn wir also behaupten, daß es die Aufgabe des Naturforschers sei, sich grundsätzlich um den einen wirklich gegebenen Naturverlauf zu kümmern und ihn in seiner tatsächlichen Gegebenheit als Zusammenhang zu verstehn, so würdigen wir die wirkliche Arbeit des Naturforschers besser, als wenn wir seine Aufgabe in der Gewinnung abstrakter Wahrheiten suchen.

Die Kausalität. Es ist ja freilich richtig, daß der Forscher schnell den Kausalitätsbegriff vorspannt und aus seiner Beobachtung kausale Gesetze ableitet. Ist es nun aber deshalb auch richtig, daß in den Gesetzen das Wesentliche der Wissenschaften läge? Nirgends ist die Verwirrung ärger. Die Kausalitätsbehauptung mag einerseits nur die allgemeine Tatsache aufstellen, daß jeder Vorgang in der Welt eine Ursache habe. Aber das ist offenbar keine naturwissenschaftliche Erkenntnis, sondern nur eine der Naturwissenschaft vorangehende Forderung. Wir wollen und sollen in der Natur jegliches mit Rücksicht auf die vorangehenden Erscheinungen verstehn; die Allgemeinheit dieser Forderung besagt nichts über die Allgemeinheit der gefundenen Zusammenhänge. Die Kausalitätsbehauptung mag aber andererseits besagen, daß dieselben Ursachen stets dieselben Wirkungen mit sich bringen und somit, sobald dieselben Bedingungen wieder gegeben sind, der festgestellte Zusammenhang sich aufs neue bewähren müsse. Erhebt diese zweite Forderung nun nicht in der Tat jede Zusammenhangserkenntnis in die Sphäre des schlechthin Allgemeinen?

Schauen wir näher zu, so liegt es aber doch wesentlich anders. Die einzige Voraussetzung, die da gemacht ist, daß dieselben Bedingungen wieder gegeben sind, ist nämlich offenbar in voller Strenge unerfüllbar. Denn wer entscheidet, wo die Grenzen der Bedingungen liegen? Die Kugel, die ich zu Boden fallen lasse, kann niemals wieder in der Welt der Erfahrung unter genau gleicher Gesamtstellung der Bedingungen herabfallen; mögen die Bedingungen in meinem Arbeitszimmer auch möglichst wiederhergestellt

werden, noch kann ich nicht wissen, ob es nicht entscheidenden
Unterschied ausmacht, daß draußen der Wind anders weht oder
der Mond seinen Platz verändert hat. Alle Bedingungen eines
Vorgangs können niemals wiederkehren; selbst wenn theoretisch
alle Atome des Universums sich noch einmal genau in dieselbe
Lage ordneten, so wäre die Reihe der vorangehenden Bedingungen
doch verändert, da dann der gleiche Weltvorgang einmal mehr in
der vorhergehenden Ursachenkette vorgekommen wäre. Jegliche
Behauptung, daß ein beobachteter oder begriffener Zusammenhang
sich wiederholen würde, setzt somit voraus, daß aus den wirklichen Bedingungen des Vorgangs die wichtigen und entscheidenden ausgewählt worden sind, ehe die Verallgemeinerung einsetzte.
Dadurch ist theoretisch aber die Allgemeinheit wieder aufgehoben;
wir beobachten einen Zusammenhang und fordern, daß er sich
stets wiederholt, können aber niemals mit Bestimmtheit angeben, ob
die Bedingungen für seine Wiederholung gegeben sind oder nicht.

Das schließt natürlich nicht aus, daß wir für praktische Zwecke
mit zureichender Wahrscheinlichkeit die Bedingungen so abgrenzen
können, daß wir von gleichen Ursachen gleiche Wirkungen erwarten
können. Unser tägliches Leben mit seiner Benutzung der Dinge
ist darauf angewiesen, aber dann handelt es sich in der Tat nur
um eine praktische Verallgemeinerung, nicht um ein theoretisches
Gesetz, das Ausnahmslosigkeit einschließt. Daß die Naturwissenschaft ebenfalls auf Grund von häufigen Beobachtungen gewohn-
heitsmäßige Erwartungen hegt und die bemerkten Zusammenhänge mit weitgehender Zuversicht verallgemeinern darf, bestreiten
wir ja durchaus nicht. Wir bestreiten nur, daß solche Verallgemeinerungen zu Wahrheiten besonderer Art, zu Gesetzen, führen,
zu deren Wesen die Ausnahmslosigkeit gehört, und daß solche
starren Gesetze den eigentlichen Inhalt der Naturwissenschaft ausmachen. Die sogenannten Gesetze sind unmöglich, weil die Bedingungen der beobachteten Vorgänge stets wechseln; was bleibt
sind Zweckmäßigkeitsregeln für die Erwartung, die praktisch unsere
Arbeit erleichtern und theoretisch uns auf die wirklichen einzelnen
verstehbaren Zusammenhänge hinweisen. Dieses Verstehen der
einzelnen Zusammenhänge selbst ist die wahre Aufgabe. Dahin
aber führt nur eines: die Feststellung von Identitäten.

Das bloße Gesetz nämlich kann uns dieses Verstehen in keiner

Weise gewährleisten. Haben wir ein kausales Gesetz als gültig anerkannt und dann einen Einzelfall als genau unter die Bedingungen des Gesetzes fallend begriffen, so ist der Einzelfall ja freilich durch das Gesetz verstanden, aber doch nur im Sinne logischer Zugehörigkeit. Dagegen würde sachlich der Einzelfall erst dann verstanden sein, wenn das allgemeine Gesetz, unter das er fällt, selbst sachlich begriffen wäre. Davon kann nun aber bei den Gesetzen, die nur Verallgemeinerungen von Beobachtungsfolgen sind, gar nicht die Rede sein.

Für manchen hat ja freilich der Kausalitätsbegriff eine mystische Kraft, Getrenntes so zusammenzufassen, daß der Zusammenhang selbst dadurch begriffen wird. Die einen denken dabei an die unmittelbare Wirkung unseres Willens auf unsere Glieder. Andere stellen sich vor, daß wenigstens das Übergehen der Stoßkraft, etwa von einer Kugel auf die andere, ganz unmittelbar verständlich ist. Noch andere begnügen sich damit, daß die Kausalität eine Grundform des Verstandes sein soll, ohne deren Mitspiel wir die aufeinanderfolgenden Dinge gar nicht auffassen können und die somit für jede überhaupt mögliche Erfahrung grundlegend ist. Aber alles das beruht auf Selbsttäuschung. Der Wille als Objekt gedacht, ist in seinen Wirkungen genau so unverständlich wie irgend ein anderer Naturinhalt; wird der Wille dagegen in seiner subjektiven Wirklichkeit aufgefaßt, so ist sein Einfluß wohl innerlich nachfühlbar und verständlich, hat aber nichts mit dem Kausalverlauf der Dinge zu tun und kann somit niemals als Vorbild für die Erklärung dienen. Ebenso wenig aber genügt der Hinweis auf die Kausalität als Form der Verstandesauffassung, denn wenn solche Form mehr sein soll als bloße Auffassung der Zeitfolge, so müßte sie selbst auswählen, welche Wirkung mit welcher Ursache zusammengehört; gerade das aber vermag unser Verstand nur in einem einzigen Falle, nämlich dann, wenn ein Zweites als identische Erhaltung eines Ersten gedacht werden kann, wenn also die eingebildete Verstandesform der Kausalität auf die wirkliche Verstandesform der Identität zurückführt. Das Gleiche aber gilt von der Bevorzugung der Stoßvorgänge für die anschauliche Erklärung. Einen tieferen Einblick in ein ursächliches Verhältnis liefern sie nicht, aber der Auffassung der Systeme als Folgen identischer Inhalte stehen sie in der Tat näher als manche andere.

Und nun stehen wir vor unserem Ziele. Kausalgesetze, die nur Verallgemeinerungen beobachteter Regelmäßigkeiten sind, haben nicht die Kraft, Natur begreiflich zu machen, und sind in keiner Weise Endpunkte der Wissenschaft. Sie haben wissenschaftliche Bedeutung nur als Vorbereitungen für die einzige wirkliche Erkenntnis, die uns den Naturlauf begreiflich macht, für die Auffindung von Identitäten. Kausalgesetze sind für den Forscher, was die Gebrauchsregeln für den Laien sind: hilfreiche Formulierungen, welche schnell und einfach auf Faktoren hinweisen, die für den darüber hinausliegenden Zweck beachtet werden müssen. Der Zweck aber ist die Auffassung der Dingwelt als beharrende. In dem chaotischen Wechsel der Erfahrungen gilt es, das Gegebene mit dem Identischen in neuem Erlebnis zu verbinden. Die Regelbildung, die scheinbar eine Gesetzentdeckung ist, dient der Überwindung des Chaos im Dienste dieser Identitätsaufgabe. Darin aber steht sie nicht allein; auch andere Hilfsmittel der Vereinfachung und Zusammensetzung stehen zur Verfügung. Je näher aber das Gesetz schon an die Festhaltung des Identischen herangrenzt, desto mehr wird es wirklich ausnahmslosen Gesetzescharakter annehmen. Da wo etwa die mathematische Physik überhaupt nicht mehr Beobachtungen verallgemeinert sondern schlechthin Identitäten ausspricht, da werden die Kausalgesetze auch wirkliche Erklärungsmittel werden.

Die naturwissenschaftliche Umarbeitung der Dinge. Die Aufgabe ist also, die Gesamtheit der Dinge als einmaligen Zusammenhang zu denken, und wir verstehen Zusammenhang nur, wo Identisches erhalten bleibt. Das Ideal ist also nicht ein System von Gesetzen sondern ein System von Dingen, deren Selbsterhaltung durch die Zeit alle wahrnehmbaren Veränderungen in der Außenwelt mit sich bringt. Jeder gegebene Weltzustand ist vollständig erklärt und ist aber wirklich auch nur dann erklärt, wenn alle seine Verschiedenheiten von einem vorangehenden Weltzustand sich aus der Beharrung der Weltteile ergeben. Alles was uns diesem Ideal näher bringt, ist naturwissenschaftlich wahr. Um dieses Ideal zu erreichen, ist es selbstverständlich notwendig, dem wahrgenommenen Dinge andere unterzuschieben, die der Aufgabe dienlich sind. Erfüllen die Ersatzteile ihren Zweck, so haben sie Wirklichkeit; die ursprüngliche Wahrnehmung hat uns dann also nicht das naturwissenschaftlich wirkliche Ding gezeigt, und an die Stelle des Scheins tritt dann der wahre, vielleicht nur begrifflich erfaßbare Gegenstand.

Wir können leicht übersehen, in welcher Richtung sich dieses Umdenken bewegen muß, das doch als Entdecken der naturwissenschaftlichen Wirklichkeit gelten darf. Schon als wir den Daseinswert der Dinge darin fanden, daß das erlebte Objekt als Gegenstand für jedes mögliche Subjekt gedacht wird, sahen wir, daß daraus eines vor allem folgt: das daseiende Ding muß losgelöst sein von dem zufälligen individuellen Standpunkt. Gerade diese geistige Bewegung muß nun von der Naturwissenschaft bis zum äußersten Ende durchgeführt werden, wenn die Welt durch alle möglichen Erfahrungen hin mit sich identisch gedacht werden soll. Abgestreift muß also alles werden, was der zufälligen, räumlichen und zeitlichen Perspektive des Individuums angehört, abgestreift schließlich alles, was eine Beziehung des Dinges zum individuellen Körper und seinen Sinnen voraussetzt. Das heißt aber schließlich nichts anderes, als daß alle sinnlichen Eigenschaften, alle Qualitäten, verflüchtigt werden, die Dinge nur noch quantitativ bestimmbare Raum-, Zeit- und Massenwerte besitzen.

In diesen quantitativen Bestimmungen ist das Ideal erreicht, das Ding schlechthin vom Individuum unabhängig, also rein überindividuell zu denken, denn jene meßbaren Größen gehören ja zu einem System von Beziehungen, das als solches überhaupt nicht dem einzelnen wahrnehmbar ist, sondern gerade mit Rücksicht auf alle anderen Subjekte erst gedanklich konstruiert ist. Die objektive Raumzeitform ist das schlechthin überpersönliche Beziehungsfeld der Naturdinge; sind sie in Messungen, also in Zählungen von Raum-, Zeit- und, abgeleitet aus ihnen, von Masseeinheiten ausgedrückt, so sind sie schlechthin frei von der individuellen Gebundenheit, in der sie im Erlebnis stehen. Unverändert können sie dann immer wieder neu in die Rechnung eingesetzt werden, identisch mit sich selbst durch endlose Vergangenheit und endlose Zukunft. Die Geschichte der Wissenschaft ist in der Tat ein unablässiges Bemühn, alles Qualitative aus der Natur auszusondern und durch Quantitäten zu ersetzen, bis alles Leuchtende und Tönende und Wärmende und Duftende in Bewegungen kleinster nur begrifflich bestimmbarer Dinge umgesetzt ist.

Zu dieser allgemeinen Naturauffassung gesellt sich nun aber die besondere Beschreibung und Erklärung des Einzelnen. Nur dürfen Beschreibung und Erklärung nicht von einander getrennt werden. Die Beschreibung gibt uns die Bestandteile des Dinges, die Erklärung verbindet es mit vorangehenden und folgenden Dingen. Die einzige Verbindung, die wir grundsätzlich suchen, ist aber die Erkenntnis von Identitäten. Um zu erklären, müssen wir die Anfangsdinge also so umdenken, daß ihre Bestandteile identisch in die Endlage übergehen können. Die Bestandteile, die so im Dienste des Erklärens an die Stelle der Dinge gesetzt werden, sind nun aber jene Elemente, welche die Beschreibung liefert. Wenn wir beschreiben, daß Wasser aus Wasserstoff und Sauerstoff besteht, so meinen wir damit, daß unter gewissen Bedingungen vom Wasser Wirkungen ausgehen, die nur dann erklärbar sind, wenn wir diese Bestandteile an die Stelle des Ganzen gesetzt denken; nur dann nämlich können wir in den Wirkungen das Fortdauern der Ausgangsstoffe verfolgen. Jeder Fortschritt in der Erklärung der Welt ist daher auch gleichzeitig ein Fortschritt in der Beschreibung und umgekehrt; es ist eine Illusion, zu glauben, daß es auch Beschreibungen geben könne, die unabhängig sind von der Verfolgung der Identitäten und somit von der Erklärung.

Die Wissenschaft versucht also das Ding durch solche Elemente zu ersetzen, die in den folgenden Erscheinungen erhalten bleiben, und diese Elemente selbst letzthin als qualitätslose, überindividuell bestimmbare Objekte zu denken. Und trotzdem bieten sich auch dann noch unüberwindliche Schwierigkeiten, die Naturvorgänge durch einfaches identisches Beharren der kleinsten Teilchen und ihrer Bewegungen zu verstehen. Die Wissenschaft geht daher noch weiter und sucht die Abweichungen von der Beharrung der Bewegung selbst in Ansatz zu bringen und auf Bedingungen zurückzuführen, die ihrerseits nun wieder als identisch beharrend gedacht werden können. Zu diesem Zwecke führt sie den Begriff der Kraft ein, eine Eigenschaft, die dem Ding nur mit Rücksicht auf ein anderes Ding zukommt und seine Bewegung beschleunigt oder verlangsamt. Da jedes Ding zu einer unendlichen Zahl von anderen Dingen durch solche Fernkräfte in Beziehung stehen kann, so wird es nunmehr möglich, jegliche Bewegung oder Ruhe aus dem Zusammenspiel der Kräfte abzuleiten und so

in jeder Veränderung doch die alten Kräfte als beharrend vorzustellen.

Die ideale Aufgabe, der sich die Wissenschaft in stetigem Fortschritt nähert, ist dadurch vorgezeichnet. Sie würde vollkommen
gelöst sein, wenn die Gesamtheit des einen Naturverlaufs, von der
uns gegebenen gegenwärtigen Naturlage rückwärts und vorwärts
bis zur fernsten Ferne verfolgt, sich als ein stets identisches System
von Dingen darstellte, die mit ihren Bewegungen und Beschleuni-
gungen beharrten. Die ideale Aufgabe der Naturwissenschaft wäre
da erfüllt und doch wäre dabei von Gesetzen gar keine Rede.

Der Sinn der naturwissenschaftlichen Gesetze. Praktisch ist
die Lösung der Aufgabe natürlich unmöglich. Die unendliche
Mannigfaltigkeit der Dinge macht es undenkbar, daß die Wissenschaft etwa jedes Ätheratom des Universums in seiner Identität
durch alle kosmischen Lichtjahre hindurch auf seiner Bahn ver-
folge. Alles, was die Wissenschaft praktisch vermag, um der
Lösung so nahe wie möglich zu kommen, ist die Schaffung von
Hilfsmitteln, durch welche mit der geringsten Mühe jede einzelne
gegebene Situation dem Gesichtspunkt der Identität untergeordnet
werden kann. Es gilt also, Mittel und Wege zu schaffen, durch die
jedermann eine gegebene Dinggruppe schnell und einfach so umdenken kann, daß sie sich als identisch mit vorangehenden und
folgenden Erfahrungen vorstellen läßt. Es müssen also mittelbare
Regeln für die Umdenkung aufgestellt werden, in denen die gesamten bisherigen Erkenntnisse der Wissenschaft zusammengedrängt sind, damit nicht jeder aufs neue zu beginnen habe. Hierher
gehören zunächst alle Klassifikationen und Allgemeinbegriffe, aufgebaut auf den Ähnlichkeiten und Verschiedenheiten; hierhin gehören die Beschreibungen der Bestandteile, und hierhin gehören
nun auch die kausalen Gesetze.

Die Gesetze drücken ja meistens nicht selbst schon Identitäten
aus, aber sie verknüpfen zwei Vorgänge, die von entscheidender
Bedeutung für die Identität zweier Gesamtsituationen sind. Das
Kausalgesetz wählt aus zwei Gruppen auf einander folgender Vorgänge die Ursache und die Wirkung aus. Das bedeutet nicht, daß
die Zusammengehörigkeit von dieser Wirkung mit dieser Ursache
verständlich wäre. Es bedeutet vielmehr, daß eine Gruppe, in der
die Ursache vorkommt, sich durch Identitäten überführen läßt in

eine andere Gruppe, in der die Wirkung vorkommt. Die Hervorhebung von Ursache und Wirkung ist also nicht selbst Erklärung
eines Zusammenhangs, sondern nur ein praktischer Hinweis auf
zwei Gesamtsituationen, deren eine die Ursache, deren andere die
Wirkung einschließt, und die als ganze Situation durch Identität
wirklich zusammenhängen. So wie im wirtschaftlichen Leben das
Geld an sich wertlos ist und nur als Austauschmittel für wirtschaftliche Werte Bedeutung hat, so bietet auch das naturwissenschaftliche Gesetz an sich keinen Zusammenhangswert; es ist nur bequemes Austauschmittel zwischen verschiedenen auf einander folgenden Situationen, die ihren wirklichen Zusammenhang nicht
durch Ursachen und Wirkungen sondern durch Identitäten finden.
So aber wie durch Wertverschiebung das Geld schließlich selbst
wertvoll erscheint und dem Geizigen gar als herrlichster Besitz gilt,
obgleich er doch keines seiner wahren Bedürfnisse dadurch befriedigen kann, so wird dem Naturforscher auch das Kausalgesetz selbst
wertvoll, obgleich es an sich kein Erklärungsbedürfnis befriedigt.

Würden Ursache und Wirkung selbst wirklich Zusammenhang
aufweisen und somit selbst identisch sein, so würden wir kaum
mehr von einem Gesetz sprechen; es würde uns sogar zu trivial
erscheinen, dann überhaupt von Ursachen zu reden. Das Heben
einer Kugel ist die Ursache, ihr Fall die Wirkung, aber die erste
Hälfte einer gleichmäßigen Rollbewegung der Kugel gilt uns nicht
als Ursache für die zweite Hälfte derselben Bewegung. Wir können
geradezu sagen, daß wir den Ursachenbegriff aufzugeben gewohnt
sind, sobald die Ursache wirklich selbst schon das Erklärungsbedürfnis
befriedigt und nicht nur als Bruchteil einer umfassenderen Gruppe
in Frage kommt. Der Naturzusammenhang als ein ganzer wäre
somit, streng genommen, eigentlich kein Kausalzusammenhang, denn
die Gesamtlage des Universums in einem bestimmten Zeitpunkt enthält wirklich alles, was zur Erklärung der folgenden Gesamtlage
nötig ist, weil die eine ausschließlich durch Beharrung in die andere
übergeht; im technischen Sinne kann sie daher nicht als ihre Ursache gelten. Das Naturganze ist ein Kausalzusammenhang dann
nur insofern, als die Ursachengesetze die wichtigsten Hilfsmittel zur
Entdeckung der wirklichen Identitätszusammenhänge in jedem einzelnen Teil der Natur sind.

Wir können hier nicht in die Methodenlehre der Wissenschaft

eintreten, die uns zeigen muß, wann die Verknüpfung nicht identischer Vorgänge als Ursache und Wirkung ein wirklich zweckmäßiges Hilfsmittel für die Auffassung des Zusammenhängenden sein kann. Sein Recht entspricht der Wahrscheinlichkeit, mit der die zwei Dinggruppen, zu denen Ursache und Wirkung gehören, sich durch Beharrungsgleichungen ineinander überführen lassen. Ein nach rechter Methode gewonnenes Gesetz wird uns — neben seiner praktischen Brauchbarkeit für die Ausnutzung der Natur — somit stets für die Erklärung in vorbereitender Weise förderlich sein, auch wenn wir zunächst noch weit davon entfernt sind, den wirklichen Identitätszusammenhang der bewegten Stoffe und ihrer Kräfte zu durchschauen. Das Gesetz wird stets unsere Aufmerksamkeit auf das Zusammengehörige lenken, und ohne Klassenbebegriffe und Kausalgesetz ständen wir hilflos vor der Fülle der Dinge. Nur das galt es zu betonen, daß alle Kausalgesetze der Welt uns an sich nicht die geringste wirkliche Erklärung eines Zusammenhangs bieten, und daß andererseits, wenn wir zwei Vorgänge so verknüpft haben, daß wir den zweiten aus dem identischen Beharren des ersten begreifen, alles vollständig, auch ohne Gesetze, verstanden ist. Alle wirklich großen Fortschritte der Naturwissenschaft bestanden in einem neuen Erschauen von Beharrungen; jede solche Beharrungsauffassung verlangte dann allerdings ein Umdenken der Dingbestandteile. Die Natur ist aber wirklich der Inbegriff dieser im Dienst der Erklärung geschaffenen und somit im Dienst der Erklärung entdeckten unwahrnehmbaren Dinge.

Gleichviel wie fern oder wie nahe die Naturwissenschaft dem Ideal der Erkenntnis sein mag, überall, wo es ihr gelingt, die Veränderungen im Weltall als Fortdauer des Gegebenen aufzufassen, da ist ein schlechthin gültiger Wert gewonnen. Es kann nicht anders sein, wenn die Verwirklichung des Erfaßten in neuem Erlebnis wirklich die einzig mögliche Quelle der reinen Befriedigung ist. Die erlebten Objekte verschwinden und werden durch neue verdrängt; wie im Traum ziehen die Dinge vorüber, entstehen aus nichts, verschwinden in nichts. Da öffnet uns die Naturwissenschaft die Augen und zeigt uns, daß, wenn wir nur in die Tiefe der Natur schauen, die Gegenstände, die uns zu verschwinden schienen, tatsächlich erhalten bleiben und die Dinge, die aus dem Nichts entstanden, schon vorher vorhanden waren. Es sind vielleicht die-

selben Massenteilchen, die selbst nur wieder Ätherwirbel oder Äther-
zusammenballungen sein mögen. Die Kerze verbrennt, und doch
zeigt uns der Chemiker, daß kein Atom der Kerze verloren gegangen ist. Das, was wir suchten, die Selbsterhaltung des ersten
Dinges hat sich dann gefunden in der Gestalt des zweiten; unser
Wollen ist erfüllt, vollständige Befriedigung ergreift uns. Da aber
das Wollen selbst ohne Beziehung zu uns selbst war und sich nur
auf die Möglichkeit der vom einzelnen unabhängigen Welt bezog,
so muß auch die Befriedigung allgemein gültig, der Wert ein absoluter sein. Der Wert gehört dann aber nicht dem ersten Dinge
und nicht dem zweiten Dinge zu, sondern lediglich der Tatsache,
daß das erste im zweiten wiedergefunden wird, daß das zweite so
aus dem ersten verstanden werden kann, daß zwischen den beiden
ein wirklicher Zusammenhang besteht.

Alles kommt darauf an, hier den Kernpunkt zu sehen. Wer
uns hier so versteht, als wollten wir sagen, daß wir deshalb befriedigt sind, weil wir das zweite Ding aus dem ersten erklärt haben,
der hat uns mißverstanden. Nein, wir sind befriedigt, weil wir das
zweite Ding identisch mit dem ersten fanden; denn wir strebten
das erste festzuhalten, um überhaupt eine selbständige Welt und
nicht nur einen Traum zu haben, und sehen es nun im zweiten verwirklicht. Dadurch ist genau das gegeben, was in jedem befrie-
digten Willensakt, auch in dem rein persönlichen und sinnlichen
gegeben ist: Verwirklichung des Gesuchten. Die Identitätsauf-
fassung der Natur ist ja nur deshalb schlechthin befriedigend und
somit rein wertvoll, weil Willenserfüllung überhaupt nichts anderes
ist als Verwirklichung und Verwirklichung stets auf Identität beruht, auf Ineinssetzung des Alten mit dem zu frischem Anhaltspunkt gewordenen Neuen. Und nur weil diese Auffassung des Zusammenhangs vom ersten und zweiten Dinge eine schlechthin befriedigende und somit eine absolut wertvolle ist, deshalb nennen
wir sie eine Erklärung und legen ihr Wahrheit bei. Wir sind also
nicht befriedigt, weil der Zusammenhang erklärt ist, sondern wir
nennen die Auffassung des Zusammenhangs eine Erklärung, weil sie
schlechthin befriedigt, und sie befriedigt schlechthin und ist somit
ein reiner Wert, weil sie im scheinbaren Wechsel der Dinge die gesuchte neue Verwirklichung des Gegebenen darbringt.

Der Drang nach Identität kann in der Naturwissenschaft freilich noch einen Nebentrieb entwickeln, der scheinbar Befriedigung durch Beharrung auch dort findet, wo eine Erkenntnis in unserem Sinne noch nicht vorliegt. Wer nämlich das unbegriffene Kausalgesetz zu einer Art Naturkraft aufbauscht, wird nun einen ähnliehen Zusammenhangswert dort feststellen, wo dieses Gesetz sich aufs neue betätigt. Der höchste Zusammenhangswert der Natur soll sich dann in jener Natureinheit ausdrücken, die in dem Beharren der Gesetze besteht. Nirgends ist die unberechtigte Überschätzung des Gesetzbegriffes weiter getrieben als in solcher Monistenphilosophie. Das Verlangen nach selbständiger Beharrung kann sich nur auf Daseiendes beziehn, und wir sahen, daß Dasein nur den Dingen, den Wesen und den Werten zukommen kann. Die verallgemeinerte Zusammenhangsregel aber, die der Naturforscher, ohne wirkliche Einsicht in den Zusammenhang selbst, für seine Zwecke festhält, hat kein wirkliches Dasein, das beharren könnte; die Mythologie des Naturforschers trägt nichts zu den wahren Werten der Natur bei.

Die Psychologie als Naturwissenschaft. Noch bleibt uns eine theoretisch wichtige Frage. Wenn es die Aufgabe aller Naturwissenschaft sein soll, den Weltverlauf in Identitäten umzusetzen, wo bleibt dann die Psychologie, die ihre psychischen Objekte in Elemente zerlegen, beschreiben, ordnen und schließlich erklären will, also ihrem Verfahren nach durchaus den Naturwissenschaften zugehört? Die Voraussetzungen und Rechte der Psychologie als Wissenschaft bieten vielverzweigte Probleme dar, die neuerdings in den Vordergrund erkenntnistheoretischer Erörterungen getreten sind. Zu lange waren sie vernachlässigt. Da die Objekte der Seelenwissenschaft aus der inneren unmittelbar zugänglichen Erfahrung stammten, hatte man zu lange ihre Gewinnung, Feststellung und Bearbeitung für eine voraussetzungslose Tätigkeit gehalten. Erst langsam konnten die Grundgedanken der kritischen Erkenntnistheorie, die ursprünglich nur für Mathematik und Physik entwickelt waren, auch auf das seelische Gebiet übertragen werden. Man mußte einsehn lernen, daß die Feststellung einer psychischen Tatsache als solcher bereits eine voraussetzungsvolle Umarbeitung des wirklichen Erlebnisses einschließt. Die kritische Untersuchung der Bedingungen, unter denen Psychologie überhaupt möglich ist, muß aber selbst wieder aufs fruchtbarste auf die Geisteswissen-

schaften und auf die gesamte Philosophie zurückwirken. Ist doch
überall dort von geistigem Geschehen die Rede, und es muß nun
ausgemacht werden, wieweit die Psychologie mit ihren Umarbei-
tungen das innere Leben wirklich zum Ausdruck bringt und wieweit die psychologischen Ergebnisse in jenen Gebieten maßgebend
sein müssen.

Für unsere besondere Fragestellung kommt vornehmlich eines
in Betracht: die Naturwissenschaft erklärt Zusammenhänge durch
Identitäten — wie können psychische Zusammenhänge erklärbar
sein, da doch ein Psychisches als solches niemals in einem zweiten
Erlebnis identisch wiederkehren kann? Hier liegt in der Tat der
Knotenpunkt der Schwierigkeiten. Wir sahen ja, daß das ursprüngliche Erlebnis noch nichts von dem Gegensatz zwischen Psychischem und Physischem weiß und daß wir nicht das geringste
Recht hatten, etwa das wirkliche Erlebnis als solches psychisch zu
nennen. Die ursprüngliche Erfahrung geht jeder Scheidung in die
physischen Rauminhalte und die psychischen Bewußtseinsinhalte
weit voraus. Der ursprüngliche Gegensatz ist der zwischen wollendem Selbst, das als solches niemals ein Objekt ist, und den
Objekten seiner Stellungnahme. Erst wenn wir die Dinge von dem
Willen loslösen, entsteht die weitere Scheidung der Objekte unter
dem Gesichtspunkt, ob sie auch für andere Wesen da sind oder
nur in dem einen Erlebnis gegeben sind.

Nun sahen wir, daß die Objekte nur insofern als sie allgemeines Eigentum sind, für uns den Wert wirklichen Daseins besitzen; sofern sie nur dem Individuum zugehören, haben sie mithin
zunächst gar kein Dasein. Das Physische allein also hat Wirklichkeit, das psychische Objekt dagegen ist nichts als das, was übrig
bleibt von der Gesamtheit des Gegebenen, nachdem alles Wirkliche
herausgelöst ist. Ist aber im Gegebenen alles, was mehreren zugänglich ist, der Voraussetzung gemäß als physisch zu betrachten,
so steht im voraus fest, daß das Psychische niemals gemeinsamer
Inhalt verschiedener Erlebnisse sein kann, niemals also aufs neue
identisch wiedergefunden werden kann. Meine Wahrnehmung,
meine Erinnerung, meine Phantasievorstellung, meine Erwartung
ist schlechthin mein Eigentum; andere mögen mit mir übereinstimmen, aber sie können dann nur gleichartige Vorstellungen besitzen, nicht meine Vorstellung selbst. Wir alle haben denselben

physischen Mond, aber jeder von uns hat seine eigene psychische Mondwahrnehmung. Und kehre ich selbst zum Objekt meiner früheren Vorstellung zurück, so muß ich doch eine neue Vorstellung erzeugen; die frühere ist unwiederbringlich dahin. Von einem unmittelbaren Zusammenhange durch Identitäten kann also für die psychischen Inhalte grundsätzlich nicht die Rede sein.

Hat es denn aber überhaupt Sinn, nach dem Zusammenhang von Objekten zu fragen, die keine Wirklichkeit besitzen. Wir hatten uns diesem Gebiet bereits genähert, als wir früher von den Daseinswerten sprachen. Das stand uns natürlich fest: in einem Sinne hat das Individuelle in vollstem Maße Daseinswert, nämlich in seiner Zugehörigkeit zum wollenden Wesen, und in solchem Wesen gibt es sicherlich Zusammenhang, den Zusammenhang des Wollens, wie ihn die Geschichte darlegt. Eine voluntaristische Seelenkunde mag für diese Wollenszusammenhänge typische Formen suchen und so, gewissermaßen als Einleitung zu den historischen Wissenschaften, ein zwecksächliches Gegenstück zur ursächlichen Psychologie aufstellen. Aber da gibt es nichts zu beschreiben und zu erklären, sondern nur zu verstehn und zu deuten, von Psychologie im Sinne einer Naturwissenschaft psychischer Objekte ist also da nicht die Rede.

Der Zusammenhang, den die naturwissenschaftlich verfahrende Psychologie sucht, muß somit doch irgendwie nicht nur auf Wesen, sondern auf Dinge bezogen sein, die in der räumlichzeitlichen Welt ihre Stelle haben. Und solche Stelle ergibt sich in der Tat notwendig, sobald die wirkliche wollende Persönlichkeit mit dem wahrnehmbaren körperlichen Individuum vertauscht wird. Sobald uns der Andere ein Organismus ist, müssen seine individuellen Inhalte nunmehr in jenem Körper sein, und als solche Begleiterscheinungen der Körpervorgänge haben dann auch die psychischen Objekte ihr freilich abhängiges Dasein in der wirklichen physischen Welt. Die Phantasieinhalte meines Freundes haben als Objekte seiner stellungnehmenden Persönlichkeit ihre Wirklichkeit zunächst nur in jener Willenswelt, von der die Geschichte spricht, nicht in der Naturwelt. Als Wahrnehmungsobjekte können sie überhaupt kein Dasein beanspruchen, da sie nur Phantasieinhalt sind und somit für keinen anderen wahrnehmbar sein können. Betrachte ich den Freund aber in seiner Körperlichkeit, so werden seine individuellen Objekte zu Vorstellungen, die irgendwie in ihm enthalten sind.

Daß solche Hineinverlegung durchgeführt wird, das wollende Wesen für gewisse Betrachtungen in der Tat durch den individuellen Organismus ersetzt wird, das geschieht nun nicht am wenigsten unter dem Druck des Verlangens, auch zwischen den psychischen Inhalten einen Zusammenhang herstellen zu können. Denn nun steht offenbar keine Schwierigkeit mehr im Wege, auch die psychischen Reihen, zwar nicht unmittelbar, aber doch mittelbar, auf Identitäten zurückzuführen. Sind die Vorstellungen in fester Abhängigkeit von bestimmten Körpervorgängen, etwa im Gehirn, so wird der notwendige Zusammenhang zweier Gehirnzustände gleichzeitig auch zum Zusammenhang der zugehörigen Bewußtseinsinhalte. Für die physiologischen Vorgänge gelten dann aber alle Hilfsmittel der physischen Erklärung.

Daß die Wahrnehmung des Veilchenduftes das Bild des Veilchens in meiner Seele weckt, ist aus den psychischen Bestandteilen unerklärbar; die Geruchsvorstellung und die Gesichtsvorstellung können als solche niemals in identische Inhaltsgruppen eingefügt werden. Wenn die Duftempfindung aber den einen Gehirnzustand begleitet, der durch Reizung der Geruchnerven entsteht, und die Veilchenvorstellung dem anderen Gehirnzustand entspricht, der durch die Reizung der Augen bedingt wird, so ist es nicht mehr unmöglich, den zweiten Gehirnzustand wirklich aus dem ersten zu erklären. Gewiß sind dazu mannigfaltige Umdenkungen bezüglich der Vorgänge im Nervensystem nötig, aber die Wissenschaft mag sehr wohl schließlich den Gesamtvorgang so auffassen, daß die zweite Lagerung der Gehirnatome auf Grund der gegebenen Struktur und Übungsspuren notwendig durch bloßes Beharren der Bewegungen und Kräfte aus der ersten Lagerung hervorgeht. Das Gesamtsystem der Atome im Gehirn wird dann als identisch mit dem vorangehenden erkannt.

Aus diesem Drange entwickelte sich eine zweifache Tendenz der modernen Psychologie. Einmal muß sie danach streben, jegliches psychische Gebilde als Verbindung von Empfindungen aufzufassen; als Empfindung aber gilt ihr jeder nicht weiter zerlegbare Bestandteil einer sinnlichen Vorstellung. Nur solche sinnlichen Vorstellungsbestandteile erlauben die unmittelbare Beziehung auf einen Körperzustand, weil der Gehirnvorgang mit der Reizung des Sinnesorgans ursächlich verknüpft werden kann. Seit Jahrzehnten ist die Psychologie rastlos mit dieser Arbeit beschäftigt, und es ist bekannt, wie für diesen Zweck die sinnlichen Empfindungen der Muskelbewegung, des Gelenkdrucks, der Sehnenspannung, und ähnliches in den Vordergrund gezogen wurden. Die Gedanken und das Persönlichkeitsgefühl, die Gemütsbewegungen und die Willenshandlung, alles löste sich allmählich in Empfindungsatome auf und so wurde wenigstens der Ansatz für mittelbare Beschreibung und Erklärung des an sich Unbeschreibbaren und Unerklärbaren gewonnen.

Dazu gesellt sich als notwendige zweite Tendenz die Betonung des Assoziationsvorgangs. Nur wenn die Übergänge von einem Seelenzustand zum andern sich aus Elementarvorgängen zusammensetzen lassen, die grundsätzlich auf früherer Verbindung der Erregungen beruhen, nur dann wird die physiologische Erklärung sich einfach ergeben. Alle die im wirklichen Erlebnis enthaltenen Zweckzusammenhänge müssen somit in Assoziationen umgedeutet werden, und darin lag vielleicht die Hauptarbeit der neueren Seelenforschung. Wird dieser Vorgang lediglich als Nachwirkung der Sinneseindrücke vorgestellt, wie es früherhin immer geschah, so bleibt das Schema roh, und die Hilfsmittel scheinen zu plump und unbeholfen, um dem Reichtum der inneren Regungen gerecht zu werden. Die Psychologie selbst schien daher nicht selten entmutigt. Sie gab sich lieber damit zufrieden, die inneren Erlebnisse in ihrem Sinn zu deuten und zwecksächlich zusammenzufassen, als sie, ihrer eigentlichen Aufgabe entsprechend, ursächlich zu erklären, da die einzig mögliche Erklärung durch Assoziation zu versagen schien. Seitdem aber neuerdings in dem Gehirnmechanismus, der als Grundlage des Psychischen gedacht wird, die motorischen Vorgänge als gleichberechtigt neben den sensorischen beachtet werden und die Umlagerungen somit nicht nur aus den Nachwirkungen der Sinnesreizungen sondern gleichzeitig aus den Bewegungsanstößen und ihren Wechselwirkungen begriffen werden, seitdem scheint es weniger aussichtslos, so auch die Welt des Psychischen mittelbar als einen erklärbaren Zusammenhang aufzufassen.

Der Naturzusammenhang als Voraussetzung. Ob es sich um Psychisches oder Physisches handelt, ob um Sterne oder um Träume, um Infusorien oder um Völker, stets also gilt es, die daseienden

Dinge in unserem einen Universum als beharrend, als unaufhebbar, als schlechthin selbständig aufzufassen. Daraus ergibt sich, daß die Wissenschaft alles Gegebene in einen einzigen Zusammenhang umformen muß. Da sie aber ihr ideales Ziel als eine zu erkennende Wirklichkeit vorwegnimmt, geht sie darauf aus, diesen als bestehend vorausgesetzten Zusammenhang zu entdecken. Im Dienste dieser Aufgabe sucht sie in den gegebenen einzelnen Dingen ihre wahren Bestandteile zu finden und die Gesetze, welche den Ablauf der Vorgänge beherrschen. Aber die „ewigen, ehernen" sind nur wechselnde Hilfsmittel der Forschung und die Bestandteile nur Ersatzstücke, mit deren Hilfe die neuen Dinge aus den alten durch Beharrung der Teile ableitbar sind.

Der Naturwissenschaftler, der sich verpflichtet weiß, nichts nach eigner Laune zu entscheiden, sondern sich willenlos der Natur und ihrem Walten unterzuordnen, mag da wohl fragen: wie wäre es nun aber, wenn unsere Beharrungsforderungen sich nicht verwirklichten? Könnte nicht die Natur ganz anders handeln, als wie wir es uns ausdenken, die Dinge vergehn und entstehn lassen, so daß ein Zusammenhang durch Selbsterhaltung der Dinge sich tatsächlich nicht darbietet? Hätten wir Naturforscher uns dann nicht zu beugen und ist nicht in der Tat die Naturwissenschaft noch weit entfernt von solchem Ziel? Wer so spricht, übersieht noch immer das Wesentliche. Wir als forschende Einzelwesen müssen uns beugen, aber das, vor dem wir uns beugen müssen, ist unsere eigene überpersönliche Tat. Die Beharrungsforderung ist solcher Art; sie entsteht nicht aus meinen und deinen Wünschen, sondern aus der Tathandlung, ohne die eine Wirklichkeit nicht möglich wäre. Solchem Willen ist dies Universum wirklich unterworfen, und die Möglichkeit seiner vollständigen Erfüllung muß als ideales Ziel vorausgesetzt werden. Daß die aus Einzeldenkarbeit gebildete Wissenschaft noch unendlich fern vom Ziel ist, hat keine grundsätzliche Wichtigkeit; wichtig ist nur, daß als Fortschritt in der Wissenschaft, als Entdeckung, als neue Erkenntnis nur gelten darf, was wirklich diesem Ziele näher bringt.

Gewiß kümmert sich die erlebte Mannigfaltigkeit nicht um unsere Forderungen. In unserem Erlebnis verschwinden die Dinge fortwährend ins Nichts und entstehn fortwährend aus dem Nichts neue Dinge. Aber das ist eben noch nicht die Natur, auf die sich unsere wertheischende Erkenntnis erstrecken will. Die muß erst gesucht und im Suchen geschaffen werden. Und dieses Suchen geht überall vor sich, wo der Mensch überhaupt Zusammenhang und Erklärung auch im bescheidensten Sinne gewinnen will. So sucht tastend der Geist des Kindes und des Kulturlosen. Gelingt es der Wissenschaft aber, die Welt der erlebten Dinge so umzudenken, daß sie von allem individuellen Erleben ablösbar werden und daß sie unverändert als Atome und Energien qualitätlos sich durch neue Erfahrungen erhalten können, so kann die Natur den Forscher nicht mehr enttäuschen. Denn zur wirklichen Natur gehört dann eben nur das, was sich aus der Beharrung solcher schlechthin daseienden überpersönlichen Objekte ergibt. Wäre es uns aber unmöglich, die erlebten Dinge in solche beharrende umzumodeln, dann würde die Natur uns nicht enttäuschen, sondern wir würden überhaupt keine Natur besitzen. Die Welt wäre dann ein Traum, ein persönliches Erlebnis, an dem kein anderes Wesen Anteil hätte; es wäre somit sinnlos und wertlos, in dem wechselnden Kommen und Gehen nach einem wertvollen anzuerkennenden Zusammenhang der Dinge zu fragen.

B. Die Geschichte.

Der Zusammenhang der Wesen. Ist Natur uns der Zusammenhang der Dinge, so ist uns Geschichte der Zusammenhang der Wesen. Die Probleme, die sich darbieten, werden im Grunde dieselben sein, hier wie dort durch den Begriff des Zusammenhanges beherrscht, und doch wird jegliche Frage durch die Verschiedenheit des Stoffes neue Form annehmen und neue Lösung verlangen. Nun muß uns die Welt der Geschichte ja noch vielfach beschäftigen, denn dort reiht sich Wert an Wert. Vor allem der Wert, den die Entwicklung und der Fortschritt der historischen Menschheit birgt, soll uns lebhaft zur Geschichte und ihrem Sinn zurückführen. Hier handelt es sich, genau wie bei der Natur, zunächst nur um den einen Wert, der die Geschichte zum Gegenstand der Erkenntnis erhebt: den Wert des Verbundenseins der Einzelwesen in einem verstehbaren Zusammenhang.

Auch hier ist uns unmittelbar der Zusammenhang selbst wertvoll, nicht erst seine Erkenntnis. Wir sprachen vom Wert der einheitlichen Natur, nicht von dem Wert der Naturwissenschaft;

so gilt es denn auch hier, die Geschichte, nicht die Geschichtswissenschaft, in ihrer schlechthin wertvollen Eigenschaft zu begreifen. Freilich erkannten wir wohl, daß das Gegebene erst durch die logische Umformung zur Natur wird; erst durch die Einsetzung von begrifflich gegebenen Gebilden ließ sich ein verstehbarer Zusammenhang gewinnen, aber die Natur, wie sie schließlich im System der wahren Urteile erschien, galt uns doch als das Wirkliche. In ihr lebte der Zusammenhang, den unser Denken hineinarbeitet, um ihn dann wiederzufinden und festzuhalten.

So wird auch die Geschichte erst durch die logische Arbeit zur Geschichte werden, und auch die Wesen werden, um den Zusammenhang zu gewinnen, mannigfach umgemodelt werden müssen. Aber auch hier wird der schließlich so gewonnene Geschichtsablauf als das Wirkliche zu gelten haben, auf das die Bewertung gerichtet ist; die Darstellung und Mitteilung dieses wertvollen Zusammenhangs erscheint dann nur als äußerliches Hilfsmittel, ohne Anrecht auf einen Sonderplatz im Reich der Werte. Wertvoll ist uns also, daß kein wollendes Wesen allein steht, daß jede Persönlichkeit in einem Zusammenhange weiterwirkt und so ihr Wollen im Wechsel der Geschichte erhalten bleibt.

Diese selbsterhaltende Unabhängigkeit, diese Identität des Wollens, ist das eigentliche Ziel unserer Bewertung. Wir sahen, wie bei der Naturwissenschaft im Getriebe der Forschung die notwendigen Hilfsmittel oft wichtiger erscheinen als die Lösung der wirklichen Aufgabe, die allgemeinen Begriffe und die Gesetze stärker ins Bewußtsein treten als die Gewinnung beharrender Objekte. So wird auch bei der Geschichtsuntersuchung das Hilfsmittel oft den letzten Zweck überschatten und das Verlangen nach Identität des Wollens im Bewußtsein des Historikers zurücktreten. Und doch ist historisch wahr nur, was diesem eigentlichen Ziele näher führt. Geschichtlichen Zusammenhang entdecken heißt Willensidentitäten herausarbeiten, und unsere grundsätzliche Befriedigung an der Gewinnung des Identischen bedingt den Wert des geschiehtlichen Ablaufs.

Das weicht nun aber alles weit vom Gewohnten ab. Wie sehr auch die Ansichten über das Wesen des Geschichtlichen auseinandergehen, wenigstens in einem pflegen sie sich zu begegnen. Das Material der Geschichte gehört zu derselben Welt der kausalverbundenen Dinge, von der die Naturwissenschaft uns Bericht gibt. Dann freilich trennen sich die Wege schnell. Die einen sagen uns, daß der Historiker, wenn er wissenschaftlich vorgehn will, selbst das Verfahren des Naturforschers einzuschlagen habe und daß seine besondere Aufgabe sich nur dadurch abgrenzt, daß er sich aus allen Naturobjekten nur die menschlichen Gesellschaften herausgreift. Seine Aufgabe ist die mikroskopische und makroskopische Beschreibung und Erklärung dieses Gesellschaftsprozesses mit seinen staatlichen und wirtschaftlichen und geistigen Erzeugnissen. Weicht solche Wissenschaft logisch von der Physik ab, sind ihre Gesetze etwa weniger allgemein, so folgt das aus der Eigentümlichkeit des besonders verzweigten Stoffes, aber das logische Ziel muß das gleiche bleiben. Andere dagegen betonen gerade die Verschiedenheit des logischen Zieles. Der Naturforscher sieht in den Dingen das Gemeinsame, der Historiker will das Individuelle festhalten, der Naturforscher löst die Dinge von jeder Bewertung ab, der Historiker wählt sein Material gerade unter dem einen Gesichtspunkt, daß es auf Werte bezogen werden kann.

Die naturwissenschaftliche Gesellschaftslehre. Beide, die naturwissenschaftliche Gesellschaftslehre und die unnaturwissenschaftliche Individuallehre, lassen uns unbefriedigt. Die erstere ergibt eine wohlberechtigte Forscherarbeit, aber sie verkennt den Geist der Geschichte; die andere dringt tief in das Wesen der Geschichte ein, aber beleuchtet ihre scharferkannten Wesenszüge von falscher Seite. Wir können eben der ihnen gemeinsamen Grundvoraussetzung nicht beistimmen, daß der Historiker es mit kausal zusammenhängenden Objekten zu tun hat oder noch allgemeiner, daß es überhaupt kein Wissen von etwas anderem als von Objekten geben kann.

Sehen wir etwas näher zu. Wir lehnen es also zunächst ab, Geschichte als Soziologie zu begreifen. Nicht als ob wir fürchteten, daß die Hilfsmittel der kausal denkenden und Gesetze suchenden Objektwissenschaft notwendig versagen müssen, wenn wir von den chemischen Gebilden zu den gesellschaftlichen vorschreiten. Was raum- und zeiterfüllend sich im Universum bewegt, muß ausnahmslos dem ursächlichen Zusammenhang eingereiht werden können, wenn nicht die Voraussetzungen der Naturwissenschaft selbst aufgehoben werden sollen. Betrachten wir ein Volk als Summe psychophysischer Organismen, so kann in seiner Mitte nichts vor

sich gehn, auf das nicht die Forderung der vollständigen Erklärung
durch Beharrung der letzten Dingteile ausnahmslos anwendbar
bliebe. Da kann kein Sänger und kein Held sich ausleben, bei dem
nicht jedes Wort und jede Tat notwendig auftritt, wenn auch durch
die Unübersehbarkeit der Bedingungen der Erfolg oft nicht mit
Genauigkeit vorhergesagt werden kann. Auch die Welle in der Mitte
des Ozeans können wir nicht berechnen. Tatsächlich könnten wir
ja keinen Schritt ungefährdet in menschliche Gesellschaft hinaus
wagen, wenn wir uns nicht auf ungefähres, praktisch hinreichendes
Voraussehen der fremden Handlungen verlassen könnten.

Daß der soziologische Naturforscher den ganzen Menschen
meisthin als Einheit in die Rechnung einsetzt, widerspricht dem
Geist der Naturwissenschaft auch nicht; so benutzt etwa der Biologe
die Zelle, der Astronom die ganze Erde als Einheit und bleibt doch
seinen Voraussetzungen und Absichten treu. Und noch weniger
hat es grundsätzliche Bedeutung, daß die Wissenschaft vielleicht
noch von ihrem Ziel unendlich entfernt ist und somit noch gänzlich außer stande sein mag, gewissermaßen den psychophysischen
Ansatz richtig aufzustellen. Es mag leichter sein, die nächste
Sonnenfinsternis zu berechnen als das nächste Bombenattentat,
aber insofern als die Welt ein Kausalsystem von Objekten ist, muß
die Gehirnregung, welche sich als nächster Bombenwurf entladet,
auch vollständig einer mehrwissenden Wissenschaft berechenbar
sein. Der absolute Zusammenhangswert der Natur wäre vernichtet,
wenn irgendwo und irgendwann sich ein Ursachloses ereignen würde
und wenn nicht jedes Wachstum und jede scheinbar schöpferische
Neuerung sich aus dem Beharren der Elemente begreifen ließe.

Und trotzdem sträubt sich der an den Meisterwerken der großen
Historiker geschulte Geist, solche ursächliche astronomische Ableitung der menschlichen Ereignisse als wahre Aufgabe der Ge-
schichtserfassung anzuerkennen. Solchem Widerspruch stimmt nun
die andere Partei zunächst kräftig zu. Gewiß, heißt es da, kann so
der Sinn historischer Darstellung nie ergriffen werden, denn der
Naturwissenschaftler muß, um den Zusammenhang zu verstehn,
sein Interesse auf die allgemein gültigen Gesetze richten, während
den Historiker gerade das einmalige Geschehen fesselt. Für uns hat
dieser Einwand aber seine Kraft eingebüßt. Wir überzeugten uns,
daß auch des Naturforschers letztes Ziel das Verstehen eines ein-

maligen Ablaufs ist und daß die Herausarbeitung der Gesetze lediglich ein Hilfsmittel sein kann, wirklich Daseiendes aber im Gesetz stets mitbehauptet wird. Der aus der Beharrung der Teile begreiflich gemachte Zusammenhang ist somit naturwissenschaftlich wertvoll auch dann, wenn nur ein besonderes Stück dieses einmaligen Ablaufs zur Betrachtung kommt. So bearbeitet der Geologe etwa die Veränderungen dieser einen Erde: warum soll nicht ein anderer Naturforscher in gleicher Weise die Veränderungen des deutschen Volkes erklären? Das bliebe naturwissenschaftlich sogar auch dann noch, wenn sich irgend eine bei anderen Völkern ähnlich vorkommende Stufenreihe der Entwicklungsphasen nicht erweisen ließe und alles somit statt auf historische unmittelbar auf physiologische und psychologische Gesetze zurückgeführt werden müßte.

Das Verlangen nach Betonung des Einmaligen steht also mit dem Geist der Naturforschung nicht im Widerspruch. Durch die Beziehung auf Gesetze wird die Einmaligkeit des Dargestellten nicht aufgehoben, so wie seine Mannigfaltigkeit durch die Anwendung allgemeiner Begriffe nicht ausgelöscht wird. Die Möglichkeiten des Begriffs sind reicher als die der Anschauung; im Zahlensystem gibt es mehr Zwischenstufen als in der Wahrnehmung. Die naturwissenschaftliche Bearbeitung eines berühmten Zeitgenossen könnte mehr Objekte in seiner psychophysischen Persönlichkeit finden und wenn es not täte zur Beschreibung und Erklärung bringen, als er selbst innerlich, seine Freunde äußerlich je in seiner Seele wahrgenommen haben. Und dennoch können wir nicht zweifeln, daß solche kausale Erklärung jedes psychischen und physischen Objekts in dem einen Individuum verlorene Liebesmühe bleiben müßte, und zwar nicht, weil die Aufgabe grenzenlos ist, denn dann müßte jede Teilbearbeitung doch wenigstens einen Beitrag zum Ganzen liefern; nein, die Arbeit ist vergeblich, weil sie überhaupt gar nicht in der Richtung der wahren Geschichtschreibung liegt.

Da bleibt nur die Zuflucht zum letzten Einwand. Nicht jedes beliebige Einzelne kommt für den Historiker in Frage, sondern nur die Objekte, die in Beziehung zu unseren Werten stehn, zu Staat und Recht, zu Wirtschaft und Wissenschaft, zu Kunst und Religion. Gewiß liegt nun hier noch mehr als bei der Betonung des Einmaligen eine wichtige und tiefbegründete Tendenz vor; und

dennoch ist sie, durch ihre Voraussetzungen, ihrer besten vorwärts-
treibenden Kraft beraubt. Die Behauptung geht dahin, daß der
Historiker und der Naturforscher dieselbe Welt der Objekte behandeln; der Historiker betrachtet das Material aber nur mit Rücksicht auf die Werte. Die Arbeit des Historikers zielt also auf eine
Auslese der Dinge; aus den unendlichen Reihen zusammenhängen-
der Vorgänge soll er herausheben, was gewissen wertvollen Zielen
dient.

Eine historische Aufgabe, die grundsätzlich außerhalb des
Kreises der Naturforschung liegt, ist damit aber nur unter der
einen Bedingung gegeben, daß nämlich die Naturforschung sich
nicht mit der einmaligen Abfolge der Dinge als solcher befaßt.
Wer daran festhält, daß die Naturwissenschaft nicht auf das Einzelne, sondern nur auf das Allgemeine gerichtet ist und das Gesetz
sucht, der hat damit freilich die beiden Aufgaben scharf getrennt.
Wer diese Auffassung der Naturwissenschaft aber nicht zugibt,
wer vielmehr überzeugt ist, daß die Naturforschung gerade auf die
Darstellung des einmaligen Weltzusammenhangs gerichtet ist, für
den würde solche Geschichtsaufgabe wieder gänzlich in der Aufgabe
der Naturwissenschaft aufgehn. Daß gewisse Kausalreihen um
ihres Ergebnisses willen herausgehoben werden, ist ja in der naturwissenschaftlichen Arbeit fortwährend nötig; die biologische Betrachtung der Stammesentwicklung oder die geologische Darstellung
der Erde oder die klinische Untersuchung eines Krankheitsfalles
wählt ebenfalls eine vereinzelte Reihe einmaliger Vorgänge um ihres
Endergebnisses willen aus und bewegt sich dennoch ganz im Kreise
des naturwissenschaftlichen Denkens. Unter irgend einem Gesichtspunkt ausgewählte Bruchstücke des Naturwissenschaftlichen
hören eben nicht auf, Naturwissenschaft zu sein. Die Aufgabe des
Historikers würde sich ja auch dann noch deutlich von der des
Chemikers abheben, aber nicht anders als wie sich die des Chemikers von der Arbeit des Botanikers sondert; allesamt gehören sie
in den Kreis der Naturwissenschaft.

Der Historiker, der seine Aufgabe darin sucht, die Objekte in
ihrem Zusammenhang mit wertvollen Endwirkungen darzustellen,
hat somit nur dann eine Sonderstellung außerhalb der Naturwissenschaft, wenn diese sich ausschließlich mit der Beziehung auf das
Gesetz zu beschäftigen hat. Gerade das haben wir nun aber aus-

führlich zurückweisen müssen, als wir das Wesen der Naturforschung geprüft. Wir haben uns überzeugt, daß die Naturwissenschaft den einmaligen Zusammenhang darstellen will und daß die Beziehung auf das Gesetz dabei keine grundsätzliche Bedeutung hat. Auf diesem Wege können wir also nie zu einer nichtnaturwissenschaftlichen Sonderaufgabe für den Historiker gelangen.

Der Willenszusammenhang. Der entscheidende Fehler steckt eben in der Annahme, daß alle Wissenschaft es nur mit Objekten zu tun habe. Deshalb empfinden wir es als so unlebendig und so unhistorisch, wenn wir hören, daß die Geschichte es mit den einzelnen Objekten zu tun habe, denn im tiefsten erlebt es jeder von uns, daß die Gestalten der Weltgeschichte, die uns historisch wahrhaft bedeutungsvoll sind, niemals für uns als wahrnehmbare Inhalte in Frage kamen. Der stärkste Teil unserer reinen Erfahrung ist uns ausgelöscht, wenn wir nur Dinge anerkennen sollen, und nicht Wesen, die uns als zumutende Subjekte entgegenkommen. Als wir vom Daseinswert der Wesen sprachen, haben wir diese Grundunterscheidung ausführlich erörtert; hier haben wir nun davon Gebrauch zu machen. Ja, selbst wenn jene Auslese unter den kausalen Objekten uns wirklich alles bieten würde, was wir von der Geschichtswissenschaft erwarten, so müßten wir doch aufs ernsteste verlangen, daß es noch irgendeine andere Wissenschaft geben muß, die uns selbst und die anderen wirklich als Wesen in ihrer Wollenswirklichkeit behandelt und ihren Zusammenhang verstehen lehrt.

Tatsächlich aber ist es der fruchtbarste Weg, überhaupt historische Wissenschaft möglich zu machen. Da erst gewinnt es dann auch unvergleichlich tiefere Bedeutung, wenn der Historiker behauptet, daß er vom Einzigen in einem Sinne handle, in dem der Naturforscher das Einmalige doch nicht auffassen kann. Vor allem wird nun erst das Bewerten in sein Recht gesetzt, denn der Mensch als wollendes Subjekt kennt wirklich Werte und Wertbeziehungen, während der Mensch als psychophysisches Objekt wertfrei in einer wertfreien Welt steht. Dem Menschen als Objekt muß das Motiv seines Handelns als Ursache zugerechnet werden; nur beim Menschen, der Subjekt ist, strebt der Wille nach dem Ziel als vor ihm liegender Aufgabe.

Nun scheint aber schon an der Schwelle sich ein vernichtender Einwand zu erheben: können wir denn überhaupt von etwas wissen, das nicht zum Inhalt geworden ist. Selbst wenn man uns zugibt, daß wir im unmittelbaren Erlebnis zwei verschiedene Arten des Erlebens kennen, das Vorfinden des Inhalts und das Fühlen der eignen und fremden Stellungnahme, so mag man es doch für unmöglich erklären, solchen gefühlten eignen Akt oder solche fühlend erlebte fremde Zumutung im Zustand des Willenserlebnisses in die Sphäre der Erkenntnis zu erheben. Wir erleben unser Wollen als Selbstakt, als Entscheidung, als Tat, aber selbst wenn wir es in uns selbst als ein daseiendes festhalten und betrachten wollen, so müssen wir es in ein Objekt verwandeln. Der Gegensatz von Naturwissenschaft als „objektivierender" Wissenschaft und Geschichtswissenschaft als „subjektivierender" Wissenschaft scheint somit von vornherein phantastisch.

Doch solch ein Bedenken darf uns nicht schrecken, nachdem wir den Daseinswert der Wesen bereits näher geprüft. Wer erst einmal deutlich erfaßt hat, wie wir unsere Stellungnahme und die Aufforderungen fremder Wesen durchaus nicht wahrnehmungsartig erleben, sondern mit jener unvergleichlichen Tatgewißheit, die auf der Zurückweisung des Gegenwollens beruht: der kann auch leicht verfolgen, daß nichts davon im Erkenntnisakt verloren geht. Die Begriffe eines Urteils sind allgemein, das in den allgemeinen Begriffen Festgehaltene kann deshalb doch als ein Einmaliges gedacht sein. Ebenso sind die Urteilsbegriffe Objekte, deren Verbindung ich bejahe; das durch die Begriffsobjekte Ausgedrückte kann aber trotzdem schlechthin Nichtobjekt bleiben.

Sicherlich widerspricht dem auch nicht das noch unformulierte, nicht in Begriffe gebrachte Erkennen des eignen oder fremden Erlebens. Den Akt, den ich subjektiv erlebe, mache ich zum Gegenstand meiner Erkenntnis dadurch, daß ich sein wirkliches Dasein bejahe; wir sehen aber, daß diese Anerkennung des Daseinswertes nur darin besteht, daß ich den erlebten Willen festhalte als identisch mit dem auf andere Ziele gerichteten Wollen. Der Daseinswert des Willens wird dadurch objektiv im Sinne von allgemeingültig, aber der Wille selbst wird dadurch nicht zum Objekt. Wir halten den Willen fest, indem wir ihn lebhaft wollen, uns von seiner Richtung nicht abdrängen lassen und sein Gegenwollen zurückweisen; dadurch wird er nicht zum gegenständlichen Bewußtseinsinhalt, den das erkennende Bewußtsein wie eine Vorstellung wahrnimmt. In gleicher Weise aber halten wir die fremde Zumutung als das Wesen eines anderen fest und finden seine Wirklichkeit in der Gleichsetzbarkeit seiner verschiedenen Wollungen; auch da sind wir nirgends aus dem Willenskreis herausgetreten.

Solche wollenden Wesen treten in unbegrenzter Mannigfaltigkeit an uns heran. Daß ihre Zumutungen nicht nur unsere Erlebnisse sind, sondern daß ihnen wirkliches Dasein zukommt, haben wir bereits bejaht. Aber soll die Fülle der fremden Wesen uns wirklich als eine Welt gelten, so muß auch, wie bei den Dingen, der Selbständigkeitsgedanke noch weiter geführt werden. Die Wesen dürfen nicht nur wirkliches Dasein in dem einen anerkannten Akt besitzen, sondern ihr Wollen muß in der Willenswelt erhalten bleiben, mit anderem Wollen im wirklichen Reich der Wesen identisch bleiben und so den einzig möglichen Zusammenhang zwischen Subjekten herstellen lassen. Nur soweit wie solche Willensidentitäten sich nachweisen lassen, haben wir Wesenszusammenhang; nur soweit wie wir Wesenszusammenhang herausarbeiten können, haben wir Geschichte. Das vereinzelte Dasein von Wesen macht noch keine Geschichte aus, so wie das vereinzelte Dasein von Dingen noch keine Natur bieten würde. Aufgabe des Geschichtsforschers ist es, die Wesen so aufzufassen, daß ein geschlossener Zusammenhang aller Wesen durch Willensidentitäten möglich wird, Was die Erfüllung dieser Aufgabe fördert, ist historisch wahr, denn auch in der Geschichtswissenschaft ist wahr alles, was schlechthin begreifliche Zusammenhänge der wirklich daseienden Wesen zum Ausdruck bringt; als schlechthin begreiflich gilt uns aber das, was den Erkennenden schlechthin befriedigt, und schlechthin befriedigen kann uns nur das Wiederfinden des Identischen in neuer Verwirklichung.

Das alles muß erleuchtet werden. Seien wir uns doch zunächst darüber klar, daß es einen anderen wirklichen Zusammenhang zwischen wollenden Wesen nicht geben kann. Jede Verwendung der Kausalität, welche die Dinge der Außenwelt, einschließlich der psychophysischen Menschen, zwingend verbindet, ist ausgeschlossen für die Subjekte in ihrer Wesenheit. Weder können die Wesen mit den Dingen noch die Wesen untereinander durch die Naturkausalität verkoppelt werden. Wenn die Naturwissenschaft ihr ideales Ziel erreicht hätte und alle Vorgänge in der Welt einschließlich der

Bewußtseinsinhalte kausal begriffen wären, so würde dadurch noch keine Subjektstellungnahme berührt sein. Die Unanwendbarkeit des Kausalbegriffs für die Wesen ergibt sich schon aus der einen Grundtatsache, daß ihre Wirklichkeit nicht in der Zeit liegt.

Das Zeitlose der Geschichte. Das klingt zunächst fremdartig; die Zeittabellen sind uns der gewohnte Hintergrund aller Geschichtsberichte. Trotzdem darf gerade hier kein bequemes Zugeständnis die entscheidenden Grenzen verschieben. Wir sahen, wie sich der Begriff der einen objektiven Zeit, auf die alle physikalischen Messungen bezogen werden, aus zwei verschiedenen Erfahrungsgruppen entwickelt. Einmal haben die Dinge zeitliche Gestaltqualitäten, verschiedenen Rhythmus und Dauer. Andererseits liegen sie für unseren Willen in verschiedener Richtung; sie sind vergangen, gegenwärtig und zukünftig. Beides sind Eigentümlichkeiten des persönlichen Erlebnisses. Nun suchen wir, um einen Zusammenhang der Dinge zu gewinnen, alles Persönliche von ihnen abzustreifen. Wir konstruieren deshalb aus der Wechselbeziehung der Willensrichtungen aller denkbaren Persönlichkeiten eine kontinuierliche Zeit, in der jeder denkbare Punkt als eine Gegenwart gelten kann, für die es Vergangenheit und Zukunft gibt. Alle zeitlichen Gestaltformen des Erlebten werden nun objektiv durch Beziehung auf diese eine überindividuelle Zeit dargestellt. Da kann es aber nirgends ein Schlupfloch geben, durch das der Wille selbst nun in die objektive Zeit eindringen kann. Der Wille setzt die Zeit, aber er selbst erfüllt sie nicht; seine Art der Zuwendung zu den Dingen gibt den Dingen den persönlichen Vergangenheits- und Zukunftswert und in der objektiven Zeit ist diese Beziehung vom einzelnen losgelöst, aber die Zuwendung selbst bleibt außerzeitlich. So außerzeitlich und entsprechend außerräumlich ist für uns jedes fremde Wesen, das wir in wirklicher Wesenheit und nicht als Ding anerkennen, und so außerzeitlich erleben wir uns selber.

Daß sich alles trotzdem in den zeitlichen Rahmen fügt, ist selbstverständlich. Jeder Wille ist ja auf Inhalte bezogen. Die Gegenstände des Wollens sind also mitgegeben und müssen beschrieben werden, um den Willen mitteilbar zu machen. Bedingt aber die Willensrichtung den Zeitwert der Inhalte, so scheint es natürlich und ist für den gewöhnlichen Gebrauch unbedenklich, wenn wir den Willen selbst als gleichzeitig mit den gegenwärtigen

Objekten und als zeitlich nach den vergangenen Objekten vorstellen. Dementsprechend ist der Wille gleichzeitig mit den Sinneseindrücken des Körpers und somit zeitlich andauernd von der Geburt bis zum Tode des Organismus, genau so wie der Wille dann seinen räumlichen Platz irgendwo im Gehirn erhält. Auf dieser allgemeinen Grundlage arbeitet die naturwissenschaftliche Psychologie dann zielbewußt weiter, und von ihrem Standpunkt aus ist sie dazu nicht nur berechtigt sondern verpflichtet. Nur darf die Geschichte nicht das Gleiche tun, wenn ihr wirklich daran gelegen ist, die Subjekte in ihrer Wesenheit festzuhalten; sie muß schon den Anfängen sich entgegenstemmen und schon die populären Hineinverlegungen des wirklichen Willens in die physikalische Zeit als logische Übergriffe zurückweisen.

Wenn wir von Napeolon sprechen, so hat es ja berechtigten Sinn, sein Wollen auf bestimmte Gehirnwindungen zu beziehn. Gerade der gesunde Menschenverstand, der nichts von physiologischer Psychologie weiß, würde es als selbstverständlich betrachten, daß Napoleons Wille in seinem Schädel war, da er doch offenbar nirgends sonstwo im Raume sich aufhielt. Und trotzdem empfinden wir deutlich, daß es widersinnig ist, auch nur zu fragen, ob sein Wille drei Zentimeter lang war oder länger oder kürzer, ob er viereckige Gestalt oder eine andere Raumform hatte; es ist so töricht, als wollten wir fragen, ob der Wille grün oder rot war. Wir fühlen unmittelbar, daß alle solche Fragen sich nur auf Objekte beziehen können und der Wille Napoleons, den wir im historischen Sinne begreifen wollen, der Wille, der Europa überwand, uns nicht als Objekt entgegentritt.

Dann aber hat es sicherlich nicht mehr Sinn zu fragen, wie viele Zeiteinheiten sein Wille lang war; seine Kriege dauerten Jahre, seine Körperbewegungen dauerten Sekunden, aber seine Akte der Stellungnahme hatten überhaupt keinen Anteil an der physikalischen Zeit. Der Akt ist vollständig erfaßt, wenn er in seiner Stellungnahme verstanden ist; ist sein Wollen in seinem Sinn begriffen, so bleibt kein unverstandener Rest, und keine Frage nach seiner Farbe, seinem Duft, seinem Gewicht, seiner räumlichen Form oder seiner zeitlichen Länge würde auf seine Eigenart abzielen. Seine besondere Beziehung zur Welt ergibt sich aus der besonderen räumlichzeitlichen Auswahl der Objekte, zu denen er

Stellung nimmt, und ihrer besonderen räumlichzeitlichen Perspektive, aber die Stellungnahme selbst wirkt außerhalb des räumlichzeitlichen Systems. Ein Wesen kann daher das andere begreifen, ihm beistimmen oder widerstreben, ohne daß sein Wollen als gleichzeitig oder vorangehend oder nachfolgend in Frage kommt. Die Geschichte handelt von Wirklichkeiten, die in unendlich mannigfaltigen Beziehungen zu den zeitlichen Dingen, selbst aber nicht Ding und nicht zeitlich sind.

Die Willensfreiheit in der Geschichte. Mit alledem ist schon gesagt, daß die historischen Wirklichkeiten auch nicht Glieder einer Kausalkette sein können. Die Ursache muß der Wirkung vorausgehn, und mit Rücksicht auf das letzte Ziel der Erklärung forderten wir, daß aller Kausalzusammenhang schließlich auf zeitliche Beharrung zurückführe. Das Unzeitliche muß unkausal sein, und die Kausalzusammenhänge der den Wesen zugeordneten Dinge stehn in keiner unmittelbaren Beziehung zu den historischen Zusammenhängen der Wesen selbst. Ein Wesen mag das andere beeinflussen, aber alles Überreden, Überzeugen, Anregen, Vorbildsein bedeutet ein Verhältnis von Wille zu Wille, das schon psychologisiert ist, wenn es kausal gedeutet wird; im Erlebnis ist der beeinflussende Wille nicht Ursache, sondern ein in den neuen Willen selbst eingehender Willensteil, unvergleichbar mit irgend einem Dingverhältnis. So hängt denn auch in uns selbst eine Stellungnahme mit der anderen zunächst nicht kausal zusammen. Wir fühlen uns in einem Willensakt durch unseren eigenen Entschluß vielleicht gebunden, aber im Erlebnis bedeutet das niemals, daß wir den einen Akt als vorangehende Ursache des andern empfinden; der Entschluß selbst ist noch lebendig und geht in die neue Willenstat selbst ein. So ist auch das Motiv dem Erlebenden nicht Ursache, sondern ein Ziel, auf das der Wille gerichtet ist.

Erst von hier aus wird es deutlich, in welchem Sinne das wollende Wesen, das in die Geschichte eintritt, ein freies Wesen ist. Daß der Historiker, und so das praktische Leben, mit freien Menschen zu tun habe, hören wir oft. Was soll damit gemeint sein? Die Gedankenlosigkeit glaubt, daß der Mensch wohl ein Teil der kausalen Naturwelt sei, auch gemeinhin von Ursachen notwendig bestimmt werde, hier und da aber, wenn es zu wichtiger Entscheidung kommt, doch irgendwie ein paar Ursachen über den

Haufen werfen kann und sie in ihrer Wirkung entkräftet. Derlei verdient nicht Beachtung; wird zugegeben, daß auch nur irgendwann ein Atom der Naturwelt ursachlos aus seiner Bahn gezogen wurde, so ist die Möglichkeit der Natur grundsätzlich preisgegeben. Vorsichtiger sind die, welche rückhaltlos zugeben, daß jeder menschliche Willensakt ursächlich bedingt sei, die bestimmenden Bedingungen aber so unübersehbar seien, daß von einer Vorherbestimmung nicht die Rede sein kann. In dieser Unbestimmtheit ruhe die Freiheit.

Andere aber wenden ein, daß auch solche Unbestimmtheit meist gar nicht vorläge, wir die Handlungen der meisten Menschen in den meisten Fällen sogar leichter voraussehn können als etwa Regen und Sonnenschein; daß aber auch die genau ursächlich bestimmte Handlung uns als frei zu gelten habe, wenn die ursächlichen Motive im Menschen selbst liegen und nicht von außen her auf ihn eindringen. Und schließlich kommen die Ernsthaftesten und betonen, daß auch die Motive des Geisteskranken, des Trunkenen, des Hypnotisierten in ihm selbst liegen und wir seine Handlung doch als unfrei auffassen; Freiheit somit nur dann vorliegt, wenn sich der ursächliche Vorgang in einem ungestörten psychophysischen Mechanismus abspielt, in dem alle früheren Erregungen und Einübungen in normaler Weise nachwirken und zusammenwirken. Das psychologisch-naturwissenschaftliche Freiheitsproblem ist dadurch in der Tat hinreichend beantwortet. Die Kausalkette ist nirgends gestört und trotzdem eine klare und fruchtbare Trennung zwischen freier und unfreier Willenshandlung durchgeführt.

Wenn der wahre Historiker aber vom freien Wesen spricht, so meint er, wenn er sich selbst recht versteht und die Kraft hat, von naturwissenschaftlichen Schablonen unabhängig zu bleiben, im Grunde doch etwas ganz anderes. Er fragt gar nicht, ob die Ursachen für die Stellungnahme des Willens im gegebenen Falle übersehbar und die Wirkung somit berechenbar war; er fragt auch nicht, ob die wesentlichen Ursachen im Handelnden selbst lagen und ob die Ursachen in normaler Verkettung weiterwirkten. Er fragt alles das nicht, weil jener Wille und jene Tat ihn überhaupt nicht auf Ursachen zurückweisen und jede denkbare Frage sich nur auf den Sinn, die Bedeutung, die Absichten und die inneren Beziehungen der Handlung erstrecken. Sobald die Ursachenfrage

auftaucht, so hat sich dem historischen Interesse schon ein außer-
historisches, dinghaftes, naturwissenschaftlich-psychologisches untergeschoben.

Frei sein im Geiste der Geschichte bedeutet, einer Sphäre an-
zugehören, in der es keine Ursachen gibt, weil die Frage nach Ursachen des Willens dort sinnlos wäre, sinnlos wie die Frage nach
der Temperatur, dem Duft oder dem Geschmack des Willens. Die
Frage nach Ursachen muß aber sinnlos sein, wenn der Wille, zeit-
setzend, selbst im Zeitlosen liegt. Der Geisteskranke, dessen Tat
der andere nicht nachverstehen kann, regt eben deshalb, weil er in
seinem Wollen unbegreiflich ist, die kausal naturwissenschaftliche Fragestellung an, aber deshalb ist der Verrückte als solcher
auch kein Träger der Geschichte. Sein Geistesleben wird zum Objekt, das wie irgend ein Objekt für die Geschichte bedeutsam werden
kann durch die Willensakte anderer, die dazu Stellung nehmen,
aber er selbst erzeugt nicht Geschichte.

Die Persönlichkeitsbeziehungen. Der Historiker sucht nun in
diesem Reich der wahren Freiheit die Zusammenhänge der wirklichen Wesen, und das System von Willensverbindungen, das er
schließlich bejaht, ist die Weltgeschichte. Vergegenwärtigen wir
uns zunächst, in welchem Sinne solche Verbindungen zwischen zwei
Subjekten überhaupt möglich sind. Zwei Freunde stehn im Gespräch; von persönlichem Erfolg und Mißerfolg, Erfahrungen und
Hoffnungen gehn sie über zu erregter politischer Diskussion. In
jedem Pulsschlag ihres Gesprächs ist jeder von beiden vom wirklichen persönlichen Dasein des anderen lebhaft ergriffen, und mit
voller Hingabe nimmt er an der Freude und dem Leid des Nachbars teil. Bald stimmt der erste dem zweiten bei, bald regt sich
Widerspruch; jetzt gibt er ihm Rat, dann setzt sein Zweifel ein;
und in jeder neuen Wendung verstehen sie den Sinn ihrer Worte
und Ausdrucksbewegungen und deuten ihre Motive. Jene beiden
haben einander keinen Augenblick als Objekte betrachtet; sie
waren sich nicht bewußt, daß da eine Reihe wahrnehmbarer Bewußtseinsinhalte sich im Gehirn des andern aneinanderreihte,
sondern ihr innerer Anteil, ihre Mitfreude und ihr Mitleid, ihr Mit-
hoffen und ihr Mitfürchten wußte nichts von dem dinglichen Men-
scheninhalt und ertastete unmittelbar das wollende Menschenwesen.

Das Verstehen und Zweifeln, das Fragen und Antworten, das

Zustimmen und Widersprechen, das Bewundern und Entrüsten, das Lieben und Hassen, das Mitleid, der Neid, die Schadenfreude, die Verehrung, jedes zielt im wirklichen Erlebnis vom einheitlichen Subjekt auf das einheitliche Subjekt ab. Gewiß gibt es da keine Beziehung, die nicht auch in jeder Psychologie beschrieben und erklärt werden muß, aber die beiden Freunde, die da über Politik streiten, sind keine Psychologen und wissen trotzdem von einander ganz genau, ja wissen von einander restlos alles, was in ihrem Gespräch als Wirklichkeit zur Geltung kommt. Kein Psychologe kann sie über einander irgend etwas lehren, das ihr wechselseitiges Verständnis vertiefen könnte.

Der Psychologe sieht und hört ihnen beiden aufmerksam zu und beobachtet sie als Objekte; er hat keinen Anteil an ihren Hoffnungen und Zweifeln. So nimmt er eine lediglich wahrnehmende Stellung zu ihnen ein, und was er vorfindet, kann somit nur Wahrnehmbares sein. Für ihn sind es daher nur zwei, Worte ausstoßende, Organismen, deren Ausdrücke und Bewegungen er als Objekte festhält und durch hinzuergänzte Vorstellungen und Gemütsvorgänge und Willensakte zu erklären sucht; diese psychischen Inhalte selbst aber lösen sich wieder zu vollständigerer Erklärung in einfachere Inhalte, in Empfindungen, auf. Jeder der beiden Freunde mag dagegen während des Gesprächs das Seelenleben des andern, seine Urteile und Gemütsbewegungen und Willensakte, ebenfalls auflösen und in seinen Bestandteilen zu verstehn suchen, aber so wie das Ganze ihm nie ein wahrnehmbares Objekt war, so werden die Teile niemals Empfindungen sein. Die Freude, der Ärger, der Zorn, die Scham zerlegen sich ihm in eine Fülle von Teilgefühlen, die Vorschläge, Ratschläge, Zweifel und Entscheidungen lösen sich in zahllose Teilwollungen auf, aber immer hat jeder Teil doch wieder jenen nur verstehbaren Subjektcharakter, von dem der objektivierende Psychologe nichts wissen kann.

Nur für den Wollenden gibt es daher Freunde und Feinde, Vorbilder und Nachahmer, Mitarbeiter und Gegner, Gönner und Neider. Selbstverständlich lassen sich, wie wir schon früher erörterten, auch diese reinen Persönlichkeitsbeziehungen in allgemeiner Weise bearbeiten, und so könnte ganz wohl eine Wissenschaft vom menschlichen Seelenleben entstehn, welche die Erlebnisse der wollenden Persönlichkeiten und ihre Beziehungen zu-

sammenfaßt. Solche voluntaristische Psychologie wäre eine wertvolle Einleitung in das Reich des Historischen. Nur das muß klar
sein, daß sie nichts zu beschreiben und zu erklären findet, sondern
nur mit dem Verstehen, dem Deuten und dem Nacherleben zu tun
hat. Vorläufig ist solche Psychologie mit grundsätzlicher Folge-
richtigkeit noch nicht geschrieben, und besser wäre es selbst von
ihrem Programm den Namen Psychologie wegzulassen, der doch
nun einmal die Erwartung auf ein Beschreiben und Erklären des
seelischen Lebens erweckt.

Das also steht uns fest, es gibt zwischen wollenden Wesen
wirkliche erlebte Beziehungen, die nichts mit dem Kausalzusammenhang der Objekte zu tun haben. Damit ist nun aber noch nicht behauptet, daß der Zusammenhang sich für die historische Bearbeitung als ein verständlicher darstellt. Es wiederholt sich da das
Gleiche, das sich bei der Untersuchung der Objekte ergab. Auch
die Naturwissenschaft fand eine Fülle von Beziehungen, deren objektives Vorhandensein nicht bestritten werden durfte, weil sie mit
gesetzmäßiger Regelmäßigkeit sich einstellten. Aber solche elek-
trischen oder thermischen oder optischen Gesetze der Dinge blieben
trotzdem im letzten Grunde unverstanden und lieferten somit noch
keine wirkliche Erklärung, bis sie durch weitere Ummodelungen
in Identitätsverhältnisse übergeführt wurden. So ist es auch dem
Historiker gewiß, daß sich in Freundschaft und Feindschaft, in
Mitleid und Verehrung, in Zustimmung und Ablehnung eine wirkliche Beziehung bekundet, da sie im lebendigen Bewußtsein als
solche anerkannt wird, aber ein abschließendes Verständnis ist da
ebensowenig erzielt wie bei den praktischen Kausalgesetzen. Die
Befriedigung endgültigen Verstehens, und somit ein schlechthin
gültiger Zusammenhangswert kann sich auch hier erst aus jenem
einzigen Übergang ergeben, der alles Streben zur Ruhe bringt: das
Wiederfinden des Festgehaltnen im neuen Erlebnis.

Wie die mannigfaltigen Kausalgesetze auf die Beharrung der
Dinge zurückgeführt werden müssen, so muß die Fülle der Willensbeziehungen auf eine Willensbeharrung bezogen werden, um schlecht
hin endgültigen Zusammenhang für die nachverstehende Wissenschaft zu ermöglichen. Erst dieser absolut wertvolle Zusammenhang
durch Identität ist dann die eigentlich wirkliche Geschichte, so wie der
mechanische Zusammenhang die eigentliche Natur ist. Das schließt

natürlich nicht aus, daß der Historiker sich für seine Darstellung
der gewöhnlichen Beziehungsformen des täglichen Lebens bedient,
so wie der Naturforscher von Pflanzen und Tieren spricht, ohne
die letzten Stoffelemente an ihre Stelle zu setzen. Nur im tiefsten
Grunde müssen jene praktischen Beziehungsformen als Identitäten
deutbar sein, um als schlechthin wertvolle Zusammenhänge der
Geschichte festen Halt zu geben.

Das Verstehen des anderen. Die Forderung, Identitäten zu
suchen, macht es noch nicht gewiß, daß sie gefunden werden können.
Gelänge es nicht, so würden wir vereinzelte Wesen, aber keinen
geschichtlichen Zusammenhang, im reinsten Sinne keine Geschichte
haben. Tatsächlich aber ist die Gewinnung von Willensidentitäten
im wirklichen Erlebnis vollkommen angelegt, und der Erfahrung
wird nach keiner Richtung Zwang angetan. Wenn ich dem urteilenden Freunde in seiner Bejahung oder Verneinung beistimme,
mit seiner Neigung sympathisiere, mit seinem Leid Mitleid, mit
seiner Hoffnung Mithoffnung fühle, kurz, ihn verstehe, so muß sein
Wille wirklich mein Wille geworden sein. Dem Naturalisten, der
die Dingauffassung nicht los werden kann, klingt das wie Mystik.
Soll der Wille eines Wesens selbst zum Wollen eines andern werden,
so mutet es ihn an, als wenn durch ein telepathisches Wunder der
in einen Organismus eingeschlossene Willensakt aus diesem heraus-
schlüpfen könnte, um in einem anderen Ort zu anderer Zeit aufzu-
treten. Wer die Wesensart der Subjekte sich vergegenwärtigt, der
weiß im voraus, daß jede Objektivierung da in die Irre führen muß.
Der andere Wille ist gar nicht am anderen Ort und nicht zu anderer
Zeit, weil er außerräumlich und außerzeitlich ist, und keine Schranke
wird niedergerissen, wenn er der Wille des anderen bleibt und doch
dabei in meinen Willen eintritt.

In jedem Akt des Verstehens ist gerade das erfüllt. Der andere
Wille wird nicht etwa einfach mein eigenes Wollen, denn dann würde
ich selbst ja zur anderen Person; ich bleibe meiner selbst gewiß, wenn
ich den anderen verstehe; sein Wollen bleibt mir das Wollen eines
anderen, und dennoch geht er nicht als wahrgenommenes Objekt
sondern als miterlebtes mitgewolltes Wollen in meine eigene Willenstätigkeit ein. Es handelt sich da auch nicht um eine Zusammenfassung auf Grund von äußerer Gleichheit; was ich will, mag gleichzeitig irgendein anderes Wesen wollen, jemand, von dem ich nie

etwas erfahren und der nie von mir erfuhr. Dann ist unser Wollen
gleich, in der Art wie zwei Hühnereier in der Natur gleich sein
mögen, aber sein Wille ist nicht meiner geworden und mein Wille
nicht seiner. Erst wenn ich den anderen in seinem Wollen verstanden, aufgefaßt und in mich aufgenommen habe, kann ich seinen
Willen selbst in mir erleben.

Sein Wille büßt dadurch nichts ein, daß er meiner wird, und
mein Wille verliert nichts in seiner Selbstheit, wenn er den andern
aufnimmt; jedes Gleichnis, das vom Naturalismus entlehnt ist, verfälscht da den einzigartigen Wirklichkeitsbefund des Verstehens.
Jeder, der Plato liest und versteht, will, wenn er den einzelnen Satz
begreift, gerade das, was Plato will, und Platos Wille selbst geht
so identisch in unseren Willen ein. Daß Platos Wille noch nach
zweitausend Jahren identisch erhalten blieb und jeder einzelne
Platonische Willensakt unzerspalten in seiner Ganzheit in Millionen
Seelen identisch weiterlebt, das ist uns unmittelbare Lebenseinsicht.

Dieser Akt des Verstehens bildet nun die Grundtatsache jeder
Wesensbeziehung; ob ich Mitleid mit dem weinenden Kinde habe
oder mich mit den jubelnden Kumpanen mitfreue, ob ich dem
Denker oder dem Dichter folge, den Helden bewundere oder den
Ränkeschmied verachte, mein Zusammenhang mit dem andern ist
zunächst davon abhängig, daß ich sein Wollen verstanden habe,
sein Wollen identisch in das meine eingeht. Nicht immer handelt
es sich um einfache eindeutige Beziehung; wenn ich mich etwa vor
dem anderen schäme, so verstehe ich sein Wollen, das selbst schon
wieder ein Verstehen meines Wollens einschließt. Vor allem ist
nun diese Identität auch nicht verloren, wenn mein eigener Wille
dem verstandenen fremden entgegengerichtet ist. Verneine ich,
was der andere bejaht, auf Grund der Kenntnis seines mir falsch
dünkenden Urteils, so ist seine Bejahung in meiner Verneinung vollständig enthalten. Bin ich schadenfroh, so wird sein Schmerz
meine Freude, bin ich neidisch, so wird seine Freude mein Schmerz,
aber das Verstehen und identische Aufnehmen des fremden Schmerzes und der fremden Freude ist notwendig für mein ablehnendes
Gefühl.

Die historische Bearbeitung. Und nun gilt es, den historischen
Zusammenhang auf solche Identitäten zurückzuführen, das einzelne
Wesen in seiner historischen Stellung also dadurch zu begreifen, daß

in seinen Willenserlebnissen das Wollen anderer Subjekte wirklich wiedergefunden wird. Dazu muß natürlich der wollende Mensch in seine Teilwollungen aufgelöst werden, und diese Zerteilung ist nicht weniger unbegrenzt als die Auffassung des physischen Dinges aus Molekülen und die Auffassung jedes Moleküls aus zusammengepreßten oder wirbelnden Ätherteilchen. Da zerlegt sich das historisch bedeutsame Wollen des Einzelnen sofort in sein politisches, rechtliches, wirtschaftliches, soziales, wissenschaftliches, künstlerisches, religiöses, sittliches Wollen und zahlloses andere. Jedes aber wieder in unbegrenzt viele Teilwollungen, die selbst weiter atomisch zerlegt werden können. Das wissenschaftliche Wollen etwa enthält alle die Bejahungen und Verneinungen, aus denen sich das wirkliche Urteil zusammensetzt, und doch kann jeder einzige dieser Urteilsakte in Unterwollungen weiter aufgelöst werden.

Jede einzige Wollensgruppe führt da aber zu besonderen Identitäten. Wer da wissenschaftlich sagt, daß er Darwinist und künstlerisch Wagnerianer und wirtschaftlich Marxist und religiös Calvinist ist, vereinfacht die Identifizierung durch Hinweis auf historische Einzelgestalten, mit denen er zusammenhängt, indem ihr Wollen in sein Wollen aufging. Wer aber unpersönlich sagt, daß er politisch konservativ oder künstlerisch Symbolist oder philosophisch Idealist oder wirtschaftlich Agrarier sei, der deutet damit zwar auf unbestimmte Subjektgruppen, deren Wollen er in sich aufnimmt, aber die historische Identitätsbeziehung ist dabei nicht weniger notwendig mitgedacht. Selbst Bürger einer Stadt, Mitglied eines Klubs, Freund einer Reform, Gegner einer Mode zu sein, bedeutet historisch, gewisse Wollungen, die sich in bestimmten aufweisbaren Subjekten finden, in den eignen Willen identisch aufzunehmen.

Vor allem darf bei solcher Umarbeitung nicht vergessen werden, daß auch jede Neuschöpfung nur eine originelle Abweichung ist, die als Abweichung zunächst teilweise Nachahmung sein muß. Etwas schlechthin Neues kann es in der historischen Welt so wenig geben, wie es in der physischen Welt etwas schlechthin Unzusammenhängendes geben kann. Wer etwas Neues will, will irgend ein Altes, nur will er es irgendwie anders. Wer eine bestehende wissenschaftliche Lehre überwindet, neue politische Ausblicke eröffnet,

das religiöse Bewußtsein vertieft, soziale Vorurteile abstreift, der
Freiheit neue Rechte, der Schönheit neue Ausdrucksformen erschließt, der bejaht jedesmal die Willensanregungen, die er von
tausend Seiten empfing, und seine Neutat ist winzig gegenüber
dem, was von der Tradition erhalten blieb. Die neue wissenschaftliche Lehre, das neue Recht, die neue Kunst stehn der vorangehenden Kulturform doch stets unendlich näher als etwa der
Weltauffassung, dem Recht, der Kunst unzivilisierter Horden.
Das Wesentlichste ist doch schließlich hinübergenommen und in
der neuen Tat eingeschlossen; und die historische Zerlegung mag
selbst den neuen Ton in dem Gesamtklang als identischen Nach-
hall einer Anregung von anderer Seite entdecken. Wirklich neu
mag nur die neue Einheit sein, die da zusammenfaßt, was sich
durch vielerlei Anregungen im identischen Miterleben und Nacherleben ergab. Dieselben Verflechtungen zwischen Wille und Wille
verbinden schließlich aber auch die getrennten Phasen des einzelnen
Lebens; der Knabe hängt mit dem Jüngling, der Jüngling mit dem
Mann historisch zusammen und jeder Willensakt mag andere eigne
Willensakte in sich tragen.

    Das ideale Ziel der geschichtlichen Untersuchung ist also
eine Auffassung, bei der jeder Lebensakt aus seiner Vereinzelung
in ein Identitätsverhältnis zu anderen übergeführt ist. Da schließt
dann jeglicher die Akte ein, die er versteht und die ihn beeinflussen, und geht selbst in weitere Akte ein, die er beeinflußt und
von denen er verstanden wird. Immer wieder müssen nur die
falschen Problemstellungen ferngehalten werden, die aus dem Ver-
gleich mit der zeitlichräumlichen Dingwelt entstehen. Wir dürfen
gegenüber solchem Identitätssystem der Willensatome nicht etwa
fragen, wo denn die Wollungen bleiben, bis sie in ein neues Wollen
eingehn. Es handelt sich eben nicht um Ätheratome in einer zeitlichen Welt der Sinne; in der unzeitlichen Welt des Sinnes gibt es
keine zu überspannenden Zwischenräume. Ebenso darf aber auch
nicht gefragt werden, wie denn die nichtidentischen neuen Willensakte entstehen. Daß sie stets Identisches mitenthalten, haben wir
gesehn; gerade dadurch fügen sie sich in einen Zusammenhang. Daß
sie aber ausnahmslos mehr sind als nur Identisches, forderten wir
ebenfalls.

    Schon beim einfachen Verstehn wird zwar das fremde Wollen

vollständig aufgenommen, und trotzdem bleibt das eigne Wollen selbständig erhalten; sonst wäre es nicht ein Verstehen, sondern ein bloßes Wiederholen. In jedem Persönlichkeitsakt liegt somit Identisches, das den Zusammenhang herstellt, und Neues, das als Persönlichkeitsausdruck anerkannt werden muß. Zu fragen, woher dieses Neue stammt, würde das Subjektive aber sofort wieder in die objektive Kausalwelt hinüberzerren. Die Frage nach der Ursache hat da keinen Sinn; das freie Dasein dieses sich betätigenden neuen Selbst ist die letzte Tatsache, von deren Wirklichkeit das geschichtliche Interesse überhaupt ausgeht. So wie es keinen Sinn hat, in der Naturwissenschaft erklären zu wollen, warum die nicht weiter zerlegbaren Ätherteile überhaupt im Universum sind, so hat es in der Geschichtswissenschaft keinen Sinn zu fragen, warum es diese neuen Akte gibt. Sie sind das Material, mit dem die wissenschaftliche Betrachtung, und lange vor ihr das praktische historische Denken einsetzt; wir wissen nur, daß wenn es nur dieses Neue und nichts wiederfindbar Identisches geben würde, wir überhaupt keinen historischen Zusammenhang besäßen. Das Ideal für die Zusammenhangerkenntnis bleibt also eine vollständige Ermittlung von Identitäten in jedem Wollen.

Nun ist das Material so unendlich mannigfaltig, daß auch hier die wirkliche Wissenschaft Abkürzungen und künstliche Perspektiven einführen muß, um das Gesamtgebiet übersehbar zu machen. So wie in der Naturwissenschaft die unendliche Fülle des Weltablaufs die Herausarbeitung allgemeiner Gesetze nötig machte, so wird nun hier, dem subjektiven Willensmaterial entsprechend, die Übersehbarkeit durch die Herausarbeitung umfassender Willenszusammenhänge vorbereitet. Der Historiker stuft so das Wichtige und Unwichtige ab, um als wichtig diejenigen Persönlichkeitsakte herauszuheben, die in weitem Kreise identisch weiterleben. Wie es Stufenreihen besonderer und allgemeiner Gesetze für die Dinge gibt, so gibt es unzählige Stufen zwischen dem Einfluß des Herdenmenschen, dessen Wollen nur von seinen Nachbarn und Nächsten nachgewollt und beachtet wird, und dem Wollen des Religionsstifters oder des genialen Künstlers oder des Triumphators, das Millionen Menschen umstimmt und in reiner Identität ins Tiefste ganzer Nationen eingreift.

Schlechthin unwichtig ist nichts, denn nichts ist schlechthin

unzusammenhängend; auch die winzigste Stellungnahme mag zunächst im eignen Selbst weiterwirken und als Teil anwachsenden
Wollens irgendwie im Wollen der Freunde oder Gegner mitspielen.
Erst durch die Herausarbeitung des Wichtigen und Entscheidenden gestaltet sich aber das System der Identitäten in ein organi-
siertes Ganzes, in dem die Geschicke der Völker, in ihren lauten
leitenden Geistern und ihren stillen Helfermassen, sich einfach
übersehen lassen. So wie aber die Naturwissenschaft das Gesetz
nicht als Selbstzweck sondern nur als Hilfsmittel der Arbeit betrachten sollte, ihr ideales Ziel durchaus darin liegt, grundsätzlich
jeden einzigen Naturvorgang durch die Identität der Dinge im einmaligen Ablauf des Universums zu begreifen, so muß auch die
Hervorhebung der großen umfassenden Einflüsse in der Welt der
Wollungen nur Hilfsmittel sein; das ideale Ziel bleibt auch hier,
jedes einzige daseiende Wesen durch die Identität der Wollungen
in seinem Zusammenhang zu begreifen. Zwei Kinder, die um einen
Kuchen streiten, sind historisch unendlich unwichtigere, aber deshalb nicht weniger wirkliche Teile des historischen Zusammenhangs als der Zar und der Mikado, wenn sie über die Mandschurei
uneinig sind.

.   In dieser historischen Welt sind die Dinge nicht verflüchtigt;
nur kommen auch die Dinge nicht als Teile der Natur, sondern in
ihrer ursprünglichen Wirklichkeit, als Mittel und Zwecke des Willens
in Frage. Der Kuchen, um den die Knaben streiten, ist keine
chemische Verbindung, sondern das süße schmackhafte begehrens-
werte Nahrungsmittel, und wenn die Fürsten streiten, ist die
Mandschurei kein Teil der Erdrinde, sondern ein Hilfsmittel wirtschaftlicher und politischer Entwicklungen. Der Kausalzusammenhang der Dinge tritt nicht als physisches Geschehen, sondern nur
als Objekt menschlichen Wissens, menschlichen Berechnens und
Planens in die historische Welt ein. Der Mensch als Physiker steht
im geschichtlichen Zusammenhang, aber nicht der Mensch als Teil
der Physis. Und wenn die Natur durch Erdbeben und Flut etwa
Kultur vernichtet, so ist es immer nur der Inhalt des Wollens, von
dem der Historiker berichtet; die Flut ist das Gefürchtete oder das
Zerstörende, nicht ein Naturvorgang als solcher.

Ganz unabhängig davon bleibt es, daß freilich die Darstellung
des Historikers nicht selten von dem Begriffssystem des Natur-

forschers Gebrauch machen wird, um die Mittel und Zwecke des
wollenden Menschen zur beschreibenden Mitteilung zu bringen. Ins
Historische wird das Naturding dann aber doch erst erhoben, sobald das mit Dingbegriffen beschriebene Objekt schließlich als
Mittel und Ziel des Wollens aufgefaßt wird. Das Boot, das den
Cäsar und sein Glück trägt, mag vom Standpunkt des Technikers
naturwissenschaftlich dargestellt werden; geschichtliche Bedeutung
hat nur seine Kraft, den Willen zur Flucht zu befriedigen. Alle
zeitlichen Daten und räumlichen Ortsbestimmungen gehören dann
aber ebenso zur naturwissenschaftlichen Bestimmung der Willensobjekte wie solche technischen oder physiologischen Ausführungen.
Geschichte sind sie nicht.

Zu einem Konflikt zwischen Naturwissenschaft und Geschichte
kann es dabei niemals kommen, denn beide bewegen sich in verschiedenen Dimensionen. Eine naturwissenschaftliche Antwort
kann niemals die Antwort auf eine wirklich historische Frage sein;
die Feststellung von Dingidentitäten kann nicht das Verlangen
nach Willensidentitäten befriedigen. Nur wenn die Hülfsmittel
statt der letzten Ziele ins Auge gefaßt werden, so kann es scheinen,
als wenn auf der einen Seite Wirklichkeitswert für etwas verlangt
wird, dem auf der anderen Seite Wirklichkeitswert abgesprochen
wird. Nun ist es ohnehin nicht Sache der Einzelwissenschaft, die
Widersprüche zwischen den verschiedenen Bewertungen zu überwinden; das kommt erst den letzten Überzeugungswerten der Religion und der Philosophie zu. Wenn etwa eine Tat unschön aber
bewundernswert oder schön aber sittlich verwerflich ist, so haben
Ästhetik und Ethik selbst sich nicht um den Ausgleich zu bemühn.

Wollten Geschichte und Naturwissenschaft aber wirklich ihre
Ansprüche auf Anerkennung abwägen, so würde ein gewisser Wirk-
lichkeitsvorsprung für die Geschichte unbestreitbar sein. Jede der
beiden Erkenntnisarten bezieht sich auf schlechthin geltende Da-
seins- und Zusammenhangswerte, und das eine schlechthin Wertvolle kann nicht weniger wertvoll sein als das andere. Wohl aber
kann das eine vom anderen abhängig sein. Nur scheint zunächst
auch da völlige Wechselwirkung zu herrschen. Der Naturforscher
kann sagen, es ist das physische Universum, das den geschichtlichen Menschen erzeugt und auch den Historiker hervorbringt,
der den geschichtlichen Zusammenhang erfaßt. Der Historiker

dagegen kann behaupten, es sei das geschichtliche Ineinander-
wirken wollender Wesen, das den physikalisch denkenden Geist erzeugt und so die Welt der Objekte in einen Naturzusammenhang
umsetzt. Nun aber, nachdem wir das Wesen der Geschichte ein
paar Schritte weiterverfolgt haben, sehen wir, daß die Verhältnisse
doch nicht ganz so einfach liegen.

Daß der Naturzusammenhang den wollenden Menschen voraussetzt und schon der Daseinswert der Naturdinge von ihrer Gegebenheit für jedes denkbare historische Wesen abhängt, bleibt
bestehn. Wir können aber nicht mehr im gleichen Sinne sagen,
daß die Wirklichkeit der Wesen von dem Dasein der physischen
Naturobjekte abhängt, denn jetzt wissen wir, daß die Objekte, an
denen sich der historische Mensch auslebt und auf die sich seine
Stellungnahme bezieht, gar nicht die wertfreien Körper sind, von
denen die Naturwissenschaft handelt, sondern Willensobjekte,
Mittel und Ziele des Strebens. Diese Willensobjekte gehen als
solche gar nicht in das Natursystem ein, sondern bleiben völlig im
Rahmen des Geschichtlichen. Erst wenn der wollende Mensch
entscheidet, die Dinge von seinem Wollen abzulösen und als schlechthin nur wahrnehmbare Dinge zu betrachten, erst dann entstehn
die Dinge, die Naturdasein haben. Auch dann bleibt das Dasein der
Dinge schlechthin wertvoll, weil jeder denkbare historische Mensch
so handeln muß, wenn er eine unabhängige Welt sucht, aber es
bleibt doch dabei, daß die Natur wirklich das wollende Wesen
voraussetzt, dagegen das wollende Wesen zwar Objekte, aber
nur historische Willensobjekte, nicht Naturdinge zur Voraussetzung hat. Es ist somit der freie Mensch, der in freier Tat,
weil er eine selbständige Welt will, die Dinge als unfreie Natur
denkt bis hinauf zu jener Höhe der Wissenschaft, von der
dann sogar der Mensch selbst als unfreier Mechanismus gedeutet wird. Aber es ist nicht die unfreie kausale Natur, die nötig
ist, um freie wollende Wesen wirklich zu machen. Schon von hier
aus, wo wir das Wesen des geschichtlichen Zusammenhangs zu
verstehen suchten, ergibt sich somit ein Ausblick auf die Wechselbeziehungen von Werten, deren gesonderte Rechte von der abschließenden Weltanschauung zum Ausgleich gebracht werden
müssen. Das Vorrecht der Willenswelt wird sich nirgends verkennen lassen.

Nicht hier kann von einer Verfolgung der geschichtsphilosophischen Probleme die Rede sein. Manche Fäden, die wir hier angeknüpft, werden wir später weiterführen müssen, vor allem der Sinn und die Bedeutung der Geschichte muß uns beschäftigen. Die eigentliche Logik der Geschichte durchzuführen, liegt aber außerhalb unserer Grenzen. Wir konnten uns nur klarmachen, was die Geschichte will; mit welchen logischen Mitteln sie nun im einzelnen ihre Aufgabe erfüllt, nach welchen Methoden sie die umfassenden Willensidentitäten herausarbeitet und in noch umfassendere einsetzt, wie sie als Hilfsmittel dabei immer neue begriffliche Abkürzungen schafft, engere Kreise zusammenfaßt und als Einheiten behandelt, das liegt zu weit von unserem Wege ab. Dort erst ließe sich verfolgen, wie sie berufliche, soziale, politische, wirtschaftliche Typen formuliert, wie sie jene Willensobjekte, in denen sich die Wollungen begegnen, als geistige Erzeugnisse, politische Institutionen, soziale Formen und Rechte und Sitten und Sprachen und Religionen herauslöst, wie sie ihre Darstellungsmittel selbst der besonderen Willensaufgabe unterordnet und wie sie durch ihre Identitätserkenntnis dem wirklichen Leben dient, indem sie das erlebte Wollen und Zumuten mit der gesamten Mitwelt verbindet.

Uns konnte es doch nur auf das eine hier ankommen, daß wir die Identitätsbeziehungen im historischen Zusammenhang deutlich erkennen. Erst durch die Zurückführung auf Identität konnten auch die geschichtlichen Beziehungen zu einem Zusammenhang werden, der den überpersönlichen, auffassenden, festhaltenden Willen vollständig befriedigt und der deshalb schlechthin wertvoll ist. Seine Darstellung bringt daher schlechthin Wertvolles zum Ausdruck und ist somit Wahrheit — die Wahrheit der geschiehtlichen Erkenntnis.

C. Die Vernunft.

Der Zusammenhang der Bewertungen. Im wirklichen Erlebnis fanden wir ein dreifaches, das vom Erlebnis unabhängig ein selbstständiges beharrendes Dasein beansprucht: die Dinge, die Wesen, die Bewertungen. Ihnen allein kommt reiner Daseinswert zu und sie in ihrer Unabhängigkeit anzuerkennen begründet alle Erkenntnis. Das unabhängig Daseiende muß beharren; wollen wir es als unabhängig, als Teil einer wirklichen Welt, auffassen, so müssen

wir streben, es in neuer Erfahrung wiederzufinden. Finden wir es
wieder, so ergibt sich ein Zusammenhang zwischen den wechselnden
Erfahrungen; da in diesem Wiederfinden sich das Festgehaltene
verwirklicht und unser Verlangen erfüllt, so befriedigt es. Der Zusammenhang ist deshalb befriedigend für jeden, der eine Welt will
und deshalb schlechthin wertvoll. Die Anerkennung dieses Zusammenhanges ist Wahrheit. Ein solcher Zusammenhang für die
Dinge ergab das Natursystem und für die Wesen das Geschichts-
system. Wir betrachten schließlich den Zusammenhang für die
dritte Mannigfaltigkeit des Daseienden, für die Bewertungen. Wie
früher bei dem Daseinswert der Bewertungen, so wird auch hier bei
dem Zusammenhangswert der Bewertungen, ein ausführlicheres
Eingehen nicht nötig sein, weil dieses ganze Buch ja nur ein Beitrag
zum Verständnis gerade dieser Zusammenhänge sein soll. An dieser
Stelle gilt es also nur, den Platz zu kennzeichnen, der dieser besonderen Erkenntnisaufgabe zukommt.

Das zusammenhängende System der Bewertungen ist die Vernunft. Nun wissen wir, daß uns als Zusammenhang im letzten
Grunde nur die Beziehungen gelten, die sich auf Identität zurückführen lassen. Wir sahen, daß daher Natur der Zusammenhang der
Dinge unter dem Gesichtspunkt der Identität war, und ebenso Geschichte der Zusammenhang der Wesen unter dem Gesichtspunkt
der Identität; so wird denn auch als Vernunft uns der Zusammenhang der Bewertungen unter dem Gesichtspunkt der Identität
gelten. Nun müssen wir im ganzen vier Hauptgebiete der Bewertungen unterscheiden. Wir unterscheiden sie als logische, ästhetische, ethische und metaphysische Bewertungen. Die Bezeichnungen
sind an sich unzureichend; sie weisen aber wenigstens auf gewisse
Merkmale der vier Gebiete deutlich hin. Das Vernunftsystem muß
einen Identitätszusammenhang in jeder dieser vier Gruppen bieten.

Vergegenwärtigen wir uns zunächst den Sinn dieser Forderung.
Alles Bewerten ist ein Wollen in uns, aber nicht ein Wollen, das von
persönlichen Bedürfnissen abhängt. Die objektive Gegebenheit
der Bewertung lag uns gerade darin, daß dieses Wollen gewollt
wird mit dem Bewußtsein, daß wir unter allen wechselnden Umständen an diesem Wollen festhalten würden, wenn wir nicht uns
selber preisgeben wollen und die Welt für uns Sinn und Wirklichkeit
verlieren soll. So ist die Bewertung unser eigenstes Wollen und doch

über jedes Lust-Unlustwollen erhaben, unabhängig von unseren persönlichen Bedürfnissen und in diesem Sinne schlechthin überpersönlich. Andererseits liegt dieses Überpersönliche, im Gegensatz zu den Dingen und den Wesen, durchaus in unserer Innenwelt verankert. Die Dinge und die Wesen treten an uns heran; welche Bewertungen schlechthin wirklich sind, kann uns niemals von außen her gewiß werden. Jeder gültige Wert, als Gegenstand solcher Bewertung, ist durch unser Wollen bestimmt.

Der gesuchte Zusammenhang der Bewertungen ist also ein Willenszusammenhang. Das galt nun vom historischen Zusammenhang ebenfalls. Aber der Unterschied leuchtet ein. Jedes geschichtliche Wesen lebt sich in schlechthin persönlichen Willensakten aus, und das Persönliche bestand gerade darin, daß zu jedem identisch Übernommenen ein Neues, ein Freies hinzutrat. Nur im wirklich Gegebenen läßt sich daher ein historischer Zusammenhang herstellen; der Historiker schaut rückwärts: aus einem gegebenen persönlichen Willensakt folgt niemals die Wirklichkeit eines noch nicht gegebenen. Wer aus persönlichem Gefallen eine Richtung einschlägt, kann sie jederzeit wechseln und ist nicht gebunden, die gleiche Straße fortzuschreiten.

Wer aber bewertet, ist gebunden. Freilich wiederum nur als Bewertender, als überpersönliches Subjekt. Als historisches Wesen kann sein individuelles Wollen sich mit seiner Bewertung in Konflikt bringen; er kann das Verbrechen wollen, während er die sittliche Tat bewertet. Aber als Subjekt der sittlichen Bewertung muß er alles mitwollen, was seine sittliche Bewertung verlangt. Ein Wollen, das von allem persönlichen Bedürfen und Begehren schlechthin unabhängig sein soll, muß durch seine Identitätsbeziehungen immer zu überpersönlichen Wollungen führen, und so spielt sich der ganze Zusammenhang der Bewertungen außerhalb der historischen Sphäre in einer objektiven Wirklichkeit ab. Für das individuelle Subjekt ist der Zusammenhang der Bewertungen somit ein notwendiger, der daher ohne jede Rücksicht auf das schon Gegebene von beliebigem wirklichen Ausgangspunkt zu immer neuen Bewertungen vorwärts führen kann.

In dieser Beziehung entspricht das Verhältnis der Vernunft durchaus dem der Natur, im Gegensatz zur Geschichte. Auch die Naturdinge sind überpersönlich und daher in ihrem ursächlichen

Zusammenhang vom Erlebnis so unabhängig, daß die Beharrung
zu beliebiger Zukunftsberechnung der Wirkungen führen kann. Für
die Bewertungen gibt es natürlich keine Zukunft und keine Kausalität, aber die dem Einzelwillen entzogene Notwendigkeit der Entwicklungen ist für die überpersönlichen Dinge und die überpersönlichen Wollungen die gleiche. Jede ideale Konstruktion solcher überpersönlichen Wollungen findet ihren sicheren Platz in dem System
der Vernunft.

Die Normwissenschaften. Gehen wir von den logischen Bewertungen aus, so muß sich ein wertvoller Zusammenhang sowohl
zwischen den Daseinsbewertungen wie zwischen den Zusammen-
hangsbewertungen ermitteln lassen; in ganz entsprechender Weise
wird jede Mannigfaltigkeit der ästhetischen, ethischen und metaphysischen Bewertungen sich in schlechthin gültigen Zusammenhängen zusammen fügen. Die Mitteilung dieser Zusammenhänge
in Urteilen ergibt Wahrheit, weil die zum Ausdruck gebrachten
Beziehungen schlechthin wertvoll sind. Die Mitteilung dieser
Vernunftzusammenhänge ergibt somit die logischen, ästhetischen,
ethischen und dogmatischen Wissenschaften. Wollen wir betonen,
daß es sich dabei überall um Wollungen handelt, die vom persönlichen Verlangen unabhängig sind und daß sie jede Persönlichkeit
binden, die nicht die Welt und sich selbst preisgeben will, so können
sie auch wohl als Wissenschaft von den Normen, als normative
Wissenschaften, bezeichnet werden; nur muß, im Sinne unserer
früheren Erörterungen über die Werte und das Sollen, jede falsche
Einmischung des Sollbegriffes hier ferngehalten werden.

Die Grundaufgabe wird stets die gleiche sein. Gegeben ist ein
wertsetzendes Wollen, und gesucht wird im Strome des Lebens ein
neues überpersönliches Wollen, das dem gegebenen identisch ist.
Wie Willenstaten in neuer Gestalt die gleichen bleiben können und
wie ihre zeitlose Beharrung sich vom Erhaltenbleiben der Dinge
unterscheidet, das haben wir bei der Ausschau auf das persönliche
Leben verfolgt. Hier aber liegen die Verhältnisse doch anders. Im
historischen Zusammenhang hat der übernommene fremde Willensakt seinen persönlichen Oberton; auch wenn er, beim Verstehen,
vom anderen identisch wiederholt wird, wird er doch in seiner
Zugehörigkeit zum anderen Individuum festgehalten. Im überpersönlichen Willensakt aber kann es sich überhaupt nicht mehr um

das Erlebtwerden durch den einzelnen handeln, sondern um die losgelöste Wirklichkeit; ihre Identität ist erkennbar, wenn, ohne jede Beziehung auf eine bestimmte Persönlichkeit, die eine Bewertung sich unmittelbar an die Stelle der anderen einsetzen läßt, ohne das Wollen selbst zu verändern.

Gewiß muß das neue Wollen ganz neue Beziehungen und neue Wollenseigenschaften aufweisen, so wie die eine Seite einer Gleichung sich von der anderen unterscheidet, oder wie die identischen Atome einer Wassermenge übergeführt in getrennte Sauerstoff- und Wasserstoffbehälter neue Eigenschaften zeigen. Aber das Wollen selbst wird auch in der neuen Form unverändert bleiben müssen, wenn ein wirklich notwendiger Zusammenhang empfunden werden soll. Gerade durch diese Überführung zu neuer Form, und das heißt zu neuem Willensansatzpunkt, bei identischem Erhaltenbleiben vollendet sich ja die Verwirklichung des Strebens. Die eine logische Anerkennung ist dann unter den neuen Bedingungen tatsächlich zugleich die andere; der eine Akt der ästhetischen Hingebung deckt sich mit dem anderen; das eine Wollen ethischer Würdigung trägt das andere in sich; die eine religiöse Überzeugung bindet die andere.

Dabei ist es natürlich nicht nötig, daß die Aufmerksamkeit sich der Gesamtumsetzung zuwendet; die besondere Aufgabe verlangt meistens nur die Beachtung besonderer Teilidentitäten. Wer das Wasser durch den galvanischen Strom umwandelt, mag nur an der Gewinnung des Sauerstoffs Interesse finden und den Wasserstoff unberücksichtigt lassen, und wer das bejahende Wollen eines Gesetzes auflöst, mag nicht bei allen eingeschlossenen Fällen, sondern nur bei einem einzigen verweilen; der Wille zum Einzelfall bleibt aber dann immer noch identisch mit einen Teilwollen des umfassenden Gesetzes. Sollen in unserer Vernunft die Anerkennungen, die Hingebungen, die Würdigungen, die Überzeugungen wirklich zusammenhängen, so müssen wir voraussetzen, daß sie im letzten Grunde alle mit unserem Grundwollen in diesem Sinne identisch sind; alles systematische Begreifen der logischen, ästhetischen, ethischen und religiösen Werte wird so nur ein Entdecken und Auffinden dieser Beharrung unseres tiefsten Selbst. Bei der Erörterung der metaphysischen Grundwerte wird alles das zu eingehender Durchführung kommen.

Sofort sei übrigens auf eines hingewiesen, das verwickelt ist und nicht immer ganz glatt sich entwirrt. Der Zusammenhang, den wir suchen, soll zwischen Bewertungen bestehen, beispielsweise sittlichen Bewertungen. Wir finden dann also, daß in unserer Vernunft eine sittliche Bewertung mit einer anderen zusammenhängt, und dieser wertvolle Zusammenhang läßt sich in einem wahren Urteil aussprechen; ein solches Urteil gehört offenbar in die Wissenschaft der Ethik. Die beiden zusammenhängenden sittlichen Bewertungen hatten aber jede für sich ein objektives Dasein; wir geben ihnen also Daseinswert, und wir sahen ja in der Tat, daß die Daseinswerte der Bewertungen sich denen der Dinge und Wesen anschlossen. Die Daseinsbewertung dieser sittlichen Werte ist nun aber eine Anerkennung, die sich selbst in wahren Urteilen ausspricht; zwischen diesen Daseinsurteilen kann nun natürlich aber ebenfalls ein Zusammenhang gesucht werden, und dieser Zusammenhang ist nun, wie jeder Zusammenhang zwischen Urteilen, ein rein logischer. Dieser logische Zusammenhang zwischen den sittlichen Werturteilen wird nun ebenfalls in der Ethik zur Sprache kommen.

So begegnen sich denn in der Ethik, und genau entsprechend in allen anderen normativen Wissenschaften, zwei verschiedene Arten von Zusammenhangsurteilen, erstens diejenigen, welche den Zusammenhang zwischen zwei Werten aussprechen, und zweitens diejenigen, welche den Zusammenhang zwischen zwei Urteilen feststellen, die ihrerseits auf das Dasein der Werte bezogen waren. Meistens fließen in der Logik, Ästhetik, Ethik und Dogmatik beide Arten der Zusammenhangsbehauptungen durcheinander. Tatsächlich liegt da dieselbe Verschiedenheit vor wie etwa in der Naturforschung, wenn wir den kausalen Zusammenhang zweier wahrgenommenen Dinge mit dem logischen Zusammenhang zweier Wahrnehmungsurteile verwechseln wollten.

Das logische Schließen. Verdeutlichen wir uns nun die Herausarbeitung des Zusammenhanges wenigstens auf dem Gebiet, das wir bisher gemeinsam durchmessen haben, auf dem logischen. Dort liegen die Verhältnisse überdies viel schwieriger als auf den ethischen, ästhetischen und religiösen Gebieten, deren Einzeldarstellung uns erst späterhin zukommt. Wir unterschieden zwei Hauptbewertungen, die Anerkennung des Daseins und die Anerkennung des Zusammenhangs; in jedem Falle konnten Dinge,

Wesen oder Werte vorhanden sein oder zusammenhängen. Wir müssen nun offenbar verlangen, daß alle logischen Zusammenhänge im Grunde Zusammenhänge identischer Daseinsbejahungen oder identischer Zusammenhangsbejahungen sind. Den Übergang von einer Bejahung zu einer mit ihr notwendig zusammenhängenden Bejahung nennen wir Schließen.

Alles logisch wertvolle Denken ist somit ein Schließen, bei dem wir im Vernunftsystem von einer Daseinsbejahung zu einer ihr identischen Daseinsbejahung oder von einer Zusammenhangsbejahung zu einer ihr identischen Zusammenhangsbejahung übergehen. Stellen wir alle überhaupt möglichen Urteile als Bejahungen oder Verneinungen von Daseinswerten und von Zusammenhangswerten dar und alle Schlußprozesse als Umwandlungen in Identisches, so gewinnen wir eine Logik, die für die logischen Alltagszwecke schwerfällig und unbequem wäre. Die vielfachen Unterscheidungen, auf die der Logiker Wert legt, sind da zunächst beiseite gelassen, und der einfache sprachliche Ausdruck müßte oft umständlicher Darstellung weichen. Es handelt sich ja aber gar nicht darum, die Verzweigungen der logischen Tat zu zeichnen, sondern die einheitliche Wurzel bloßzulegen. Wer in der Natur alle Zusammenhänge auf Beharrungen zurückführt, gelangt dadurch ebenfalls zu einer unerträglich unpraktischen Naturwissenschaft, die für die Alltagszwecke viel weniger brauchbar ist als eine Zusammenstellung vereinzelter Kausalgesetze.

Nur um das Grundwesen zu erkennen, lassen wir also einmal die Vielheit der logischen Formen außer acht. Jedes Urteil, behaupteten wir also, bejaht oder verneint ein Dasein oder einen Zusammenhang. Die Daseinsurteile sagen: es gibt oder es gibt nicht. Urteile ich: dieses ist eine Eiche, so mag die Logik von Unterordnung sprechen; wir berücksichtigen nur die Daseinsbehauptung; es gibt an dieser Stelle gegenwärtig etwas, das die begrifflich als bekannt vorauszusetzenden Eigenschaften der Eiche hat. Scheinbar überschreiten wir freilich den Kreis der Daseinsbehauptung, wenn wir nicht vom einzelnen und nicht von einigen Dingen oder Wesen oder Werten, sondern allgemein von allen sprechen: alle Eichen haben grüne Blätter. Aber was wir wirklich sagen wollen, ist doch nur: es gibt Eichen, die grüne Blätter haben, und es gibt nicht Eichen, die keine grüne Blätter haben. Daß ein

sprachlich einfaches Urteil tatsächlich eine Reihe verschiedener
Daseinsbehauptungen enthält, ist nicht ungewöhnlich, und solch
zusammengesetzte Behauptung in einfacher Form unterscheidet
sich daher nicht von einer wirklichen Mehrheit getrennter Urteile.

Was veranlaßt uns aber von einer Daseinsbehauptung, sie mag
einfach oder zusammengesetzt sein, zu einer neuen Form des identischen Wollens vorzuschreiten und so einen wertvollen Zusammenhang von Urteilen herzustellen? In der Natur geht eine Körperlage
durch Beharrung der Kräfte in eine andere über; geht in der Vernunft ebenso eine Bejahung durch Beharrung des Wollens in eine
neue Bejahung über? Die Antwort der Logiker wäre: es muß eine
zweite Bejahung hinzutreten; erst aus zwei Prämissen ergibt sich
der Schluß. Zunächst ist da dochwohl zu viel behauptet; das bloße
Dasein zweier Bejahungen gibt noch immer keine dritte; ich mag
wissen, daß alle Menschen sterblich sind und daß Peter ein Mensch
ist, und trotzdem keine Veranlassung haben, über die Sterblichkeit
Peters ein Urteil zu fällen. Andererseits haben wir gar kein Recht
zu behaupten, daß für den Naturzusammenhang es genügt, daß eine
Atomlage gegeben sei, damit aus ihr die zweite hervorgeht. Sie
geht durch Beharrung hervor. Aber der Begriff Beharrung bedeutet
da nicht nur Identität der Eigenschaften, sondern gleichzeitig Vor-
anschritt der Zeitreihe. Eine Lage der Dinge ergibt sich aus der
anderen dadurch, daß zu der identischbleibenden Welt ein neuer
Zeitwert hinzutritt; dieser neue Zeitwert verlangt eine neue
Stellungnahme, ein neues Wollen; er stellt somit eine bestimmte
Aufgabe mit der Frage: was ist diese identische Welt bei Einsetzung
der neuen Zeitlage? Es gibt keinen Zusammenhang der Dinge oder
Wesen, bei denen nicht in dieser Weise zu dem Gegebenen ein neuer,
fragestellender Faktor hinzukommen muß, damit die neue Form
des Identischen, als Antwort auf die Frage, ins Dasein tritt.

Solche Frage wird in der logischen Welt durch die zweite
Prämisse gestellt. Alle Menschen sind sterblich — das ist eine
Daseinsbehauptung: es gibt sterbliche Menschen, und es gibt nicht
unsterbliche Menschen. Zu dieser zusammengesetzten Daseinsbejahung tritt nun nicht ein zweites Urteil: Peter ist ein Mensch;
solche Behauptung würde uns gar nicht weiter tragen. Wohl aber
tritt eine Frage hinzu als eine Aufforderung zur Umwandlung des
ersten Urteils in ganz bestimmter Richtung, die Frage: wie verhält

es sich mit dem Menschen Peter? Die Antwort ist: Peter, mit den
Eigenschaften des sterblichen Menschen gedacht, hat Dasein, mit
den Eigenschaften des unsterblichen Menschen gedacht hat kein
Dasein. Stellt sich ihn jemand also unsterblich vor, so bestreite
ich, daß diesem Vorstellungsobjekt ein objektiver Daseinswert zukommt. Selbstverständlich ist diese Bejahung Peters als Sterblichen
nicht identisch mit allem, was in der allgemeinen Daseinsbehauptung
bejaht war; unendlich viele andere Bejahungen dieser Art konnten
ebenfalls mit der Ausgangsbehauptung identisch gefunden werden,
so wie ja auch das Naturding nicht nur in der einen geprüften Zeitlage, sondern in unendlich vielen Augenblicken identisch wiedergefunden werden kann. Aber unsere zweite Prämisse hatte eben die
Frage auf den einen Kreis eingeengt und alle übrigen Bejahungen,
die mit der allgemeinen Sterblichkeitsbehauptung identisch waren,
mußten daher unbeachtet bleiben. Jeder Schluß ist so die Umwandlung eines Daseins- oder Zusammenhangsurteils in ein anderes
identisches auf Grund einer bestimmten, einen neuen Faktor ein-
führenden Frage, die sich meist in die Form der zweiten Prämisse
kleidet.

Nur solche Umwandlung ist jede Deduktion und jede Induktion. So wie die Chemie aus dem Körper analytisch die Elemente
oder aus den Elementen synthetisch den zusammengesetzten
Körper gewinnt, beidemal aber die Dinge beharren, so gewinnt die
Logik in der Induktion aus dem Wollen der Einzelbewertungen
durch Beharrung ein Wollen der allgemeinen Bewertung und umgekehrt in der Deduktion aus der zusammengesetzten Daseinsbewertung die Fülle der Einzelbejahungen. Immer aber muß auch
hier die besondere Frage erst die Aufgabe stellen, damit der Umwandlung des Identischen die feste Richtung und das bestimmte
Ziel vorgezeichnet werden. Und was für die logische Bewertung
gilt, wiederholt sich bei der ethischen, ästhetischen und religiösen;
stets bleibt die überpersönliche Stellungnahme identisch, aber stets
muß ein neu eingreifendes Ereignis, eine neue Lebenslage, ein
neuer Eindruck, eine neue Zumutung dem Wollen eine durchaus
neue Aufgabe stellen, an der die identische Stellungnahme sich
bewähren und verwirklichen kann. Weil aber die neue Würdigung,
die neue Hingebung, die neue Überzeugung mit der ursprünglichen
identisch ist, erfüllt sie den Willen, der das Gegebene in seiner Be-

harrung sucht, und der Übergang ist deshalb schlechthin befriedigend, schlechthin wertvoll.

Die Mathematik. Wir sind noch nicht am Ende. Das Vernunftsystem umfaßt noch eine andere Reihe von Zusammenhängen, die
nicht minder wissenschaftlich bedeutungsvoll sind. Vernunft ist
uns der Zusammenhang der Bewertungsakte. Wir haben bisher
nur von den vollendeten Bewertungen gesprochen. Wir sahen aber
bei der Prüfung der Daseinswerte, daß die Bewertung selbst wieder
Hilfsbewertungen voraussetzt, die ebenfalls durch unsere eigene
Stellungnahme geschaffen sind.

Das galt zunächst für die Dinge. Wir wollten die im persönlichen Erlebnis gefundenen Dinge als überpersönlich daseiend anerkennen und mußten sie im Dienste dieses Zieles durch ein überpersönliches Beziehungssystem bestimmen. Aus den persönlichen
Zeit- und Raumrichtungen und den persönlichen Unterscheidungen
entwickeln wir einen unabhängigen Raum, eine unabhängige Zeit
und unabhängige Zahlen. Wir haben das genau verfolgt. Raum,
Zeit und Zahl im objektiven Sinne sind also nicht Wahrnehmungen,
sondern Akte, die wir vollziehen, um die unabhängige Daseinsbewertung zu ermöglichen. Sie sind somit notwendige Hilfsakte
der Bewertung. Wenn das Vernunftsystem alle Zusammenhänge
enthalten soll, die sich zwischen den Bewertungen entwickeln, so
würden dort auch die Zusammenhänge der Bewertungshilfsakte
ihren Platz finden.

Die Vernunft muß also die Frage beantworten: was ergibt sich
aus diesen Hilfsakten der Bewertung, wenn sie unter neuen und
neuen Bedingungen mit sich selbst identisch gesetzt werden?
So entsteht aus Schöpfungen der Innenwelt ein notwendiger Zusammenhang von in sich identischen Bejahungen, die sich nicht auf
die Dinge, sondern auf die Formvoraussetzungen der Dinge beziehen.
Das System dieser Zusammenhänge ist natürlich die Mathematik.

Jedes mathematische System geht also von Forderungen aus.
Wir verlangen jedesmal, daß es eine gewisse Klasse von Objekten
gibt, es mögen Punkte oder Linien oder Zahlen oder algebraische
Zeichen oder Gruppenelemente oder irgend welche anderen unter-
scheidbaren Individuen einer Klasse sein und daß zwischen ihnen
gewisse Beziehungen herrschen. Diese Gegenstände haben für uns
keine Dingbedeutung, denn sie sind nur gefordert als Anhaltspunkte

für die Beziehungen, in denen sich der Sinn jener Hilfsakte ausspricht. Die Mathematik untersucht, bei welchen Gruppierungen der Elemente diese vorausgesetzten Beziehungen identisch beharren. Jede neue Gruppierung, die den Forderungen der Beziehungen genügt, stellt somit ein identisches System dar, das den Willen nach Beharrung des Geforderten befriedigt; der Übergang ist daher schlechthin wertvoll, die Erkenntnis des bestimmten Zusammenhanges eine mathematische Wahrheit. Auch hier muß stets wie bei allen anderen Zusammenhängen eine neue Bedingung eintreten, um die Umwandlung der identischen Beziehungen in neue Form zu veranlassen. Einige der Elemente müssen eine bestimmte neue Lage annehmen und es entsteht dadurch die Frage: wie müssen die anderen Objekte der betreffenden Gruppe geordnet sein, damit die vorausgesetzten Beziehungen festgehalten werden, sie mögen symmetrisch oder unsymmetrisch sein. An der Bevorzugung der Gleichungen bekundet sich schon äußerlich, daß der Fortschritt zum Ziel sich hier in Identitätsbeziehungen entwickelt.

Alle mathematischen Zusammenhänge vollziehen sich also in der Innenwelt als Teile des Vernunftsystems. Nicht aus der Erfahrung, sondern aus der eigenen Identitätssetzung der eigenen Forderungen ergeben sieh die notwendigen Schlüsse der Arithmetik und Geometrie so gut wie die der Algebra und Analysis. Und dennoch hat der Mathematiker ein volles Recht zu behaupten, daß er die Tatsachen entdeckt und vorfindet; es sind eben keine individuellen Satzungen, sondern überpersönliche Forderungen, die den einzelnen binden. Der Mathematiker darf auch behaupten, daß seine mathematischen Ableitungen die Dinge der Außenwelt binden. Sind unsere Dinge zählbar, so trifft auch für die Dinge zu, was für die Zahlen zutrifft, und jede Ableitung aus den Zahlen wird sich in der Außenwelt bewähren. Aber wie könnte es anders sein, wenn die Dinge ihren Daseinswert selbst erst der aus Forderungen entstandenen Form verdanken; sie müssen an die Gesetze dieser Formen stetig gebunden bleiben, wenn sie mit sich selbst identisch bleiben sollen. Hier setzt nun die mathematische Physik ein, welche die Identitätsverhältnisse der beharrenden Dinge in logisch zusammenhängenden Gleichungen ableitet.

Daß die mathematischen Beziehungen notwendige Voraussetzung für die überpersönliche Dingwertung sind, das hebt sie nun auch von allen anderen, auf die Dinge bezüglichen Forderungen ab. Identische Entwicklungen können wir auch etwa für die will-kürlichen Forderungen eines Spiels, etwa das Schachspiel, gewinnen. Ja, jeder zufällige Vorschlag läßt sich in seinen notwendigen Zu-sammenhängen verfolgen, aber nur die Mathematik geht als schlechthin wertvoll in die Wissenschaft ein, weil ihre Ansatz-punkte für die Bewertung selbst und zwar für die Daseinsbewertung der Dinge unerläßlich sind.

Der Zusammenhang der Begriffe. Die Daseinsbewertung der Wesen und der Werte setzt ebenfalls Hilfsakte voraus. Auch auf diese hatten wir bereits früher hingewiesen, und auch diese müssen im Vernunftsystem in ihren identischen Folgerungen entwickelt werden. Wir gewannen die wirklichen Dinge nur, wenn wir sie von den räumlich-zeitlichen Perspektiven der zufälligen Persönlich-keiten ablösten und auf ein festbestimmtes dauerndes Form-system bezogen. Genau entsprechend gewannen wir die wirklichen Wesen nur, wenn wir ihre Wollungen von den zufälligen Dingen des Einzelerlebnisses ablösen und auf ein festbestimmtes dauerndes Objektsystem beziehen; das ist vollbracht durch das System der Be-griffe. Die Welt der Begriffe ist eine aus der Innenwelt geschaffene Mannigfaltigkeit, durch die allein es uns möglich wird, ein fremdes Wesen von seinen individuellen Dingen abzuheben und in Bezie-hung zu jedem denkbaren Objekt zu setzen; erst dadurch aber sahen wir, können wir es als wirklich daseiend bewerten. Die Schaf-fung der Begriffe ist somit tatsächlich ein notwendiger Hilfsakt für die Bewertung, und die Zusammenhänge der Begriffe gehören somit ebenfalls in das Vernunftsystem.

So entsteht eine Wissenschaft, die der Mathematik parallel geht, die Wissenschaft vom Zusammenhang der Begriffe, unter denen ein Wesen die Welt erfaßt. Da meisthin die grundsätzliche Scheidung von Wesen und Dingen vernachlässigt wird, so muß auch diese Wissenschaft von den Voraussetzungen der Wesens-bewertung gemeinhin ihre Selbständigkeit preisgeben; sie fließt dann in der Logik mit der Lehre von den Bejahungszusammen-hängen zusammen. Von hier aus aber sehen wir, daß die Wissen-schaft von den logischen Bejahungszusammenhängen der Ethik und Ästhetik entspricht, die Wissenschaft von den Begriffszusam-menhängen dagegen der Mathematik. Nur wenn im Urteil und

Schluß nicht die Bejahung und Verneinung, also nicht der das Urteil tragende Willensakt, sondern vielmehr die begrifflichen Urteilsinhalte in den Vordergrund geschoben werden, nur dann nähern sich die Begriffslehre und die Schlußlehre; aber dann trennt sich die gesamte Logik von der Ethik und Ästhetik und gesellt sich gänzlich zur Mathematik. Wollen wir für die Lehre von den Begriffen und ihren Zusammenhängen den Namen Logik beibehalten, so mag die Lehre von den Bejahungen und ihren Zusammenhängen vielleicht als Dialektik davon geschieden werden. Dann würden Dialektik, Ethik und Ästhetik von den Bewertungen, Mathematik und Logik von den im Dienst der Bewertung gestellten Forderungen und Voraussetzungen handeln. Auch solche Logik ist dann eine rein formelle Lehre, die sich nicht um die Wirklichkeit ihrer Objekte sondern nur um ihre Beziehungen kümmert. Wieder gilt es in den wechselnden Denklagen die Gruppierung der Begriffselemente oder der Begriffe so auszuführen, daß die ursprünglich geforderten Beziehungen identisch bleiben.

Zum Daseinswert der Dinge und Wesen fügt sich der Daseinswert der Bewertungen; auch für die Bewertung dieser Wirklichkeit mußte es eine Voraussetzung geben, welche das einzelne Bewertungserlebnis von der zufälligen persönlichen Lage ablöst und auf ein Beharrendes, Überpersönliches bezieht. So wie die Dinge auf den formalen Hintergrund von Raum und Zeit, die wollenden Wesen auf den formalen Hintergrund der Begriffe bezogen werden, um objektives Dasein zu gewinnen, so werden nun die Werte auf den formalen Hintergrund des Absoluten bezogen. Die Raumzeitform, so gut wie die Begriffe, entstammten einer Forderung der Innenwelt, um die Dinge und Wesen wirklich zu machen; das Absolute entspricht jener Urforderung der Innenwelt, daß unser Leben nicht ein sinnloser Traum sein darf, sondern zu einer wirklichen Welt gehört; erst dadurch werden auch die Werte zur Wirklichkeit erhoben. Werden die notwendigen Vernunftzusammenhänge der Formen und der Begriffe in der Mathematik und in der Logik behandelt, so gesellt sich ihnen die Metaphysik, um in gleicher Weise die für das Dasein der Werte notwendigen Voraussetzungen vom Absoluten in ihrer Identität zu verfolgen. Und damit schließt sich der Kreis der möglichen wertvollen Zusammenhänge und dem entsprechend der Kreis der möglichen Urteile, die wahr sein wollen.

Siebenter Abschnitt.

Die Einheitswerte.

Das ästhetische Erlebnis und der psychologische Standpunkt.
Die Daseinswerte und die Zusammenhangswerte, die uns bis
hierher festhielten, sind im Grunde untrennbar. Beide Gruppen
stellen die Werte der Erkenntnis dar. Die Daseinswerte sind bereits mit der unmittelbaren Lebenserfahrung gesetzt; die Zusammenhangswerte verlangen ein suchendes Herausarbeiten, dessen
zielbewußte Durchführung Wissenschaft ist und so den Kultur-
leistungen zugehört. Aber die Kulturarbeit führt da doch nur
weiter, was das Leben unmittelbar verlangte; die Zusammenhänge
im Reich der Natur, der Geschichte, der Vernunft lassen uns doch
schließlich nur neue Daseinswerte gewinnen, für ungekannte Dinge,
Wesen und Bewertungen. Fragten wir aber nach dem letzten Sinn,
so wurden Dasein und Zusammenhang nur verschiedener Ausdruck
für die, vom persönlichen Erlebnis unabhängige, Selbsterhaltung
der Welt.

In gleicher Weise gehören nun die Einheitswerte und die
Schönheitswerte zusammen. Auch hier sind die einen schon Werte
des unmittelbaren Lebens, die anderen werden von der Kunst
getragen und sind so erst durch die Kulturarbeit gesetzt. Aber auch
hier sind die Kulturwerte der Kunst nur Weiterführungen jener
Lebenswerte. Wollen wir die Einheitswerte und die Schönheitswerte alle gemeinsam umfassen, so liegt der Ausdruck ästhetische
Werte nahe; und doch ist er streng genommen so unzureichend, wie
der Name der logischen Werte für die zwei früheren Gruppen.
Trotzdem mag für den ersten Überblick auch solche, von einem
Hauptteil hergenommene, Bezeichnung ihre Dienste tun; nur
dürfen wir uns dann nicht daran stoßen, wenn, dem Sprachgebrauch
zuwider, auch Freundschaft und Liebe, Friede und Glück sich unter

den ästhetischen Werten finden. Wollten wir aber sofort zur Tiefe
dringen, so würden wir gewahr, daß, wie alle logischen Werte die
Selbsterhaltung der Welt zum Ausdruck bringen, alle ästhetischen
Werte sich auf die Selbstübereinstimmung der Welt beziehen. Beide
aber sind notwendige Formen jener Selbstbehauptung der Welt,
die wir fordern müssen, wenn unser Leben nicht ein wirrer Traum
sein soll.

Und für beide gilt es, daß sie den Willen befriedigen, aber
nicht deshalb, weil sie sich nach dem Willen der Einzelperson
richten, sondern deshalb, weil die überpersönliche unabänderliche
Struktur des Schönen sowohl wie des Wahren jeden überhaupt denkbaren Willen befriedigen muß. Sie muß aber jeden Willen befriedigen, weil das im Willen selbst unaufhebbare Verlangen nach
Identität das Strukturprinzip der schönen wie der wahren Welt ist.
Der Einzelwille findet also sowohl die schöne wie die wahre Welt als
ewig gegebene, apriorisch bestimmte Welten vor, — aber ihr
Apriori ist das Wesen des Willens selbst; jedes Wesen, das wir überhaupt als mögliches Subjekt der logischen oder ästhetischen Erfahrung anerkennen, muß durch dieses Apriori gebunden sein.

Wir aber müssen uns langsam den Weg erst bahnen. Freilich,
der Wege zum Ästhetischen gibt es viele. Wer da von der Selbstbehauptung der Welt reden hört, mag uns wohl leicht in Verdacht
haben, daß wir von allen Wegen den scheinbar kürzesten, aber heute
verrufensten und verlassensten gewählt: den metaphysischen. Aber
nichts liegt uns ferner. Die metaphysische Methode würde verlangen, daß wir vom Überwirklichen ausgehen und durch begriffliche Ableitung das Wesen des Ästhetischen zu gewinnen suchen.
Aus Begriffshöhen sollen wir da zur Erfahrung herniedersteigen.
Wir aber wollen gerade die entgegengesetzte Richtung festhalten.
Hier und überall wollen wir von den einzelnen wirklichen Erlebnissen ausgehen und zum allgemeinen, begrifflich Erfaßbaren langsam emporsteigen. Aber muß unser Weg deshalb von der Psychologie ausgehen? ja, darf er auf irgend einer Strecke grundsätzlich
durchs Psychologische führen?

Die Vorurteile unserer naturwissenschaftlich denkenden Zeit
begünstigen freilich solche Entgegensetzung. Die Ästhetik, die von
oben anfängt, ist metaphysisch, die Ästhetik, die von unten ausgeht,
muß psychologisch sein. Aber ist da wirklich mehr als ein Vor-

urteil im Spiel? Noch ein ganz anderer Weg geht von der wirklichen
Erfahrung aus, fernab von aller Psychologie; das ist der Weg der
kritischen Untersuchung—er muß der unsere sein. Ja, wer ernsthaft
die kritische Methode will, der darf eigentlich überhaupt nicht zugeben, daß die psychologische Methode wirklich von der Erfahrung
ausgeht. Der kritische Weg allein fängt wirklich ganz unten an
und erst, wenn wir eine Weile da emporgestiegen, gabelt sich der
Pfad, und ein Seitenweg führt dann zu der breiten psychologischen
Heeresstraße.

Das sei nicht mißverstanden. Die wissenschaftliche Ästhetik,
die in unseren Tagen zu neuem Leben berufen erscheint, ist völlig
im Recht, wenn sie sich gewöhnt hat, heute vornehmlich mit den
Hilfsmitteln der Psychologie zu arbeiten. Die psychologische Beschreibung und Erklärung der ästhetischen Vorgänge findet noch
zahllose Probleme, vor sich und ihre Lösung in beharrlicher und be-
sonnener Arbeit ist unerläßlich für den sicheren Fortschritt. Tatsächlich liegen hier auch die wichtigsten und wertvollsten Leistungen der neueren Ästhetik, und in glücklicher Weise wurde die selbst-
beobachtende seelische Zergliederung und Erklärung durch die
experimentellen Arbeiten des psychologischen Laboratoriums,
durch die entwicklungsgeschichtlichen Studien am Kinde und an
niederen Völkern und nicht am wenigsten durch physiologische
Untersuchungen der Empfindungs- und Bewegungsvorgänge viel-
seitig ergänzt. Im Vordergrund steht die Frage, welche Vorstellungen, Gefühle, Beziehungen und Antriebe das ästhetisch Wirksame im Genießenden auslöst, und dazu gesellt sich die andere,
welche geistigen Vorgänge zum ästhetischen Schaffen des Künstlers
führen. Das Kunstwerk wird vollständig bestimmt durch die psychischen Kräfte, die es hervorgebracht, und durch die psychischen
Erregungen, in denen es zur Wirkung kommt. Auch das ist klar,
daß sich solche psychologische Einsicht leicht in zweckmäßige Vorschriften umsetzen läßt und die Ästhetik somit zu Gesetzen kommen
mag, etwa so wie sich hygienische Vorschriften aus der Erkenntnis
der Körpervorgänge unmittelbar entwickeln lassen.

Das alles ist wichtig und wertvoll; nur soll man nicht sagen,
daß solche psychologische Betrachtungsweise wirklich vom unmittelbaren Erlebnis ausgeht und somit die ersten Schritte der Ästhetik
darstellt. Habe ich erst einen Punkt erreicht, von dem aus betrach-

tet ·die ganze Welt aus physischen und aus psychischen Vorgängen
besteht und jede wissenschaftliche Aufgabe im Beschreiben und Erklären dieser zwei Vorgangsreihen aufgeht, dann bleibt ja freilich
keine andere Wahl. Der Wasserfall, die Marmorstatue, die Sinfonie
— wer will ihre Schönheit in dem physischen Dinge suchen, das der
Naturforscher uns beschreiben und erklären mag. Und wenn er
jeden Tropfen des Wasserfalls in seiner Kurve berechnet, jeden Ton
in seiner Schwingungszahl feststellt und die Statue in ihre Moleküle
von kohlensaurem Kalk zerlegt, so bleibt kein physischer Rest, die
dem sich die Schönheit bettet. Was uns entzückt, ist somit nicht
im Kreise der physischen Dinge zu finden; es muß also auf der
psychischen Seite gesucht werden. Die psychische Wahrnehmung,
welche Erinnerungsvorstellungen anregt und Gemütsbewegungen
weckt, wird deshalb dann notwendig zum Ausgangspunkt.

Wir aber wissen nun längst, daß eben jene Betrachtungsweise
durchaus künstlich und abgeleitet ist. Als wir den Grundlagen der
Erkenntnis nachspürten, haben wir uns bald davon überzeugen
müssen, daß der Gegensatz vom Physischen und Psychischen in
keiner Weise im ursprünglichen Erlebnis angelegt ist. Der einzige
Gegensatz, den wir dort auffanden, war der zwischen der wollenden
stellungnehmenden Persönlichkeit und den Gegenständen dieser
Stellungnahme. Diese Gegenstände aber waren nicht die Wahrnehmungen in uns, wie sie der Psychologe festhält, und nicht die
atomistischen Körper, die der Physiker berechnet. Desgleichen
war das Wollen kein psychisches Objekt, denn es war gar nicht
Gegenstand innerer Wahrnehmung; wir wollen es, wir erleben es,
wir lassen es wirksam werden, wir sind seiner gewiß, wir wehren
dem Gegenwollen, aber wir finden das Wollen nicht als wahrnehmbaren Inhalt vor. Der einzige Gegensatz im wirklichen Erlebnis,
der zwischen wollendem Subjekt und Willensobjekt, enthält somit
noch gar keine Beziehung zur Gegenüberstellung von Psychischem
und Physischem. Dort im Erlebnis gibt es aber freilich auch noch
nichts zu beschreiben, denn alles Beschreiben setzt ein vom Wollen
unabhängiges, in sich bestimmtes Objekt voraus; und nur zwischen
Beschreibbarem gibt es den Zusammenhang, den wir im Erklären
suchen. Dort im Erlebnis können wir nur nach dem Sinn, der Bedeutung, dem Wert unseres Wollens und unserer Willensobjekte
fragen.

Erst wenn unser Wollen sich das Ziel setzt, die Welt vom Wollen unabhängig zu denken, und somit Beschreibung und Erklärung sucht, erst dann beginnen wir, das Objekt in zwei Teile zu spalten, das Ding da draußen und die Vorstellung in uns. Aber die Spaltung trifft dann gar nicht mehr das wirklich erlebte Willensobjekt, sondern ein begrifflich Umgedachtes, ein künstlich vom Willen Losgelöstes. Das Erlebnis in seiner Willenswirklichkeit muß aufgehoben sein, um das nur wahrnehmbare Vorstellungsobjekt zu gewinnen; im Dienst der Beschreibung sondert sich dann dieses in das allen zugängliche Physische und das nur einem zugängliche Psychische. Es ist somit der Wille zur Beschreibung, der die wirkliche Welt zersprengt und die große Antithese Physisch-Psychisch schafft; das Erlebnis aber ist in jeder Faser Wille und Willensobjekt. Der Wille zur Beschreibung ist selbst nur ein Teil dieser erlebten Wirklichkeit, die nicht beschreibbar, sondern nur deutbar ist.

Wir mußten noch einmal an diese Ausgangsbetrachtungen der Erkenntnislehre erinnern, um nun mit Nachdruck sagen zu dürfen, daß, wer wirklich von unten, wirklich von der reinen Erfahrung, wirklich vom Erlebnis ausgehen will, sicherlich nicht mit der Beschreibung und Erklärung psychischer Vorgänge anfangen kann, von denen wir im wirklichen Erlebnis gar nichts wissen. Gewiß sind die psychischen Größen, von denen die psychologische Ästhetik berichtet, sorgsam mit dem Erlebnis verknüpft; sie sind nicht, wie die metaphysischen Begriffe, ohne Halt an der Erfahrung, aber sie sind doch eben nur verknüpft mit ihr, sind aus ihr abgeleitet, aber sind nicht in dem Erlebnis selbst gegeben.

Wenn der Wasserfall oder die Sinfonie meine wollende Seele in ihrer Tiefe bewegen, so kommen sie ja in der Tat nicht als physikalische Wasserbewegungen und Luftschwingungen in Frage, aber sicherlich auch nicht als psychische Vorstellungen. Auch von meinen psychischen Erinnerungen und Beziehungen weiß ich in ästhetischen Erlebnissen nicht das geringste. Schön ist in meiner unmittelbaren Erfahrung wahrlich nicht mein optisches Wahrnehmungsbild und nicht die Klangempfindung, sondern die Klänge selbst entzücken mich und der rauschende stürmende sich überstürzende Wasserfall. Wollen wir wahrhaft von der Erfahrung und nicht von abgeleiteten Begriffen ausgehen, so müssen wir somit zuerst die ästhetisch wertvollen Gegenstände prüfen, nicht um sie zu beschreiben und zu erklären, wohl aber um sie in ihrem Sinn zu verstehen und in ihrer Bedeutung für unseren Willen. Die Grundfragen der wirklich empirischen Ästhetik können somit beantwortet werden, ehe wir überhaupt zu den Konstruktionen der Psychologie und Physiologie gelangen.

Einfühlung und Beseelung. Vergegenwärtigen wir uns den Gegensatz der Methode an ein paar Hauptbegriffen, die uns in der ästhetischen Erörterung immer wieder begegnen werden. Vielleicht nirgends hat die neuere psychologische Ästhetik fruchtbarer und gründlicher gearbeitet als bei der Untersuchung jener Vorgänge, die bei der Nachfühlung, der Einfühlung und der Beseelung wirksam sind. Die Fragestellung der Psychologie ist dabei vorgezeichnet. Die physikalischen Dinge, der Marmorblock und die mit Ölfarbe bedeckte Leinwand, das bedruckte Papier, die Felsen des Gebirges, die Wogen des Ozeans, sie haben natürlich für den Psychologen keine Seele, kein Empfinden, keine Gefühle. Das also ist selbstverständlich, daß jedes Seelenelement aus dem Bewußtsein des Beschauers stammen muß. Und erst von hier aus kann die psychologische Untersuchung vorwärts schreiten. Sie prüft dann, ob es beispielsweise besonderer körperlichen Bewegungen in uns bedarf, um die Tätigkeitsgefühle wachzurufen, die wir in die Dinge verlegen, oder ob Erinnerungsbilder früherer Erfahrungen genügen. Verschmilzt unser Tätigkeitsempfinden mit der Wahrnehmung so völlig, daß wir unserer selbst in der Einfühlung überhaupt nicht mehr bewußt bleiben, oder beseelen wir das Ding mit dem begleitenden Gefühl, daß wir selbst von Gefühlen bewegt sind? Sprechen wir aber gar von einem Nachfühlen, so kann natürlich nichts anderes gemeint sein, als daß wir unser eigenes Gefühl zunächst in das seelenlose Ding hinausverlegen und, nachdem wir beide zu einer Einheit zusammengeschmolzen haben, wir nun schließlich das Gefühl auch in unsere Selbstvorstellung aufnehmen.

Vielerlei ist da nun heute schon geklärt und mehr noch harret der Einzelprüfung, aber daß alles dieses von erlebnisfremden Voraussetzungen ausgeht, das sollte nicht bestritten werden. Im wirklichen Erlebnis sind wir der Kraft und des Strebens und der Gefühle in der Natur und im Bildwerk gewiß; nicht wir sind es da, die das wogende Meer und die trotzigsteigenden Felsen beleben, die den Tönen Jubel und Wehmut verleihen und die toten Marmormenschen beseelen. Ihr Leben, ihre Seele, ihr Schmerz und ihre Freude spricht zu uns, und im wirklichen Erlebnis versuchen wir, mit hingebender Seele ihr Fühlen und Wollen nachzufühlen und zu verstehen. Schon als wir untersuchten, wie wir der fremder Wesen gewiß sind, ergab sich ein ähnlicher Tatbestand. Auch da ist uns jeder natürliche Zuweg verschlossen, sobald wir davon ausgehen, daß die Wirklichkeit aus physischen und psychischen Objekten besteht. Dann ist der andere Mensch in unserer Mitwelt für uns zunächst nur ein physisches Ding, in das wir auf Grund von Analogieschlüssen psychische Vorgänge hineinverlegen.

Wir betonten dagegen, daß wir den Mitmenschen unmittelbar als Zumutung an unser Wollen erleben, als Aufforderung die wir verstehen, als Subjekt und nicht als Objekt. In gleicher Weise tritt uns im wirklichen Erlebnis das Schöne mit dem ganzen Reichtum seines Strebens und Fühlens und Wollens entgegen, und wenn wir an die Stelle der erlebten schönen Gestalt die toten Moleküle des Naturforschers setzen, so haben wir das Leben, das wir fanden, zunächst getödtet, die Seele, die zu uns sprach, zunächst vertrieben; dann bleibt uns allerdings nichts anderes übrig, als unser eigenes Fühlen nachträglich in die Dinge hineinzufühlen, damit wenigstens eine Scheinbeseelung möglich wird.

Wer vom naturwissenschaftlichen Körperbegriff ausgeht, dem dünkt es freilich wohl wie ein Märchen, wenn wir vom Wollen der Mitmenschen unmittelbare Erfahrung haben sollen oder das Schöne etwa in der Natur als ein Streben und Wollen verstehen. Der Glaube, daß alles Denken naturwissenschaftlich verlaufen müsse und daß wir die Wirklichkeit nur durch Beschreibung und Erklärung ergreifen können, wurzelt so tief, daß solches Zurückgehen auf das unmittelbare unverkünstelte Erlebnis so manchem seltsamerweise sogar wie eine Art Metaphysik erscheint. Wer wirklich von der Erfahrung ausgehen will, sollte anerkennen, daß uns das Schöne zunächst niemals als ein naturwissenschaftliches Objekt gegenübersteht, sondern als ein freier Ausdruck von Strebungen und Wollungen, die wir als wollende Persönlichkeiten nachfühlend verstehen können. Wollen wir dieses unmittelbare Verhältnis im Dienst der reinen ästhetischen Wissenschaft begreifen, so müssen wir jene Strebungen und jenes Nachfühlen zu allgemeinem Verständnis bringen; solch Interpretieren der wirklichen ästhetischen Erfah-

rung ist nicht minder gewissenhafte Wissenschaft. Das Entscheidende aber ist, daß in solcher grundlegenden Ästhetik nicht nur
nichts beschrieben und erklärt wird, sondern daß es sich dabei um
Willensobjekte handelt, die als solche überhaupt nicht beschreibbar
oder erklärbar sind. Werte sind sie, nicht Dinge, und weder das
Bewerten noch die Bewertung kann unter den Auffassungsformen
der Dingerkenntnis erfaßt werden. Der Mond, der des Dichters
Busch und Tal still mit Silberglanz füllt, ist gar nicht der starre
Körper, dessen Krater der Astronom mit seinem Fernrohr studiert.

Erst durch mannigfaltige Umsetzungen im Dienst der erklärenden Beschreibung wird aus der ästhetischen Wirklichkeit ein
System von wertfreien physischen und psychischen Objekten.
Es bleibt aber eine ganz einseitige Überschätzung der Erklärungs-
begriffe, wenn die Umarbeitung der Erfahrung in solcher naturwissenschaftlichen Richtung als die einzige wissenschaftlich berechtigte Betrachtung gewürdigt wird. Und geradezu umgekehrt
wird das wahre Verhältnis, wenn wir schließlich gar glauben sollen,
daß die soziologische Zurückverfolgung des Schönen in der Stammesentwicklung oder das Zurückgehen auf das ästhetische Verhalten
des Kindes uns zu den sichersten Ausgangspunkten empirischer
Ästhetik führen kann. Der einzig sichere, der einzig empirische
Ausgangspunkt ist unser Erleben und Verstehen des Schönheits-
vollen in seinem eigensten Wollen und Verlangen. Setzen wir das
in physische und psychische Erscheinungen um, so entfernen wir
uns von der Erfahrung, und verknüpfen wir es gar mit den Erfahrungen des Kindes oder mit den Schönheitsbewertungen der Busch-
männer, so wird der Abstand von unserem Erlebnis stetig größer.
Alles das darf trotzdem vollen Platz in der Gesamtästhetik beanspruchen, nur zum Ausgangspunkt kann es niemals taugen.

Im Geiste der reinen Ästhetik wird somit das Nachfühlen der
im Schönen an uns herantretenden Wollungen ein wirkliches
Grundverhältnis bedeuten, bei dem gar nichts der weiteren Erklärung bedarf. Würden wir das Wollen der Dinge nicht verstehen,
wären sie wirklich für uns nur physische Körper, so hätten wir
keine ästhetischen Erfahrungen. Vom Nachfühlen mag dann die
Ästhetik zum Einfühlen vorschreiten und wird doch auch da durchaus in den Auffassungsformen der Willensbeziehungen bleiben.
Selbstverständlich wäre der Sinn unserer Behauptung auch dann

gänzlich verfälscht, wenn man es so mißdeuten wollte, als meinten
wir, daß es das Wollen des schaffenden Künstlers wäre, das wir
durch Vorstellungsverbindung zum leblosen Kunstwerk hinzuer-
gänzen, und dementsprechend in der Naturbetrachtung vielleicht den
Willen des göttlichen Schöpfers hinzudenken.   Nein, es ist die
Säule, die sich reckt und streckt, um das lastende Dach zu tragen;
was der Baumeister empfand, fragen wir nicht. Es ist die marmorne
Gestalt, deren Anmut und Reinheit uns bezwingt; um die Gefühle
des Bildhauers kümmern wir uns da zunächst nicht. Und so, wenn
die Blume und der Bach uns ihr Geheimnis künden. Erst wenn wir
psychologisieren, beginnen wir überall die erlebte Ordnung umzu-
kehren; die naturwissenschaftlich denkende Erklärung aus dem
Schaffenden und aus dem Genießenden wird dann schließlich zum
Ersatzmittel für das Verstehen des allein ästhetisch Wertvollen,
der wirklich erlebten Schönheit, die weder im Raum der Physik noch
im Bewußtseinsinhalt der Psychologie zu finden ist.

Die ästhetische Einheit. Neben der Einfühlungslehre ist es der
Einheitsbegriff, der die ästhetische Erörterung zu beherrschen
pflegt. Auch hier ist der Gegensatz der Methode offenkundig. Wer
von den physischen und psychischen Dingen ausgeht, ist wieder
dessen gewiß, daß die ästhetische Einheit des Mannigfaltigen nur
im Bewußtsein des Beschauers und nicht im schönen Dinge vorkommt. Freilich hat ja auch das physische Objekt, wie es sich dem
Naturforscher darbietet, eine bestimmte Einheit seiner Teile. Der
Baum ist für den Botaniker eine Einheit, da die Wurzel nicht zerstört werden kann, ohne die Krone zu vernichten; die Einheit ist
da die ursächliche Wechselwirkung der Teile. In loserem Wort-
gebrauch ist auch der Felsblock eine Einheit; wohl kann er beliebig
zerspalten werden, aber solange er unverändert bleibt, bringt die
räumliche Verschiebung eines Teils auch die Verschiebung aller
anderen Teile mit sich; die wechselseitigen Lagebeziehungen der
Teile bleiben unverändert. Diese Art Einheit kommt natürlich
auch dem naturwissenschaftlich aufgefaßten Kunstwerk zu, aber es
ist klar, daß die Kunstlehre derlei nicht im Auge hat. Auch das
tollste Bildwerk würde solche physikalische Einheit besitzen; die
ästhetische Einheit, die dem Kunstwerk notwendig sein soll, muß
weit darüber hinausgehen. Und wenn der Baum auch eine physische Einheit sein mag, so steht doch fest, daß in der physischen

Welt keine Einheit den Baum mit den Wolken am Himmel und mit dem Bach in der Wiese verbindet, die wir doch alle zusammen in der Einheit der anmutigen Landschaft genießen.

Wieder bleibt dem Psychologen nur die eine Möglichkeit, daß es die Einheit unserer Bewußtseinsvorgänge ist, welche die Mannigfaltigkeit unserer Eindrücke umschließt. Wir selber spinnen die Beziehungsfäden zwischen den Gefühlen und Strebungen, die das Durcheinander der Eindrucksempfindungen in uns erweckt. In unserer Seele ordnet sich das in sich gleichgültige Nebeneinander der Dinge in einen harmonischen Zusammenklang der Wahrnehmungen; wir nennen verwandt und zusammenpassend, was in uns gleichartige Regungen erweckt, und aus dem gefühllosen Naturgeschehen wird so in uns eine Einheit, deren Teile aufeinander hinweisen. Daß solche Einheit uns aber erfreut, erklärt sich aus der Natur unserer Seele, in der das Anklingen verwandter Gefühle, das Zusammenwirken gleichartiger Betätigungen der natürlichen Anlage entspricht, denn jede Neigung unserer Seele hat die Tendenz, sich in uns auszubreiten.

Auch alles das ist nun wieder psychologisch durchaus zutreffend, und die Einzeluntersuchung dieser Vorgänge hat die Forschung aufs lebhafteste gefördert. Aber das ist doch eben psychologische Konstruktion und nicht eine Wiedergabe des ästhetischen Erlebnisses. In der wirklichen Erfahrung ist uns die schöne Einheit durchaus in der Natur selbst oder im Kunstwerk gegeben, und unser Teil ist es, sie zu verstehen und nachzufühlen, nicht sie zu schaffen. Die Blitze zucken, der Donner rollt, die schwarzen Wolken ballen sich drohend, die zackigen Felsen am wilden Ufer recken sich trotzig empor, „es rast der See und will sein Opfer haben". Wer das in nachfühlender Seele erlebt, sucht die Einheit der erzürnten Natur nicht in sich, sondern in den tobenden Elementen. Sie sind nicht nur von jenem Wollen erfüllt, das wir nachfühlen, sondern ihr Wollen gehört zusammen, unterstützt sich und verstärkt sich wechselseitig: es weist aufeinander hin. Die Felsen und die Wolken und die Wogen, sie alle wollen wirklich das Gleiche und wir erleben erschüttert ihren gemeinsamen Zorn.

Nicht anders, wenn die Einheit des Kunstwerks zu uns spricht. Das anmutige Rokokobildchen erzählt uns von leichtem tändelndem Schäferspiel. Die Haltung der Figuren verrät den galanten Ton,

13*

die Züge, das Antlitz, die Augen, die Lippen sagen das gleiche;
die Landschaft stimmt schelmisch ein: die Blumen auf der Wiese
und der schlanke Weidenbaum, die leichten Wölkchen und der
schillernde Bach; jedes Band am hellen Kleide flattert in schäkern-
dem Spiel, und die zarten Farben und die leicht geschwungenen
Linien, alle wollen das gleiche, das Eine, und ihre wirkliche Einheit
gilt es nachzuempfinden, wenn wir das Bild verstehen wollen. Die
Einheit des Schönen ist die Einstimmigkeit seiner wirklichen, von
uns nur nachgefühlten Wollungen; wird das Erlebnis aber in physische und psychische Objekte verwandelt, so wird die wirkliche
Einheit verflüchtigt, Natur und Kunst werden zu physischen
Dingen, die selbst kein Wollen und deshalb keine Wollensüberein-
stimmung haben können, und es fällt nun dem psychischen Mechanismus zu, die Einheitsbeziehung durch die hinzuergänzten Seelen-
vorgänge erklärbar zu machen.

Das Wollen der Außenwelt. Die Beispiele der Einfühlung und
der Einheit mögen genügen. Darlegen sollen sie zunächst, warum
für uns, die wir überall zur wirklichen Erfahrung zurückgehen
wollen, überall voraussetzungslos die Werte in ihrer Bedeutung für
das wirkliche Erlebnis prüfen wollen, die psychologische Methode
irreführend wäre.

Nun aber, da wir den rechten Ausgangspunkt kennen, dürfen
wir geraden Wegs unmittelbar zum Ziele schreiten. Und eben jene
Begriffe, die wir bisher nur beispielsweise herangezogen, die Nachfühlung und die Einstimmigkeit, sollen uns nun sofort weiterhelfen. Wir behaupten nämlich, daß wenn uns in dem Erlebten
eine Mannigfaltigkeit des Wollens begegnet, die Einstimmigkeit
dieser Wollungen, ihr inneres Gleichgerichtetsein, ihre wechselseitige
Unterstützung, uns als schlechthin wertvoll gilt. Die so entstehende Gruppe von Werten ist die ästhetische; zu ihr gehört
auch die Kunst.

Aber die Kunst ist ein Kulturwert. Wir wollten zunächst die
unmittelbaren Lebenswerte verstehen. So schalten wir denn die
Werte der Kunst, die Schönheitswerte im engeren Sinne, von dieser
ersten Betrachtung nunmehr aus. Wir hatten die Kunst und Natur
gemeinsam zu berücksichtigen, solange wir die grundsätzliche Methode und den Ausgangspunkt für alle ästhetische Betrachtung
feststellen wollten. Jetzt aber zerlegen wir die Weiterarbeit. Von

der Kunstschönheit soll erst späterhin die Rede sein; wir wenden
uns vorläufig der natürlichen Lebenswirklichkeit zu und fragen nach
ihrem ästhetischen Werte. Gegeben ist uns nun aber solch unmittelbarer ästhetischer Wert, wenn das Wollen der Natur in sich übereinstimmt und somit ein einheitliches Wollen sich in mannig-
faltigem, wechselseitig unterstützendem Ausdruck bekundet.

Um unsere Wertgruppe von den Schönheitswerten der Kunst
zu sondern, wollen wir sie als Einheitswerte bezeichnen. Und nun gilt
es, ihre Wesenszüge zusammenzufassen, ihren Sinn und ihre Bedeutung zu ermessen und ihren Umkreis festzustellen. Wir beginnen
wieder mit der Außenwelt und wenden uns dann später wieder der
Mitwelt und Innenwelt zu. Wir gehen also davon aus, daß in unserem Erlebnis die Natur uns als wollend entgegentritt und daß wir
dieses Wollen nachfühlen und miterleben. Wie alles das möglich
ist, haben wir soeben erkannt. Der Einwurf, daß ja die Dinge
physische Körper seien, die selbst in Wirklichkeit keinen Willen
haben, und daß es daher unser psychischer Wille sei, den wir in die
Dinge hineinverlegen — solch Einwurf hat für uns keine Gültigkeit
mehr. Wir wissen, daß das Wirkliche erst durch umständliches
Umdenken im Dienst der Erklärung in physische Naturkörper verwandelt wird; wir wissen, daß wir nicht den Willen künstlich hinein-
legen, sondern daß wir den Willen künstlich verflüchtigen, und daß
die Auffassung des Naturforschers von der Wirklichkeit weiter ab-
liegt als jene, in der die Dinge in Beziehung zum Willen stehen und
vielleicht selbst willenserfüllt sind.

Andererseits haben wir aber längst gesehen, daß durchaus
nicht etwa stets die Dinge der Außenwelt in unserem wirklichen Erlebnis einen Willen bekunden. Das wäre ein völliges Mißverständnis. Sie sind in der Wirklichkeit Objekte für unseren Willen, aber
sie sind gemeinhin nicht selbst Willenssubjekte. In den Wesen, in
den Mitmenschen, da spricht, wie wir sahen, in der Tat stets ein
fremdes Wollen zu uns, das uns als Zumutung und Aufforderung
berührt und das verstanden werden will. Das Ding ist uns aber
gemeinhin kein solches wollendes Wesen. Vielleicht schon deshalb
weil wir alle in der praktischen Lebenserfahrung in die Schule der
Naturwissenschaft gegangen sind und gelernt haben, auf die
Wirkungen der Dinge und nicht auf ihren Sinn zu achten.
Daß uns die Dinge Willensobjekte bleiben, widerspricht dem

nicht; wir nehmen dann Stellung zu dem Ding als Ursache seiner Wirkungen.

Der andere Fall, daß auch das Ding, nach der Art der Wesen, sein eigenes Wollen zur Geltung bringt, tritt nur unter besonderen Bedingungen auf. Wir verstehen das Wollen des Dinges offenbar nur dann, wenn wir es in unserem eigenen Wollen nacherleben; denn ein Wollen ist ja nicht wahrnehmbar, es muß nachgefühlt werden, um verstanden zu werden. Wir müssen uns in das Wollen des Dinges mit eigenem Wollen einleben: das wird aber nur dann erfüllbar sein, wenn das Ding nicht in seiner Objekteigenschaft praktische Stellungnahme und Wollen und Handeln uns aufnötigt. In unserem Erlebnis Objekt sein heißt zunächst Mittel und Ziel unseres persönlichen Wollens und Handelns sein. Unser Wollen will unsere eigene Persönlichkeit vertreten und wendet sich somit den Dingen zu, um sie zu benutzen, sie festzuhalten, sie abzustoßen, sie umzuwandeln, sie zu genießen, sie zu entwickeln, sie zu vernichten. Soweit das Ding sich mit unseren persönlichen Interessen verbindet, so weit regt es mithin ein Wollen an, das sich auf das Objekt als Objekt richtet.

Das Ding in seinem eigenen Wollen nachzuerleben, wird uns daher nur dann natürlich sein, wenn unser praktisches Interesse am Dinge gering ist. Oft liegt im Eindruck selbst ein starker Reiz, das eigene Wollen dem Beschauer aufzuzwingen, und oft wird der Beschauer seiner eigenen Stimmung und seiner eigenen Willenslage nach besonders empfänglich sein für die Willenssuggestion bestimmter Dinge; immer aber wird doch entscheidend bleiben, daß die Stimme der Außenwelt nur dann verstanden wird, wenn das Wollen, welches Lust und Unlust dient, unbekümmert bleibt. Der purpurne Sonnenuntergang wird seine eigene Erregung unserer Seele vermitteln; wenn die Sonne uns in der Mittagshitze mit ihren sengenden Strahlen belästigt, so suchen wir uns gegen sie zu schützen und dieses Bemühen hemmt jedes Nachfühlen und Nacherleben der Wollungen, die im Sonnenbrand selbst sich geltend machen. Je bedeutsamer das Wollen der Natur, desto eher wird es das kleinliche persönliche Wollen übertönen; das aufgeregte Meer wird uns zur Tat, während der Landsee nichts als Wasser bleibt, zum Baden und Fischen und Segeln recht, aber stets doch nur gehorsames Mittel für unser Wollen. Und doch auch der Tümpel mag von seiner Innenwelt erzählen, wenn er die überhängenden Weiden und den Himmel spiegelt. Andererseits selbst das aufgeregte Meer wird uns ausdruckslos, wenn es uns selbst Gefahr bringt; wer mit den Wogen kämpft, empfindet die Wogen nicht als wollende Kämpfer, sondern als sinnlose Flut.

Kommen wir zur Kunst, so wird uns das im Vordergrund stehen, daß jedes Kunstwerk mit seiner künstlichen Absonderung des Dargestellten von aller Wirklichkeit gerade durch diese Ablösung das Nachfühlen begünstigt. Alle persönlichen Wollungen sind durch die Nichtwirklichkeit dort ausgeschaltet, und jedes Wollen der Gestalten und Farben etwa im Bilde klingt lebhaft in uns wieder. Dem Kunstwerk gegenüber ist das Nacherleben daher das einzig Natürliche, der Natur, den Dingen des Lebens gegenüber muß es der Ausnahmezustand bleiben. Wer den Baum als Brennholz benutzen will, beschaut ihn nicht mit den Augen des Malers und fragt nicht nach dem Wollen seiner knorrigen Äste.

Ist jenes Wollen der Umwelt wirklich? Für den, dessen Seele es versteht und nacherlebt, hat es genau dieselbe vollgültige unmittelbare Wirklichkeit, die irgend ein Erlebnis haben mag. Das sagt aber natürlich noch nicht, daß es jenen objektiven Daseinswert beanspruchen darf, den wir eingehend prüften. Ja, wir wissen, daß der Dingwille diesen Daseinswert unbedingt nicht hat, denn wir sahen, daß fremdem Wollen gültiger Daseinswert nur dann zukommt, wenn der gleiche Wille sich auch auf jedes andere denkbare Ding erstrecken kann. Gerade darin sahen wir den Grund für den wirklichen Daseinswert der Mitmenschen als wollender Wesen. Davon ist beim Wollen der Wogen und Wolken keine Rede; ihr Wollen ist in dem Ausdruck des Gegebenen erschöpft. Ja, wir können weitergehen und sagen, daß das ästhetisch wertvolle Ding auch als Objekt gar nicht den wirklichen Daseinswert besitzt. Wir sahen, daß der Daseinswert der Außenwelt darauf beruht, daß wir das Erfahrene als erfahrbar für jedes mögliche Subjekt vorstellen. Das will der Physiker; in unserer Anschauung des Sonnenuntergangs liegt dieser Beziehungsgedanke aber nicht. Die schöne wollende Natur ist in diesem Sinne für uns nur Eindruck, dessen sachliche Wirklichkeit so wenig in Frage kommt wie der objektive Daseinswert seines Wollens.

Nur darf dieser Tatbestand nicht mißdeutet werden, als wenn

die Ungültigkeit des objektiven Daseinswertes für die ästhetische
Natur nun irgendwie ihre Wirklichkeit und Gewißheit beeinträch-
tigte. Die ästhetische Natur und ihr Wollen wird dadurch nicht
etwa zum „Schein"; sie hat die volle unmittelbare Wirklichkeit
des Erlebnisses. Legen wir dem wirklich Erlebten den Daseinswert bei, so haben wir die Wirklichkeit in ein bestimmtes System
von Willensbeziehungen hinübergenommen; wir haben anerkannt,
daß wir es zugleich als mögliches Erlebnis aller denkbaren Subjekte bewerten. Dadurch kann es nicht wirklicher werden als das
ursprüngliche Erlebnis selbst; es wird nur in bestimmter Richtung
wertvoll — in jener Richtung, die für die Erkenntnis allein in
Frage kommt. Die ästhetische Natur und ihr Wille bietet zu dieser
Beziehung und Bewertung keinen Anlaß; sie wird in ein ganz
anderes System von Beziehungen und Bewertungen eingefügt, die
Einheitswerte. Aber während der Einheitswert als solcher nicht
zugleich Daseinswert hat, das Wollen der Außenwelt also nicht
psychophysische Bedeutung hat, ist das Erlebnis, das die eine Bewertung fordert, nicht weniger wirklich und nicht weniger grundsätzlich als das andere.

Die Übereinstimmung des Wollens. Das steht uns also fest,
Einheitswerte, ästhetische Werte überhaupt, können nur dann in
der Welt der Dinge gegeben sein, wenn die Dinge ihr eigenes Wollen
zur Geltung bringen. Das sagt nun aber durchaus nicht, daß das
Nachfühlen, das Verstehen, das Miterleben des Naturwollens selbst
schon ästhetische Bewertung ist. Solche Auffassung ist weit verbreitet; wir müssen sie unbedingt ablehnen. Gewiß sind viele Bedingungen der ästhetischen Stellungnahme bereits erfüllt, sobald
solch nachfühlendes Mitwollen einsetzt, zumal wenn das selbstische
Wollen wirklich vom fremden Wollen gehemmt ist. Aber daß dadurch allein bereits ein Schönheitswert gesetzt ist, muß als unhaltbar gelten; im Grunde ist da das Wesentlichste noch übersehen.
Nur dann nämlich ist uns der ästhetische Wert wahrhaft gegeben,
wenn eine Wollensmannigfaltigkeit an uns herantritt und diese
Wollungen aufeinander hinweisen und miteinander übereinstimmen.
Die Einstimmigkeit, die alles Fremde ausscheidet, ist der tiefste
Wesenszug des Ästhetischen, und von hier aus gesehen, können wir
sagen, daß nur deshalb die schöne Natur uns als wollend entgegentreten muß, weil überhaupt nur da, wo es Willen gibt, Überein-

stimmung herrschen kann. In der toten Natur der Wissenschaft fanden wir die Einheit der ursächlichen Wechselwirkung, aber die Einheit der Übereinstimmung kann niemals zwischen bloßen Objekten herrschen. Übereinstimmung verlangt gleichgerichtetes Wollen und nur die wollende Natur kann so überhaupt unter den ästhetischen Gesichtspunkt rücken; ob aber ein Wert vorliegt oder nicht, fällt zusammen mit der Frage, ob die Wollungen übereinstimmen, und zwar nicht nur ob sie zufällig hier und dort gleichgerichtet sind, sondern ob sie einander unterstützen und aufeinander hinweisen.

Ein schlechthin Einfaches kann daher niemals schön sein, denn wo keine Mannigfaltigkeit gegeben ist, kann auch keine Übereinstimmung genossen werden. Nur darf die Mannigfaltigkeit nicht in falscher Richtung gesucht werden; nicht um eine physikalische Vielheit kann es sich handeln. Ein einfacher Ton, ein einfaches Licht erregt uns vielleicht durch seine Schönheit. Wer eingesehen hat, daß alle Schönheit auf Einstimmigkeit beruht, muß deshalb auch den Ton und die Farbe als eine Vielheit deuten und da liegt es denn nahe, die Hilfsbegriffe der Physik heranzuziehen. Der Ton setzt sich aus vielen tausend Schwingungen der Luft zusammen, das Licht gar aus Billionen Ätherschwingungen, und im reinen Ton und Licht sind alle diese Schwingungen untereinander übereinstimmend. Solche Seitenwege können uns nicht mehr locken. Wir wissen jetzt, daß der Lichtstrahl, sofern er schön ist, gar nicht der physikalische Lichtprozeß ist, denn zu solchem wird er ja erst, wenn wir seinen objektiven Daseinswert gewinnen und dieser ergibt sich erst aus unserer Willensbeziehung zu dem Erlebnis aller denkbaren Wesen. Der schöne Lichtstrahl ist somit als solcher nur Eindruck und nicht Teil der objektiven Körperwelt und doch nur als solch physikalischer Vorgang kann er im Dienst der Erklärung in Ätherschwingungen umgedacht werden. Die Farbe, die uns beglückt, setzt sich nicht aus Schwingungen zusammen und unsere Seele weiß nichts von dem Billionenpulsschlag des Äthers.

Aber selbst hier gibt es eine wirkliche Mannigfaltigkeit des Erlebnisses. Der Farbenton hat seine eigene Erregung; rot will nicht, was blau oder gelb will. Und auch die einfache Farbe hat ihren Stärkegrad, der wieder für ein eigenes Wollen steht; der schwache Lichtschein sagt nicht, was der stärkere sagt. Und jede Farbe hat

ihre eigene Sättigung; das weißliche Blau widerstrebt dem un-
gemischten. Und das Licht hat seine Flächengestalt; auch die kleine
Fläche mag in ihren Teilen gleich erscheinen oder ungleich flimmern.
Und jedes Licht hat seine Zeitgestalt; kurzes Aufleuchten will etwas
anderes als ruhiges Verweilen. Und um das Licht ruht der dunkle
Hintergrund und auch seine Stille will dem Leuchten helfen. So
bringen Farbe, Stärke, Sättigung, Raumgröße, Zeitgestalt, Hintergrund und vieles andere ihr eigenes Wollen im einfachen Eindruck
zur Geltung und nur wenn sie harmonisch in ihrem Streben zusammenklingen, wird uns die Schönheit zum Erlebnis. Schon wenn das
Licht wirklich punktförmig wird und mehr noch, wenn die Zeitgestalt zur Kürze eines Augenblicks herabgesetzt wird, verschwindet
der ästhetische Reiz.

Wenn so der schlichte Ton oder der einzelne Lichtstrahl schon
eine Mannigfaltigkeit von übereinstimmenden Wollungen in sich
tragen, wie unvergleichlich muß der innere Reichtum sein, den die
leuchtende Frühlingslandschaft uns darbringt, mit dem Blütenduft
und dem Vogelsang, mit den kosenden Schäferwölkchen und dem
munteren Bach und den glücklichen lachenden Fluren. Wie ju-
belnde Kinder, die sich miteinander im Reigen drehen, nimmt
eines an der Seelenfreude des anderen Teil und ihr Einklang läßt
ihr Wollen zur Einheit werden. Wie aber die Kinder im Reigentanz
nur für sich selber da sind, so ist der Zusammenschluß des gleich-
gestimmten Wollens zugleich ein Ausschluß alles Fremden, Störenden, Unwilligen. Die Willenseinstimmigkeit hält nicht nur zusammen, sondern löst das Zusammenstimmende aus dem Wechselspiel der Welt heraus und schließt es ab. Das Schöne sucht sich so
seine eigene Grenze, die kein Eindringling überschreiten kann. Der
Mond, der die Gefilde mit Silberlicht umschimmert, hat nicht die
geringste Verbindung mit der Sonne, von der die Astronomen sein
Licht herleiten mögen. Die Wissenschaft muß das Gegebene mit
dem gesamten Weltall verbinden, um die logischen Forderungen
durchzuführen; die Schönheitsauffassung löst das eine Gegebene
vom Rest der Welt vollständig ab und findet ihr Genüge an der Einstimmigkeit seiner inneren Mannigfaltigkeit.

Nur wenn wir so die Übereinstimmung in den Mittelpunkt des
Ästhetischen setzen, wird es verständlich, warum es sich da um
einen Wert handeln soll. Das haben wir ja von allen Seiten erleuch-

tet, daß nur das Festhalten des Identischen, nur die Wiederkehr des
Ansatzpunktes in neuem Erlebnis, nur das Verwirklichen des Gesuchten uns Befriedigung gewähren und wertvoll sein kann. Wenn
wir wirklich nur ein vereinzeltes Wollen in der Natur vorfänden und
nachfühlten, so wäre dieses nacherlebende Erlebnis an sich unmöglich wertvoll. Es wäre schlechthin unverständlich, woher die Befriedigung stammen soll, wenn ich mein eigenes Wollen einfach mit
dem Wollen des Außendings vertausche und mich selbst in die
Naturbewegung hineinfühle. Mich mit dem Wasserfall selbst herab-
zustürzen und mit dem Felsen selbst zu den Wolken zu steigen, mit
dem Bach mich am Boden zu schlängeln und mit den Wogen mit-
zuschwanken, kann mir auch in der Phantasie keine Wonne,
sondern nur Unbehagen sein. Und ohne Befriedigung kann es keine
Werte geben. Mit einem Schlage ändert sich aber alles, wenn ich das
Wollen, das mir als Naturwollen entgegentritt, nun in neuer Erfahrung suche und es dann in der Tat in anderem Naturerlebnis
identisch wiederfinde. Dieses Wiederfinden ist dann wirklich eine
Erfüllung des mitempfundenen Verlangens, ist Befriedigung des
mitgefühlten Begehrens, ist wertvoll.

Dieser Wert ist nun aber schlechthin gültig, weil die Befriedigung überpersönlich ist. Es ist nicht mein persönliches Wollen,
dessen Erfüllung ich suche; das Wollen der Natur, das ich nachfühle
und nacherlebe, halte ich nicht fest, um für mich selbst etwas zu
gewinnen oder mich selbst zu schützen. Das Wiederfinden gleich-
gestimmten Wollens hat überhaupt keine Beziehung zu meiner
Persönlichkeit; denn wenn meine persönlichen Interessen im Spiel
wären, so würde die Natur mir Mittel und Zweck meines eigenen
Wollens sein und das Wollen der Dinge selbst bliebe mir unbeachtet
und unbekannt. Es ist nicht meine Laune, daß sich das Wollen des
einen im anderen wiederfinden soll, sondern die Wirklichkeit selbst
verlangt es von mir. Ich kann das eine Wollen gar nicht auffassen,
ohne nach gleichgestimmtem Wollen suchend auszuschauen und
durch ungleiches, unharmonisches Wollen gestört zu werden.

Dann scheint aber doch schließlich alles zur Persönlichkeit
zurückzukommen; die Schönheit ist dann doch schließlich durch
uns bedingt und nicht durch den Natureindruck. Denn jetzt stellt
es sich so dar. Die Natur ist schön, wenn eine Mannigfaltigkeit von
Wollungen in der Natur übereinstimmt, weil, wenn ich das eine, das

herrschende Wollen, verstehe, ich nach gleichgerichtetem identischen Wollen suche und von dem Wiederfinden befriedigt bin.
Im letzten Grunde ist also doch alles davon abhängig, daß ich selbst
bei der Erfassung eines Wollens in der Außenwelt nach zustimmen-
dem Mitwollen suche.   Ist dann nicht doch schließlich alles eine
persönliche Angelegenheit?   Durchaus nicht; denn der Wille, in
der Welt innere Übereinstimmung des Wollens zu suchen, ist doch
nur ein besonderer Ausdruck des Willens, die Welt, die uns im Erlebnis gegeben ist, als selbständig aufzufassen. Und dieses Wollen,
das erkannten wir an der Schwelle alles Philosophierens, ist in der
Tat kein persönliches, sondern das eine überpersönliche Grundwollen, ohne das jeder Streit der Ansichten und jedes Denken seinen
Sinn verliert. Daß die Welt mehr ist als unser Erlebnis, daß sie
selbständig ist, daß sie von eigenem Wollen erfüllt ist und ihre
Selbstheit somit darin bekundet, daß ihre Teile das gleiche wollen,
alles das ist ein notwendiges Wollen für jeden, den wir überhaupt
als Subjekt anerkennen dürfen.   Und die Befriedigung dieses
Wollens ist daher in der Tat von jedem zufälligen Persönlichkeits-
verlangen unabhängig. Daß die Welt ihr Selbstsein in der inneren
Übereinstimmung ihrer Wollungen bekunden soll, ist eine Forderung, die schlechthin überpersönlich ist, und die Erfüllung dieses
Verlangens muß somit allgemeingültig und notwendig wertvoll sein.

Ästhetische und logische Werte. Von hier aus können wir nun
in freier Ausschau den Gegensatz der ästhetischen und der logischen
Werte überblicken. Die Einheitswerte und Schönheitswerte auf der
einen Seite, die Daseinswerte und Zusammenhangswerte auf der
anderen Seite, sind gleichermaßen Erfüllungen des überpersönlichen
Verlangens·nach dem Selbstsein der erlebten Welt. Beidemal sind
wir befriedigt, weil wir das Erlebte, das wir in neuer Erfahrung
suchen, identisch wiederfinden; beidemal aber suchen wir es wieder,
weil nur das Wiederfinden uns das Selbstsein, die Unabhängigkeit
der Welt bedeutet. Wäre kein Wiederfinden des Identischen ein
Erlebnis, so wäre die Welt ein Zufallstraum und keine Welt. Die
Art, wie sich die Selbständigkeit der Welt bekundet und, dementsprechend, die Richtung, in der wir das Erlebnis wieder suchen, ist
beidemal grundsätzlich verschieden. Bleiben wir zunächst bei der
Welt der Dinge. Die logische Bewertung verlangt, daß das Ding als
Objekt das gleiche bleibt, die ästhetische Bewertung verlangt, daß

das Wollen der Dinge das gleiche bleibt; im ersten Falle ergibt sich die Forderung nach Beharrung der wahrnehmbaren Dinge in der Zeit, im zweiten Falle ergibt sich die Forderung nach innerer Übereinstimmung der nachfühlbaren Dingwollungen. Denn das Objekt ist identisch, wenn es selbst erhalten bleibt, das Wollen ist identisch, wenn es übereinstimmend gewollt wird.

Aus dieser Verschiedenheit ergibt sich verschiedenes Verhalten in jeglicher Beziehung. Zunächst muß der logische Wert das gegenwärtige Erlebnis mit der ganzen Weltreihe alles Denkbaren verknüpfen; denn, wenn die Dinge beharren sollen, so müssen sie auch in fernster Vergangenheit und Zukunft identisch ihr Dasein finden. Die Aufgabe ist also, das Gegebene mit allem Nichtgegebenen zu verknüpfen und so den ursächlichen Zusammenhang vermöge der Beharrungen der Dinge herauszuarbeiten. Die allernächste Forderung daher ist, daß die Wissenschaft verbindet, und zwar jedes einzelne mit allem, jedes Sandkorn mit dem Universum. Die ästhetische Betrachtung dagegen isoliert. Die übereinstimmenden Wollungen im Erlebnis schließen sich als Einheit zusammen und schließen alles Fremde aus; nichts weist über das harmonische Erlebnis hinaus, nichts verbindet mit Vergangenem und Künftigem; der Schönheitswert ist vollkommen, wenn nur das Gegebene in seiner Willensmannigfaltigkeit übereinstimmt. Denn auch das ist unverkennbar: in der Wechselbeziehung der Wollungen ist Einstimmung zugleich Erfüllung. Ein Wollen kann durch ein anderes Wollen ja nicht anders befriedigt werden, als daß es sich selbst aufs neue verwirklicht, aufs neue gewollt findet. Ein Wollen, das Wollen bleiben will, kann unter den Willenssubjekten nichts anderes suchen als Zustimmung, Mithilfe, Einklang. Die vollständige Einstimmigkeit ist daher vollständige Erfüllung, vollständiger Abschluß.

Die Wahrheit verbindet, die Schönheit isoliert. Nur scheinbar und äußerlich widerspricht dem ein anderes, das tatsächlich damit in engster Beziehung steht. Die Wahrheit sucht schließlich einfache Elemente, die Schönheit verlangt stets eine Mannigfaltigkeit, und zwar, da es sich um wollende Dinge handelt, eine bewegte Mannigfaltigkeit. In der Tat, wenn in der Wissenschaft alles auf die Beharrung des Objektes ankommt, so ist das beharrende Einzelne unabhängig vom Dasein der übrigen Dinge und die Möglichkeit, das Wechselspiel der Dinge aus der Beharrung der Teildinge zu begrei-

fen, wird um so größer sein, je einfacher die nebeneinander beharrenden Objekte gedacht werden. Die Schönheit dagegen verlangt
Übereinstimmung und setzt deshalb Mannigfaltigkeit voraus. Die
Wahrheit führt daher zum Atom, die Schönheit immer zur anschaulichen Vielheit, nur wird das atomistisch Wirkliche dann eben mit
allen vergangenen und künftigen Weltlagen verbunden, das mannigfaltige Schöne aber vollständig von aller übrigen Welt abgekapselt.

Die Erkenntnis bietet uns die Mittel und Wege zur Tat, denn
Einsicht in die Beharrung lehrt uns, aus dem Gegebenen das
Nichtgegebene, das Zuerwartende, das für das Handeln Wichtige zu
berechnen. Die Schönheit führt nicht über sich selbst hinaus, ist
daher praktisch unbrauchbar, aber sie lehrt uns das innere Wollen
der Welt verstehen. Da die Erkenntnis uns die Hilfsmittel unserer
Tätigkeit bestimmt und über ihren Erfolg entscheidet, so ordnen
wir uns der Wahrheit unter und durch die Unterordnung bemeistern
wir die Welt. Der Schönheit dienen wir durch Hingebung, aber in
der Hingebung überwinden wir die Welt und befreien uns von ihren
Nöten, denn die Hingebung an das Schöne erheischt, daß wir das
Wollen der Natur nachfühlen und so über dem Wollen der Dinge
das zufällige eigene Wollen aufgeben. Durch unsere Unterordnung
unter die Wahrheit erfassen wir die Welt als selbständiges unabhängiges Ding, durch unsere Hingebung an die Schönheit erfassen
wir die Welt als selbständiges unabhängiges Wollen.

Nun haben wir bisher den Gegensatz nur für die Außenwelt
gezeichnet. Aber wir wissen, daß genau dieselben Forderungen,
welche sich für den Daseins- und Zusammenhangswert der Dinge
ergaben, auch für die Wesen der Mitwelt und die Akte der Innenwelt wiederkehrten. Auch die Wesen und Akte stellten sich in
einem objektiven Dasein dar, dem wir uns unterzuordnen haben, um
aus dem Gegebenen das Nichtgegebene und durch das Nichtgegebene
wiederum voller das Gegebene zu begreifen. Auch da fanden wir die
Beharrung im Feld der Geschichte und der Vernunft; auch da die Gewinnung einfacher Elemente und ihre Verknüpfung mit der Gesamtheit der Wirklichkeiten. Auch die Wesen und Akte sind
ebenso wie die Dinge für uns Erkennende ein unendliches System,
das uns objektiv gegenübersteht, und in dem jedes Ergreifen immer
nur von einem Erlebnis zum anderen führt, ohne Ruhe, ohne
Ende, ohne inneren Abschluß.

Da stellt sich naturgemäß die Erwägung ein, ob nicht auch jene andere Bewertung, die ästhetische, die nicht äußere Zusammenhänge, sondern innere Übereinstimmung sucht, die nicht das Beharrende verfolgt, indem sie verknüpft, sondern das innere Wollen verstehen will, indem sie isoliert — ob nicht auch diese ästhetische Bewertung für die Mitwelt und die Innenwelt ebenso gültig ist wie für die Außenwelt. Gibt es somit — vorläufig noch fernab von den Kulturwerten der Kunst — unmittelbare Lebenswerte, in denen die innere Willensübereinstimmung in den Wesen der Mitwelt oder in den Wollungen der Innenwelt zu selbständiger Bewertung gelangen kann? Ohne Zaudern muß die Frage bejaht werden. Es ist willkürlich, die ästhetischen Einheitswerte auf die Dinge zu beschränken; in der Mitwelt und Innenwelt kehren die Forderungen der Außenwelt wieder. Die Wesen der Mitwelt gewinnen diese Willenseinheit in Freundschaft und Liebe und Friede; die Regungen der Innenwelt einigen sich im Glück. Vielleicht bezeichnet es das Wesentliche am besten, wenn wir die Einstimmigkeit der Wesen als Liebe, die Einstimmigkeit der Dinge als Harmonie bezeichnen. So haben wir denn als Einheitswerte in der Außenwelt die Harmonie, in der Mitwelt die Liebe, in der Innenwelt das Glück zu suchen.

A. Die Harmonie.

Naturschönheit und sinnlicher Genuß. Wir haben den Begriff des Einheitswertes bisher im wesentlichen mit Rücksicht auf die Harmonie der Dinge abgeleitet, und die Kunst meisthin, die Eintracht der Wesen und den Einklang der Innenwelt überall außer acht gelassen. So steht uns denn alles Wichtige für die Harmonie bereits fest und es gilt nur noch, schärfer abzugrenzen und das Einzelne zu betonen. So haben wir bei einer Abgrenzung noch kaum verweilt: die ästhetische Einheitsbewertung scheidet sich grundsätzlich von dem sinnlichen Genuß an den Darbietungen der Natur. Der Tautropfen, der die Rosenknospe netzt, der ewige Sternenhimmel in klarer Winternacht, das Zarteste und das Erhabenste da draußen mag uns ein Schauspiel sein, das wir bewerten. Der frische Wind aber, der uns kühlt, die Sonne, die uns wärmt, die Frucht, die uns wohl schmeckt, die Lippen, die zum Kusse reizen, sie versprechen und gewähren persönlichen Genuß, dessen Lustbetonung der überpersönlichen Bewertung grundsätzlich gegenübersteht. Das Verlangen, das im Genuß befriedigt wird, ist mein eigenstes Verlangen nach einem bestimmten Erlebnis; ich halte die Vorstellung des saftigen Geschmacks der Frucht fest, bis sie in sinnlicher Erfahrung mir verwirklicht wird. Daß ich sie festhalte und ihre identische Verwirklichung mit Befriedigung aufnehme, ist durch das auf meine eigenen Zustände gerichtete Wollen bedingt. Die Vorstellung selbst war von Lust begleitet und die Lust erweckte den Körpervorgang, der zur Verwirklichung führte.

Bei der ästhetischen Bewertung dagegen ist es das Ding selbst, dessen Wollen seine Verwirklichung im gleichgerichteten Mitwollen der umgebenden Natur sucht; wir sind ästhetisch befriedigt, wenn wir jenes einheitliche Mitwollen in den Dingen spüren, weil wir mit dem Dinge mitfühlen, für den nachgefühlten Willen gleichsam suchen gehen und das Auffinden somit unser eigenes Suchen belohnt. Wir suchen aber nach dem Gleichgesinnten — gleichgesinnt nicht mit uns, sondern mit dem Wollen der Dinge — weil wir den einheitlichen unabhängigen Selbstwillen der Natur verstehen wollen und die Natur uns noch kein Selbst ist, solange sie sich zu widersprechen scheint und sich nirgends in Übereinstimmung mit sich selbst ausspricht. Im Naturgenuß ist die Natur Mittel für die Befriedigung unseres eigenen Wollens, in der ästhetischen Naturbewertung sind wir befriedigt über die Selbsterfüllung des Naturwillens, befriedigt weil wir erst mit der Natur mitwollen, um ihren Sinn zu erfassen, und dann ihre eigene Willensharmonie uns wunschlose Erfüllung des überpersönlichen Verlangens zuträgt.

Die Schönheit ist somit sicherlich kein Gegenstand willensfreier Betrachtung, nur sucht der Wille kein im persönlichen Zustand bedingtes Ziel, sondern die einstimmige Selbstheit der Welt. Dieses Erlebnis ist aber um so weniger willensfrei, als die gewollte Einstimmigkeit ja nicht nur Gegenstand des Wollens ist, sondern selbst eine Beziehung zwischen Wollungen ist, die nachgefühlt sein müssen. In der Schönheit wollen wir eine Beziehung zwischen Naturwollungen, die wir selbst nachwollen — sicherlich stehen wir der Willenswelt niemals näher. Dabei ist noch ein weiteres nicht zu vergessen. Die Erfüllung, die ein einzelnes Naturwollen in seiner Umwelt sucht, ist einstimmendes Mitwollen, aber weder das tonangebende noch das einklingende Wollen ist dadurch aufgehoben;

im Gegenteil, ihr Einklang verstärkt sie und steigert ihre Lebhaftigkeit. Auch in der vollkommensten ästhetischen Befriedigung bleibt somit die Mannigfaltigkeit wollend und tätig; es ist das Gleichgewicht nicht endender seelischer Bewegungen; von einer Willensauslöschung darf nicht die Rede sein. Und dennoch nun die freischwebende, von allem Selbstverlangen losgelöste Ruhe, die vollendete Wunschlosigkeit, während jeder Genuß mit einem Wunsche einsetzt und noch in der Befriedigung jene Lust verlangt, die selbst wieder Wunsch ist nach fortdauerndem Genusse.

Solche grundsätzliche Gegenüberstellung schließt es nun in keiner Weise aus, daß beide Gefühle sich verbinden. Wenn wir von sonniger Straße erhitzt in den schattigen Wald eintreten, der kühle Quelltrunk unseren Durst stillt und nun Beeren im Moose uns laben, so mag der lebhafte Genuß und das sinnliche Behagen rein zusammenklingen mit der wunschlosen Hingabe an den Waldesfrieden. Eine scharfe Grenze im Erlebnis selbst zu ziehen, wäre um so widersinniger, als zweifellos zwischen dem genießenden Verlangen und der ästhetischen Bewertung mannigfache Beziehungen bestehen können, die nicht selten in wechselseitige Begünstigung übergehen. Wir verlangten für die Bewertung nur, daß wir das Wollen der Dinge nachfühlen und die Einstimmigkeit dieses Wollens suchen und finden. Wir nahmen dann aber stillschweigend an, daß dieses Nachfühlen unsere persönliche Wunschlosigkeit veraussetzt, denn, wenn das Ding Objekt unseres persönlichen Verlangens wäre, so würde das selbstvergessene Nachfühlen gehemmt. Das trifft nun auch meisthin zu; das Ding, das wir benutzen oder das wir vermeiden, ist uns nur Objekt und nicht ein eigenes Wollen. Das schließt aber grundsätzlich nicht aus, daß das eigene Verlangen nach dem Dinge sogar gesteigert werden mag durch ein Nachfühlen des entgegenkommenden Naturwollens. An sich wäre es also nicht unmöglich, daß jedes Element einer ästhetisch bewerteten Mannigfaltigkeit für unser Ich Gegenstand des Verlangens, des Wunsches, des Genusses sei. Und doch tritt dadurch das Wesen der Bewertung nur noch deutlicher hervor. Denn dabei muß es bleiben, daß auch dann das Naturschöne nicht deshalb wertvoll ist, weil jedes nachgefühlte Naturwollen da zugleich einem begehrten lustspendenden Dinge zugehört, sondern ausschließlich deshalb, weil das miterlebte mannigfaltige Naturwollen in sich übereinstimmt.

Es ist daher an sich nicht einmal ausgeschlossen, daß die Natur ästhetisch wertvoll auch da ist, wo die Elemente oder selbst das Ganze Objekte des Widerstrebens sind. Die Landschaft mag schaurig sein, die Schlucht und der reißende Strom unheimlich, der Felsenweg schmerzend, der Sturmwind eisig und doch, trotz unseres Unbehagens, belebt sich Fels und Strom und Wind, wir fühlen ihr drohendes Wollen nach und die Einstimmigkeit ihres Willens erschüttert uns mit überwältigender Schönheit. Ästhetisch wertfrei ist die Natur, sobald wir überhaupt ihr Wollen nicht nachfühlen; ästhetisch wertwidrig aber ist sie nur, wenn das nachgefühlte Wollen nicht zusammenstimmt, dagegen ist sie durchaus noch nicht ästhetisch wertwidrig, weil sie Gegenstand des persönlichen Widerstrebens ist. Zweifellos geht in das Erhabene sogar stets ein Stück seelischer Unlust ein; es ist ein ästhetisch Wertvolles, dessen Willenseinstimmigkeit wir durchaus erfassen, dessen Wollen aber uns überwältigt und niederdrückt. Und dementsprechend mag in der Anmut stets eine Beimischung von Lust zu finden sein. Nur in dem rein Schönen ist jedes, das in die Harmonie der Wollungen eintritt, selbst wieder eine ästhetische Harmonie in sich, jenseits von Lust und Unlust. Jedes Hauptwollen, das da im Gesamtbild Übereinstimmung ausdrückt, ist selbst der Zusammenschluß vieler harmonischer Unterwollungen, und von diesen wiederum jede der Einklang noch einfacherer Naturregungen: da wachsen in der schönen Landschaft nur schöne Blumen und jede schöne Blume trägt nur schöne Farben, und doch ist jede schöne Farbe nur wieder deshalb schön, weil ihr Ton und ihre Stärke und ihre Sättigung und ihre Ausdehnung, und ihre Form und ihre Umgebung alle dasselbe wollen.

Der Sinn des Naturwollens. Was ist nun der Sinn und die Bedeutung dieses Wollens in den Dingen der Natur? Auf dunklem Weiher zieht still der Schwan. Jede Linie der reinen Schwanenform, jede Lichtwirkung in seinem Gefieder und in seinem Spiegelbild, jede Bewegung seiner Flügel, und selbst die stille Furche zwischen den Wasserrosen — jegliches klingt zusammen in der stimmungsreinen Schönheit des Erlebnisses. Was ist denn nun da der Wille der Natur, der so einheitlich zum Ausdruck kommt und der offenbar verwischt, verworren, vernichtet wäre, wenn der Schwanenhals kurz, oder die Farben bunt, oder die Bewegungen heftig, oder das Wasser schmutzig wären. Sicherlich ist es nicht eine abstrakte Lehre, die uns da verkündet wird; nicht: sei wie ein Schwan! Der Schwan hat überhaupt nichts zu sagen, was uns persönlich angeht. Auch die unmittelbare Aufforderung: nimm Teil an diesem Frieden der Natur! kann nicht der Sinn des Naturwollens sein, denn umgekehrt nur soweit als unser Nachfühlen in das sanfte Weiherbild eindringt, und somit bereits teilnimmt, kann dieses Stück Natur überhaupt für uns wollend werden und somit Sinn gewinnen. Was wir nicht nacherleben, bleibt uns stumm; wird es lebendig, so tut die Mahnung zum Nacherleben nicht mehr not. „Wär nicht das Auge sonnenhaft, die Sonne könnt es nicht erkennen."

Noch weniger kann der Sinn des Naturschauspiels in einer begrifflichen Mitteilung gefunden werden. Wir bewerten das Schwanenbild nicht, weil es uns eine vollendete Erkenntnis von dem gibt, was für den Schwan im naturwissenschaftlichen Sinn typisch sein mag. Der Schönheitssinn bewegt sich überhaupt nicht in der Richtung, in der die Zoologie und Anatomie vorschreiten müßten, um das Wesen des Schwans zu erfassen. Der naturwissenschaftliche Begriff des Tieres ist mit Rücksicht auf ursächliche Zusammenhänge gebildet, die selbst wieder auf die äußeren Beziehungen der körperlichen Teile zurückweisen. Die ästhetische Auffassung hat es aber überhaupt nicht mit den Körperteilen, sondern mit den Strebungen und Regungen zu tun, deren Einstimmigkeit durch keine physiologische Unmöglichkeit gestört werden würde. Daß unser begriffliches anatomisches Wissen bei abnormer Gestalt vielleicht hindernd dazwischen tritt und die Nachfühlung hemmt, oder beim typischen Naturgebilde das Einleben fördert, hat mit der ästhetischen Bewertung selbst nichts zu tun.

So spricht das Naturschöne uns weder eine Mahnung noch einen naturwissenschaftlichen Begriff aus. Kommen wir der Wahrheit näher, wenn wir seinen Sinn in einer Idee suchen, die jenseits des Wirklichen ruht und deren übersinnliche Kunde sich in der Natur verrät? Nichts liegt uns hier ferner. Hat die Natur ihren Sinn in ihrem Wollen, so knüpft die ästhetische Bewertung als solche dieses Wollen noch an keine metaphysische Jenseitigkeit. Die schöne einstimmige Natur, der wir uns wunschlos hingeben, gilt uns als freischwebende Abgeschlossenheit, die nichts anderes als sich selber will. Ihr Wollen ist frei und selbständig dem genießenden Beschauer gegenüber, doch nicht minder selbständig und frei gegenüber unsinnlichen Übermächten. Gewiß kann auch die metaphysische Überzeugung des Bewertenden die ästhetische Auffassung beeinflussen; aber die Wirkung ist nicht anders als die des begrifflichen Wissens. Auch die Überzeugungen und in gleicher Weise die sittlichen Vorstellungen können fördernd oder hemmend auf das Nacherleben einwirken und somit die Vorbedingung ästhetischer Auffassung im Einzelfall begünstigen oder erschweren, aber die ästhetische Harmonie bleibt davon unberührt. Wo unser sittliches Gefühl oder unsere metaphysische Weltanschauung sich auflehnt, da ist uns ein echtes Einfühlen unmöglich; die Dinge sind uns dann Übel, die wir bekämpfen, nicht aber selbst Gefühle und Wollungen. Da aber, wo das Wollen der Welt einklingt in unser letztes Suchen und Sehnen, wird das Nacherleben sich leicht vollziehen. Die Harmonie der Dinge bleibt doch aber auch dann nur Einstimmigkeit im Ausdruck der Dinge selbst.

Beharren wir aber bei der Frage, was denn nun eigentlich ausgedrückt werde, wenn es nicht Lehre, nicht Begriff und nicht übersinnliche Idee ist, so können wir doch nur immer wieder auf die Naturgestalten selbst verweisen. Ihr eigenes Wesen drücken sie aus, ihre eigene Lieblichkeit und ihre eigene Würde, ihre Erregung und ihre Ruhe, ihren Lebensdrang und ihren Lebensverzicht, ihre Heiterkeit und ihre Verträumtheit. Und doch führt jedes begriffliche Wort da schon wieder in die Irre: die Natur macht keine Programmmusik. Das, was der Schwan in seiner sanften Bewegung durch den schwarzen Weiher zu sagen hat, kann in keiner anderen Sprache gesprochen werden.

Noch nach anderer Richtung mag es nötig sein, den ästhetischen Einheitswert der Natur begrifflich abzugrenzen. Eine Zusammengehörigkeit der Naturdinge findet auch der Naturforscher, der überall die Zweckmäßigkeit der natürlichen Dinge erkennen kann. Daß die Natur zweckmäßig für unsere eigenen Arbeiten ist, gehört nicht hierher. Aber daß die Natur in ihren Wechselbeziehungen so überraschende Zweckmäßigkeit aufweist, das scheint denn doch eine neue Bekundung für die Harmonie der Dinge zu sein. Wie wunderbar etwa passen die Blüten und die Insekten zusammen. Trotzdem wäre das Wesentlichste preisgegeben, wenn die beiden Verhältnisse gleichgesetzt würden. Die wechselseitige Angepaßt-

heit der Dinge gehört schlechthin ihrer äußeren Objektnatur zu
und hat keinerlei Beziehung zu ihrem Sinn, ihrem Ausdruck, ihrem
inneren Wollen. Die historische Verkoppelung von Naturschönheit und Naturzweckmäßigkeit muß sich für uns also auflösen;
der überpersönliche Einheitswert, den wir suchen, verlangt, daß wir
den Willen des einen im Willen des anderen wiederfinden, und
begnügt sich nicht damit, daß die Erhaltung des einen durch die
ursächlichen Einwirkungen des anderen gesichert werde. Solche
äußerliche Einheit kehrt in jedem physikalischen System wieder und
ist ästhetisch belanglos.

Nur von einer Spielart der Naturbewertung sei noch die Rede;
zuweilen ist sie irrtümlich für den einzig möglichen Fall gehalten
worden. Der Kulturmensch, der sein Seelenauge an den Werken der
bildenden Kunst geübt hat, und dessen Sinn von den Suggestionen
der Lyrik erfüllt ist, mag nun in die Natur selbst hinausschauen, als
wenn sie ein Gemälde im Rahmen wäre und ihre Stimmung ein
lyrisches Gedicht. Wer das vermag, ist sicherlich dem Geist der
Naturschönheit nicht untreu, und mancher Antrieb der natürlichen
Bewertung wird auf diesem Umweg durch die Kunst bereichert und
entwickelt. Nur darf davon nicht die Rede sein, daß es die einzige
Art der ästhetischen Naturauffassung sei, neben der es nur sinnlichen Naturgenuß gäbe. Die Natur, die durch die Augen des
möglichen Kunstwerks gesehen wird, behält ihre reinen ästhetischen
Werte, weil das Kunstwerk selbst diese unmittelbaren Werte nur
verstärkt und herausarbeitet, nicht aber neu erschafft. Die ästhetische Wertung der erlebten Natur in ihrer Willenseinstimmigkeit
ist durchaus der ästhetische Ausgangspunkt; wie weit es zugleich
der geschichtliche ist, gehört ganz anderer Fragestellung zu. Wer
diese Werte durch die Gewöhnung an die Kunst mit neuer Schärfe
und Lebhaftigkeit wahrnimmt, vermag es nur, weil die Kunst diese
Werte aufsucht und festhält; die Werte aber bestehen unabhängig
und selbständig, und die ästhetische Naturbewertung setzt ein, sobald die Benutzung der Natur für Arbeitszwecke oder für sinnlichen
Genuß durch nachfühlendes Miterleben ergänzt wird. Der Soziologe
mag mit Recht behaupten, daß die Kultur und Kunst mitgewirkt
haben, uns den Sinn für die Einstimmigkeit des Naturfühlens zu
wecken; unser Erlebnis aber sagt uns, daß uns die Harmonie der
Sphären am reinsten klingt, wenn wir Kunst und Kultur vergessen.

B. Die Liebe.

Das Einswerden der wollenden Wesen. Im reinen Erlebnis
trafen wir nicht nur die Außenwelt, sondern mit gleicher Unmittelbarkeit die wollende Mitwelt. Gefühl und Streben der anderen war
uns niemals nur ein hinzugedachtes, das, auf Grund äußerer Ähnlichkeit, nach der Schablone des eigenen Innenlebens in den Körper
des Nachbars hineinverlegt wird. In lebendiger Gewißheit, so sahen
wir, erreicht der Wille den Willen, und von neuem stellen wir uns nun
auf diesen Standpunkt des reinen Erlebnisses, für den die Wirklichkeit noch nicht entwillt ist und das Erlebte noch nicht in Physisches und Psychisches zerspalten ist. Die Außenwelt ist uns da
noch Hilfsmittel und Widerstand und Ziel unseres Strebens, die
Mitwelt aber ist Mitstreben und Widerstreben, das als Zumutung an
unseren Willen herantritt. Wir sahen, wie diese Hilfsmittel und
Widerstände zum Daseinswert erhoben werden; dann wurden sie
uns die wirklichen Dinge und ihr bewerteter Zusammenhang war
die Welt der Natur. Wenn aber der Daseinswert jene Zumutungen
der Mitwelt hob, dann wurden sie zu wirklichen Wesen und ihr
Zusammenshang die Welt der Geschichte.

Statt so nach erkennbarem Dasein und Zusammenhang zu
suchen, konnten wir aber einen überpersönlichen Wert in der Außenwelt noch in anderem Sinne finden; schlechthin wertvoll ist nicht
nur ihre Beharrung im Zusammenhang der Natur, schlechthin wertvoll ist auch die harmonische Einheit ihrer schillernden Mannigfaltigkeit. Dürfen wir nun, weiterschreitend, in gleicher Weise
schlechthin gültigen Einheitswert auch dann erwarten, wenn sich
die Seelen harmonisch zueinander finden? Hat die Mitwelt für uns
nur dadurch vom Erlebnis losgelösten Wert, daß sie Wesen hinstellt,
die mit dauerndem Einfluß in den Zusammenhang der Geschichte
treten, oder kann auch hier, wie in der Harmonie der Dinge, nun
ein freischwebender ewig gültiger Wert sich aus der Eintracht des
Willens formen? Aber unmöglich wäre es, hier die Zustimmung
zu versagen: ist doch aufs neue uns eine Willensmannigfaltigkeit
gegeben, die wir nacherleben, mit der wir mitfühlen können und
deren Einstimmigkeit wir verstehen wollen. Aufs neue sind damit
alle Bedingungen der reinen Bewertung erfüllt. Nennen wir Liebe
den Seeleneinklang, der in Freundschaft und Leidenschaft und
Frieden und Menschenverbrüderung hintönt, so muß die Liebe ein

schlechthin gültiger ästhetischer Wert sein. Sie ist die überpersönliche Schönheit der Wesenwelt so wie die Harmonie der Dinge die reine Schönheit der Naturwelt war.

Auch inmitten der schönen Natur schon steht der Mensch. Da steht er in der Maskerade seines bunten Kulturkleides als malerisches Ding unter Dingen; da steht er in edler Nacktheit, und jede Linie kündet die lichte Reinheit der Natur. Aber im Reich der Natur ist auch der Mensch in seiner Edelform nur Angeschautes wie die Blumen im Felde. In der Liebe aber soll uns die Seele sprechen. Das mag zunächst freilich wie ein Widerspruch klingen. Als wir beim Schönen in der Natur verweilten, lag uns ja alles daran, einzusehen, daß die Natur nur dann schön ist, wenn sie einstimmig ist und nur dann einstimmig sein kann, wenn sie in ihren Dingen einen inneren Willen bekundet. Der Mensch, der da als Staffage in die Natur gelagert ist, der schöne Körper, das edle Antlitz, sind somit auch dort schon Ausdruck eines Sinnes. Sicherlich ist es so, aber das Wollen ist dann eben das Wollen jener harmonischen Form, unbekümmert um das Wollen des wirklich stellungnehmenden Wesens. Was jener nackte Frauenkörper durch das Spiel seiner Linien sagt, ist unabhängig von dem, was in der Seele der Frau vorgeht; nicht anders als wie der Schwan im Weiher in seinem Dahingleiten uns einen Sinn kündet, von dem sein Vogelverstand nichts ahnt. Jede neue Stellung, jede neue Verkürzung, jede neue Linie des flatternden Haares, verändert das Wollen jener Gestalt und bringt neue Ausdruckseinheiten mit sich; das Wollen des inneren Menschen blieb davon unberührt, und die Gestalt wird rege ihren eigenen Sinn weiterwollen, wenn etwa im Schlaf das Wollen der Persönlichkeit zur Ruhe kam.

Nun soll uns aber nicht mehr die Einheit der äußeren Erscheinung fesseln, sondern der Einklang, das Einswerden jenes Wollens, das im inneren Wesen wirksam ist. Immer hat das nur einen Sinn und kann keinen anderen haben: daß dein Wille mein Wille wird und mein Wille dein Wille. Aber die Formen dieses Einswerden sind unendlich in ihrer Mannigfaltigkeit. Der Einklang mag kurz oder lang sein, von dem flüchtigen Willenszusammenschluß im Kinderspiel und loser Geselligkeit bis zu dem Bunde, der sich treu ist bis über den Tod. Der Einklang mag einen winzigen Teil der Persönlichkeit ergreifen oder ihre ganze Fülle, von dem Mitgefühle

mit dem Leid des zufällig Begegnenden bis zu der Lebensfreund-
schaft, für die es kein Verborgenes, kein Fremdes in der Seele des
anderen gibt. Der Einklang mag im engsten wie im weitesten Kreise
entstehen, von der Liebe zwischen Mann und Weib, die alles ausschließt, außer dem einzigen, dem Geliebten, bis zu der Menschen-
liebe, die alles einschließt, was Menschenantlitz trägt. Der Einklang
mag freudig, mag tragisch sein, vom glücklichen Rausch, in dem
sich zwei junge Seelen finden bis zu dem Martyrium der Barmherzigkeit, die sich im Dienste opfert. Der Einklang mag von selbstischem Genuß getragen und mag schlechthin selbstlos sein, von
der Leidenschaft im Wonneschauer des Einswerden, die das Selbst-
gefühl triumphieren läßt, bis zur Mutterliebe, die das Selbst auslöscht, damit ein anderes Selbst sich selber wollen kann.

Die Psychologie der Gesellschaft hat die Fülle dieser ver-
wandten Erscheinungen in ihrer Verschiedenheit darzulegen und
die durcheinanderspielenden Regungen zu entwirren; die Geschichte
der Gesellschaft hat ihre Entfaltung in der Menschheit zu verfolgen und die Wechselbeziehungen und Einflüsse dieser sozialen
Einheitsformen festzustellen. Uns aber kümmert hier nur der überpersönliche Wert dieser Einheiten, ein Wert, der nicht herabgezerrt wird, wenn wir im höchsten Sinne ihn ästhetisch nennen. Die
Gewohnheit widerspricht dem. Die übliche Auffassung bestreitet
dieser Seeleneinheit entweder den schlechthin gültigen Wertcharakter oder schiebt den Wert einer ganz anderen Gruppe zu, den sitt-
liehen Werten, bestimmt ihn vielleicht gar als den grundlegenden
und beherrschenden sittlichen Wert.

Die Willenseinheit und die Sittlichkeit. Schopenhauers Erneuerung der indischen Mitleidslehre hat solchem ethischen Bekenntnis
den klassischen Ausdruck gegeben. Nur wer von der Gewißheit getragen wird, daß der andere und das eigene Selbst im Grunde eines
und das gleiche seien, nur der handelt gut, und wer im eigenen
Wollen dem fremden entgegenwirkt, in der Bejahung des eigenen
Lebens das Wollen der anderen verneint, der handelt böse. In dem
Zusammenfließen der Seelen liegt somit Anfang und Ende aller
Sittlichkeit. Freilich in der Welt als Wille und Vorstellung ist für
das unmittelbare Erlebnis nur die Innenwelt ein Wille, die Mitwelt
dagegen eine Vorstellung. Um vom Willen des anderen zu wissen,
bedarf es dann, in der Grenze der Erfahrungswelt, jener Hineinver-

legung eines Wollens in den Körper, auf Grund der im eigenen Leibe
gefundenen Willenstätigkeit. Diese den Individuen zugehörigen
Wollungen verharren somit in der räumlich-zeitlichen Trennung
der Körper und können sich nur dann wirklich zusammenfinden,
wenn alle Individualität aufgehoben wird und wir aus der Erfahrungswelt in die metapsychische Unwirklichkeit des einen Allwillens versinken, in der es noch keine persönliche Vielheit geben
kann.

Wir müssen dagegen energisch an unserem ganz andersartigen
Ausgangspunkt festhalten. Daß Wille sich mit Wille berührt,
war uns kein metaphysisches Überwinden des Erlebnisses, sondern
der unmittelbarste Ausdruck der Wesenbeziehung, nicht minder
ursprünglich als die Erfahrung von Dingen. Wir bleiben dann so
recht im reinen Erlebnis, wenn wir gewiß werden, daß des Freundes
Wille der eigene Wille, daß seine Freude die eigene Freude, sein
Leid das eigene Leid ist. Da ist kein Umweg durch erfahrungs-
fremde Übererlebnisse nötig und auch kein Niederreißen der
Körperschranken, da uns der Wille des anderen von vornherein
nicht als eine hineinverlegte Ausfüllung des wahrgenommenen
Objekts, sondern als unmittelbar erfaßte besondere Art der Wirklichkeit entgegentrat. Ob die Willensverschmelzung zweier Wesen
wertvoll ist, bleibt uns also eine Frage, die fern ab von metaphysischen Spekulationen zu lösen ist. Uns kann der Wert der
Willenseinheit nicht darin liegen, daß sie das Erlebnis überwindet
und zur absoluten Urwirklichkeit hinführt, denn für uns ist gerade
die Willenseinheit unmittelbare Lebenserfahrung; erst wenn wir die
Wirklichkeit der Erlebnisse künstlich in Wahrnehmungen umsetzen und aus den wollenden Wesen kausal zusammenhängende
Dinge machen, erst dann schaffen wir jene Schranken, die nachträglich nur durch überwirklichen Seelenanschluß überflogen
werden können.

Wenn aber so der übersinnliche Hintergrund wegfällt, in
welchem Sinne haben wir dann noch ein Recht, das Ineinanderweben des Wollens als einen sittlichen Wert zu prüfen? Nun
können wir freilich an diesem Punkte unserer Untersuchung noch
nicht entscheiden, was denn im System der Werte endgültig als
sittlich wertvoll gelten soll. Erst wenn wir von den Leistungen der
Persönlichkeit, von der freien Tat und Entscheidung sprechen,

können wir sorgsam das Sittliche vom sittlich Gleichgültigen
sondern. Aber daß wirklich nur dort, im Reiche der Tat, der Entscheidung, der Leistung das Sittliche zu suchen und zu bestimmen
sei, das müssen wir schon hier im Auge behalten. Daß wir in ir-
discher oder himmlischer Liebe das eigene Selbst erweitert fühlen,
daß die Elternseele mitklingt im Jubel und im Schmerz der Kinder,
daß, wer einen Freund gefunden, sein eigenes Fühlen vertrauensvoll
im Freunde aufgehen läßt, ja daß ein hingebendes Gemüt Freude
und Leid von überall her mitleidsvoll und mitfreudig widerhallt, das
ist nicht Tat, nicht Leistung, nicht freie Entscheidung. Wie es
geschah, wir wissen es selbst nicht; wir haben es nicht gewählt, wir
konnten nicht anders; so zu fühlen und mitzuempfinden, das ist
unsere Art des Seins. Unsere Liebe, die unser Glück und unser
Reichtum ist, zu besonderem persönlichem Verdienst zu stempeln,
das wäre eine Gefühlsverschwommenheit, bei der die wahrhaft
sittliche Entscheidung ihren einzigartigen Wert verlieren müßte.
In seinem Gemüt die Liebe und die Freundschaft zu finden, die
Güte und die Barmherzigkeit, das ist ein Geschenk des Lebens von
unendlichem Wert, aber mit dem Verdienst der Sittlichkeit hat
solche Gemütsart zunächst so wenig zu schaffen, wie musikalisches
Talent oder mathematische Begabung.

   Wenn es aber kein sittliches Verdienst ist, ein hingebendes
liebendes Gemüt zu besitzen, so ist es sicherlich auch keine sittliche
lobheischende Leistung, wenn der Mitfühlende seiner Gemütsart
gemäß zur Tat schreitet. Wenn eine Mutter zum Schutz des zärt-
lich geliebten Kindes so handelt, als wenn sein Schmerz ihr eigener
Schmerz wäre, dann wähnt sie selber nicht, sich ein sittliches Verdienst zu erwerben. Sie folgt dem Triebe, der sie vom eigenen mitgefühlten Leid befreit. Im Grunde kann es aber nichts anderes
sein, wenn die seelische Vereinigung über den engsten Kreis der uns
Einzigen hinausgreift. Wenn wir den Nächsten wirklich wie uns
selber lieben, dann ist, für den Nächsten zu mühen und zu sorgen,
eine Handlungsweise, die sich gar nicht in der Richtung des sittlichen Verdienstes bewegt. Sie ist deshalb vielleicht nicht weniger
wertvoll als eine sittliche Tat, nur eine sittliche Tat ist sie nicht.
Vielleicht mag es sogar zweifelhaft erscheinen, ob die Seeleneinheit
begünstigend auf die Entwicklung der wahrhaft sittlichen Leistungen einwirkt. Die Tat, die um der Pflicht willen getan wird, ge-

deiht nicht in der weichen Seelenstimmung der Hingebung und
Liebe. Im Streit der Überzeugungen, im Kampfe gegen das Unrecht, in der Strenge harter Lebensproben, da wird die Sittlichkeit
fester Wurzeln fassen als dort, wo alles Wünschen freudig wieder-
klingt.

So lehnen wir es grundsätzlich ab, den Seeleneinklang als
Prinzip der Sittlichkeit zu bewerten. Die Liebe ist eines und die
Pflicht ein anderes. Nun soll die Pflicht und Sittlichkeit schlechthin wertvoll sein: dürfen wir deshalb schließen, daß die Liebe keinen
schlechthin gültigen Wert besitzt? Ist das Einswerden der Seelen
wirklich nur persönliche Beseligung, nur Begier und Genuß, nur
zufällige Anlage, die in Freundschaft und Liebe und Menschenwohl
Befriedigung sucht, nicht anders als die Neigung zu süßen Früchten
und schäumendem Weine? Auch davon darf für uns nicht die Rede
sein. Die Seelenhingabe hat keinen sittlichen Wert, und wer menschliches Tun unter dem einen Gesichtspunkt ordnen wollte, daß wertvoll nur das ist, was sittlich verdienstvolle Leistungen darstellt, der
mag die Neigung und die Liebe als gleichgültig ausscheiden oder
gar als Schwäche schelten. Die Seelenhingabe aber hat deshalb doch
unendlichen Wert, einen Wert so schlechthin gültig und unvergänglich wie die Sittlichkeit selbst, den ewigen Wert der in sich ruhenden
Vollkommenheit. Den ästhetischen Werten hatten wir die Liebe
deshalb einzuordnen. Nur dürfen wir daher nicht den ästhetischen
Wert im spielerischen Sinne des Wortes deuten, als wäre der Einklang der Seelen nur ein anmutiges Schauspiel, das unser Dasein
verschönt und den Ernst des Lebens mit gefälligem Spiele schmückt.
Wir benutzten das Wort ästhetisch für die gesamten Einheitswerte,
weil alle Kunst und die Schönheit der Natur in diesen Kreis gehört,
aber ein heilig ernster, das Tiefste ergreifender Wert war da gemeint. Und wie die Sternennacht in ihrer ewigen Schönheit uns mit
unendlicher Erhabenheit den Sinn der Einheitswerte ahnen läßt,
so tritt mit unendlicher Größe der Einheitswert auch dort zu uns,
wo zwei Seelen durch Wonne und Schmerz in ewiger Treue eins geworden sind.

Das Bewußtsein der Einheit. Behalten wir aber das Wesentliche im Auge. Der Wert, wie wir ihn hier erfassen wollen, darf
nicht etwa in dem Gefühl der einen hingebenden Persönlichkeit
gesucht werden. Das würde den Sinn der Bewertung vollständig

aufheben. Wer da liebend nach der Seele des anderen sucht, erlebt in seinem Verlangen zunächst eine rein persönliche Regung, deren Befriedigung wieder nur persönlichen Wert hat; sein Einzelgenuß in der Nähe des Geliebten im Verkehr mit dem Freunde mag in vielen Beziehungen höher stehen als der Genuß an labendem Trunk, aber bleibt an sich ebenso individuell, und daher ebenso unfähig, zur Höhe eines überpersönlichen Wertes gehoben zu werden. Der wirkliche ästhetische Wert gebührt durchaus nur dem Einswerden der Willensmannigfaltigkeit. Es wiederholt sich da und muß sich notwendig wiederholen, was wir in jedem Wertgebiet fanden, daß ein Einzelnes als solches niemals überpersönlichen Wert hat, sondern stets nur eine Beziehung zwischen zwei gesonderten Wirklichkeiten, die in gewissem Sinne identisch werden.

Das ästhetische Ganze steht ja freilich als ein Einzelnes da, abgesondert vom Rest der Welt, aber das, was seinen Wert ausmacht, ist die Beziehung seiner Teile, ist die Einheit seiner eigenen Mannigfaltigkeit. Ob die Teile selbst unter anderem Gesichtspunkt ebenfalls wertvoll sind, vielleicht ästhetische Untereinheiten bilden oder ob die Teile in sich gleichgültig, vielleicht gar unlustbringend sind, das hatte schon bei der Naturschönheit keine entscheidende Bedeutung. So ist es hier. Ob die zur Einheit Verbundenen an sich eine Wertschätzung verdienen oder nicht, hat unmittelbar nichts mit dem reinen Wert ihrer seelischen Harmonie zu tun. Und in gleicher Weise ist das persönliche Gefühl, das der eine für den anderen hegt, ohne Bedeutung für diese reine Bewertung. In der Ekstase sinnlich seelischer Vereinigung mag jeder der Liebenden glühenden Genuß von den Lippen des anderen schlürfen; wenn sie am Grabe ihres Kindes stehen, mag jeder in leidvoller Treue aus dem Antlitz des anderen den tiefsten Schmerz zur Seele dringen fühlen: die reine schlechthin wertvolle Einheit ihrer Persönlichkeit blieb aber unverändert, gleichviel ob sie einander Quelle der Seligkeit oder Quelle der Trauer waren. In niederen, ja in unwürdigen Menschenpaaren mag Liebe, Freundschaft, Treue der eine Lichtblick sein, und in schmerzvoll niedergebeugtem Zusammenleben mag der Einklang mit unendlicher Schönheit klingen.

Nur das ließe sich einwenden, daß, wer da selbst in solchem Wechselverhältnis steht, doch schließlich zunächst und in erster Linie von jenen persönlichen Gefühlen der Lust und Unlust bewegt

wird, die nur als ästhetisch wertfreie Elemente in den reinen Wert
eingehen. Daß Mann und Weib mit Leib und Seele ineinander-
fluten, das soll ein reiner, in sich ruhender, vollkommner Wert sein;
in ihrem eigenen Fühlen aber wird doch zunächst alles von der persönlichen Lust am anderen beherrscht. Und dessen waren wir ja
gewiß, daß die bloße Summe der beiden persönlichen Einzelgenüsse
in keiner Weise den überpersönlichen Wert ihrer Einheit ergibt.
Auch der logische Wert einer begrifflichen Gleichung ist ja vollständig eingebüßt, wenn das Gleichheitszeichen ausgelöscht ist
und nur zwei Begriffsgruppen übrig bleiben, von denen jede für
sich gewisse logische Bedeutung haben mag, von deren Gleichheit
wir nun aber nichts mehr wissen. In der Tat der Genuß am Genossen, am Freunde, am Geliebten ist in der Einzelseele zunächst
die herrschende Regung und bleibt doch gänzlich verschieden
von der Bewertung der erlebten Einheit. Haben wir aber wirklich
Grund zu glauben, daß eines das andere ausschließt und hemmt?

Auch in der Natur erkannten wir an, daß wir etwa den Waldesfrieden in seiner reinen ästhetischen Schönheit erfassen und deshalb
doch die durchaus persönliche Erquickung im kühlen Schatten
genießen können. Trotzdem hielten wir daran fest, daß der Außenwelt gegenüber ästhetische Auffassung und persönlicher Genuß sich
im wesentlichen störend gegenüberstehen, da die ästhetische Auffassung verlangt, daß wir uns in das Wollen der Dinge einleben, um
ihre Übereinstimmung zu verstehen, der Genuß aber sich auf unser
Eigenwollen bezieht. Für die Beziehung zur Mitwelt muß es aber
durchaus anders liegen. Das Wollen, dessen Übereinstimmung verstanden werden soll, wird hier ja den Beteiligten am unmittelbarsten
zugänglich. Die Freundschaft, die auf der Einheit der zwei Freunde
beruht, wird nur dann begriffen, wenn das hingebende Wollen
beider Wesen gemeinsam empfunden wird. Wer aber könnte diese
beiden Einzelwillen lebendiger erfassen als jeder der Freunde selbst;
jeder kennt sein eigenes Wollen aus tiefster Quelle, und jeder findet
sein Glück gerade im Einleben in die Seele des andern. Jeder von
ihnen fühlt daher das beiderseitige Wollen in eigener Seele und erlebt daher in reinster Frische nicht nur seinen eigenen persönlichen
Genuß an der Teilnahme des Freundes, sondern zugleich den überpersönlichen ästhetischen Genuß an dem Walten der reinen Freund-
schaftsgleichung. Seine Lust bezieht sich auf seinen persönlichen

Anteil, seine reine Bewertung auf das seelische Gesamtgefüge, von
dem sein hingebendes Wollen ein Teil ist.

Kein Fremder, kein Außenstehender könnte diesen reinen
Seeleneinschlag so lebendig nacherleben. Kommt der Dichter,
der Herzenskünder, und läßt uns an der Freundschaft der Freunde,
an der Leidenschaft der Liebenden inneren Anteil nehmen, so liegt
es anders. Im Leben aber ist jeder Wollende in so mannigfachen
Beziehungen mit unseren Interessen verknüpft, daß wir dahinleben
ohne in des Nachbars eigene Seelengemeinschaften einzudringen.
Wir leben in der Mitwelt wie der Bauer meist in der Landschaft
lebt; er bearbeitet die Scholle, aber hat keinen Sinn für das innere
Wollen des Feldes· von der Naturschönheit weiß er nichts. So ver-
handeln wir mit den Fremden in zahllosen Beziehungen, aber in
ihre eigenen Seelenübereinstimmungen, in ihr Lieben und Ineinanderweben wollen wir nicht eindringen; die Schönheit des Mit-
weltlebens bleibt uns unvertraut. Hier und da leuchtet ihr Glanz
auf und ergriffen stehen wir dann vor dem Schauspiel hingebender
Treue und Liebe und Barmherzigkeit. Aber das Tiefste und Reichste
kann sich doch immer nur dann erschließen, wenn wir nicht Zuschauer, sondern Mithandelnde sind, wenn wir selbst in Treue und
Liebe und Barmherzigkeit unsere Seele dahingeben können. Dann
fühlen wir den persönlichen Genuß des Rausches, die persönliche
Freude der stillen Hingebung, den persönlichen Trost des Helfen-
könnens im Mitleid, aber durch alles das hindurch fühlen wir, daß
wir ein Wunderbares erschauen, einen überpersönlichen Wert, der
das Leben des Lebens wert macht.

Nicht von einem metaphysischen Mysterium ist die Rede. Die
Liebe ist uns kein Überwirkliches — das bleibe der Spekulation
über die letzten Urseinswerte überlassen; und die Liebe ist uns nicht
eine vasomotorische Erregung — das bleibe der Kausalumsetzung
der Psychophysiologie vorbehalten. Wir fanden die wirkliche
Seeleneinheit als reines Erlebnis vor; für uns gilt es da nicht erst,
körperliche Schranken zu überwinden und die Auffassungsformen
der Individualität mystisch aufzuheben. Wir finden die Willenseinheit in der Erfahrung und fragen nach ihrem Werte, und ohne
den Erfahrungskreis zu verlassen, tritt dieser Wert mit dem Anspruch unbedingter Gültigkeit an uns heran, ein Ewiges, das über
alles persönliche Wollen erhaben ist, — auch wenn es ein Bettel-

weib am Wegesrand ist, das, ihr Kind an der Brust, mit dem jungen
verlangenden Wesen eines geworden ist.

Zu solch unabhängigem Werte aber muß nun jede Willenseinheit für uns tatsächlich werden, sobald wir den einen Willen so auffassen, daß wir nach seiner Wiederkehr in der Willensgruppe suchen. Wir wissen längst, warum solche neue Verwirklichung uns rein befriedigt: wir wollen eine Welt, die mehr ist als bloß unser eigenes Erlebnis, eine Welt, die unabhängig und selbständig ist und deshalb ihren eigenen Sinn hat. Wo sich die Welt in Einzelzuckungen entladet, das eine nicht auf das andere hinweist, keine innere Einstimmigkeit zu uns spricht, da können wir keine Spur einer Wesenheit entdecken. Damit der Sinn eines Selbst im Gegebenen erkennbar wird, darf die Welt nicht in unzusammengehörigen Einzeleindrücken und Einzelanregungen zerstieben; nur wo ein Wollen sich im Mannigfaltigen erhält, die Regungen in ihrer Verschiedenheit sich als ein einziges Streben erweisen, nur da erfahren wir das Walten einer Welt.

Vergessen wir nur niemals, daß uns die Menschen nicht anatomische Körper mit psychischer Einfüllung sind, sondern wollende Wesen, die wir in ihren Zumutungen und Entscheidungen kennen. Ist ihr Wollen und Streben nichts als unser Erlebnis des Verstehens? Erleben wir da ein Sinnloses, Unselbständiges, in der jedes für sich steht und auch nur für sich aus dem Erleben des anderen persönlichen Genuß sucht? Oder spricht sich in dieser Einzelregung ein Wirkliches aus, das seine Selbstheit behauptet? Nur wo zwei Seelen eine Einheit sind, begegnet uns solch ein Stück Wirklichkeit, das nicht mehr flackernde Zufälligkeit, nicht mehr Nichts-als-Erlebnis sein kann, sondern das die Wesenheit des Selbstseins trägt. Nur wo zwei Seelen eine Einheit sind, leuchtet in der Welt des Wollens ein eigener sich selbst behauptender Sinn. Da wir aber solchen Sinn wollen und wollen müssen, so müssen wir in der Willensgruppe, die wir wirklich innerlich nacherleben, den einen Willen so auffassen, daß wir ihn festhalten mit dem Verlangen, ihn identisch wiederzufinden. Finden wir ihn aber, ist die Freundesseele mit dem Freund eins geworden, so ist dieses Verlangen erfüllt, wir sind schlechthin befriedigt, wir haben ein Stück in sich ruhende selbstseiende Welt gefunden. Da aber dieses Verlangen gar nicht von einzelpersönlichem Bedürfnis getrieben war, sondern durchaus von dem über-

persönlichen Verlangen nach einer Welt, so ist auch die Befriedigung
schlechhin überpersönlich: die Seeleneinheit ist ein reiner Wert.

Daß jener Sinn, der sich da bekundet, nicht etwa eine abstrakte Erkenntnis oder gar die Anschauung einer übersinnlichen
Welt sei, bedarf kaum der Betonnung. Was sich bekundet, ist eben
jenes eine, daß dieses gegebene, miterlebte Seelenverhältnis nicht
ein gleichgültiges Erlebnis, sondern ein schlechthin unabhängiger
Wert ist. Deshalb muß es jeden vollkommen befriedigen, für den es
überhaupt eine Welt geben soll. Ob der einzelne im Verkehr mit
andern Freude und Genuß hat, ist eine persönliche Angelegenheit,
die keinen schlechthin gültigen Wert beansprucht; die Wirklichkeit des Seeleneinklangs aber erleuchtet das Leben mit dem Glanz
eines schlechthin Wertvollen. Es mag ein flüchtiges mitleidiges
Wort sein, das zwei gleichgültige Wesen nur einen Herzschlag lang
zur Einheit werden läßt, es mag das unerschöpfliche Wort des Er-
lösers sein, das Nächstenliebe in ungezählte Seelen gießt und sie zur
Einheit verbindet.

Es ist klar, daß dieser Einheitswert der Liebe sich mit dem Daseinswert der Wesen und dem Zusammenhangswert der Geschichte
berührt; so wie die Naturschönheit in einer gewissen Beziehung
zum Naturzusammenhang steht und wie überhaupt die ästhetischen und logischen Werte im letzten Grunde verwandt sind. Die
Selbstbehauptung der Welt muß sich ja in beiden gemeinsam bekunden, denn nur durch die Festhaltung dieser Forderung drangen
wir zu Werten vor. Im Zusammenhang der Geschichte wie in der
Einheit der Liebe liegt der Wert in der Auffindbarkeit des gesuchten
identischen Wollens. Und trotzdem trennen sie sich soweit wie
logische und ästhetische Werte sich immer trennen müssen. In der
Wahrheit suchen wir die Selbstbehauptung als Erhaltung eines Gegebenen, das wir durch alle Mannigfaltigkeit verfolgen; in der
Schönheit suchen wir die Selbstbehauptung als Übereinstimmung
eines abgeschlossenen Mannigfaltigen. Der Mitweltlogiker hat ein
schlechthin Wertvolles gefunden, wenn er ein Wollen identisch im
Wollen eines anderen weiterverfolgt und so das Mitweltchaos sich
als Ordnung kundtut. Der Mitweltästhetiker hat ein schlechthin
Wertvolles gefunden, wenn er in einer Willensmannigfaltigkeit
die gewollte Einheit des Strebens nacherlebt und so im Mitwelt-
streit die Liebe findet. Der Geschichtszusammenhang des Willensein-

flusses und der Symphatiezusammenhang der Willenshingebung erheben gemeinsam die Mitwelt zu schlechthin wertvoller Selbstheit.

Nur an eines sei noch erinnert. Die Einheit in der Mannigfaltigkeit verlangt hier wie überall, nicht nur die Einheit, sondern auch die Mannigfaltigkeit. Der Reichtum und die Fülle der ungleichen Persönlichkeiten trägt den ästhetischen Wert der seelischen Harmonie. Das Reich der Liebe verlangt nicht, daß die Individualitäten ausgelöscht und die Verschiedenheiten verwischt werden. Die Schönheit des bewegten Meeres will, daß jede Welle in eigener Freiheit nach eigener Weise aufschäumt und zerstiebt und nicht zwei sich gleichen und doch alle einheitlich dasselbe wollen. Keine tiefere Seeleneinheit als da, wo die Kraft des Mannes sich mit der Zartheit des Weibes paart, wo die Reife der Eltern sich mit der Unschuld der Kinder eint; gerade dort wird das Innere in jeder Fiber ergriffen. Der unendliche Reichtum dieser Einklangswerte fließt aber nicht nur aus der Mannigfaltigkeit der Persönlichkeiten, sondern nicht minder aus der Mannigfaltigkeit ihrer Einheitsbeziehungen. Jeder einzelne tritt in eine Fülle seelischer Verwebungen. Je weiter der Kreis der Verbundenen, desto geringer der Umfang der Wollungen, für die wahre Einheit gesucht wird. Das „Seid umschlungen, Millionen" sucht einen Seeleneinklang, der nicht mit dem Einklang zweier liebender Seelen vertauscht werden kann, und die Eintracht des Friedens, der die Völker der Erde verbindet, ist nicht die Brudertreue, die nicht wanken kann. So mag in der Willenswelt, trotz aller Wertwidrigkeiten, trotz wühlenden Haß und Selbstsucht und Bosheit und Neid und Seelenrohheit, sich doch eine unendliche Fülle von immer neuen Willenseinheiten zusammenschließen; in jeder einzigen aber glüht uns ein reiner ewiger Wert auf.

C. Das Glück.

Glück und Sittlichkeit. Wenn Philosophen um den Wert des Glückes streiten, so pflegt eine Frage im Mittelpunkt zu stehen: ist das Glück das höchste Ziel unseres Handelns? Soll unser Wirken und Schaffen das Glück zum Inbegriff aller Aufgaben erheben oder ist das Glück nur ein sittlich gleichgültiger Nebenerfolg, um den des Daseins tiefste Pflicht sich nicht zu kümmern hat? Die nächstliegende Behauptung ist wohl, daß wir überhaupt nichts anderes wirklich wollen können als unsere Glückseligkeit; der Gleichmut des

Stoikers und die Genußsucht des Epikuräers muß gleichermaßen
dahin streben, nach eigener Weise letzthin das ewige Glück zu
finden. Aber der schlichte Sinn, der seinem Leben einen tieferen
Wert sucht, will sich nicht damit begnügen, daß alle Pflicht nur
kluges Berechnen der eigenen Freude sein soll, nur ein Abwiegen
der Lust, um die dauernde und ungemischte der flüchtigen und vom
Leid gefolgten vorzuziehen. Das eigene Glück, so sagt er, läßt das
Leben kahl und kalt, wenn unser Wirken nicht auch dem fremden
Glücke dient. Dort sind die Ziele der wahrhaft wertvollen Tat.
Für das größte Glück der größten Zahl sich hinzugeben, ist die
ideale Aufgabe des sittlichen Menschen, das eigene Glück dagegen
ist wertlos. Und da setzt schließlich der Widerspruch des Idealismus ein. Das Glück der anderen ist an sich kein höheres Ziel als
die eigene Lust; ob die größte Zahl ihr Dasein genießt und so das
Genußempfinden vervielfacht wird, hat nichts mit den letzten
Pflichten des Willens zu tun; im Glücke erschlafft das Wertvollste,
die Forderung des Gewissens. Allen solchen Glücksanbetern und
Glücksverächtern ist nur eine Voraussetzung gemeinsam: Glück
ist Lust und somit an sich ein rein persönlicher Wert; soll dem Glück
ein überpersönlicher Wert zukommen, so muß er aus der Beziehung
der Lust zum sittlichen Handeln fließen. Es ist der sittliche Wert
des Glücks, den die Wohlfahrtsethik predigt und die Pflichtethik
leugnet.

Nun bezieht sich alles Sittliche auf die Tat, auf die Leistung,
und wir wissen, daß wir die Leistungswerte hier noch nicht zu prüfen
haben. Jede Beziehung auf ein sittlich Wertvolles muß also vorläufig von unserer Untersuchung ausgeschlossen sein, denn wir stehen
im Gebiet der Einheitswerte. In diesem Gebiete haben wir es,
unserem Übereinkommen nach, mit der Einstimmigkeit der im
Erlebnis gegebenen Mannigfaltigkeiten zu tun. Die Leistung aber,
die freie Tat, die Entscheidung gehört nicht zum bereits Gegebenen.
Ist sie bereits gegeben, so ist sie Geschichte geworden und kommt
als abgeschlossener Vorgang, nicht mehr als freie Entscheidung in
Betracht. Erst nach den Einheitswerten, die vom vollendet Gegebenen handeln, werden wir uns den Leistungswerten und somit der
Sittlichkeit zuwenden. Ob dort noch einmal vielleicht das Glück
hineinspielt, kann uns dann erst kümmern. Hier steht uns nur das
eine fest, daß wir das Glück ohne jede Rücksicht auf das Sittliche

prüfen. Und da scheint dann nur ein Ausweg offen: das Glück an sich ist Lust, ist also Befriedigung eines nur persönlichen Verlangens und somit ohne jeden überpersönlichem Wert.

Da gibt es keine Zugeständnisse. Ob die Lustbegier auf Absinth und Dirnen und Kartenspiel gerichtet ist, oder auf Streichquartette, alte Bronzen und geistreiche Plauderei mit schönen Frauen, das mag zwei unvergleichbare Wesen ergeben, aber die Erfüllung ihres Verlangens bleibt in sich gleichermaßen wertfrei. Und so ist wertfrei die Befriedigung aller der einzelnen Wünsche, die in das Menschenglück einzugehen pflegen, Wünsche nach Erfolg und Ansehen und Schönheit, nach Reichtum und Macht und Ruhm. Nicht daß sie wertfrei seien, weil sie vergänglich sind, wollen wir predigen. Auch sind sie nicht wertfrei, weil sie nicht im Sittlichen wurzeln. Noch weniger sind sie wertwidrig, denn „Genießen macht gemein" gilt doch nur für den Genuß des Gemeinen. Wertfrei sind solche Güter unserer Eitelkeit nur, weil das Verlangen, das durch sie gestillt wird, ein rein individuelles Wollen ist und sein will. Das Glück als Lustgefühl, als Befriedigung persönlichen Wunsches, hat keinen Platz im Reiche der reinen Werte.

Aber es gibt ein anderes Glück. Wir sehen dabei natürlich von dem äußerlichen Polykratesglück ab, das einen uns günstigen Zufall bedeutet; nur das Glück der Seele steht uns in Frage. Wer das Wort Glück nicht ganz achtlos verwertet, wird vom Glücksgefühl doch eigentlich nur dann sprechen, wenn es nicht einfach Lustgefühle, nicht einfach Erfüllung des Verlangens durch die Dinge der Umwelt bezeichnen soll. Der Unterschied bleibt nur meisthin unter der Schwelle des Bewußtseins. Das wahre Glück ist uns nämlich nicht die Befriedigung eines Wollens, sondern die vollständige Harmonie und Einstimmigkeit unserer Wollungen; diese Einstimmigkeit aber ist ein reiner ästhetischer Wert. Jede einzige Wollung mag in sich persönlich und somit wertfrei sein, aber ein Seelenzustand, dessen gesamte Wollungen zusammenklingen, ist ein vollendeter Einheitswert, der als solcher überpersönlich und schlechthin gültig ist, wie die Einheit der Wesen in der Liebe und wie die Einheit der Dinge in der Schönheit der Natur.

Die Einheit des eigenen Wollens. Wir sehen von hier aus deutlich den Platz, den das Glück im Reich der Werte beansprucht. Im reinen Erlebnis schieden wir stets die Außenwelt, die Mitwelt

15*

und die Innenwelt. In jedem dieser Gebiete muß es ästhetische
Einheitswerte geben, denn überall wo uns eine Mannigfaltigkeit
entgegentritt, deren Wollen wir nacherleben, können wir nach der
inneren Einstimmigkeit dieses Wollens fragen. In der Außenwelt
nannten wir diese Einstimmigkeit Naturschönheit und Harmonie,
in der Mitwelt galt sie uns als Liebe, in der Innenwelt ist es das
Glück. In der Liebesbeziehung hängt in der Tat alles davon ab,
daß von einem Wesen die Wollungen zu anderen Wesen seiner Mitwelt überführen; in der Einstimmigkeit des Glücks, gleichviel ob
das eigene oder das fremde, stets ist es die Innenwelt eines einzigen Wesens, die in ihrer Abgeschlossenheit in Betracht kommt.
Diese Innenwelt umfaßt zwar die Eindrücke der Außenwelt und
die Zumutungen der Mitwelt zugleich mit dem eigenen Streben,
aber alles ist das Erlebnis des einen Wesens, dessen Selbst abgekapselt ist. Wenn wir ein Selbst antreffen, dessen Inneres wir nacherlebend verstehen und in dessen gesamten Wollungen wir vollständige Harmonie antreffen, so liegt solche Innenwelt vor uns mit
jenem reinen Einheitswert, den in der Außenwelt die lachende
Frühlingslandschaft, in der Mitwelt ein hingebendes Ineinander-
leben uns bieten mag. Und finden wir alles das in uns selbst, so
breitet sich unsere eigene Erfahrung vor uns in reiner überpersönlicher Schönheit aus; unser eigenes Erlebnis wird uns dann ein
schlechthin wertvoller Einklang; unser Selbst wird vom persönlichen Verlangen emporgehoben zu der vollendeten freischwebenden
Einheit, in der unser reines Ich vollkommene Befriedigung findet.

Blicken wir näher zu. Vergessen wir aber dabei nicht, daß die
Reinheit des überpersönlichen Wertes nichts mit der Bedeutung
und Wichtigkeit des Inhalts zu tun hat. Auch das trivialste Urteil
ist logisch schlechthin wertvoll, falls es wahr ist; so mag der ästhetische Wert in vollkommer Reinheit gegeben sein, auch wenn die
glückliche Seele einen Einklang von Wollungen aufweist, deren jede
winzig und gleichgültig ist. Nur eines werden wir, wie bei jeder
Einstimmigkeit, fordern müssen: es muß sich wirklich durchaus um
Wollungen handeln. Dadurch ist aber auch schon sofort der Unterschied von jeder bloßen Erfüllung persönlichen Verlangens betont.
Unser persönliches Begehren kommt in der Erfüllung durch die
Dinge zur Vernichtung; es ist kein Streben mehr, wenn es befriedigt
ist. Bin ich durstig und verlange nach labendem Trunk, so ist mein

Ausgangserlebnis ohne Einstimmigkeit; ich stelle die Erquickung vor und erlebe das Durstgefühl. Das eine reizt mich, das andere quält mich, und so wird mein Wollen hin- und hergestoßen. Stillt aber der Trunk mein Begehren, so hat dieses Begehren selbst aufgehört, und im willensfreien Zustand kann es keine Übereinstimmung mehr geben. Das bloße Verlangen oder das bloße Erfüllen des Verlangens durch Dinge kann an sich somit niemals schon wahres Glück sein. Das Wollen darf im Glück nicht ausgelöscht werden, sondern muß sich behaupten. Die dumpfe Wunschlosigkeit und Schmerzlosigkeit ahnt noch nicht den wahren Sinn des Glücks. Der nur Gesättigte steht jenseits von Glück und Unglück.

Das Glück verlangt fortwirkendes Wollen, das mannigfaltig und doch in sich einig ist. Gewiß kann und muß auch die Außenwelt dabei ihren Zoll entrichten, aber ihr Beitrag zum Glück wird um so größer sein, je mehr das Dingerlebnis statt den Willen aufzuheben, mit der Befriedigung neue und neue Wollungen anregt. In gewisser Grenze gehört das bereits zur sinnlichen Lust, denn wenn sie auch zunächst das ursprüngliche Verlangen auslöscht, so erweckt sie doch gleichzeitig das neue Verlangen nach Andauer des Genusses und ist somit selbst wieder Quelle des Wollens. So kommt es denn, daß sinnliches Behagen auch seinen Anteil am echten Glück haben kann. Unendlich reicher aber muß das Glück aus jenen Quellen fließen, in denen die von außen kommende Einwirkung ihren ganzen Sinn in der Anregung zum Wollen hat. Wenn das Schicksal der Außendinge es gut mit uns meint, trägt es uns nicht auf Zufallsflügeln zum Ziel unserer Wünsche empor und überläßt uns doch auch nicht gleichgültig unserer Ohnmacht. Den Weg zur Höhe soll es uns zeigen, die helfende Hand uns reichen, wenn sich Hindernisse einstellen, wenn der Aufstieg zu steil: das ist das Glück. Selbst vorwärtsschreiten und im Vorwärtsschreiten vom Dasein begünstigt werden, gleichviel in welche Richtung den einzelnen sein seelisches Vorwärts führt, das allein kann beglücken. Am Ziele anlangen aber ist nur ein Rausch; und stillstehen ohne Weiterwollen ist niemals wahres Glück, auch wenn es ein Stillstehen am Zielpunkt von gestern wäre.

Daher die Bedingtheit aller Glücksgüter und die ewige Unmöglichkeit, einen Zustand zu ersinnen, der schlechthin glücklich macht; daher der Segen, daß kein Zustand schlechthin unglücklich machen

kann. So hoch auch der erreichte Punkt, sein Festhalten ohne Wei-
terstreben ist kein Lebenswert; so tief auch der Ausgangspunkt, die
kleinste Aufwärtsbewegung kann vollgültiges Daseinsglück sein.
Denn Glück ist Einstimmigkeit der Innenwelt und jedes Wollen
setzt mit dem Gegebenen ein. Was jenseits unserer Erwartungen
liegt, kann unser Glück nicht stören. Der Kauz, der den Vogel um
seine Fittiche und den Fisch um seine Flossen beneidet, kann niemals glücklich werden. Und wer nach der gelben Jacke der chine-
sischen Würdenträger nicht verlangt, der wird ohne sie nicht
unglücklicher sein, auch wenn Millionen sie als höchstes Ziel ver-
ehren. Glück ist immer nur Einklang der willenserfüllten Innenwelt. Daher der tiefe Einfluß des persönlichen Temperaments. Es
gibt kein Schicksal, das den Optimisten oder den Pessimisten
schmiedet. Die unglückliche Seele findet den Zwiespalt des Wollens
auch in der bequemsten Lebenslage; die sonnige Persönlichkeit
wird in sich einig bleiben, auch wenn da draußen die Wetter toben.
Es gibt kein Übel für den, dessen Wille sich nicht dagegen sträubt.

Glück ist Wollen. Daher der unerschöpfliche Glücksgehalt der
Wahrheit und Schönheit und Gerechtigkeit. Jeder wahre Gedanke, den wir verstehen, jede schöne Linie, die wir verfolgen, jeder
sittliche Ausgleich, an dem wir Anteil nehmen, ist für uns Aufforderung zu neuem Wollen, das mit unserem Grundwollen harmonisch
zusammenklingt. Da wird nicht wie beim Genuß der Sinne das
Wollen selbst aufgehoben, sondern je tiefer unser logischer, ästhetischer, ethischer Wille erfüllt wird, desto lebhafter bleibt das Wollen
selbst bestehen. Es entfaltet sich an dem Erlebten zu immer neuen
und immer reicheren Wollungen. Wohl stehen wir etwa dem Kunstwerk oder dem wissenschaftlichen Gedankengebilde wunschlos
gegenüber, aber je weniger wir für uns selbst da wünschen, desto
mehr wünschen und wollen wir mit den Linien und Formen, den
Tönen und Worten, den Gedanken und Schicksalen, die uns
gefangen nehmen. Wunschlos schauen wir dem Trauerspiel auf der
Bühne zu und doch wird unsere Seele von überschwänglich reichem
Wollen im tiefsten bewegt. Alles dieses Wollen aber ist im Einklang.
Insofern als das Wollen in das Drama selbst verlegt wird, gewährt
seine Einstimmigkeit den ästhetischen Wert jenes Kunstwerks;
insofern als es als Bewegung unserer Innenwelt sich geltend macht,
wird es uns selbst vollkommen glücklich machen, solange wir wirk-

lich ganz dem schönen Schauspiel hingegeben sind und kein äußeres
Gegenerlebnis unser Wollen zerreißt.

Glück ist Wollen. Daher der unversiegbare Glücksquell in der
Arbeit. Ob wir durch unsere Arbeit die Menschen bessern oder den
Acker bebauen, nirgends ist da das Wollen zu Ende. In jedem
Vollenden liegt ein Neubeginnen, und nichts anderes wollen wir vom
Glück der Welt, als daß die Arbeit sich fruchtbar entfalten kann und
immer neue Arbeitsgelegenheiten sich auftun. Sich auszuleben in
der ganzen Fülle seiner schaffenden Kräfte, in tiefster Seele zu
wollen und in jedem Erlebnis mit Dingen und Menschen neue Wollungen angeregt zu fühlen, die mit dem Grundwollen zusammen-
strömen, solch bewegtes Gleichgewicht der Innenwelt ist höchstes
Glück. Und selbst wenn inneres Gegenwollen durch Leid und
Mißerfolg sich eindrängt, die glückhafte Natur wird es aufheben;
es löst sich auf in Hindernisse, deren Überwindung das harmonische Willensgefüge stärkt und jeden Gewinn zu lebhafterer Geltung bringt. Sich ausleben aber bedeutet nicht nur das Wirken
der schaffenden Kräfte; hingebend dienen dürfen in Treue und so
dem Größeren sich einzuordnen, bringt nicht minder die schöne
Einheit in eine nie endende Willensfülle; und so sich selber entwickeln zu können, zu lernen und sich auszubilden; und über allem
die Liebe. Glücklich allein ist die Seele, die liebt. Der selbständige
Wert der Liebe als Einheit einer Wesensmannigfaltigkeit hat uns
früher beschäftigt. Hier kann nur davon die Rede sein, wie dieses
harmonische Wechselspiel nun sich in der Innenwelt des einzelnen
spiegelt. Da ist es denn aber in der Tat ein nie endendes Ineinanderklingen von Wollungen, die aus dem eigenen Sehnen fließen, mit
Wollungen, die aus dem Verstehen des Geliebten stammen.

Bei alledem darf nicht die Gegenseite vernachlässigt werden.
Die Einheit unserer Wollungen wird durch nichts lebhafter gefördert
als durch die Hemmung und Ausschaltung aller widerstrebenden Bewegungen. Glücklich sind die Einseitigen, die von einem Wollen
beherrscht sind und nur das Miteinklingende wirklich erleben;
die tausend Gegenregungen, die verletzen könnten, bleiben da unter
der Schwelle des Bewußtseins ruhen. Gerade die Liebe hat diese
Kraft; die eine Willensgruppe beherrscht die Innenwelt und vergessen ist aller Wirrsal des Daseins. So wirkt der Ehrgeiz und der
Ruhm, so wirkt die echte Schaffensfreude. Der Psychologe weiß

ja, daß jeder Vorgang der Aufmerksamkeit diese doppelte Wesenheit zeigt: auf der einen Seite wird das aufmerksam Erfaßte lebendiger, klarer, lebhafter, willenserfüllter, auf der anderen Seite wird
alles Gegenstehende verschwommen, unlebendig, gehemmt. Gegen-
stehend ist aber alles, das zu entgegengesetzten Wollungen führt.
Jeder einzige Akt der Aufmerksamkeit hat somit schon in sich die
Kraft, das Wollen auszugleichen und zu vereinheitlichen, im letzten
Grunde somit dem Glücke den Weg zu bahnen. Gerade durch diese
auslöschende hemmende Kraft führt uns zum Glücke am schnellsten
doch schließlich die reine Kunst. Die Einheit der Innenwelt ist
uns dort gewiß, denn mit dem Rahmen des Bildes, mit dem letzten
Reim des Gedichtes, mit der Kulisse des Theaters schließt sich die
Welt, in der wir während des Kunstgenusses leben, und jede andere
Wollung ist gehemmt.

Die Stärke, die Mannigfaltigkeit, die Tragweite und die Bedeutung des Wollens wird dem Einheitswert des Glücks seine besondere
ästhetische Stellung geben. So wie die Sinfonie höher steht als das
Liedchen, so wird die Sinfonie eines kraftbewegten, schaffens-
reichen, erlebnisvollen, weithinwirkenden Menschenlebens ästhetisch höher stehen als das Glück im Winkel und als die Freude der
Genügsamkeit. Der Wert selbst ist aber auch in der schlichtesten
Form vollendet. Daß hundert mal hundert zehntausend gibt, ist
nicht wahrer und hat keinen größeren logischen Wert als daß dreimal drei neun ist. Die Innenwelt, deren Wollen beim Erlebnis der
Außenwelt und Mitwelt durchaus in Einheit mit sich selber bleibt,
ist schlechthin wertvoll; allen Bedingungen, die wir für den Einheitswert verlangten, sind erfüllt. Dadurch ist aber endlich der
ewige Selbstwert des Glückes zu seinem Recht gebracht.

Die idealistische Weltanschauung mag in der Tat allen Grund
haben, die Aufgaben unseres Handelns von aller Rücksicht auf das
Glück zu trennen; sie mag den Sinn der Pflicht und des Guten so
streng fassen, daß die sittliche Wertlosigkeit des Glücks völlig klar
wird. Deshalb dem Glück aber jeden reinen Wert abzusprechen
und es aus der Höhengemeinschaft mit dem Wahren und Schönen
und Guten grundsätzlich zu verbannen, geht nicht an. Wer im
Glücke nichts als persönliche Lust sieht, der kann freilich kein
Zugeständnis machen. Das aber ist nur der Groll der Bilderstür-
mer, die alles Glück aus der reinen Wertwelt ausweisen wollen,

damit es nur nicht zum Ziele des sittlichen Handelns erhoben
werden kann. Das Glück ist ein reiner unabhängiger Selbstwert,
aber kein ethischer, sondern ein ästhetischer. O Königin, das Leben
ist doch schön! Die Welt ist im überpersönlichen Sinne schlechthin
wertvoller dadurch, daß Glück in Menschenseelen leuchtet.

Über die Beziehung des Glückes zu unseren Lebenspflichten ist
damit in der Tat noch nicht das geringste gesagt. Ich mag den
reinen Wert des Glückes anerkennen und trotzdem vielleicht es
nicht im geringsten als meine Aufgabe anerkennen, Glück in der
Welt zu verbreiten. Ich mag wohl fordern, daß jeder, der eine
glückliche Seele ganz versteht, von ihrem freischwebenden Einklang
voll befriedigt ist, und mag trotzdem mich nicht darum kümmern
wollen, ob dieser oder jener oder die Mehrheit oder die größtmögliche Menschenmenge solche reine Harmonie der Innenwelt
erlebt. Ich kann ja auch den reinen Wahrheitswert der Wissenschaft anerkennen und trotzdem mich nicht verpflichtet fühlen,
neue Wahrheiten zu entdecken; ich kann den reinen Wert der
Musik anerkennen und trotzdem mich nicht für verpflichtet halten,
selbst Melodien zu erfinden. So mag ich den reinen ästhetischen
Wert des Glückes würdigen und doch es ablehnen, die Herstellung
des Glückes zu fördern. Vielleicht zeigt mir das Leben wichtigere
Aufgaben. Vielleicht überzeugt mich die Einsicht in die Willens-
bedingtheit des Glücks, daß im Grunde kein Mittel dazu tauglich ist,
Glück künstlich anderen zu bereiten. Vielleicht finde ich, daß der
Glücksmittel so viele sind — Gesundheit, Liebe, Talent, Arbeit,
Freundschaft, Familie, Erfolg, Vaterlandsliebe, Ansehen, Schönheit, Freiheit, Wohlstand, Wissen, Kunst, Religion — daß ihr zufälliges Durcheinanderschütteln, just so wie es das Leben versucht,
das Glück am gleichmäßigsten verteilt, gleichmäßiger, als es denen
erscheint, die nur ein einzelnes Mittel, vielleicht den Wohlstand,
einseitig hervorheben. Vielleicht gar verschwindet letzthin aller
Gegensatz zwischen dem ästhetischen und dem ethischen Wert —
wir dürfen hier noch nicht zum Ende schreiten. Die Frage nach
dem Glück wird uns immer wiederkehren.

Achter Abschnitt.

Die Schönheitswerte.

Die Aufgabe der Kunst. Den Schönheitswert der Kunst gilt es zu prüfen. Die vollgültige Betrachtung der Kunst verlangt sicherlich mehr als die Bestimmung ihres reinen, schlechthin gültigen Wertes; die Ästhetik der Künste greift in vielfältiger Weise über die Philosophie des Schönen hinaus. Aber uns ist die engere Aufgabe vorgezeichnet; der überpersönliche Wert des Kunstwerks ist der einzige Ausschnitt der Kunstlehre, der für uns in Betracht kommen darf. Andererseits greift in gewissem Sinne der Begriff des Schönheitswertes offenbar weit über den der Kunst hinaus; wir haben eingehend die Schönheit der harmonischen Natur und des glücklichen Lebens gewürdigt. Trotzdem schien uns der Gebrauch der Worte freier von Zwang, wenn wir die Harmonie der Dinge und die Liebe der Wesen und das menschliche Glück als Einheitswerte zusammenfaßten, und den Schönheitsbegriff lieber für die Werte zurückhielten, bei denen er das tiefste Wesen ausspricht, für die Schöpfungen der Kunst.

Sollte doch die getrennte Nebenordnung von Einheitswerten und Schönheitswerten ohnehin nichts weniger als eine scharfe Scheidung bedeuten. Im Gegenteil, auch die höchsten Schönheitswerte sind uns nur weiter entwickelte Einheitswerte. Diese zeitigt das Leben, jene schafft die Kultur; diese sind unmittelbar gegeben, jene sind herausgearbeitet in zielbewußter Kunst. Es ist der Gegensatz, der uns in jedem der vier großen Wertgebiete begegnet, und der doch eben kein eigentlicher Gegensatz, sondern nur eine Weiterführung ist; bei dieser Weiterführung von den Lebenswerten zu den Kulturwerten gibt es aber nirgends scharfe Grenzen. Die Erörterung dessen, was schön sei und was die Kunst will, setzt für uns daher nicht erst an dieser Stelle ein. Nein, alles Wesentlichste haben wir bereits schon hervorgehoben; die gesamte Erörterung über den schlechthin erfüllenden Wert der Einheit in der Mannigfaltigkeit mag Punkt für Punkt nun auch für die Schönheit des Kunstwerks gelten.

Blicken wir so auf den schon durchschrittenen Weg zurück, dann tritt die Stellung der Kunst in der Tat deutlich hervor. Sie gehört den Einstimmigkeitswerten zu, die in scharfer Scheidung den Wahrheitswerten gegenüberstehen. Wer die Wirklichkeit erkennen will, ergreift im letzten Grunde schlechthin Einzelnes und verfolgt es durch allen Wandel der Erfahrung. Wer aber den Einstimmigkeitswert sucht, der erfaßt ein Mannigfaltiges und sucht seine innere Einheit. Wer die Wahrheit sucht, löst daher das Gegebene in letzte, schlechthin einzelne Bestandteile auf, die in aller Mannigfaltigkeit unverändert beharren. Wer die Einstimmigkeit sucht, muß das Einzelne als Teil eines Ganzen verstehen. Die Elemente mit Daseinswert verbinden sich durch ihre Beharrung mit der Gesamtheit der Erfahrungen; die Mannigfaltigkeiten mit Einstimmigkeitswert schließen sich durch ihre innere Einheit vollständig vom Rest der Erfahrungswelt ab. Der Wert ruht aber auf beiden Seiten in der Erfassung der Identität. Dort wird das Einzelne festgehalten, um in der neuen Erfahrung als identisch selbst wieder gesucht zu werden; hier dagegen wird von einem Bestandteil des abgeschlossenen Ganzen zu einem anderen übergegangen, um das Wollen des einen im anderen identisch wiederzufinden. Beidemal aber wird das Identische festgehalten damit das Erlebnis nicht als zufälliges, zerfallendes Nur-Erlebnis-Seiendes erfaßt wird, sondern als eine unabhängige, selbstseiende Welt. Die Verwirklichung durch das Identische muß aber schlechthin wertvoll sein, da alle Willensbefriedigung auf der Identität ruht.

Auf beiden Seiten scheiden sich nun die unmittelbaren Lebenswerte von den zielbewußten Kulturwerten, und jedesmal wollten wir die besondere Wertforderung für die Außenwelt, die Mitwelt und die Innenwelt durchführen. So kamen wir für die Selbstbeharrung der Welt zu den unmittelbaren Daseinswerten der Dinge, der Wesen, der Bewertungen und zu den von der Kultur in wissenschaftlicher Arbeit geschaffenen Zusammenhangswerten der Natur, der Geschichte, der Vernunft. Die Selbstübereinstimmung der Welt aber ergab in unmittelbarer Erfassung die Einheitswerte

der Harmonie für die Außenwelt, der Liebe für die Mitwelt, des
Glücks für die Innenwelt. Die Kunst erst gibt uns die Kulturwerte,
die berufen sind die Selbstübereinstimmung der Welt zielbewußt
zum Ausdruck zu bringen.   Und nun behaupten wir, daß die
bildende Kunst diese Aufgabe für die Außenwelt übernimmt, die
Dichtkunst für die Mitwelt, die Tonkunst für die Innenwelt. Die
Stellung ihres Schönheitswertes im System der Werte ist dadurch
genau bestimmt.

Wir müssen uns diesen besonderen Künsten und ihrer besonderen Ausprägung des Schönheitswerts zuwenden, um die vorläufige Behauptung zu verdeutlichen und zu begründen. Aber ehe
wir so in den einzelnen Kunstkreis treten, wird es doch unerläßlich
sein, zunächst für alle gemeinsam festzustellen, wie sich das Kultur-
produkt von dem unvermittelten Lebensvorgang scheidet, wie die
Kunst über die Einheitsdarbietungen in der reinen Erfahrung
hinausgeht. Was kommt zum Einheitswert der Außenwelt, der Mitwelt, der Innenwelt hinzu, damit die Schönheitswerte der bildenden
Kunst, der Poesie, der Musik erwachen können?

Der ästhetische Wert, die Selbsteinstimmigkeit des Gegebenen,
war für uns überall vollendet, wenn das Erfahrene, in seiner Willensmannigfaltigkeit nacherlebt, sich in seinen Wollungen wechselseitig unterstützte und sich dadurch von aller übrigen Welt ab-
schloß. Jegliches ist da notwendig. Es muß wirklich eine Mannigfaltigkeit sein; nie kann ein einzelnes ästhetisch wertvoll sein.
Es muß wirklich in seinem eigenen Wollen erfaßt werden; nie kann
ein Gegenstand, der nur Objekt für uns ist, ästhetische Bedeutung
gewinnen. Es muß wirklich ein inneres Nacherleben dieses Wollens
stattfinden; nie kann ein fremdes Wollen, in den Dingen oder in
den Wesen, ästhetisch in Frage sein, wenn wir dazu vom Standpunkt
unseres eigenen Willens Stellung nehmen und nicht in das fremde
Wollen nachfühlend, selbstvergessend eingehen. Es muß vollkommen
wechselseitige Übereinstimmung und Unterstützung in all den nacherlebten Wollungen herrschen; nie kann ein nacherlebter innerer
Widerspruch den Sinn der Welt zu reinem Ausdruck bringen. Es
muß schließlich vollständige Absonderung von jeder weiteren Erfahrung, vollendete Isolierung eingetreten sein; nie kann das Erlebte ästhetisch wirken, wenn seine Verbindungen und Beziehungen
zum sonstigen Weltinhalt uns beschäftigen.

Wenn nun die Kultur sich anschickt, die Einstimmigkeit der Welt zielbewußt herauszuarbeiten, so wird sie in jeder dieser Richtungen künstlich, absichtlich die Zufallserfahrung umgestalten müssen. Eine ideale Lösung dieser Aufgabe bietet nur die reine Kunst, die nicht nur nach der einen oder der anderen Richtung nachhilft, sondern durch ihr besonderes Verfahren notwendig in allen jenen Richtungen gleichzeitig die Gleichgültigkeit des Erlebnisses überwindet und alle jene gesonderten Faktoren der Einheitswerte zu wechselseitiger Förderung bringt.

Die angewandten Künste. Wenn nicht alle Bedingungen der inneren Einstimmigkeit, sondern nur die eine oder die andere erfüllt wird, so ist die Zufallswelt noch nicht völlig in Schönheit umgegossen. Wir sind dann auf halbem Wege zur hohen Kunst. Da entstehen die Nebenkünste und die angewandte Kunst. So wird etwa der Landschaftsgärtner die gegebene Natur zielbewußt verschönen, indem er einmal durch Anpflanzungen wechselnder Gehölzarten, durch eingeführte Erhöhungen, Schluchten, Brücken, Wege, Teiche, die Mannigfaltigkeit des Eindrucks steigert, dann, wird er, wenn sich die Landschaft nur irgend fügt, sie für bestimmten Aussichtspunkt umrahmen und abgrenzen, vor allem wird er bemüht sein, die Einzelteile solcher Vielgestalt harmonisch auszuwählen. Aber was auch der Landschaftsgärtner so vor uns ausbreiten mag, es bleibt doch fern von jenem Ideal des in sich abgeschlossenen, in seinem Wollen Nacherlebten, von unserer Stellungnahme Losgelösten. Anmutig mag der Weg sich schlängeln, aber er führt weiter hinaus zur Ferne, die wir nicht schauen, und jenseits jenes Hügels weilen andere Menschen; die Bäume versprechen Frucht, die wir im Herbst ernten wollen, die Wiesen verlangen den Schnitter, und dort die Bank ladet zur Ruhe ein. So verknüpft sich denn jegliches mit nicht gegenwärtigen Teilen der Erfahrungswelt; es verbindet sich mit seinen Ursachen und Wirkungen, mit Hoffnungen und Erwartungen, unser eigenes Wollen nimmt Stellung und je mehr es sich einmischt, desto mehr wird alles zum Objekt für uns und wir vergessen, daß die Dinge selbst etwas sagen wollten und daß ihr Eigenwollen die innere Übereinstimmung sucht.

In ähnlicher Weise bringt die Tanzkunst durch den Rhythmus der wechselnden Bewegung den fühlenden Körper zum mannig-

faltigen und doch einheitsvollen Ausdruck. Doch wieder kann uns
keine Reigenschönheit darüber wegtäuschen, daß jene Menschen
von Fleisch und Blut nur für eine kurze Weile die Last der Stunden
abgeworfen, daß sie nicht tanzend durchs Leben ziehen. Menschen
sind es, die schnell ermüden werden, Menschen, deren liebreizender
Linienfluß vielleicht ein Lied singt, in das die Stimme des eigenen
Herzens nicht einklingt. Der lebendige Mensch ist uns mit zu vielem
unlösbar verknüpft, und weil wir es nicht absondern können,
nehmen wir selbst dazu Stellung, und die Bedingungen der vollendeten Hingabe bleiben unerfüllt.

Das alles gilt doch selbst für die angewandten Künste, für
das Kunstgerät, für das Steinwerk der Baukunst oder für das
Wortwerk des Schriftstellers. Wenn das Gewand buntfarbig und
linienreich gestickt ist, wenn das Dach des Schlosses von schlanken
Säulen getragen, von Türmen überragt wird, wenn historische
Lebensdarstellung von phantasievoller, anschaulich reicher Sprache
emporgehoben wird, so haben wir uns weit von der ästhetisch gleichgültigen Zufallstätigkeit entfernt. Das praktische Leben will durch
das Gewand nur den Körper bedecken, durch die Halle uns vor den
Wettern schützen, durch den Geschichtsbericht uns Tatsächliches
mitteilen. Der schöngestickte Mantel, das schöngetürmte Haus,
das schöngeschriebene Geschichtswerk, führen da überall weit über
das natürlich sich Ergebende mit zielbewußtem Bemühen hinaus;
sie wollen die Mannigfaltigkeit des Inhalts steigern, und die Mannigfaltigkeit wieder einheitlich zusammenschließen, wollen uns den
Sinn des Stofflichen zu lebhafterem Ausdruck bringen, sein inneres
Wollen erhöhen und uns nötigen, es als selbstwollend aufzufassen.
In den gestickten Linien schmiegt sich das Gewand selbsttätig dem
Körper an, in den Türmen erhebt sich das Wollen des Daches und
auf den Säulen ruht es, im reichbewegten Stile des Historikers prägt
jedes Wollen der geschilderten Vorgänge sich mit einer Lebhaftigkeit aus, die keine trockene Chronik erreichen könnte. Und doch,
das Werk bleibt der Welt der Beziehungen und Verknüpfungen
untertan. Wollen solche Werke der angewandten Kunst sich selber
treu sein und echt bleiben, so dürfen sie gar nicht die Frage unterdrücken, ob das Gewand auch den Gliedern paßt, ob das Haus be-
wohnbar, ob der Geschichtsbericht zuverlässig ist. Dadurch ist
aber sofort wieder die persönliche Stellungnahme herausgefordert

und die Verbindung mit dem Nichtgegebenen aufgedrängt; ein selbstvergessenes Aufgehen in dem Sinn und dem Wollen der dargebotenen Mannigfaltigkeit wird dadurch unmöglich.

Die Aufhebung der Wirklichkeit. Um diesen Höhepunkt der Ablösung zu erreichen, tut eines not: das in uns angeregte Erlebnis muß des Daseinswertes entkleidet werden. Nur das Unwirkliche schaltet jede Beziehung aus und jede praktische Stellungnahme wird sinnlos: im Landschaftsbilde wohnen keine Leute hinter dem Berge und der Weg führt nicht aus dem Rahmen hinaus; der marmorne Löwe wird uns nicht zermalmen; die sterbende Heldin auf der Bühne erwartet nicht, daß wir zu Hilfe eilen; die Figuren des Romans werden sich nie in unser tägliches Leben drängen. Die Kunst trägt uns unwirkliche Erlebnisse zu, und mit einem Schlage werden nun alle jene Einstimmigkeitsmomente erfüllbar; ob sie tatsächlich erfüllt werden, hängt davon ab, ob wir ein vollendetes Kunstwerk vor uns haben, ob ein Genie uns das Erlebnis schuf.

Blicken wir näher zu. Und dabei wollen wir zunächst von der Musik und ihrem Verhältnis zur Innenwelt absehen. Was bedeutet die Unwirklichkeit und worin besteht ihre ästhetische Tragweite? Nun hat die eingehende Betrachtung über die Daseinswerte und Zusammenhangswerte uns völlig klargelegt, in wie verschiedenem Sinne wir den Dingen und Wesen Wirklichkeit beilegen. Das Werk des Künstlers ist selbstverständlich nicht in jedem Sinne ohne Wirklichkeit. Das Bronzestandbild füllt ebenso den wirklichen Raum wie der lebendige Mensch, der Hamlet auf der Bühne ist sogar selbst ein lebendiger wirklicher Mensch, und selbstverständlich sind unsere Eindrücke vom Kunstwerk ebenso wirkliche Erlebnisse wie die Eindrücke von der Welt, in der wir wirken. Es genügt aber auch nicht, die Unwirklichkeit darin zu suchen, daß etwa das Bild nicht die wirkliche Landschaft selbst ist, sondern sie nur darstellt und die Novelle nicht das wirkliche Liebesabenteuer ist, sondern es nur erzählt. Nein, daß ein Kunstwerk das Weltgeschehen gewissermaßen nur vertritt, ist nicht das, was seine ästhetische Unwirklichkeit ausmacht. Die naturwissenschaftliche Abbildung und der Polizeibericht sind in genau gleicher Weise nur Vertretungen und kommen trotzdem durchaus nicht als unwirklich in Betracht.

Es handelt sich vielmehr um das Folgende. Der Daseinswert,

der sich im Zusammenhangswert vollendet, verlangt, wie wir sahen, die Geltendmachung des Identischen in neuem Erlebnis; wir verfolgten, wie das die Beharrung der Dinge und der Wesen und ihren ursächlichen Zusammenhang und historischen Einfluß bedingt. Nun beharrt natürlich das Bild und die Statue und das mit Versen beschriebene Blatt auch, und als ein Stück Leinwand mit Ölfarbe, als Marmor und als Papier greift alles das auch in den Zusammenhang des Weltgeschehens; in dieser Eigenschaft sind sie denn auch wirkliche Dinge. Nun fassen wir die Statue aber nicht als Steinblock, sondern vielleicht als Feldherrn auf, das Ölbild vielleicht als Seestück, die Verse als Ausdruck einer schmerzbewegten Seele. Betrachteten wir die Kunstwerke als Wiedergabe wirklicher Helden, wirklichen Wellenschlages und wirklicher Verzweiflung, so würden sie in uns die Erwartung erwecken, daß die dargestellten Inhalte in neue Zusammenhänge eintreten. Der Held, die Welle, das Gemüt sind uns Wollungen und Bewegungen, deren Selbsterhaltung sich ja in Tat und Geschehen bekunden muß. Die volle Auffassung des Dargestellten müßte dann den Wunsch nach neuer und neuer Darstellung anregen, wie wir es von dem historischen Bericht und den naturwissenschaftlichen Abbildungen in der Tat uns wünschen. Haben wir wirkliche Wellen vor uns, so muß ihr Wogen sich erhalten und gerade dadurch die gegenwärtige Form stetig in neue übergehen. Aber auch wenn statt des wechselnden Meeres starre Felsen vor mir liegen, so sind sie mir nur wirklich, wenn ich durch ihr Beharren Veränderungen erwarten darf; sie müssen sich in neuen Linien schneiden, wenn ich mich ihnen nähere und mir ein anderes Schauspiel gewähren, wenn ich sie besteige. Der Mensch, der mir wirklich sein soll, muß seine Mienen verziehen, muß sprechen, handeln, auf die zukünftigen Ereignisse Einfluß ausüben.

Im ästhetischen Sinne unwirklich sein, bedeutet diese Erwartungen nicht anregen. Die im Gemälde dargestellten Wogen sollen sich nicht verschieben können, der im Denkmal dargestellte Held soll nicht sprechen können; sie sollen nichts anderes sein können als gerade das, was die Darstellung bietet. Sie haben nicht Vergangenheit und Zukunft, nicht Veränderung und Einfluß. Wenn aber alles, was sie darstellen, vollständig in der Darstellung enthalten ist, so können wir nicht einmal sagen, daß das Kunstwerk über sich hinausweist. Das Gemälde ist die daseinslose und zu-

sammenhangslose Landschaft selbst, und der Marmor ist selbst der
Held in seiner Unwirklichkeit. Die Photographie und der Zeitungs-
bericht vertreten ein Wirkliches, das Erwartungen anregt; das
Gemälde und der Roman vertreten nichts, sondern ihr Inhalt ist
alles in sich selbst, nur sind die Erwartungen gehemmt, die sich auf
Beharrung und Zusammenhang beziehen: der Inhalt ist deshalb
unwirklich.

Die Mittel, durch die der Künstler in uns die Erwartung der
Zusammenhänge unterdrückt, sind verschiedenartig. Der Maler
gibt uns die Natur im ganzen Reichtum ihrer Farben, aber beraubt
sie der Tiefenrichtung. Das Zweirichtungsbild ist noch die ganze
Landschaft mit allen ihren Stimmungen und Motiven. Sie gibt uns
noch jede Anregung, die wir haben könnten, wenn wir durch ein
Fenster in die Weite schauten, aber die Aufhebung der Tiefe hemmt
jede Erwartung; der Wanderer auf dem Wiesenpfad im Gemälde
wird niemals von der Stelle rücken. Die Erwartung, daß der Wanderer vorwärts kommt, ist aber nicht deshalb zerstört, weil der Maler
unfähig war, die Landschaft in ihrer plastischen Gestalt wiederzugeben, sondern der Maler verlegte die Landschaft in die flache
Ebene, gerade um die Erwartung, daß der Wanderer weiterschreiten
würde, vollkommen zu vernichten.

Der Bildhauer behält die Tiefenrichtung bei; so muß er denn
andere Mittel finden, die Erwartungen abzuschneiden. Er ver-
zichtet auf die Farbe. Die bunte Wachsfigur, die uns fast täuscht
und die Erwartung von Bewegungen unwillkürlich anregt, steht
deshalb tief unter der Kunst. Der wahre Künstler kann das pla-
stische Werk nur leicht tönen oder muß, wenn er die Farbe lebendig
verwerten will, die Gestalt ins Zierliche verkleinern oder stark ver-
größern, um jede Verwechslung auszuschließen. Der Dichter verwendet den taktmäßigen Rhythmus und den Reim, um auszuschließen, daß die Verse als ein dem Leben dienender Bericht von
Vorgängen oder Stimmungen mißdeutet werden; seine epischen
oder lyrischen Formen müssen von vornherein die Erwartung auf
persönliche Verwicklungen ausschließen. Das Schauspiel aber, das
im verdunkelten Theaterhaus im Rahmen der hell erleuchteten
Bühne sich abspielt, hemmt in uns von vornherein jede Erwartung,
daß diese Menschen in ihrem Edelmut und ihren Ränken, mit
ihrem Glück und ihrem Leid noch außerhalb der angeschauten

Handlung erhalten bleiben. In dieser künstlichen Unterdrückung
der Erwartungen und gefühlten Beziehungen liegt die einzige Unwirklichkeit des in der Kunst uns dargebotenen Lebens.

Der Sinn der Unwirklichkeit. Es ist daher nicht zutreffend,
beim Kunstgenuß von einem Pendeln zwischen Wirklichkeit und
Unwirklichkeit zu sprechen. Die Wirklichkeit der Leinwand oder
des Marmors bleibt ja außer Frage. Darüber hinaus soll aber in
keinem Augenblick der Eindruck der Wirklichkeit vorgetäuscht
werden, denn das hieße, Erwartungen erwecken, und gerade die
Hemmung aller Erwartungen ist die Vorbedingung der Kunstauf-
fassung. Dagegen müssen alle wesentlichen Empfindungen angeregt
werden, die das Ding oder Wesen, so wie es sich gegenwärtig darbietet, zu vollem Verständnis bringen; nur hat das gar nichts mit
seiner Wirklichkeit zu tun. Wir können nicht fest genug im Auge
behalten, daß Wirklichsein im Sinne von Dasein stets ein Über-das-
Erlebnis-hinausgehen bedeutet; das Erlebte kann sich daher in
seinem ganzen inneren Reichtum und seiner Fülle darbieten und
trotzdem gänzlich unwirklich bleiben, weil es nichts als das Erlebte
sein will und nicht darüber hinaus sich dem Zusammenhang einpaßt. Das Kunstwerk läßt uns somit nicht zwischen einem Wirklichen und einem Unwirklichen hin- und herschwanken, sondern
bietet uns einen Inhalt, der so reich und so erfüllt ist, wie ein Wirkliches, der aber grundsätzlich als ein Unwirkliches aufgefaßt wird.
Das Unwirkliche wird dadurch nicht zum Schein, da das Wort
Schein sagen will, daß es versucht, uns als ein Wirkliches entgegenzutreten. Daher liegt im Schein auch der Sinn, daß es etwas
niedrigeres, wertloseres sei als das Wirkliche. Aber die unwirkliche
Darbietung der Kunst soll niemals Wirklichkeit vortäuschen und
steht durchaus nicht niedriger; das Unwirkliche ist nur ein schlechthin anderes, das deshalb an sich nicht wertloser ist. Das Vorwiegen
praktischer Lebensinteressen mag uns wohl verführen, das Verhältnis so zu denken, als sei nur das Wirkliche positiv, das Unwirkliche
gewissermaßen negativ, als fehle dem Unwirklichen ein wesentliches
zu seiner Berechtigung, als würde es wertvoller, wenn es sich auch
noch die Wirklichkeit erflehen könnte.

Mit dem gleichen logischen Rechte können wir aber das Verhältnis auch umkehren. Das Unwirkliche ist das in seiner Darbietung sich Ganzgebende, das in sich Fertige, das auf nichts außerhalb

seiner eigenen Darbietungen hinweist; das Wirkliche dagegen, dessen
Sinn darin besteht, daß es Erwartungen weckt und Zusammenhänge über die Darbietung hinaus fordert, ist deshalb das im Erlebnis Unfertige, Unvollendete, Unerfüllte. Dadurch ist das Wirkliche zur Negativen, das in der Kunst Lebende zum Positiven, zum
Höheren geworden. Das Wirkliche muß in seiner Unfertigkeit jetzt
erst darnach streben, durch sein Weiterwirken die Selbstvollendung
zu erreichen, die dem Geniewerk in jedem Augenblick gehört. So
gibt vom Standpunkt der Wissenschaft die Kunst nur Schein
statt der wertvolleren Wirklichkeit, und vom Standpunkt der Kunst
gesehen, spricht die Wissenschaft nur vom Stetsunfertigen gegenüber der wertvolleren Selbstvollendung. Richtiger wäre es anzuerkennen, daß die stets werdende Wirklichkeit der Natur und die in
sich vollendete Unwirklichkeit der Kunst zwei gleichwertige, grund-
verschiedene Erlebnisse sind, die keinen Grund haben, aufeinander
eifersüchtig zu sein. Die Unwirklichkeit, das ist die Selbsterfüllung,
die jede Frage nach Veränderung und Zusammenhang grundsätzlich aufhebt, ist keine Erniedrigung, sondern Stolz und Kraft der
Schönheit in der Kunst. Es ist eine Einseitigkeit der Weltanschauung, wenn wir immer stillschweigend veraussetzen, daß gewissermaßen der Wirklichkeitswert der Welt allein grundlegende Bedeutung hat und der Einstimmigkeitswert nur eine nebensächliche
Zutat ist. Beide stehen zunächst durchaus nebeneinander, und mit
derselben unzulässigen Überwertung könnten wir das Einstimmige,
Vollendete, Schöne als die eigentliche wertvolle Welt betrachten
und es als zufällige Nebensache auffassen, daß es auch Erlebnisse
gibt, die sieh nicht des Einstimmigkeitswertes rühmen können, dafür
aber Zusammenhangserwartungen wecken und somit wirklich sind.

Eine bewußte Selbsttäuschung bezüglich der Wirklichkeit
gibt es also vor dem Kunstwerk nicht, und nicht in solcher Illusion
liegt die ästhetische Freude. Das, was wir im Kunstwerk überhaupt
suchen, ist vollständig vorhanden, ohne jede Täuschung; die Wirk-
lichkeitsmomente suchen wir dagegen nicht. Das Kunstschöne will
somit auch nicht scheinbar fortwirken und in das Weltgeschehen
jenseits seiner Darbietung eingreifen. Wir können geradezu sagen,
die Kunst zeigt uns gar nicht Dinge und Wesen, denn, wie die
Untersuchung des Daseinswertes zeigte, auch der Dingbegriff und
der Wesensbegriff setzt sehon Beziehungen jenseits des unmittel-

baren Erlebnisses voraus. Dinge und Wesen gehören der Welt der
Wahrheit zu, nicht dem Reich der Schönheit. Ding ist im Grunde
ein naturwissenschaftlicher, Wesen ein historischer Begriff. Der
erlebte Eindruck gilt uns als Ding nur, wenn er sich mit anderen
erwarteten Erfahrungen in stetigem Übergang verbindet, jedem
denkbaren fremden Wesen in eigener Raum- und Zeitrichtung
erscheint und in die zukünftigen Entwicklungen beharrend eintritt.
Was uns der Maler zeigt, darf nicht solche Erwartungen wecken
wollen und kann deshalb niemals ein Ding sein. Eine Anregung ist
es, eine Suggestion, eine Forderung; es sagt nicht: ich bin solch ein
Gegenstand; es sagt vielmehr: verstehe mich, nimm Teil an meinem
Wollen.

So wie das naturwissenschaftliche Ding nicht in die bildende
Kunst eintritt, so hat auch das historische Wesen keine Stätte im
Reich der Dichtung. Die dichterischen Gestalten sind uns Erlebnisse von fremden Wollungen, die keinem Wesen im Wirklichkeits-
sinne zugehören, denn Wesen waren uns Willenssubjekte, die in
jeder denkbaren Lage sich selbst erhalten und selbständig immer
aufs neue Stellung nehmen. Es ist ein Zusammenhang des gegebenen
Wollens mit Nichtgegebenen, das wir vom wirklichen Wesen erwarten; die Menschen der Dichtung treten in solchen Zusammenhang niemals ein. Der Jüngling, dessen Liebeslied wir im lyrischen
Gedichte willig mitempfinden, ist gar kein denkbares Subjekt für
anderweitige Stellungnahme; mit welchen Gefühlen er sich der
Politik oder der Chemie gegenüberstellt, ist nicht eine Frage, die
wir beim Genuß des Gedichts außer acht lassen können, sondern eine
Frage, die schlechthin sinnlos ist; der Herzenssang geht von keinem
Wesen aus, das nach Art historischer Menschen in jeder Lage mit
sich identisch bleibt, sondern ist freischwebender Ausdruck dieses
Schmerzgefühls allein, ohne jede denkbare Verbindung mit sonstigen
Erlebnissen.

Der Künstler ist daher entbunden von den gesetzmäßigen Zusammenhängen der Natur und der Geschichte. Er kann und muß
deshalb fortwährend Teile fortlassen, die in der Wirklichkeit unentbehrlich wären; und doch werden sie von niemandem entbehrt,
der die nötige Reife für ästhetische Auffassung besitzt. Die Büste
wird an der Brust abgeschnitten und keiner verknüpft sie mit den
übrigen Körperteilen, die anatomisch zum Kopfe gehören; der

Marmorkopf verlangt die Beine so wenig wie die Fleischfarbe. Wer da fragt, zu welchem Hafen das Schiff im Seebild segelt und wo die Frau wohnt, an welche die Sonnette gerichtet sind, der hat den Standpunkt der Kunst verlassen; das Schiff darf niemals den Hafen erreichen und die Geliebte niemals für Menschenaugen sichtbar sein. Auf der anderen Seite kann der Künstler nun aber Verbindungen einführen, denen alle naturwissenschaftlichen und geschichtlichen Erwartungen wiedersprechen. Der Frauenkörper kann im Fischschwanz enden, die Kinderschultern mögen Flügeln tragen, und die Bäume und Steine mögen im Märchen sprechen können. Denn nichts hat im Reiche der Kunst die Verpflichtung, auf Erwartungen einzugehen, die sich nur an das Wirkliche knüpfen.

Sofort sei wenigstens eines zugefügt. Die Isolierung des im Kunstwerk Dargebotenen schließt alle Beziehungen zum Nichtgegebenen aus, aber dadurch sind selbstverständlich durchaus nicht die Gedanken und Gefühle abgeschnitten, durch welche wir das Gegebene selbst im Reichtum seiner eigenen Wollungen verstehen. Welche Wirkung das Gemälde oder das Drama auf die sittlichen oder religiösen Gefühle unserer Zeit ausüben wird, ist eine Erwägung, die nichts mit der ästhetischen Würdigung zu tun hat; aber daß von den Gestalten im Bild oder im Schauspiel ein sittlicher oder religiöser Geist ausstrahlt, daß unsere tiefsten ethischen oder patriotischen oder metaphysischen Gefühle sich in das Kunstwerk einbetten können, das gehört im höchsten Maße zu seinen ästhetischen Aufgaben. In diesem Sinne kann nun auch naturwissenschaftliches und historisches Wissen sehr wohl in die Auffassung des Kunstwerks eintreten. So wie wir die Sprache des Dichters kennen müssen, so müssen wir die Begriffe verstehen, mit denen er spricht und die historischen Beziehungen kennen, die er für das Verständnis seines Helden im Trauerspiel voraussetzt. Alles das ist Wissen, welches eben nicht vom Kunstwerk wegführt zu erwarteten Außendingen, sondern welches dem Gebenenen selbst tieferen Ausdruck leiht.

Die Unwirklichkeit und die Einheit des Kunstwerks. Im Vordergrund stand uns bisher die Feststellung, daß der Künstler in uns ein Erlebnis anregen will, das keine Wirklichkeitserwartungen auslöst. Wir verfolgten den eigentlichen Sinn dieser Unwirklichkeit. Nun müssen wir fragen, was denn die Kunst uns an Stelle des Wirk-

lichen darbringt. Daß es ein Mannigfaltiges sein muß, war unser
Ausgangspunkt. Aber diese Mannigfaltigkeit sollte Einstimmigkeit
darstellen und Einstimmigkeit konnte nur zwischen Wollungen
bestehen. Das Gegebene mußte sich also als Willensmannigfaltigkeit erweisen und zwischen den Wollungen muß Einheit bestehen.
Alles dieses sollte von der hohen Kunst begünstigt und gesichert
werden. Nun ist die Kunst für uns zunächst Aufhebung der Wirklichkeit. Wie weit hängt dieses mit jenem zusammen? Wie weit
ist die Aufhebung der Wirklichkeit eine notwendige Förderung der
Einstimmigkeitsauffassung?

Ein Zusammenhang ergibt sich unmittelbar. Die unwirkliche
Darbietung hebt jede Erwartung praktischer Wirkung auf; auch
die Wirkung auf uns selbst und unsere eigene Umwelt ist somit ausgeschaltet. Das Interesse, handelnd einzugreifen und Stellung zu
nehmen, ist somit grundsätzlich erloschen. Es gibt gar keinen
Berührungspunkt zwischen dem Kunstwerk und unserer Persönlichkeit. Wir können nicht in die gemalte Landschaft eintreten,
wir können die Venus nicht umarmen, wir können in die Lustspiel-
szene nicht hineinreden, denn die Statue steht gar nicht in unserem
physischen Raum und die Szene spielt nicht in unserer physischen
Zeit. Die eine Raumform und die eine Zeitform ergab sich ja auch
erst aus der wechselseitigen Beziehung der Dinge; das schlechthin
Losgelöste kann somit auch daran nicht teilnehmen, sondern muß
in eigener Raum-Zeitatmosphäre verharren. Wunschlos stehen wir
somit dem Unwirklichen gegenüber; wir wollen es nicht verändern,
wir wollen es uns nicht nutzbar machen, wir wollen uns nicht dagegen wehren, wir wollen mit keinem Wollen uns einmischen. Unsere
eigene Persönlichkeit ist dadurch aber zum inneren Schweigen
gebracht, denn nur in unserem Wollen sind wir unserer selbst
bewußt. Unser stellungnehmendes Selbst ist dem Inhalte des
Kunstwerks gegenüber daher vollkommen ausgelöscht.

Wir stehen als wollende Menschen vor dem eingerahmten
Genrebild; wollend, insofern als wir vielleicht das Gemälde zu besitzen wünschen oder den Urheber des Bildes, den Maler, loben
wollen. Aber das bezieht sich auf das Ding, das Stück Leinwand,
das in den Zusammenhang von Ursachen und Wirkungen gehört.
Dagegen stehen wir als Menschen nicht vor den Personen jenes
Genrebildes; kein Raum, keine Zeit, keine Kausalität verbindet sie

mit uns, und ein unwollendes Subjekt, nicht unsere Persönlichkeit, wird der Personengruppe im Bild gewahr. Als wollende urteilende Menschen sitzen wir im Theater der Bühne gegenüber, aber wir belauschen nicht Romeos und Julias Zwiegespräch; wir könnten sie nicht stören und nicht warnen; unpersönlich, unräumlich unzeitlich fassen wir ihre Leidenschaft auf.

Gerade deshalb kann nun der eigene Wille der angeschauten Erlebnisse in uns zur vollsten Geltung kommen. Wir sind ausgelöscht, nun können die Felsen und Wolken sprechen; wir wollen nichts mehr, nun kann der Held der Tragödie in uns wollen. Wir selbst sind zum Willen der Landschaft und der Helden geworden; in uns wollen die Erlebnisse ihren eigenen Sinn in ungehemmter Reinheit. So wird die künstliche Erzeugung der Unwirklichkeit zur Bedingung für die Beseelung, Belebung und Willensdurchdringung des Erlebten. Erst dadurch aber ist dann die Bedingung für die Auffassung der Einstimmigkeit gegeben. Zunächst freilich nur die Bedingung. Ob diese Einstimmigkeit wirklich empfunden werden kann, wird davon abhängen, ob das Werk wahrhaft eine reine Schöpfung der Kunst ist und ob das Genie seines Erzeugers uns zwingen kann, die Willenserfülltheit und die Willenseinheit zu fühlen.

Die Willenserfülltheit wird sich naturgemäß um so lebhafter uns aufdrängen, je bedeutungsvoller der Inhalt. Auch wenn die Unwirklichkeit des Inhalts unser wollendes Selbst verflüchtigt hat und so für fremdes Wollen in uns alles vorbereitet hat, wird das Gleichgültige und Triviale kein Wollen in uns entwickeln. Gleichgültig ist es dann ja nicht, weil wir kein Interesse an dem praktischen Erfolg haben, denn immer wieder sahen wir, daß wir solches Interesse auch nicht am bedeutungsvollsten Inhalt des Kunstwerks haben können. Gleichgültig ist es, weil in uns keine menschlich bedeutsamen Gedanken und Gefühle anklingen, die wir in den Erlebnissen selbst lebendig werden lassen. Wenn dagegen das menschlich Große in uns erregt wird, so muß es, da unsere eigene Persönlichkeit ausgeschaltet ist, nun mit voller Kraft sich an das äußere Erlebnis anlehnen und diesem dadurch jene Eindruckskraft verleihen, die, dann scheinbar von außen kommend, unsere Seele mitfortreißt.

Hat so der Gegenstand in sich die Kraft, unseren Willen zum

Mitwollen einzuspannen, so gilt es nun die miterlebte Willensmannigfaltigkeit zur Einheit werden zu lassen. Erst dadurch haben
wir eine Kunst. Ein Bedeutsames mag unwirklich an uns herantreten, selbst willenslos mögen wir in seinem Wollen aufgehen, aber
kein Wertbewußtsein, kein Schönheitsgefühl erwacht, weil das Wollen
disharmonisch zerrissen wird. Andererseits wird selbst das nur
wenig Bedeutsame, ja selbst das Gleichgültige, wenn es nur irgendwie
überhaupt die leisesten Willenstöne anklingen läßt, ein gewisses Wertbewußtsein wecken, sobald die Töne vollkommen harmonisch sind.

Zu dem, was für die Einheit unerläßlich ist, gehört zunächst,
daß wir ein Willensganzes vor uns haben. Sobald das Gegebene sein
Wollen nur im Zusammenwirken mit Nichtgegebenen bekunden
kann, so ist die Darbietung wertlos. Der Bildhauer mag uns die
Büste ohne den Rumpf geben, aber er kann uns nicht eine Nase
allein bieten, und der Dichter darf uns nicht ein unverständliches
Bruchstück eines Gesprächs mitteilen. Deshalb mag die Nase als
Nachbildung den Anatomen interessieren und das Gespräch den
Historiker; nur künstlerisch sind sie unmöglich. Auf der anderen
Seite hat weder Naturwissenschaft noch Geschichte aus ihren
Zusammenhangsbegriffen heraus zu entscheiden, was füglich eine
Einheit ist. Es war ja die Einstimmigkeit des Wollens, also die
Identität des Zweckes, nicht die ursächliche Zusammengehörigkeit,
die wir verlangen müssen. Die Landschaft ist daher durchaus eben-
solche Einheit wie der einzelne Baum, und die Geschlossenheit der
Landschaft ist in keiner Weise gestört, wenn auch vielleicht der
Rahmen hier das offene Meer und dort die Baumkrone scharf ab-
schneidet. Und der Roman ist vollendete Einheit, auch wenn die
Nebenpersonen für uns keinen Lebenslauf besitzen, sondern nur
in Einzelbegebenheiten lebendig sind. Alles, was sich wechselseitig
in seinem Wollen stützt, gehört da als Einheit zusammen; alles was
zum Ausdruck dieses einheitlichen Wollens notwendig ist, wird für
das Kunstwerk unentbehrlich; alles, was mit dem gemeinsamen
Zweck nichts zu schaffen hat, ist überflüssig; alles, was ihm entgegenwirkt, ist störend, sofern es ihn nicht mittelbar fördert dadurch,
daß es absichtlich einsetzt, um überwunden zu werden. Da der
Künstler in seiner Gestaltung des Unwirklichen frei einfügen und
ausschalten kann, so wird er in dieser Weise eine Einstimmigkeit
erzielen können, die jedes Wirkliche übertrifft.

Aber seine Freiheit geht noch weiter. Er kann im Unwirklichen Inhalte zur Einheit zusammenfügen, die im Wirklichen vollständige Uneinheit zurücklassen würden. Der Maler kann ein vollendet schönes Bild von einer schmutzstarrenden, häßlichen Straße malen; der Dichter kann ein harmonisches Trauerspiel mit zerrüttender Disharmonie menschlicher Schicksale füllen. Wieder ist es die Unwirklichkeit, die hier das ästhetische Gebiet in unbegrenzter Weise erweitert. Im Leben steht das Einzelne in Beziehung zur Umwelt. Der Streit zweier Personen kann daher im täglichen Dasein in uns nur unästhetische Gefühle wecken. Entweder nämlich betrachten wir das Streitganze, dann stellt es sich in störenden Widerspruch zu der harmonischen Gestaltung der Gesellschaft, der die streitende Gruppe zugehört. Oder wir betrachten den Einzelnen, dann widerstreitet jeder seinem Gegner. Das Leben löst diese Unruhe vom Standpunkt der Gesellschaft, indem der Streit gerecht geschlichtet wird, und vom Standpunkt des Einzelnen, indem der Haß sich in Liebe verwandelt.

Für den Künstler, für den Dichter liegt es anders. Was der Streit für die übrige Menschheit bedeutet, kann garnicht in Betracht kommen, denn durch die Unwirklichkeit sind alle Fäden herüber und hinüber abgeschnitten. Das auf der Bühne oder im Roman Dargebotene muß, weil es unwirklich ist, schlechthin Ende in sich selbst sein; der störende Widerspruch zur Umwelt fällt in der Kunst somit fort. Wird so aber das Dargebotene zu einem Stück Weltganzen in sich, so wird nun der Einzelne nur ein Teil dieses neuen Ganzen. Jetzt ist der Streit der eigentliche Sinn und Zweck der Gruppe, und das Schauspiel ist harmonisch, wenn jede Figur sich einheitlich in diese herrschende Absicht einpaßt; je lebhafter der Kampf, desto einheitlicher und schöner fügt sich jeder Einzelne in die Kampfgrundideen. Jetzt wird unser Wollen durch den Widerstreit im Trauerspiel nicht mehr zerrissen, denn, so sehr auch die Einzelnen einander vernichten wollen, wir wollen mit ihnen allen mit, um den Endsinn, den Vernichtungskampf, zu einheitliehem Ausdruck zu bringen.

Das Gleiche wiederholt sich in allen Künsten. Überall kann sich das Naturhäßliche in Kunstschönes umsetzen, und nirgends haben wir dabei die Zuflucht zu dem kunstfremden Gedanken zu nehmen, daß es die Überwindung der technischen Schwierigkeiten

in der Wiedergabe oder das sachliche Wiedererkennen sei, das uns
dabei die künstlerische Freude vermittelt. Die Bewertung beruht
auch hier durchaus auf der Einstimmigkeit, die hier neue Form
annimmt, weil in der Unwirklichkeit sich als abschließendes Ganzes
eine Mannigfaltigkeit darbieten kann, die in der Wirklichkeit niemals als ein Ganzes gelten könnte.

Hierzu kommt aber schließlich ein Wichtigstes. Das Unwirkliche, das als solches ohne Beziehung zu unserem einen Raum, zu
unserer einen Zeit, zu unserer einen Natur und zu unserer einen
Geschichte ist, muß sich nun seine eigenen Formen schaffen. Da
stehen die Menschen des Malers fest auf ihren Füßen in einem Zwei-
richtungsraum ohne Tiefenrichtung; da leben die Persönlichkeiten
des Bildhauers in einer farblosen Welt; da sprechen die Helden des
Trauerspiels im Verstakt; da hallen die lyrischen Gefühle in Reimen
aus; da schiebt sich ein Schauplatz der Erzählung unmittelbar an
den anderen. Und überall ist das Überflüssige und Störende schlechthin vernichtet, und überall schließt Anfang und Ende, der Rahmen
und der Bühnenraum das Ganze so völlig ab, daß nichts durch die
Formgrenze durchsickern kann. Auch diese neue kunstgeschaffene
Eigenform des Unwirklichen, ohne die es keine Aufhebung der
Wirklichkeit geben kann, tritt nun vollkommen in den Dienst der
einheitlichen Aufgabe, wird selbst zum Ausdruck eines Wollens,
begünstigt, ja ermöglicht so recht die Einstimmigkeit des dargebotenen Erlebnisses. Jetzt hat die lyrische Stimmung nicht nur
ihren Inhalt, sondern auch ihre neue eigene Form; ist nicht nur
Gehalt, sondern auch Gestalt; ist nicht nur Schmerz oder Freude,
sondern auch Takt und Rhythmus und Strophe und Reim, und jegliches muß zu dem einheitlichen Wollen beitragen. Wie so Gehalt
und Gestalt harmonisch zusammenwirken, werden wir noch für
die einzelnen Künste ein paar Schritte weiter verfolgen müssen.

Bei alledem bleibt aber für uns von entscheidender Bedeutung,
daß die Vielheit dieser Kunstbedingungen kein zufälliges Nebeneinander darstellt. Daß der mannigfaltige Inhalt bedeutungsvoll
sein muß, daß er unwirklich sein muß, daß er ein Wollen aussprechen
muß, daß dieses Wollen von uns nacherlebt werden muß, daß unser
eigenes wollendes Ich dabei ausgelöscht sein muß, daß jede Beziehung zur Umwelt, zur Natur, zur Geschichte zerschnitten sein muß,
daß das Ganze vollständig isoliert sein muß, daß es seine eigene

Form haben muß, daß diese Gestalt mit dem Gehalt harmonieren muß und daß alles sich wechselseitig in seinem Wollen unterstützen muß: alles das findet sich nicht zufällig zusammen. Im Gegenteil, alles ist von einem einzigen Grundverlangen beherrscht: alles muß gerade so sein, damit die Einstimmigkeit des Dargebotenen zur Geltung kommt. Nur um Einstimmigkeit zu verstehen, müssen wir es als Willen erfassen, und nur damit es als Willen erfaßt werden kann, muß es in sich bedeutungsvoll sein, und muß unser persönliches Wollen aufgehoben sein. Um unser persönliches Wollen aufzuheben, muß es aber unwirklich und somit abgelöst und somit in seiner eigenen Form sein. Und nun wird es als Werk der Schönheit gelten, wenn dieser mannigfaltige, eigenformige, bedeutungsvolle, losgelöste, nacherlebte Willensgehalt in Form und Inhalt vollkommen einstimmig ist. Im Grunde beruht somit jegliche Bestimmung auf der Einheit, und alles übrige sind notwendige untergeordnete Hilfsmittel der Einheit.

Daß aber diese Einstimmigkeit des Wollens uns ein schlechthin gültiger Wert ist, uns eine Befriedigung gewährt, die von allem persönlichen Wünschen und Genießen unabhängig ist, das haben wir längst aus dem Wesen der Bewertung verfolgt. Soll das Wollen, das wir nachlebend verstehen, kein zufälliges Aufflackern, sondern das Verkünden eines in sich Selbständigen, einer selbstseienden Welt sein, so muß es in sich einstimmig sein, und nur soweit als es einstimmig ist, hat es seinen, über das zufällige Erlebnis hinausgehenden Selbstsinn. Nun wollen wir im Erleben eine sich selbstbehauptende Welt ergreifen; wir müssen das Einzelne daher festhalten mit dem Verlangen nach identischer Wiederkehr dieses Wollens im Gefüge der Mannigfaltigkeit, und wenn das Identische einsetzt, so sind wir befriedigt. Da aber diese Befriedigung sich auf ein schlechthin überpersönliches Verlangen bezieht, so ist auch die Befriedigung überpersönlich, das identische, einstimmige Wollen des Kunstwerks somit ein Wert. Schon die Natur und das Leben schenkt uns solche Werte und doch, vollendete Einstimmigkeit war dort niemals zu erhoffen, weil jedes einzelne in tausendfacher Beziehung zur Natur und Geschichte stand und somit unser eigenes Hoffen und Fürchten, Gestalten und Verändern eingriff, ein vollständiges Einleben somit nicht möglich ist. Vollkommen kann die nachgefühlte Einstimmigkeit und somit der Einheitswert erst dann

werden, wenn die Beziehungen aufgehoben sind, das Ich ausgelöscht ist, das Erlebte seine eigene Form sucht, und alles dieses erfüllt sich, wenn statt des Wirklichen ein Unwirkliches geboten wird.
Wenn das geschieht, erleben wir die Kunst: die bildende Kunst
für das Wollen der Außenwelt, die Dichtkunst für das Wollen der
Mitwelt, die Tonkunst für das Wollen der Innenwelt.

A. Die Bildende Kunst.

Der Inhalt des Bildwerks. Die bildende Kunst soll den ins
Unwirkliche erhobenen Inhalt der Außenwelt in seiner Willenseinstimmigkeit zum Ausdruck bringen. Nun haben wir von vornherein den Einstimmigkeitswert vornehmlich am Beispiel der Außenwelt und ihrer natürlichen Harmonie entwickelt und ebenso den
Schönheitswert hauptsächlich mit Rücksicht auf die Malerei und
Bildhauerkunst abgeleitet. Das Wesen der einstimmigen Außenwelt und der bildenden Kunst liegt somit schon deutlich und bestimmt vor uns; es bedarf nur noch weniger Striche zur Ergänzung.
Vor allem mag es wünschenswert sein, doch noch ein wenig weiter
zu verfolgen, wie sich im Falle der bildenden Kunst Gehalt und
Gestalt zu einander finden und gemeinsam ihrer einheitlichen Aufgabe dienen.

Jedes Bild im Rahmen hat uns einen Inhalt mitzuteilen,
gleichviel ob es ein Heiligenbild oder eine Genreszene, ein Still-
leben oder eine Landschaft ist. Wir haben ausführlich verfolgt,
warum dieser Inhalt eine Mannigfaltigkeit in uns anregen muß,
warum er bedeutsam sein muß, warum er vollkommen in sich abgeschlossen sein muß; und zwar sowohl in dem Sinne, daß er alles
enthält, was zur Darstellung seiner Idee notwendig, als auch in
dem anderen Sinne, daß er nichts enthält, was notwendig über
das Kunstwerk hinausweist. Wir haben auch davon gesprochen,
daß solche Idee nicht als begriffliches Gebilde in Frage kommt
und nicht als Verkündung einer Überwelt, sondern durchaus mit
dem Anregungswert und dem Ausdruck des Dargebotenen selbst
zusammenfällt. Die lebendige Fülle dieser Mannigfaltigkeit, ihre
Bedeutsamkeit, ihre Bestimmtheit und Übersichtlichkeit, ihre innere Geschlossenheit und die ersichtliche Notwendigkeit ihrer Teile,
wird über den Wert des bildlichen Stoffes entscheiden. Auch davon
überzeugten wir uns, daß der Wert dieses stofflichen Inhalts für

den Schönheitszweck unabhängig davon war, ob der entsprechende
Inhalt auch noch im Gefüge der Wirklichkeit schön sein würde.
Hineingezerrt in den wirklichen Naturlauf würde die Schönheit so
manchen Bilderinhalts verloren sein, gleichviel ob da Anatomen
um einen aufgeschnittenen Leichnam stehn oder zechende Kumpane
in der dunstigen Schänke hausen.

Der Wirklichkeit gegenüber ist der Bildinhalt aber auch darin
bevorzugt, daß er von allem entlastet ist, das nicht dem einheitlichen Wollen dient. Die wirkliche Außenwelt ist überall vollge-
stopft mit Teilinhalten, die für unser Erlebnis unwesentlich sind;
sie muß jeder neuen Wendung unserer Aufmerksamkeit willig sein,
muß jedem wechselnden Interesse neue und neue Einzelheiten darbieten, und wo die Wahrnehmungsfähigkeit unserer Sinne versagt,
mögen wir mit künstlichen Hilfsmitteln weiterforschen. Die Wirklichkeit kann keine Auslese treffen und muß daher nicht nur das
Störende, Häßliche dulden, sondern auch die Bürde des Gleichgültigen und Zufälligen mit sich schleppen. Wollten wir dagegen
mit dem Vergrößerungsglas die gemalte Blume betrachten, so
kämen wir gar nicht wie in der Wirklichkeit zu feinerem pflanz-
lichen Gewebe, sondern das Pflanzliche verschwände und Pigment-
körnchen der Ölfarbe kämen zum Vorschein. Der Kunstinhalt
darf nur so genommen werden, wie er sich zeigen will. Vielleicht
leuchtet aus dem Bilddunkel nur Gesicht und Hand hervor, alles
übrige der Gestalt ist dann beseitigt, und oft muß ein Lichtreflex
für ein Ding stehn, an dem nichts anderes würdig war, in den Bild-
gehalt einzutreten.

Auslese aus dem Erlebnischaos nimmt ja freilich auch die
Erkenntnis vor, und was wir daseiende Wirklichkeit nennen, ist
durchaus durchgesiebt und umgearbeitet. Wir haben die Wege
genau verfolgt. Nur das, was sich zu erhalten vermag und schließlich so in den Zusammenhang eintritt, wird als wirklich anerkannt.
Und in gewissem Sinne ist auch das eine Vereinfachung, da die
einstürmenden Erscheinungen durch die Zusammenhangsgesetze
und die Beschreibungsbegriffe geordnet und übersichtlich gemacht
werden. Aber trotz der Ordnung, in gewisser Weise gerade wegen
der Ordnung, wächst nun die übersichtlich gemachte Welt in ihrer
Mannigfaltigkeit weit über das Erlebnis hinaus; das Erlebnis fand
die Grenzen der Sinnlichkeit, das Erkannte ist unbegrenzt wie das

Zahlensystem, das ins Unendliche nicht nur Zahlen zufügen, sondern Zahlen teilen kann. Was wir erleben, ist nach oben wie nach unten hin, in Ausdehnung und in Teilinhalt, nur ein winziger Teil von dem, was die Wissenschaft erkennt. Und so trotz aller Übersichtlichkeit vermehrt die Wissenschaft stetig die Welt unserer Erlebnisse und fügt zum Stoffe hinzu. Wo das Auge einen einzigen Tautropfen findet, da sieht die Physik Trillionen von Atomen. Nur freilich ist an innerer Bedeutung das Atom uns nicht mehr mit dem Tropfen vergleichbar, der das Blütenblatt netzt und die Sonne schillernd zurückstrahlt. Die Menge der Einzelheiten nimmt zu, aber ihr Sinn wird abgestumpft, und wenn die Naturwissenschaft ihr letztes Wort spricht, so ist die Zahl der Teile unendlich groß geworden, aber alle sind gleichartig und in ihrer Individualität schlechthin gleichgültig.

Die Vereinfachung der Kunst geht den entgegengesetzten Weg. Sie vermindert die Zahl der Dinge, aber hebt stetig ihre Bedeutung. Sie vermindert die Zahl; alles nicht unmittelbar Gegebene liegt garnicht in ihrer Welt. Die Wissenschaft blickt weit hinter die fernsten dem Fernrohr sichtbaren Sterne; die Kunst blickt niemals über den Rahmen des Bildes hinaus. Aber auch im Umrahmten kann die Vereinfachung hier niemals die Einzelheiten vermehren, sondern nur vermindern. Für die Wissenschaft muß sich der Tropfen in Atome sondern, denn wir wollen verstehn, daß, wenn er etwa verdampft, seine Teile doch erhalten bleiben. Der gemalte Tropfen darf nicht verdampfen; alles nicht Gegebene bleibt außer Betracht: die Trillionen Atome können niemals anschauliches Erlebnis werden. Dagegen mag die Welt sich uns wirklich in Tropfen auflösen — der Maler setzt an die Stelle von sprühendem Gischte vielleicht einen einzigen blendenden Strich. Und doch mag die packende Kraft der einen weißen Linie den Sinn jener gegen den Felsen anprallenden Welle lebhafter zur Geltung bringen, als es irgend eine Anhäufung anschaulicher Einzelheiten vermöchte.

Das gilt nun aber allgemein: die Kunst vermindert die Einzelheiten an Zahl, aber steigert ihre innere Kraft. Der Schwan im Weiher wird für den Anatomen eine lange Reihe von Organen, und jedes Organ wird zu Geweben und jedes Gewebe zu Zellen, und jede der Millionen Zellen ist geeignet, die Zusammenhänge verständlich zu machen, etwa die Lebensvorgänge des Schwanes zu erklären;

aber die so erhaltenen Millionen Zellen sind für die Erfassung des Schwanes, wie er sich uns im Weiher darbietet, vollkommen gleichgültig. Der Maler gibt uns nicht einmal die paar Teile, die wir an dem Tiere sehen; er wählt selbst da noch aus, und nur ein paar weiße Tupfen deuten den Körper an. Aber die eine Edellinie vom Kopf zum Flügel bringt uns die ganze stolze Ruhe und stille Reinheit; durch die Beschränkung auf eine Grundlinie hat sich in ihr nun das Wesen des ganzen Geschöpfes verdichtet. Selbstverständlich trägt diese Unterdrückung des Unwesentlichen nun selbst auch dazu bei, das Gefühl der Unwirklichkeit zu steigern, das uns für alle Schönheitsbewertung so wichtig war. Sie wirkt da ähnlich wie das Wegfallen der Eindrücke in anderen Sinnesgebieten; die gemalte Welle bringt uns nicht die Kühle und die salzige Luft, und auch dieser Mangel ist durchaus Steigerung.

So wird uns denn der Inhalt des Bildes durch die für seinen Sinn wesentlichsten Züge dargestellt; darüber dürfen wir aber nicht vergessen, daß diese Darstellung des Inhalts nicht der wesentlichste Zug für den Sinn des Bildes ist. Daß der Stoff nicht schlechthin gleichgültig sein darf, verstanden wir; auch daß der Wert in gewissem Sinne mit der Bedeutungsfülle des Inhalts wächst. Dagegen ist es doch sehr zu beachten, daß der Wert durchaus nicht mit der Neuigkeit des Stoffes anwächst und mit der zunehmenden Verzweigtheit und Ungewöhnlichkeit des Inhalts der Bildwert geradezu abnimmt. Auch die dramatischste menschenreiche Gerichtsszene, in der ein Roman zu gipfeln scheint, ist malerisch bei weitem nicht so fesselnd und inhaltlich nicht so interessant, wie vielleicht das Bildnis einer alten Bäuerin, und die exotische wunderreiche Landschaft ist uns gleichgültig neben einem Stückchen hingemalter vertrauter Waldeseinsamkeit. Alles Verwickelte und Fremde führt uns zunächst vom Gegebenen weg, setzt dadurch für unsere Phantasie ein Wirkliches an die Stelle des Unwirklichen und hebt somit die Kunst auf. Die Gerichtsszene hat ihren Sinn nicht mehr klar in sich selbst; es ist ein Mittelstück, für das wir Anfang und Ende hinzudenken und so in Zusammenhänge eintreten, die hier noch nicht in der Erscheinung selbst verdichtet sind, sondern selbständig angehängt werden. Die fremdartige Landschaft erweckt naturwissenschaftliche Interessen.

Aber auch das ist noch nicht das Entscheidende: wichtiger

noch ist, daß hier überall der reine Stoff sich vordrängt und das
Einzige sein will. Das Neue, Fremdartige, Belehrende wird eben
nur Inhalt und dadurch ist die reine Kunst aufgehoben. Soll der
Stoff wirklich bedeutungsvoll, bewegend und tief sein und trotzdem sich im Kunstganzen nicht vordrängen und das Gleichgewicht
zerstören, so muß es ein uns völlig vertrauter Inhalt sein oder ein
allgemeiner. Hier liegt die unvergleichliche Bedeutung des religiösen Bildes; in der Madonna etwa wird der unvergleichlich große
Inhalt in seiner gemütbewegenden Tiefe erfaßt und doch bleibt
das seelische Gleichgewicht gewahrt, weil der Stoff so bekannt ist.
Allgemein aber wirkt die Landschaft, die nirgends ist, der Frauenkörper, der niemand ist, die Phantasieszene, die niemals ist; da
kann die Kunst ihre harmonischen Wirkungen erzielen.

Der Inhalt darf also nicht das Wesentliche sein; sonst dient
das Bild dem naturwissenschaftlichen oder kulturhistorischen An-
schauungsunterricht, das Portrait wird Teil der Lebensbeschreibung,
die Landschaft wird Reisebeschreibung. Die wahre Kunst will
Einheit von Inhalt und Form, von Gehalt und Gestalt und muß
daher der Form gleichwertige, selbständige Bedeutung geben. Das
kann aber nur dann sein, wenn die Form nun selber zum Ausdruck
eines Sinns, eines Wollens wird.

Die Form des Bildwerks. Form ist uns hier natürlich nicht
nur die räumliche Form, sondern das gesamte Gewand, in dem der
Inhalt sich darbietet. Dahin gehört die Farbe mit allen Unterschieden der Lichtstärke, des Farbentons, und der Sättigung, dahin
gehört die Linie mit ihren Windungen und Winkeln, mit ihren
Entfernungen und Gestalten. Alle diese Formbestandteile sind
nun natürlich auch da verwendet, wo von Kunst nicht die Rede
sein soll. Auch die naturwissenschaftliche Illustration oder das
Lichtbild im Dienst des Verbrecheralbums kann den Inhalt nur
durch Lichtverschiedenheiten und deren Grenzlinien festhalten;
aber beim Kunstwerk allein entsteht das Verlangen, daß diese
Formungsmittel selbst Einheitswert besitzen. Damit ist ein Verlangen gestellt, das gegenüber der Betrachtung der wirklichen
Außenwelt ein Neues darstellt. Auch in der Harmonie der Natur
würdigten wir die schönen Formen, aber es waren Farben und
Gestalten der Dinge. Im Bilde wird vom Standpunkt der Form-
betrachtung das Ding selbst nur ein Zufälliges, denn das schön zu

Füllende ist jetzt nicht mehr eine Gegenstandsgruppe, sondern der Bildraum. Und dieser Raum — das haben wir deutlich erkannt — ist nicht etwa ein Teil des einen Außenweltraumes, und das Licht, das den Bildraum durchflutet, ist nicht das eine Sonnenlicht, das durch unsere Zimmerfenster auf die bemalte Leinwand fällt. Der Rahmen umschließt einen Raum und eine Beleuchtung, die von der übrigen Welt vollkommen abgesondert und unabhängig sind.

Die Aufhebung aller Zusammenhänge und die Einführung dieser neuen selbständigen Eigenweltform gibt so den Lichten und Linien, wenn sich nur der Inhalt nicht vordrängt, ein unabhängiges Wollen und deutlichen Sinn. An der Rahmenbegrenzung und dem Zweirichtungswert des Malgrundes liegt das nicht. Betrachte ich etwa eine eingerahmte große Karte des deutschen Reiches, so fehlt es nicht an Linien und Farben; jeder Flußlauf, jede Bergkette gibt da Linienwerte und Formen, jeder Bundesstaat hat seinen eigenen Farbenton. Trotzdem würde es mir schwer sein, irgendwie ein eignes Leben in diesen Farben und Linien zu fühlen. Ob Rhein und Elbe und Oder da eine einstimmige Linienharmonie bilden, kümmert mich nicht, weil jene schwarzen Linien in der Karte als Linien gar nichts eignes wollen und somit weder einstimmig noch uneinstimmig sein können. Sie haben mir nur die Bedeutung, Verhältnisse der wirklichen geographischen Welt anschaulich darzustellen, und diese Verbindung mit den Richtungen der Stromläufe macht ihren ganzen Wert aus.

Die Umrißlinien und Farben der Sixtinischen Madonna dagegen haben nichts darzustellen als sich selbst. Sie sind nicht wie die Formen auf der Karte Vertretung eines Wirklichen, noch sind sie, wie die Formen der Außenwelt, Anregungen für die zweckmäßige Handlung. Völlig losgelöst sind sie in sich bestimmt als Ausdruck des einen umrahmten Raumes. Dadurch wird nun jede Falte des Gewandes, jede Gliederlinie des kindlichen Körpers, die Flügelgrenzen der Engel und die scharfen Kopflinien der Nebengestalten, der Faltenwurf der Seitenvorhänge und die himmlischen Formen der Jungfrau — jedes wird ein Wollen, das einen Sinn zum Ausdruck bringt und zu dem Mitwollen der anderen Linien innigste Beziehung sucht. Das Wollen hat keinen Zweck außer sich selbst; sein einziges Verlangen ist Übereinstimmung in den Linien des Ganzen, und keine andere Sprache als diese Liniensprache könnte den Sinn dieser Falten und Formen zum Ausdruck bringen. Die unendliche Harmonie dieses Wollens aber steigert das Wollen selbst zu immer lebhafterer Tätigkeit, und ohne Mühe können wir uns dem Ineinanderspielen dieser seelenvollen gütigen Linien so überlassen, daß uns das Bild zum Reigen freischwebender Formen wird.

Aber im Grunde gilt das schon für die einfachste Gestaltenordnung. Der steile Aufstieg und die leichtgeschwungene Windung, die weiche Wellenlinie und der scharfe Winkel, die breitgelagerten Grundlinien und die schlanke Höhenlinie, der in sich ruhende Kreis und die vorwärtsdrängende Wiederholung des Einschnitts, alles tritt uns im reinen losgelösten Bilde mit eignem Verlangen entgegen, und jedes wirre Durcheinander solcher Wollungen zerreißt die Einheit. Das Einzelne aber ordnet sich im Ganzen; da will die eine Seite, daß sie nicht überstürzt, daß ihr die andere mit sicherer Gegenwirkung das Gleichgewicht halte; da will dies freie lose Spiel der oberen Teile, daß ihnen der untere Teil gefestigte Grundlage biete; da will die Einteilung in großen und kleinen Abschnitt, daß einer nicht den anderen verdränge und jeder sein eignes Wesen mit selbständiger Deutlichkeit aussprechen mag. Und von solchem einfachsten harmonischen Gegenspiel führt ein grader Weg zu den bewegtesten Liniensinfonien, etwa zu Rembrandts Nachtwache oder Feuerbachs Amazonenschlacht.

Genau das Gleiche gilt von den Lichten. Ihr Wollen ist nicht Bewegung wie das der Linien; ihr Sinn ist Erregung. Aber die unendliche Fülle dieser Erregungen tritt nun in gleicher Weise in ein selbständiges Wechselspiel. Jeder Farbenton hat seine eigene Erregungsweise, und wie schnell ändert sie sich mit der Sättigung und mit der Ausbreitung. Mit schneidender Schärfe wendet sich der gesättigte Farbenton gegen die leicht getönten ungesättigten Nebenfarben; mit Widerwillen stellt sich die reine Farbe neben die unreine, die warme neben die kalte. Mit welcher Anmut grüßen die im Bild zerstreuten Tupfchen einer Farbe zu der breiten Fläche mit gleicher Grundfarbe herüber; mit welcher Freude leuchtet die lichte Farbe zwischen dem zustimmenden Dunklen hervor. Dann aber gilt es, einen Schritt weiterzugehn: die Lichter wollen nicht nur in Einigkeit mit sich selbst, sondern auch mit den Linien sein; die Erregungen und die Bewegungen müssen in eine Harmonie aufgehn. Die sanfte Erregung kann nicht die heftige scharfe Linien-

führung dulden; der große Linienschwung will nicht den matten
Farbenton. Und schließlich das Letzte, das Größte: Erregung des
Lichts und Bewegung der Linie will in vollkommener Einstimmig-
keit mit dem Sinn des Inhalts zusammentönen.

Der Genießende ist sich ja nur selten bewußt, mit welch unendlicher Sicherheit das Genie des großen Malers diese höchste
Einheit gewinnt und wieviel der Schönheit von diesem umfassend-
sten Einklang abhängt. An sich wäre es ja denkbar, daß die liebe-
vollste Madonna in ein Gewand gehüllt ist, dessen Falten scharf-
eckig, dessen Farben schreiend, dessen Nebenfiguren in harten sich
durchschneidenden Umrißlinien gegeben sind. Dabei könnten die
Farben und Formen in sich vortrefflich zusammenstimmen und in
übereinstimmender Weise ein schreckenvolles lautes Durcheinander zeichnen. Solche spitzen Winkel und aufgeregten Farben
würden aber mit dem Inhalt nur dann zusammenstimmen, wenn
etwa ein Schlachtgetümmel zu schildern wäre. Andererseits könnte
das ganze Grausen der Schlacht mit allen inhaltlichen Entsetzlich-
keiten auch mit weichgetönten Farben, sanften schwingenden
Linien, in lieblichen Formwindungen erzählt werden; leichte Schäferwölkchen könnten am Himmel stehn, und die Bäume könnten es
in anmutigen Biegungen umrahmen. Der einheitliche Inhalt hätte
durch solche sanftflüsternde Formensprache nicht im geringsten
zu leiden, und doch wäre die Einheit des Bildes vernichtet; die zer-
rissenen Wolken am Himmel, die eckigen knorrigen Baumäste, die
scharfeckigen Steine am Boden, alles muß mitkämpfen und mit in
Erregung sein.

Psychologie der ästhetischen Wirkung. Vielleicht fällt ein er-
hellendes Seitenlicht auf das Wesen der malerischen Einstimmigkeit, wenn wir den ganzen Vorgang einmal in die Sprache der
physiologischen Psychologie übersetzen. Unser eigentliches philosophisches Problem ist damit natürlich verlassen. Wir sollten ja
den Sinn der Schönheitsbewertung erfassen, und da gilt es, das
unmittelbar gefühlte Wollen zu deuten, in seine Teilwollungen zu
zerlegen, in seinem Ziel zu begreifen und in seinen Willenszusammenhang einzuordnen. Der Psychologe dagegen soll jenen Vorgang als seelische Erscheinung beschreiben und somit das Wollen
als ein beschreibbares Objekt auffassen, es in seine gegenständlichen Elemente zerlegen, es in seinen Ursachen begreifen, es in den

psychophysischen Zusammenhang der Dinge einordnen. Wir mußten überall auf die psychologische Fragestellung verzichten, um das Weltanschauungsproblem, das uns beschäftigt, so klar wie möglich von den körperlichseelischen Naturwissenschaftsproblemen zu sondern; daß die Psychologie wie alle Naturwissenschaften ihren eignen Wert erst durch die nichtpsychologische philosophische Wertfeststellung erwerben kann, hat sich uns ja deutlich ergeben. Ist Psychologie erst einmal bewertet, so hat sie natürlich das volle Recht, jedes innere Erlebnis ihrer eignen Betrachtungsweise unterzuordnen.

Die Bearbeitung des Wertproblems darf sich freilich die Aufgabe nicht dadurch erleichtern, daß sie dort, wo die Willenserregung, Willensdeutung und Willensverbindung zu Schwierigkeiten führt, unmerklich die Ergebnisse der psychologischen Erklärung unterschiebt. Beides sind berechtigte Aufgaben, aber es ist unberechtigt, die Aufgaben zu vermischen. Mit Entschiedenheit sei daher auch hier gesagt, daß wir für unsere Ergebnisse nichts von einem Ausblick in das psychologische Nebengebiet gewinnen wollen; den Sinn des Schönheitswertes haben wir vollkommen und ohne jede Rücksicht auf Psychologie festgestellt. Nur weil das Gefundene sich vielleicht noch deutlicher abhebt, wenn es einmal von anderem Standpunkt aus beleuchtet wird, mag der Wechsel des Standpunkts hier von Nutzen sein.

Gilt es das Bild des Malers in den erklärbaren Zusammenhang der Naturinhalte und Bewußtseinsinhalte einzureihn, so kommt es natürlich nur als bemalte Leinwand in Betracht. Der Raum, den es füllt, ist jetzt Teil des einen physischen Raumes, in dem wir selbst stehn, das Licht, das es zurückwirft, ist das Licht in unserem Zimmer, der Sinn, den es ausdrückt, ist ein Bewußtseinsinhalt in uns selber. Die Gestalten des Bildes, die Linien, die Formen wollen nichts, sondern das Wollen entsteht als Bewußtseinsinhalt im Beschauer. Von zwei Richtungen wird sich der Psychologe nun dem Bildproblem nähern; er wird nach den psychischen Vorgängen im Künstler forschen, die das Sowerden des Kunstwerks hervorgebracht, und er wird die psychischen Vorgänge im Genießenden suchen, die sich unter der Einwirkung des Kunstwerks entwickeln. Nur die letzteren kommen für uns hier in Frage.

Absichtlich sprechen wir dabei vom Genießenden und nicht

mehr wie bisher vom Bewertenden. Bewertung war die Befriedigung
des überpersönlichen Subjekts; der Psychologe kann in seinem Umkreis nur persönliche Subjekte finden, und ihre Befriedigung rückt
daher grundsätzlich mit dem persönlichen Genießen zusammen. Gewiß wird auch der Psychologe es irgendwie zum Ausdruck bringen,
daß gewisse Befriedigungen sich vom bloßen Sinnengenuß abheben.
Aber die Vorstellung, daß ein bestimmter Genuß in jedem Menschen
wiederkehren muß, würde dann doch immer nur eine im persönlichen Bewußtsein hinzuergänzte Vorstellung bleiben. Der Wille
selbst würde dadurch nicht allgemein und notwendig, sondern
bliebe individuell, nur begleitet von gewissen individuellen Gefühlen, die sich auf die erwartete Zustimmung anderer Individuen
beziehn.

Der psychophysische Beschauer steht also vor einem See-
strandbilde mit reichen Linien und Farben, die Wellenschlag an
der Felsenbucht darstellen oder vielmehr — wie wir nun in der
willensfreien Dingsprache sagen müssen — die einen ähnlichen
Lichteffekt hervorbringen, wie der, den Wellenschlag an der Felsenbucht schaffen würde. Verfolgen wir die Wirkung der Linien. Die
Netzhauteindrücke der Linien, vielleicht der spritzenden Welle
oder des gewundenen Sandwegs am Rande der Bucht, erwecken
im Gehirn nicht nur diejenigen Erregungen, die von Lichtempfin-
dungen begleitet sind, sondern ihre Wirkung im zentralen Nervensystem geht weit darüber hinaus. Das Gehirn ist nicht toter
Wachs, in den die Eindrücke sich einprägen, sondern ein unendlich reiches bewegtes Gleichgewicht, in dem jede Veränderung
an einer Stelle Veränderungen an tausend anderen Stellen setzt.
Vor allem ist jeder sinnliche Eindruck zugleich Ausgangspunkt für
Bewegungsanstöße und Entladungen zu den verschiedensten Körper-
organen. Die Netzhauterregungen setzen sich zunächst in Be-
wegungsimpulse für die Muskeln des Augapfels um; jeder seitliche
Eindruck erweckt den Antrieb, das Auge so zu bewegen, daß der
leuchtende Punkt die Mitte der Netzhaut treffen kann, um dort
die deutlichste Unterscheidung möglich zu machen. So ordnet
sich jedem Punkte ein besonderer Bewegungsantrieb zu, und auch
wenn die Bewegung nicht mehr wirklich ausgeführt wird, erwacht
das Gedächtnisbild der entsprechenden Bewegungsempfindung.
Dies System dieser Bewegungsempfindungen ermöglicht uns die

Ausmessung unseres Gesichtsraumes, und die Bewegungsempfindungen der Augenmuskeln, welche etwa die Welle anregt, geben den Lichteindrücken psychisch die räumliche Ordnung.

Der Weiterablauf der motorischen Erregungen kann nun aber verschiedenfach sein. Wenn ich wirklich am Strande meinen Weg suche oder dort in den Wellen schwimmen will, kurz das Stück Außenwelt für mich Schauplatz des Handelns ist, dann werden alle die Bewegungsempfindungen im Augengebiet nun selbst wieder zu Anregungen für neue zusammengesetzte Bewegungsantriebe im ganzen Körper. Die Windung des Weges vor uns lenkt unsere Beinmuskeln, die Wellenlinie leitet unsere Arme, wir fühlen jedes Auf und Ab der Flut als eine Spannung und Entspannung unseres ganzen Rumpfes, denn jeder Eindruck weckt da Antwort in unserem Organismus, der sich zum Handeln anschickt. Ein zweiter Fall dagegen ist möglich; es ist der häufigere. Die Landschaft, die vor uns liegt, beschäftigt uns nicht; andere Vorstellungen, vielleicht Worte eines Gesprächs, stehn im Mittelpunkt der motorischen Entladung und hemmen so die Weiterwirkung des optischen Geschehens. So liegen ja die Dinge der Welt meisthin vor uns; wir sehen sie in ihrer räumlichen Form, aber ihre Linien treiben uns nicht zu weiterer Handlung fort; die Gehirnzentren, welche die Körpermuskeln leiten, bleiben unbeteiligt.

Dann aber ist ein dritter Fall möglich. Schon in der Auffassung der Naturschönheit ist er verwirklicht und sehr viel lebhafter noch in der Auffassung des Bildes. Wir sehen den Seestrand als Gemälde vor uns. Die Voraussetzung ist, daß wir jetzt wirklich uns mit voller ungeteilter Seele dem Eindrucke hingeben und kein Gespräch und kein abliegender Gedanke dazwischentritt, so daß der optische Eindruck die Seele beherrscht. Nun ist dieser optische Eindruck im wesentlichen gleichartig mit dem der wirklichen Felsenbucht. Die Wirkung muß also die sein, welche im ersten Fall eintrat: der ganze Körper antwortet, wir folgen der Welle und der Felsenlinie mit unserer ganzen psychophysischen Persönlichkeit. Nun setzt hier aber ein neues ein. Der Eindruck ist nicht genau der gleiche; die Tiefenrichtung fehlt; die wechselnde Konvergenz der Augen ist beim Gemälde ausgeschlossen. Das wirkt für das Bewußtsein als Signal alle wirklichen Handlungen zu unterdrücken. Was geschieht? Hört der optische Eindruck etwa auf, seine Antriebe zu den anderen Gehirnzentren zu senden und dort Bewegungsempfindungen auszulösen?

Durchaus nicht, denn der Organismus hat ein Mittel zur Verfügung, alles Handeln auch dort auszuschließen, wo der Bewegungsantrieb in gewohnter Weise einsetzt. Das Gehirn innerviert mit jedem Muskel gleichzeitig auch seinen Gegenmuskel; durch solches Zusammenwirken der Antagonisten kann ein reiches Spiel der Körpertätigkeit einsetzen und doch jede äußere Tätigkeit vermieden werden. An die Stelle der wirklichen Bewegung tritt jetzt die Spannung, die unsere Glieder nicht verschiebt und doch einen fortwährenden Wechsel der Antriebe durch den Körper sendet. Nun sind wir aber unserer selbst nur durch unsere Handlungsantriebe bewußt; ist der Wille zum Handeln gehemmt, so ist dadurch das Selbstbewußtsein ausgeschaltet. Vor den Linien des flachen Seebilds, das durch seine Tiefenlosigkeit unser Handlungswollen beseitigt, empfinden wir daher nur zweierlei, erstens die räumlichen optischen Eindrücke dieser Linien und zweitens begleitende Spannungen unseres ganzen Körpers, als wollte ein Handeln vor sich gehn; aber da das Handeln durch die Innervation der Gegenmuskeln unterdrückt ist und das Bewußtsein der eignen Persönlichkeit gehemmt ist, so müssen diese Spannungsempfindungen mit den optischen Empfindungen verschmelzen, die Linien des Bildes somit selber als tätig empfunden werden, und so entsteht psychophysisch jenes Einleben in dies Linienspiel, jenes Nachfühlen der Formen der Außenwelt.

Aber das Einleben macht noch nicht die Einstimmigkeit aus; es ist nur die Vorbedingung. Das durch Gegenspannung als Handlung aufgehobene Spiel unseres Körpers wird in die Linien des Bildes eingeschmolzen; wann erscheint es uns einstimmig, harmonisch? Die Psychologie, die ja nichts von dem Selbstwollen der Linien wissen darf, kann nur eine Antwort geben. Die Linien sind einstimmig, wenn die Erregungen unseres Körpers harmonieren, und sie müssen harmonieren, wenn sie den psychophysischen Bedingungen unseres Organismus gemäß sind, sich also in unserem wirklichen Handeln ohne wechselseitige Störung vereinigen lassen oder gar unterstützen. Würde etwa der Linienschwung auf einer Seite des Gesichtsfelds uns ganz nach einer Seite mit sich fortreißen, ohne daß auf der anderen Seite ein Gegenzug ausgeübt

wird, so würde der Körper überfallen. Ohne unserer eigenen Persönlichkeit überhaupt bewußt zu werden, verlangen wir daher vom
Bilde, daß die beiden Hälften sich das Gleichgewicht halten bezüglich ihrer Kraft der motorischen Anregung. Wir wollen nicht,
daß unser Felsstrandbild die starre Symmetrie des alten Heiligen-
bildes festhält, aber wenn da auf einer Seite sich vielleicht die
nahen Felsen türmen, so mag auf der anderen Seite sich der weite
Ausblick auf die offne See entwickeln; die steile Linie dort und
die weite offne Linie hier werden sich in ihrer motorischen Weiterwirkung als gleich stark erweisen.

Andererseits wollen wir, daß der Unterteil des Bildes in seinen
Bewegungsanregungen schwer und fest, der Oberteil leicht und frei
wirkt; der massige Vordergrund da unten entspricht durchaus den
flüchtigen Wolkenformen, die Felsen unten den Vögeln oben;
symmetrische Gleichwirkung zwischen unten und oben wäre unerträglich, während sie für rechts und links notwendig ist. Wir sind
eben rechts und links gleichgebaut, aber unten und oben ungleich
gebildet; wir wollen fest auf dem Boden stehn, um frei unsere be-
weglichen Arme und das Antlitz spielen zu lassen. Nur Bewegungsantriebe, die solchen Bedingungen entsprechen, können sich zusammen ohne wechselseitige Hemmung entwickeln. Experimente
mit einfachsten Formen genügen, um das Prinzip zu kennzeichnen. Der Laboratoriumsversuch der modernen Experimental-
psychologie führt uns aber mit Sicherheit da von Stufe zu Stufe
und zeigt, wie die Harmonie auch der verwickelsten Linienfügung,
die Linienteilung und Wiederholung, die Winkelwirkung und die
Rundung, auf die Bedingungen der psychophysischen Organisation
zurückführt.

Wir haben bisher nur auf die Linien hingewiesen. Die gleichen
psychologischen Grundsätze gelten für die ästhetische Wirkung der
Farben; auch hier kann nur deshalb von Harmonie die Rede sein,
weil der Farbenvorgang in der Netzhaut weit über die optischen
Gehirnzentren hinauswirkt, weil er Spannungen und Entspannungen, Erregungen und Erschlaffungen, Wirkungen auf Atmung
und Blutfüllung hervorruft, deren seelische Begleiterscheinungen
wieder nicht auf den eigenen Körper bezogen werden, sondern auf
die Farbeneindrücke. Die Farben werden jetzt warm und kühl,
lebhaft und stumpf, weil unser Selbstbewußtsein durch die Aus-

löschung des Handlungstriebes gehemmt ist und so die sinnlichen
Empfindungen der Körperantwort mit den optischen Empfindungen verschmelzen. Auch hier aber bewährt sich die Einheit
des psychologischen Individuums. Jede Erregungswelle pflanzt sich
im ganzen Nervensystem fort, und unvereinbare Erregungen prallen
gegen einander. Die Erregung, welche den Atem vertieft, kann
nicht mit der harmonieren, die ihn verflachen muß, und wenn der
Gelenkdruck durch die Spannungserregung der Hauptfarben zunimmt, muß das ganze System sich gegen eine Farbe auflehnen,
welche den Druck in den Gelenken vermindert. Alles das aber
verlangt gar nicht den wirklichen Austrag dieser Kämpfe an der
Peripherie des Körpers; jeder Teil ist im entwickelten Menschen so
mannigfach im Gehirn vertreten, daß alle jene Gegensätzlichkeiten
und Einstimmigkeiten als wechselseitige Störungen und Verstär-
kungen dort schon zur Geltung kommen. Alles das hat keine
Schwierigkeiten, wenn wir nur nicht vergessen, daß unser Gehirn
in seinen ausleitenden Bahnen ebenso millionenfach verwickelt ist,
wie in den zuleitenden und daß der wechselseitige Ausgleich der
Vorgänge in diesen Ausleitungsbahnen ebenso Voraussetzung für
den psychischen Vorgang ist wie das Zusammenwirken der Reiz-
erregungen.

Noch bleibt der dritte Bestandteil des Bildes; neben Formen
und Farben der Inhalt. Psychologisch bedeutet er natürlich nicht
irgend etwas, das neben den Farben und Formen auf die Sinne
einwirkt. Aber die besondere Gestalt erweckt vom Räumlichen
unabhängig ihre besonderen Assoziationen, die sich auf Ähnlichkeiten und Beziehungen stützen, und die nun ihrerseits neue Reaktionen, neue Handlungsantriebe wecken. Auch hier setzt nun das
gleiche Spiel ein wie bei dem Formeneindruck. So wie dort die
tatsächlichen, weiterführenden Handlungen unterdrückt werden;
so werden hier durch die Unwirklichkeit der gemalten Dinge die
weiterführenden Assoziationen als wirkliche Erwartungen gehemmt.
Nichts außer dem im Bilde dargebotenen kann zum Anhalt werden;
die von der Assoziation ausgelöste Reaktion muß somit wieder
mit dem Eindruck selbst verschmelzen können und sich in eine
scheinbare Kraft des Wahrgenommenen umwandeln. Nur solche
Assoziationen können daher zur Entwicklung kommen, die das
Bild innerlich ausarbeiten und beleben; solche, die von ihm weg-

führen, müssen erlöschen. Wenn uns die Welle den Wunsch zum
Schwimmen weckt, weil der Genuß des früheren Seebades in die
Erinnerung tritt, und nun doch jeder Gedanke an wirkliches Unter-
tauchen durch den gemalten Flächenanblick ausgeschlossen ist, so
wirkt das durch die Assoziation vermittelte Wollen als eine Belebung der Welle im Bilde. Nicht ihre Form und ihre Farbe werden
jetzt zum unmittelbaren Ausgangspunkt jener inneren Erregung,
die das Bild mit Bewegung und Spannung füllt, sondern die Ähnlichkeit des gesamten Wellenbildes mit früheren, assoziativ ver-
knüpften Eindrücken bringt mittelbar jene neue Erregung hervor,
die sieh in den verlockenden Sinn der Woge umsetzt.

Wird so das Bild durch die assoziativ vermittelten Erregungen
belebt, so hat auch hier die Zusammenstimmigkeit der Inhalte
bestimmten Sinn gewonnen, denn wieder sind nun die Inhalte
harmonisch, bei denen die so vermittelten Antriebe sich in unserem
Nervensystem wechselseitig unterstützen. Unharmonisch sind diejenigen Inhaltsteile, die durch ihre assoziativen Beziehungen zu
antagonistischen Handlungsantrieben führen würden. Wenn aber
so Form, Farbe und Inhalt zu selbständigen Erregungswellen in
unserem einen einheitlichen psychophysischen Systeme führen, so
ist die letzte Forderung für die psychologische Einstimmigkeit des
Kunstwerks, daß sich die gesamte Mannigfaltigkeit dieser Bewegungen, Spannungen, Antriebe und Entladungen wechselseitig fördert. Jede wechselseitige Störung in ihrem Kreis müßte schließlich zu einer ausgleichenden Handlung führen; dadurch aber würde
das Bewußtsein der eignen Persönlichkeit geweckt werden; dadurch
wiederum würden die Antriebe auf das eigne Selbst statt auf das
Bild bezogen, und dadurch hörte das Bild auf, eignes Leben und
Wollen zu besitzen, und damit erlischt die ästhetische Betrachtung.

Genug der Psychologie; wir kehren zur reinen Wertunter-
suchung zurück. Aber kaum scheint es notwendig, die Betrachtung
nun auch für andere Zweige der Bilderkunst oder für andere
bildende Künste weiterzuführen, denn nur das Wesen der schönen
Einstimmigkeit wollten wir aufsuchen, und dafür muß das ausge-
führte Beispiel genügen. Nichts ändert sich in diesem Wesen, wenn,
etwa im Ornamente, Farbe und Form allein, ohne Inhalt, ihr
Willenspiel durchführen oder wenn in der Zeichnung die Farbe
wegfällt. Der Bildhauer wird den Stoff noch sehr viel weiter ver-

einfachen, noch mehr nur das Bedeutungsvolle herausarbeiten, noch mehr die Mannigfaltigkeit des Inhalts einschränken, da von jeglichem Standpunkt alles Wesentliche hervortreten und somit unverdeckt bleiben muß, aber dafür wird er nun den unerschöpflichen Reichtum der dritten Raumrichtung, der Tiefe, in seine Schönheit eingehn lassen. Und welche Fülle des Wollens für das Bildwerk im Lichterspiel der plastischen Oberfläche liegt, spricht aus dem Unterschied zwischen der leblosen Gipsmasse und dem lebenverkündenden Marmor. Gerade des Bildhauers Kunst, die höchste der bildenden Künste, tritt mit überreichen Problemen an den Ästhetiker heran; uns aber kommt es gerade deshalb zu, hier abzubrechen, um nicht den falschen Schein hervorzurufen, als wollte die Untersuchung des Wertproblems in der Kunst auch nur irgendwie sich unterfangen, so nebenher eine wirkliche Ästhetik aufzubauen.

B. Die Dichtkunst.

Die Worte und der Wille. Durch alle unsere Betrachtungen zog sich die Grundüberzeugung, daß wir beim Erleben des Nichtich die wollenden Wesen mit der gleichen Unmittelbarkeit erfassen, mit der wir der Dinge gewiß sind. Der fremde Wille erreicht uns als Zumutung, als Forderung, als Stellungnahme und wendet sich an unser Verstehen, unser Mitgefühl, unsere Zustimmung; der fremde Wille ist nicht erst auf Grund von Analogien in den wahrgenommenen fremden Körper hineingedacht. Auffassen des Nachbars als wahrnehmbares physisches Objekt mit hinzuergänzten psychischen Vorgängen ist grundsätzlich verschieden von der Auffassung seiner wollenden Wesenheit. So verschieden wie es ist, wenn ich mein eignes inneres Leben einmal als psychologischen aus Empfindungen zusammengesetzten Bewußtseinsinhalt auffasse und ein andermal seiner wollenden Wirklichkeit in unmittelbarem Gefühle gewiß bin.

Als wir vom Daseinswert der Wesen sprachen, berührten wir auch dieses: wollende Wesen setzen für ihre Willensbeziehungen die Welt der Worte an die Stelle der Erfahrungswirklichkeit. Die Wortweltform wird für das Wesen, was die Raumzeitform für die Dinge ist. Erst durch die Beziehung auf Worte wird das einzelne Wesen von seinen Zufallserfahrungen befreit und der Gesamtheit

möglicher Menschenerfahrungen gegenübergestellt. Will der Mensch
mit dem Menschen Erfahrung teilen, so genügt es nicht, mit hin-
weisender Hand das gemeinsam Wahrnehmbare zu zeigen oder mit
stummer Geberde Mitfreude oder Mitleid, Zustimmung oder Abscheu für ein Nebenwesen zu bekunden. Nur das Wort führt über
den engsten Kreis hinaus und erweitert die Welt der Erfahrungen
über das eigne Erlebnis hinaus. Der Wortstoff ist ja der Erfahrung
selbst ungleichartig und ungleichwertig; für den besonderen Zweck
der Anteilnahme an fremder Erfahrung aber steht das Wort, das
wir verstehen, als überlegner Ersatz da. Will aber die Sprache
uns die Erfahrung selbst ersetzen, so muß das in Worten Gesagte
nun ebenfalls wie das Erlebte ein Zweifaches leisten; sie muß uns
objektive Dinge, physische und psychische, mitteilen, und sie muß
uns wollende Wesen verstehen lassen. Und diese grundsätzliche
Zweiheit gehört in der Tat zum sprachlichen Verkehr.

Wer da wähnt, daß wir im Welterlebnis unmittelbar nur
Wahrnehmbares und nicht auch Gewolltes erfassen, der wird dann
auch von der Sprache nichts anderes als Mitteilung von objektiven
körperlichen und seelischen Erscheinungen erwarten. „Hans hatte
blaue Augen“ und „Hans war ärgerlich“ sind dann gleichartige
Mitteilungen; im einen Falle wird freilich ein Physisches, im anderen
Falle ein Psychisches ausgesagt, aber jedesmal ist es ein objektiver
Inhalt der Dingwelt, der durch das Satzurteil festgehalten wird.
Er war ärgerlich, besagt dann, daß der als Ärger bekannte Bewußtseinsinhalt tatsächlich in seinem Innern gefunden werden
konnte. Der Ärger ist dann ein Stück Natur geworden, das uns
gezeigt wird, beschrieben und erklärt werden mag. Der gleiche
Satz vermag aber etwas ganz anderes. So wie mir ein Wesen unmittelbar entgegentreten kann, so mag auch das Wortgefüge mich
unmittelbar vor ein Wollen führen.

Jetzt frage ich nicht nach einem vorhandenen innerlich wahrnehmbaren Objekt, sondern nach einer Absicht, die ich verstehen
will, einer Stellungnahme, die ich würdigen will. Er war ärgerlich,
läßt mich den Hans in seiner Gefühlslage begreifen. Da ist nun
nichts mehr beschrieben, denn die Gefühlslage als Stellungnahme
eines Wesens ist garnichts Beschreibbares. Das Wollen gehört einer
anderen Dimension an. Die Weltinhalte, einschließlich der seelischen, liegen gewissermaßen in der vor uns aufgestellten Welt

flächenhaft bildhaft da, und wir überschauen das Nebeneinander
dieser Gegenstände der Betrachtung; die Stellungnahme, das Abzielen, das Wollen, wirkt dem gegenüber wie ein aus der Tiefenrichtung sich auf uns zu bewegender Strahl, dessen eigentliche
Kraftwirkung durch kein wahrnehmbares Nebeneinander wieder-
gegeben werden kann. Wir müssen die Einwirkung unmittelbar
erleben. Der Ärger des anderen als Bewußtseinsinhalt mag uns
als Psychologen und Soziologen interessieren und drängt uns, den
Vorgang zu erklären und seine Wirkung zu berechnen; der Ärger
als Ausdruck eines Wesens aber läßt uns als Menschen mitfühlen
und drängt uns zu entscheiden, ob er Grund und Recht hatte
ärgerlich zu sein, ob seine Aufwallung die Persönlichkeit in neues
Licht setzt, und ob die ärgerliche Stellungnahme Zurückweisung
fordert.

Es handelt sich also nicht um zwei Gruppen von Aussagen in
dem Sinne, als ob eine sich auf äußere Vorgänge, die andere auf
innere Erlebnisse bezieht; es handelt sich um zwei verschiedene,
durch den Zusammenhang gebotene Auffassungsweisen derselben
sprachlich übermittelten Welt. Ich bin erfreut, kann eine psychologische Beschreibung sein, die genau denselben logischen Charakter hat wie die Mitteilung, daß es regnet. Ich bin erfreut, kann
aber in anderem Zusammenhang ein sprachliches Ausdrücken
meiner selbst sein, gleichwertig mit meinem Lachen oder Weinen.
Selbstverständlich hat dieser Gegensatz zwischen objektivierender
und subjektivierender Auffassung des sprachlich Mitgeteilten nicht
das geringste damit zu tun, ob das Wort anschauliche Bilder aus
der Erinnerung oder der Phantasie erweckt. Dieses Herumhängen
zufälliger seelischer Überbleibsel hat mit dem Verstehen nichts
gemein. Das Wort Freund kann mir einen physischen Menschen
beschreiben, der bestimmte Handlungen verrichtet und in dem
sich bestimmte Bewußtseinsvorgänge abspielen, oder es kann mir
ein Wesen bedeuten, dessen Wollen ich in bestimmter Weise verstehe; ob mir dabei zufällig das Wort vielleicht das Gesichtsbild
oder das Stimmbild irgend eines Freundes erweckt, hat darauf
keinen Einfluß. Ich könnte ja die gleiche doppelte Auffassung
auch dem Freunde selbst gegenüber haben, wenn er hier neben mir
am Schreibtisch säße.

Die Sprache, eben weil sie die Erfahrungswelt mit dem Doppelantlitz der Erfahrung vertritt, kann uns somit nicht nur die Dinge und als Teil der Dingwelt die Menschen in ihrer physischpsychischen Gegenständlichkeit schildern; die Sprache kann mit gleicher Sicherheit uns auch unmittelbar an der Willenswirklichkeit der Wesen Teil nehmen lassen. Die Sprache beschreibt nicht nur körperliche und seelische Inhalte, sondern macht zugleich die Stellungnahme der wollenden Wesen verständlich. Nur soweit wie das aus Worten Gefügte uns menschliches Wollen in seiner Tatwesenheit mitteilt, nur soweit gehört es zur Literatur.

Mathematische und astronomische, physikalische und chemische, biologische und psychologische Bücher gehören nicht zur Weltliteratur; sie sollen nicht vom Wollen handeln, denn selbst wenn der Psychologe vom Wollen spricht, wird es für ihn zum ausdrucksfreien psychischen Inhalt. Wenn wir solche Außenweltswerke mit zur Literatur rechnen wollen, so kann es nur in dem Sinn geschehen, daß wir nicht an das Dargestellte, sondern an den Darsteller denken und die Bücher somit als Willensausdruck und Wesensbetätigung individueller Naturforscher gewürdigt werden. Dem Inhalt nach stehn sie außerhalb der Literatur; dagegen gehören zur Literatur durchaus die Werke der Historiker und der Philosophen, sofern sie ihrer höchsten Aufgabe gerecht werden. Von den persönlichen Wollungen der Wesen erzählt uns die Geschichte, von ihren überpersönlichen Wollungen die Philosophie. In beiden großen Gebieten soll uns im letzten Grunde nichts beschrieben und ursächlich erklärt, sondern ein Stellungnehmen begreiflich gemacht und in einen Willenszusammenhang eingefügt werden.

Die Aufgabe der Dichtung. Literatur, sagen wir, bringt uns in der Form der Sprache ein Verständnis der menschlichen Wollungen; nicht die Außenwelt sondern die Mitwelt tritt an uns heran mit der reinen Unmittelbarkeit ihrer Zumutungen und Absichten, die nicht wahrgenommen, sondern nacherlebt sein wollen. Und damit ergibt sich die Stellung der schönen Literatur, die Stellung der Literatur, die Kunst sein will. Geschichte und Philosophie sind Wissenschaften; sie werden daher von dem Zusammenhangswert getragen, der das einzelne Gegebene als beharrend und unvergänglich erweist. Die schöne Literatur ist Kunst; sie dient dem Schönheitswert, der die gegebene Mannigfaltigkeit in ihrer Einstimmigkeit aufweist. Das Gegebene sind hier die Wollungen. Der Historiker und Philosoph verfolgt die einzelne Wollung in ihrem Einfluß, ihrer Tragweite, ihrer Wiederkehr, ihrer inneren Folgerung; der Dichter aber greift eine Wollensmannigfaltigkeit heraus und erfaßt ihre innere Einstimmigkeit, ihre Zieleinheit, ihre harmonische Geschlossenheit. So führen Geschichte und Philosophie von dem einzelnen Wollen zum Gesamtzusammenhang der Willenswelt und halten doch dauernd dabei dies Einzelne fest. Die Dichtung aber kann niemals vom Einzelnen ausgehn; sie setzt mit einem Mannigfaltigen ein, doch durch seine Einheit hebt es sich vollständig vom Rest der Welt ab und führt nirgends zu einem anderen Wollen hinüber.

Die Aufgabe der Dichtkunst muß es somit sein, die innere Einheit zu finden in der Mannigfaltigkeit der wollenden Mitwelt, so wie die bildende Kunst die innere Einheit in der Außenwelt sucht. Geschichte und Philosophie befestigen das Wollen in der Geschlossenheit des Zusammenhangs, die Dichtkunst in der Einheit der Übereinstimmung. Dort erweist sich die Selbständigkeit der Willenswelt dadurch, daß nichts in ihr zufällig aufflackert, alles beharrt und sieh in neuer und neuer Gestaltung dauernd behauptet; hier erweist sich die Selbständigkeit der Willenswelt dadurch, daß jegliches Teil einer inneren Einstimmigkeit ist und somit Ausdruck eines in sich selbständigen Sinnes. Geschichte und Philosophie verfolgen somit die Tragweite des einzelnen persönlichen und überpersönlichen Wollens, die Dichtkunst erfaßt den einheitlichen Sinn einer Willensmannigfaltigkeit. Hier allein ruht der Schönheitswert der dichterischen Kunst.

Es gilt zu zeigen, daß die zersplitterten Mitwelterlebnisse, die an uns herantreten, die Selbständigkeit einer inneren Zusammengehörigkeit besitzen und somit ein sinnvolles Selbstsein bedeuten. Wo aber diese Einheit empfunden wird, da muß sie schlechthin Befriedigung bringen. Um das Selbstsein der Welt zu finden, muß ja jedes Einzelwollen vom Nacherlebenden so aufgefaßt werden, daß es seine Vollendung erst in dem Einklang anderen Wollens findet. Die Erfüllung dieses unbedingten Verlangens gewährt den reinen unbedingten Wert. Das Leben der wirklichen Mitwelt gewährt diese reine Gunst nur selten, so wie die wirkliche Außenwelt nur selten reine Naturschönheit bieten kann; wir sahen, warum

der Zusammenhang der Wirklichkeiten der schönen Abgeschlossenheit und Einstimmigkeit entgegenwirkt. Da setzt die Kulturarbeit
der Kunst ein; die bildende Kunst erschließt uns den Sinn der
Außenwelt, die Poesie den Sinn der Mitwelt.

Die Dichtkunst hat es also ausschließlich mit dem Wollen
der Mitwelt, niemals mit der Außenwelt zu tun. Spricht sie von
der Natur, so bewegt sie sich also niemals im Geleise der Naturwissenschaft und will auch niemals das bieten, was etwa der Maler
vermag. Für die bildende Kunst, ist die Natur selbst wollend;
für den Dichter kommt nicht das Wollen der Natur, sondern nur
der Einfluß dieser beseelten Natur auf den wollenden Menschen
ins Spiel. Wenn der Roman uns den landschaftlichen Hintergrund
mit noch so reichen Einzelheiten schildert oder der Lyriker gar
ein Stückchen Natur zum einzigen Gegenstand seiner Verse gestaltet, die Natur ist dabei doch niemals der eigentliche Inhalt;
Inhalt bleibt uns die fühlende Menschenseele, in der Natur sich
so beseelt. Wenn im Gemälde der Mondschein flimmernd im See
sich spiegelt, dann wollen und sollen wir, die Genießenden, den
Zauber dieser Natur verstehn; wenn uns der Dichter solch ein
Bild in Reimen malt, so sollen und wollen wir nur mit der fühlenden
Seele mitwollen, die uns bekundet, was ihr die Schönheit der Natur
gebracht. Nirgends im weiten Reich der Dichtkunst gibt es ein
Untermenschliches oder Übermenschliches, das in sich selbst dichte-
rischer Inhalt sein kann; die Natur wie die Gottheit sind in der
Dichtung nur um des Menschen willen da; sein Leben gilt es zu
deuten und in seiner Fülle einheitlich zu verstehn. Was nicht
dem menschlichen Willen zugehört, fällt durch die Maschen der
Dichtung zu Boden.

Die Dichtung und die Wirklichkeit. Soll sich uns aber der
Sinn des Lebens enthüllen, so muß es denn auch wirklich das Leben
selbst sein, was uns im Dichterwort entgegentritt. Muß sich nicht
statt dessen der Dichter grundsätzlich damit begnügen, uns ein
Unwirkliches vorzuführen, das nur seiner Phantasie entsprungen
ist? Aber hier liegt kein Wiederspruch vor; der gleiche scheinbare
Gegensatz verschwand ja bereits für die Naturauffassung des bildenden Künstlers, sobald wir den Begriff der Wirklichkeit in seiner
Tiefe erfaßten. Wirklichkeit ist ein ganz bestimmter Erhaltungs-
wert, den wir in Daseinswert und Zusammenhangswert zerlegten.

Sagen, daß ein erlebtes verstandenes Wollen wirklich sei, gesteht
dem Wollen also einen Wert zu, der dem Unwirklichen abgeht,
aber legt gleichzeitig Verpflichtungen auf, die dem Unwirklichen
gegenüber wegfallen. Denn als wirklich bewertet werden, bedeutet ja, durch den gesamten Weltzusammenhang festgehalten
werden müssen, und mit unbegrenzten Erscheinungsreihen verknüpft werden müssen. Sagen, daß ein erlebtes verstandenes
Wollen unwirklich sei, bedeutet mithin in erster Linie, daß es
aus sich selbst heraus beurteilt werden darf, ohne Rücksicht auf
den weiteren Verlauf der Welt, daß es in sich fertig ist, unabhängig und frei.

Nicht dadurch kann diese Freiheit wieder entwertet werden,
daß wir mit Geringschätzung zufügen, es sei doch eben alles nur
Erfindung des Dichters. Vom Dichter geschaffen ist nämlich gar
nicht das unwirkliche Wollen, das wir da verstehen, mitfühlen
und nacherleben, sondern das Wortgefüge. Schaffen ist ja selbst
ein Zusammenhang, der nur zwischen Wirklichkeiten bestehn kann.
Das Wort, der Satz, die Erzählung kann geschaffen werden, denn
sie selbst sind natürlich Wirklichkeiten; der wirkliche Dichter
schafft das wirkliche Dichtwerk, aber der unwirkliche Wollens-
inhalt des Dichtwerks kann, weil es unwirklich ist, in keinem wirklichen Zusammenhang, auch nicht im Zusammenhang mit dem
schaffenden Dichter stehn. So wie der Künstler die Phantasielandschaft, die er malt, nicht selber gepflanzt hat, so hat der
Dichter das Wollen, dem er Worte leiht, nicht selbst hervorgebracht. Das Wollen, das wir etwa in der Erzählung oder im Schauspiel verstehen, ist für uns ein Erlebnis, das in sich nirgends auf
einen Erfinder zurückweist und somit durch solche Beziehung niemals der Wirklichkeit gegenüber herabgewürdigt werden kann.
Sobald wir das Wollen des tragischen Helden im Drama verstehn,
ist die Erfahrung für uns genau so Erlebnis, wie wenn der Historiker uns ein Wollen berichtet oder wir unmittelbar aus dem Mund
eines Mitmenschen von seinen Absichten Kunde erhalten. Die
einzelne miterlebte Tat selbst büßt somit durch ihre Unwirklichkeit nichts ein, nur ihre Beziehungen zu unseren anderen Erlebnissen sind aufgehoben; was außerhalb des Dichtwerks vor sich
ging, ist ausgeschaltet, doch jene eine Tat, die uns der Dichter
kündet, steht selbst als echtes lebenswarmes Erlebnis vor uns.

Das Wollen der dichterischen Gestalt kann daher auch nichts an Lebensinnerlichkeit dadurch gewinnen, daß sie einer historischen Figur nachgebildet ist. Die Gestalten der Räuber verlangen unsere wahre Anteilnahme mit dem gleichen Recht wie die des Wallenstein. Die historische Wirklichkeit des poetischen Vorbilds hat für den Hörer oder Leser nur die Bedeutung, daß sein geschichtliches Schulwissen das Dargebotene ausarbeitet und bereichert, aber niemals darf es über die Grenzen des Kunstwerks zur historischen Umgebung abbiegen. Die uns geschichtlich bekannten Beziehungen sind für uns im Drama scharf abgeschnitten, soweit sie wirklich Verknüpfung erstreben; dagegen bleiben sie erhalten, soweit sie die Personen selbst inhaltvoller ausgestalten. Das gilt aber schließlich für jeden Begriff, den der Dichter verwendet; unser Wissen erfüllt die Auffassung, und so wie wir die Sprachworte verstehn müssen, um dem Dichter überhaupt folgen zu können, so wird jede naturwissenschaftliche oder kulturhistorische Kenntnis den Inhalt der Verse durchdringen. ,,Habe nun, ach, Philosophie" — bedeutet dem, der die Geschichte der Philosophie kennt, etwas anderes als dem, der nur verschwommene Vorstellungen mit dem Wort verbindet. So werden denn auch die Ortschaften, die politischen und religiösen Einrichtungen, die Einzelereignisse, die in der Dichtung erwähnt sind, vom Kundigen inhaltreicher aufgefaßt, vielleicht selbst inhaltreicher als sie dem Dichter erschienen. Nur in solcher Weise trägt unsere Kenntnis auch die Auffassung der historischen Persönlichkeiten; ihr eigentlicher Wirklichkeitswert, der für den Geschichtsschreiber das wesentlichste ist, bleibt dagegen ausgeschaltet, und der Wallenstein der Dichtung ist nicht nur nicht wirklicher als der Franz Moor, sondern nicht einmal wirklicher als die naturunmöglichen Figuren des Mephisto und der Hexe. Sie alle sind gleichermaßen unwirklich und gleichermaßen echtes Erlebnis, sobald ihr Wollen von uns wirklich als Wollen aufgefaßt wird.

Das freilich ist die unerläßliche Bedingung. Wir müssen das in den Worten sich kundgebende Wollen wirklich verstehn und nachfühlen und miterleben. Ist es für uns kein Wollen, so bleibt das Gehörte nur eine Dingbeschreibung; dann ist es nicht Leben, dann ist die Aufgabe, den Lebenssinn zu deuten, unerfüllbar. Ist da etwa von Wesen die Rede, die vom Schmerz entzückt und

über die Wunscherfüllung betrübt sind, die nur die Zukunft kennen
und sich der Vergangenheit nicht erinnern, die andere Sinne als
die unseren haben und die mit anderer Logik denken, so können
wir sie nicht verstehn; es sind Objekte für uns und nicht Subjekte,
mit denen wir mitwollen können. So muß die dichterische Gestalt,
selbst im Märchen, mit den wirklichen Wesen die Grundart des
Wollens teilen; sonst könnten wir uns nicht einleben und dadurch
niemals in der Dichtung des Lebens tieferen einheitlichen Sinn erspüren. Wenn aber verstehbare Wesen uns nahetreten, so ist nun
gerade ihre Unwirklichkeit die günstigste Vorbedingung für unser
vollständiges Mitfühlen, auf dem dann unser Bewußtsein der Einstimmigkeit beruht.

Wenn von wirklichen Personen die Rede ist, so tun sich die
Zusammenhänge auf, und wir selbst mit unseren Strebungen und
Neigungen, mit unserer Parteilichkeit und unserer Hoffnung, sind
sofort notwendig hineingezogen. Nur der unwirkliche Geist kann
zu uns sprechen, uns eindringlich aufrufen, uns mitfreuen und mit-
leiden lassen und uns doch in wunschloser Ruhe erhalten. Dem
wirklichen Wesen gegenüber nehmen wir selber Stellung, denn wir
wollen seinen Einfluß begünstigen oder unterdrücken, wollen lohnen
und strafen, wollen kämpfen und uns selbst behaupten; dem unwirklichen Wollen gegenüber sind wir uns keines eignen Wollens
bewußt, das Gefühl der eignen Persönlichkeit ist somit gehemmt,
und unpersönlich gehn wir auf in dem Wollen, das durch die Worte
in uns angeregt ist: wir versinken in dem Wollen des Helden.
Wunschlos sind wir der Dichtung gegenüber, weil das Unwirkliche
uns aus dem Reich des Handelns forthebt; um so lebhafter aber
reißt das Wollen des einwirkenden Wortes uns nun mit sich fort,
und widerstandlos wollen wir wunschlos das Wünschen, das sich
uns mitteilt.

Auch was uns der Historiker vom Menschenwillen berichtet,
weckt freilich nicht selten bewußt unseren künstlerischen Sinn;
dann treten wir widerstandslos in den Bann der fremden Lebenskräfte. Solange wir aber in rein wissenschaftlichem Geiste vorgehn, beschäftigt uns der Bericht von historischen Vorgängen durch
die Einflüsse und Weiterwirkungen des Wollens; die Welt, in der
wir täglich wirken, steht da selbst in Frage und ihre Kulturgüter
wollen wir verstehn durch den Rückblick auf wollende Vorarbeiter.

Im Dichtwerk aber wird uns das Wollen ein eignes Ende, und das Verstehn des Ringens in seiner Erfüllung und seiner Enttäuschung wird uns ein Selbstzweck, untergeordnet nur dem noch höheren Zwecke, in dieser Willensfülle die innere Einheit und so im Leben den Sinn zu suchen.

Indem der Dichter uns von der Wirklichkeit wegführt, verspricht er uns nicht Befriedigung dadurch, daß er uns ein anderes, ein schöneres, ein besseres, ein erträumtes Leben zeigt. Im Gegenteil, das wäre wertlos, denn es gibt keine Werte und kann keine Werte geben außer in der Welt unserer Erlebnisse. Der Dichter gibt uns genau das Leben, das wir kennen und erleben, und seinen Sinn, seine Einstimmigkeit will er erfassen. Wenn er das Wirkliche verschmäht und uns zum Unwirklichen emporführt, so geschieht es, weil er nur dann uns wunschlos vor ein menschliches Wollen hinzustellen vermag, nur dann Furcht und Hoffnung, Neigung und Abneigung erlöschen, nur dann die unendlichen Störungen der anhängenden Nebendinge und Nachdinge abgeschnitten sind, und somit dann allein das Wollen der Lebenden in seiner Reinheit uns ergreifen kann, in seiner Lebendigkeit von uns miterlebt werden kann, in seiner Einstimmigkeit von uns gewürdigt wird. Wer hinab zum Wirklichen schreitet, hat schon den tiefsten Sinn der Mitweltseele eingebüßt.

Die Dichtungsgattungen. Der Dichter bringt uns also vor den wollenden Menschen. Nun wissen wir, daß jedes Menschenleben sich in drei Formen der Erfahrung entfaltet: Außenwelt, Mitwelt, Innenwelt. Jede fremde Persönlichkeit mag uns also die dreifache Frage wecken, wie ihr wollendes Wesen sich in der Außenwelt zurechtfindet, sich mit der Mitwelt auseinandersetzt, sich in der Innenwelt bekundet. Vielleicht läßt sich durch diese Scheidung das Grundwesen der drei Dichtungsgattungen andeuten. Das Epos erzählt, wie es dem Helden in seiner Außenwelt erging, das Drama stellt dar, wie der Held seiner Mitwelt gegenübersteht, die Lyrik gibt der Innenwelt Ausdruck, in der das eigne Wesen sich mit dem Erlebnis berührt.

Scheinbar widerspricht solcher inhaltlichen Sonderung die selbstverständliche Tatsache, daß ja auch im Epos der Held in Beziehung zur Mitwelt tritt. Und wer da sieht, mit welcher Leichtigkeit gute Romane in wirksame Theaterstücke zurechtgeschnitten

werden können, mag billig bezweifeln, daß es überhaupt einen
inhaltlichen Unterschied zwischen Epos und Drama gibt; die Form
allein entscheidet. Tatsächlich aber läßt sich eine gewisse Verschiedenheit der inhaltlichen Behandlung nicht verkennen. Die
dramatische Dichtung findet ihre Bedeutung in einer ausgeprägten
Gegenüberstellung zielbewußter Persönlichkeiten; auf solche Gegenüberstellung arbeitet das ganze Drama hin, und aus ihr erfolgt die
Steigerung und die Lösung. Für das Epos gilt das nicht; ob Odys-
seus oder Parsifal, Wilhelm Meister oder der grüne Heinrich durch
ihre Welt ziehn, wir wollen ihrer Entwicklung und ihrem Schicksal
folgen, gleichviel ob da Wogen oder Menschen den Helden bedrohn.
Die Menschen, die der epische Held oder das Heldenpaar auf dem
Wege finden, sind gewiß nicht nur körperliche Staffage der Außenwelt, aber sie sind der Außenwelt so eingebettet, daß sie sich nicht
mit der freien Selbständigkeit der dramatischen Figuren abheben,
sondern mit ihrem Umgebungshintergrund zur Einheit verschmelzen.
Die fremden Menschen, denen er begegnet, kommen viel mehr als
Reize, als Hilfsmittel, als Widerstände, als Gefahren für den Helden
in Betracht, sowie die süßen Früchte oder die reißenden Strudel,
denen er auf seinem Weg durch die Natur begegnet. Im Drama
sind die Gegenspieler durchaus selbstwollend und somit innerlich
dem Helden gleichartig; das Epos blaßt ihre Selbstheit ab, sie
sind da, um die Welt darzustellen, in der das Leben des einen
Wollenden zur Entwicklung kommt. In der Lyrik aber sind Natur
und Menschenwelt zur inneren Erfahrung geworden, und ihr Wollen
hat sich umgesetzt in die Stimmung der Seele, die da im Liede
ausklingt.

Eines aber ist nun allen drei Dichtungsinhalten gemeinsam:
die Mannigfaltigkeit ihrer Wollungen fügt sich zur Einheit zusammen. Selbstverständlich kann das nicht bedeuten, daß sie
nur von liebevoll übereinstimmenden Menschen berichten. Im
Gegenteil, wir betonten schon, daß wenigstens für das Drama die
scharfe Zuspitzung entgegengerichteten Wollens zum tiefsten Wesen
gehöre, und doch sagt Hebbel mit Recht, daß das echte Drama
keine Dissonanz hinterläßt. In unserem Erlebnis des erschüttern-
den Genusses wissen wir es. Wenn wir in zitternder Spannung
dem Bühnenraum zugewandt sind, wo die menschlichen Leidenschaften gegeneinander prallen, bis der Held todeswund zusammen-

bricht, dann wissen wir, daß unser eignes Mitwollen es Zug um
Zug und Wort um Wort grade so verlangt. Wir fühlen, wie grade
diese haßerfüllte Anklage im rechten Augenblick herausgeschleudert
wird; wir hören mit Jubel, wie dann der vernichtende Gegenschlag
geführt wird, und je heftiger der Kampf tobt, desto lebhafter
dünkt uns jede Silbe von jeder Lippe gerade das geforderte, das
willkommene, das ersehnte Wort. Ja, in tiefster Seele wollen wir
mit dem einen, der den Todesstreich führt und mit dem Größeren,
der noch im Tode sieghaft ist; es durfte nicht anders kommen,
jedes Abbiegen und Ausweichen hätte uns in der erhabenen Erregung verletzt: wir wollten vom ersten Auftritt bis zum Vor-
hangsfall das Furchtbare gerade so wie es sich abspielt.

Der Ästhetiker muß verfolgen, wie durch Furcht und Mitleid
in uns das große Mitwollen sich durchringt. Uns kümmert hier
nur die objektive Kraft des Stückes, die solches vermag, die uns,
die Wunschlosen, die persönlich Unbeteiligten, nicht nur im Bann
des Zuschauens und Miterlebens festhält, sondern uns zwingt, mit
allen Parteien, mit dem Held und seinem Verräter, mit Carlos,
Posa, Philipp und Alba gleichzeitig mitzuwollen. Das aber ist nur
dann möglich, oder richtiger ist nur ein anderer Ausdruck dafür,
daß auch das Drama als ein Ganzes eine Wollenseinheit bildet.
Dort in jener in sich geschlossenen Willensmannigfaltigkeit, die der
Dichter von der Welt abgelöst hat und in der es deshalb kein Hin-
auswirken, sondern nur ein Sichausdrücken geben kann, da hat
es keinen Sinn, daß ein Posa schwärmt, wenn nicht ein Philipp
widerspricht; im tiefsten Grunde will das Wollen des einen das
Gegenwollen des anderen. Was uns der Dichter miterleben läßt,
ist ja nicht der vereinzelte Mensch. Wir überzeugten uns früh,
daß ein Vereinzeltes niemals ästhetischen Wert haben kann. Der
Dichter führt uns von vornherein vor eine Mannigfaltigkeit, die
vollkommen isoliert ist. Jedes Einzelne steht in allen seinen Beziehungen ganz in dieser begrenzten Welt. Immer wieder haben,
wie einst Antigone, die Helden der Dichtung die Gesetze des
Staates verletzt, um dem höheren Gesetze treu zu bleiben, und
immer wieder klingt das Wollen der Staatsvertreter und das entgegengesetzte Wollen der Gewissensvertreter zu vollem Einklang
zusammen. Der Held, der seiner inneren Stimme gehorcht, muß
zu Grunde gehn; sein Einzelwollen wird besiegt durch den Stärkeren,

und doch er selber will, daß jene irdischen Mächte bestehn und kämpfen; er will, daß sie sein Erdenteil vernichten, wenn nur seine Seele gerettet wird. Der unlösbare Konflikt ist es gerade, was sich vor uns entrollen will, und der Ansturm von beiden Seiten fügt sich ohne Dissonanz in das Ganze so ein, daß wenn wir das Ganze überhaupt wollen, wir jede der streitenden Seiten gleichermaßen mitwollen müssen, denn ihr Wollen gehört harmonisch zusammen.

Je schwerer ihr Leiden und je tiefer ihr Sturz, desto lebhafter werden wir das Geschick der Handelnden mitempfinden und dennoch wollen wir es selbst in unserem wunschlosen und verantwortungsfreien Zuschauen, weil wir fühlen, daß in diesem Willensgefüge der Held den Sturz wollen muß, um seine Persönlichkeit zu reinem Ausdruck zu bringen. In schlechten Melodramen wirkt das qualvolle Leiden auf uns selbst quälend ein und hebt so von der Bühne aus unsere Freiheit von Verantwortlichkeit durch die Kunstbarbarei wieder auf. Da können wir mit dem Frevler, der das Leid dem Schuldlosen zufügt, nicht mitwollen, weil diese Gruppe überhaupt nicht durch ein Gesamtwollen zusammengehalten wird. Der tragische Held aber, dessen großes Wollen durch fremdes Wollen eingeschränkt wird, der opfert sich um sich selbst zu erhalten, um uns den Glauben an sein Wollen zu wahren und doch das Recht derer anzuerkennen, deren Wollen ihn stürzte; so offenbart sich im tragischen Konflikt die tiefe Einstimmigkeit der Lebensmächte. Und daneben steht der komische Konflikt, in dem der Wille sich zunächst wohl groß gebärdet, aber sobald er unter dem Druck des Gegenwollens sich einschränken muß, auch mit dem winzigen Rest von Erfüllung befriedigt ist. Die Einstimmigkeit ergibt sich auch da; nur enthüllt sie sich dadurch, daß der große Wille sich tatsächlich als klein erwies, und somit ein wahrer Gegensatz niemals vorlag.

Das echte Drama kennt keine Dissonanz. Wir gingen vom schärfsten Willensgegensatz in der Dichtung, vom Konflikt der Tragödie, aus und hielten fest daran, daß sie in ihrer Unwirklichkeit in der Gestalt des unversöhnlichen Konflikts die tiefe Einstimmigkeit der Lebenskräfte uns darstellt. Da bedarf es denn kaum des weiteren, um die Einheit dort zu begründen, wo Epos und Erzählung uns von den Wirren des Menschenlebens in der

Umwelt und die Lyrik von der Innenwelt spricht. Auch der epische
Held muß streiten. Er mag mit seinen Gegnern, mit seiner Liebe,
mit seinem Gott ringen und mag im Leid zugrunde gehn, aber
er muß sich entwickeln, sich treubleiben und selbst den Tod sich
selber erringen; solch ein Stück Leben, das uns der Dichter mitfühlen läßt, verlangt dann, daß sich die Feinde rüsten, gleichviel
ob es Menschen oder Blitze sind. Die ganze Umwelt, Natur und
Wesen, werden lebendig, aber alle wollen, nicht etwa was der Held
will, sondern was dieses Menschenleben will. Nur deshalb hält
uns der Roman in atemloser Spannung. Mögen sich dem hebenden
Paar auch die Hindernisse türmen, wir wollen diese Gefahren,
wir wollen diese Kabalen, denn wir sind, für uns selber wunschlos,
völlig unter dem Willen des Erlebnisganzen und fühlen, daß gerade
dieses Gegenwollen harmonisch einstimmt in das Wollen dieser einheitlichen Mannigfaltigkeit.

Die Form der Dichtung. Aber bisher haben wir immer nur
von einem gesprochen, vom Inhalt der Dichtung und der Wollens-
einstimmigkeit dieses stofflichen Gehaltes. Dürfen wir vergessen,
daß in der Dichtkunst die Form das Größte ist, daß wir auch vom
Dichter verlangen, daß sein Stoff sich nicht aufdrängt und er uns
am besten immer wieder das alte Lied vom Frühling und von der
Liebe singt, weil alles nur darauf ankommt, wie er sie zu singen
vermag? Freilich wird gerade in der Dichtkunst es oft schwierig
sein, zu entscheiden, was dem Inhalt und was der Form zugehört.
Im Drama etwa kann die Sprache beides sein; die Sprache, deren
Wortwahl und Wortstellung die sprechende Person charakterisieren
soll, ist als solche durchaus ein Teil des dargestellten Inhalts,
während sie Form ist, wenn gewissermaßen der Dichter redet.
Die Sprache des Verses wird meisthin als Form zu gelten haben,
Dialektrede etwa wird im wesentlichen Inhalt sein. Auch in Bezug
auf Zeit und Raum muß sauber geschieden werden, was Gehalt
und was Gestalt sei. Zum Beispiel, die dramatische Regel, welche
vom Theaterstück Einheit der Zeit verlangt, bezieht sich durchaus auf den Inhalt des Dramas und nicht auf seine Form, oder
vielleicht genauer: auf die Form des Inhalts und nicht auf die
Form des Dramas. Der Inhalt des Stücks mag verlangen, daß
seine Handlung sich in einem Tage abspielt, und die Form mag
verlangen, daß das Stück selbst in drei Stunden gespielt werden

kann. Die dramatische Zeitform mag kurz und knapp sein, und
die Inhaltszeit doch Jahre überspringen.

Die Mannigfaltigkeit der Form ist in der Dichtkunst jedenfalls noch reicher als in den bildenden Künsten. Hierhin gehört
der Rhythmus der Sprache, die Melodie der Sprache, der Reim,
hierhin gehört aber auch die Wahl der Worte, ihre Bildlichkeit,
ihre Kraft, hierhin gehört die Gliederung in Strophen und Gesänge,
in Kapitel und Szenen und Akte. Diese Gliederung läßt sich vielleicht mit dem Rhythmus als zeitliche Abgrenzung zusammenfassen; der Reim gehört mit der Melodie als Wortklang zusammen.
Es bliebe dann die Zeitform, der Wortklang und der Wortsinn, und
diese Sonderung entspricht der Raumform, der Farbe und der
Lichtstärke in der bildenden Kunst. Der Rhythmus und die
Gliederung entspräche dann der Formung durch das Spiel der
Linien; der Tonfall und der Zusammenklang der Worte entspräche
der Buntheit, und die Kraft und Wesenheit der Worte entspräche
der Lichtstärke. Aber gerade hier zeigt das Bild nur die Abstufun-
gen einer Richtung, während die Sprache im Wortsinn eine unbegrenzte Vielheit von Abstufungsrichtungen kennt. Stets aber
müssen wir nun hier auch wie bei den Raumkünsten fordern, daß
die Form nicht nur in sich vollendete Einheit bietet, sondern selbst
nun wieder mit dem Inhalt in harmonischer Einstimmigkeit verschmilzt.

Dem Wortsinn kommt dabei die führende Rolle zu. Die
künstlerische Wirkung, die vom Wortsinn ausgeht, adelt die Dichtung. Nicht davon darf die Rede sein, daß uns das Wort ein
schönes Anschauungsbild wachruft; im Worte selbst liegt die Schönheit, in seiner Eindringlichkeit, in seiner Andeutungskraft, in seinem
selbstherrlichen Wollen. Und wenn im Liede sich Wort an Wort
fügt so wie die Perlen mit schillerndem Schmelz sich in der Perlen-
kette aneinanderreihn, dann sind die zufälligen Erinnerungsbilder,
die das einzelne Wort erwecken mag, bedeutungslos für die sanfte
Schönheit des Sanges. Je reiner die Wirkung, desto freier wird
sie von solch gleichgültigen Fransen des Bewußtseins bleiben und
desto inniger sich an das bedeutsame Wort selbst anlehnen, in
dessen Wahl sich der Dichter bekundet. Wie anders wirkt da
vielleicht ein altertümliches Wort, in dem der ursprünglichere Sinn
noch leise mitklingt, oder ein bildliches Wort, das auf verborgene

Beziehungen hinweist oder ein seltenes Wort, das sich dem Gefühl
so lebhaft aufdrängt, daß es noch lange nachhallt. Was aber so
für das einzelne Wort gilt, steigert sich für die zusammengesetzte
Wendung, den ganzen Satz, und schließlich für den gesamten Stil.
Gewiß tritt in den Stil auch Rhythmus und Klang als wichtiger
Teil ein, aber die Wechselbeziehung der Wortkräfte entscheidet
doch vor allem. Das schlechthin Persönliche, das jedem wertvollen Stile zugehört, ist ja neuerdings auch für den Rhythmus
und die Melodie mit überraschender Sicherheit nachgewiesen, aber
bei der Wortwahl und Satzgestaltung setzt es doch am fühlbarsten ein.

Und alles das erleben wir nun im letzten Grunde als ein unendlich bewegtes Spiel von Kräften, von Strebungen, von Wirk-
samkeiten. Um in den Stil einzugehn, muß jedes Wort für uns
nicht Schallbild, nicht Gesichtseindruck, auch nicht angehängtes
Anschauungsbild sein, sondern Ausstrahlungspunkt von Kräften,
von Wollungen. Gerade aber dadurch gewinnt es Sinn, nach ihrer
Einstimmigkeit zu fragen. Die Worte, deren Bildkraft und Eigen-
heit in ihrem Wollen liegt, dürfen sich in ihrem Streben nicht
durchkreuzen, dürfen nicht wirr durcheinander hasten, sondern
müssen sich wechselseitig in ihrem Wollen unterstützen, einander
zu vollster Geltung bringen, am einheitlichen Satzwollen hingebend
mithelfen.

Wille ist nun aber auch der Rhythmus der Worte, und wieder
ist es die Einstimmigkeit des Wollens, die uns befriedigt. Am
meisten tritt das Wollen dieser Formseite natürlich im Vers hervor. Da tritt etwa ein trochäischer Rhythmus uns entgegen. Der
Anspruch, den sein Auf und Nieder erhebt, ist schon in der ersten
Hebung und Senkung ausgesprochen. Eine Silbe für sich allein,
ob stark oder schwach, fordert stets, daß ihr Beachtung geschenkt
wird, und doch wird solche Forderung erst wirksam, wenn sich der
einzelne Laut aus der Stille oder von minder betontem abhebt.
Wenn aber der ersten Hebung die erste Senkung folgt, dann fühlen
wir, wie die Eingangssilbe für sich das Recht der Hauptbedeutung
wahrt und die zweite herabdrückt. Im Paare soll die erste Silbe
herrschen, ist der Wille, den wir da verstehn und der Übereinstimmung von der Umgebung verlangt. Nun folgen die anderen
Trochäen mit dem gleichen Verlangen. Aber eine unbegrenzte
Fortsetzung würde die Einstimmigkeit zur farblosen Gleichgültig-

keit herabdrücken; wir suchen Einheit, aber Einheit in der Mannigfaltigkeit, und das Mannigfaltige soll in jeder Einzelheit sich selbst
noch lebhaft zur Geltung bringen. So gliedert sich denn eine
kleine übersehbare Gruppe zu eigner Einheit mit einem Haupt-
ton im einzelnen Verse zusammen, vielleicht durch den Endreim
von der nächsten Gruppe mit gleichgerichtetem Verlangen abgegrenzt. Und die Verse einen sich in der Strophe und Strophen,
jede mit gleichem einheitlichen Willen, im Gedicht.

Sie könnten da nicht mit Jamben verkoppelt werden, denn
der Jambus will, daß in seinem Bereich in jedem Paar das Haupt-
recht der Abschlußsilbe zukommt; die erste Silbe soll der zweiten
dienen, zu ihr hinüberleiten, damit der Hörer bei ihr verweilt.
So hat denn jeder Jambus sein eignes Wollen, das von dem nächsten
willfährig aufgenommen wird. Und doch trägt jeder sein eignes
Antlitz; werden der Laut und der Sinn und die Wortgestalt es
doch leicht dahin bringen, daß bei schlichtem Vortrag einer Seite
fünffüßiger Jamben nicht zwei Silbenpaare genau die gleiche Verteilung der Akzente aufweisen. Das gleiche Grundwollen bleibt
überall erkennbar und doch bewahrt jedes Wort seine eigne Freiheit; gerade so entsteht die unendliche Bewegung, unerschöpflich
wie das Wellenspiel des Meeres. Die stille Harmonie der Rhythmen
beherrscht nun aber nicht minder den edleren Prosastil, und die
Gliederung der kleineren Gruppen wiederholt sich mit großzügiger
Bewegung in dem Aufbau der Abschnitte, der Szenen und Akte.

Selbstwollend ist aber schließlich der Ton und die Melodie der
Worte. Die dunklen Laute und die hellen, die breiten und die
spitzen, die weichen und die harten und zischenden, die leise ab-
klingenden und die scharf abbrechenden Klangbilder, die auf-
steigenden und die absteigenden Melodien, alle haben ihr eignes
Streben, das sich ausbreiten will und Übereinstimmung sucht. Und
wenn am Ende des Verses ein Klang mit besonderer Kraft in die
Seele dringt, so sucht er ein mitwollendes Tönen und die Reihe
der Befriedigung setzt erst dann ein, wenn an gleicher Stelle wieder
ein gleichfühlender Reim hinübergrüßt. So wird die reine Form
selbst ein bewegtes Hin und Her von Willensbeziehungen in der
Mannigfaltigkeit und Willensbefriedigungen durch Übereinstimmung. All dieses Wollen der Formbestandteile muß nun aber
selbst wieder zusammenklingen mit dem Wollen des Inhalts. „Fül-

lest wieder Busch und Tal Still mit Nebelglanz" — wer will sagen, was da so seltsam unsere Seele löst. Die stille Landschaft im Mondenlicht, die da als Inhalt in unseren Versen ausgebreitet liegt, das sanfte Wogen der leichten Hebungen und Senkungen, die weiche Melodie der Töne, in der Füllest und Still reimandeutend zusammenklingt, die reine Bildkraft der Worte, die schon im ersten Worte so wundersam einsetzt, jeder Laut, jeder Klang, jeder Sinn, jedes will das Gleiche in hingebender Harmonie.

In dieser vollständigen Willensharmonie ruht der reine Schönheitswert der Dichtkunst. Daß auch dieses alles sich in die Kausalbegriffe der psychologischen Ästhetik übertragen läßt, ist selbstverständlich; nur bleibt die Wertfrage auch hier wieder von der psychologischen Betrachtung unberührt. Was die psychologische oder psychophysische Untersuchung uns vermittelt, bezieht sich auf den persönlichen Genuß an der Dichtung. Im Begriffsgefüge solcher objektivierenden Wissenschaft hat dann natürlich der Vers, das Wort, der Laut kein eignes Wollen und keinen eignen beseelten Inhalt. Die Worte sind optische oder akustische Reize, die erst im Bewußtsein des Empfangenden die Vorstellungen, Gefühle und Strebungen auslösen. Aus Assoziationen und Reaktionen setzt sich dann das Erweckte zusammen. Wieder aber muß die Vorstellung der Unwirklichkeit dann auf dies Wollen zur eignen Handlung und somit auf das Selbstbewußtsein hemmend einwirken. Deshalb wird der ausgelöste Reaktionstrieb nicht als Betätigung der eignen Persönlichkeit empfunden, sondern mit dem wahrgenommenen Wort verschmolzen, so daß der Eindruck des Strebens im Worte selbst entsteht.

Die Reaktionen, die so in die Verse hinausverlegt werden, entstehen nun aber durch den Wechsel der Betonung, durch die Klangfarbe der Laute, durch die Assoziationen, die sich an das einzelne Wort anschließen und durch die Vorstellungsreihen, die dem Satz als Ganzen sich anfügen. Die Harmonie dieser Reaktionen muß dann aber auf den psychophysischen Bedingungen der Persönlichkeit beruhn. Die Spannungen und Entspannungen des Körpers, die Leichtigkeit und Schwierigkeit der Aussprache, die Mechanik der Atmung beim Reden, die Gewohnheiten der Handlung, die Enge der Aufmerksamkeit, alles wirkt dann zusammen, gewisse Reaktionsweisen zu begünstigen und andere zu unterdrücken.

Die Reizreihe, die den begünstigten Reaktionsreihen entgegen-
kommt, wird dann Genuß erwecken und wird somit im Sinne der
psychologischen Ästhetik wertvoll sein. Nur soll man nicht sagen,
daß dieser psychologische Genußwert nun auch der reine Schönheitswert der Dichtung selber sei. Der Psychologe kann nichts
anderes festhalten als Helenas Gewand; „die Göttin ist's nicht
mehr, die du verlorst —".

C. Die Tonkunst.

Das Tonerlebnis. ·Was uns im Spiele des Lebens das reine
Glück gewährt, das kann im zielbewußten Kulturschaffen der Kunst
nur die Musik allein uns bringen: jene Selbsteinstimmigkeit, in der
alles Wirre unseres Daseins aufgehoben. Als Glück galt uns die
unmittelbare Einstimmigkeit im Wollen der Innenwelt, gegenüber
der Harmonie im Wollen der Außenwelt und der Liebe im Wollen
der Mitwelt. In der Kunst aber, in der die Lebenswerte zu bewußten Kulturwerten erhoben sind, fand jenes Wollen der Außenwelt den Einklang in der bildenden Kunst, das Wollen der Mitwelt in der Dichtung, und nun fordern wir, daß so auch das Wollen
der Innenwelt den Einklang in der Tonkunst findet.

Aber wir haben kein Recht bei der Untersuchung vom Mittelpunkt auszugehn; vom Umkreis der Erscheinungen müssen wir
uns der Mitte nähern. Was die Töne bekunden und ob sie mehr
zu sagen haben als ihr Tönen, das scheint zunächst ungewiß, und
mancher Musiker begegnet sich mit dem Psychologen in der Überzeugung, daß nach dem Sinn des Musikalischschönen zu fragen,
phantastisch oder, was manchem noch schlimmer dünkt, hegelianisch
sei. Gewiß scheint nur die ästhetische Wirkung der Klänge und
Rhythmen, der Melodien und Harmonien, unabhängig von einem
Inhalt, den sie darstellen; hier also müssen wir einsetzen. Freilich
wird es sich auch hier für uns wieder nicht um die physikalisch-
psychologische Fragestellung handeln, so überreich sich auch die
fesselndsten Aufgaben bieten mögen. Hat erst die Wissenschaft
im Dienst der Kausalbetrachtung das physikalische und das psychologische Beziehungssystem aus dem unmittelbaren Tonerlebnis
herausgearbeitet, so muß sich natürlich jede Tonerfahrung auch in
der Ursachensprache zum Ausdruck bringen lassen. Nun wird die
Klangwelt beschreibbar und erklärbar, und beschreibbar und er-

klärbar werden die psychischen Vorgänge in der musikgenießenden Persönlichkeit.

Die Tonwelt wird nun durch berechenbare Luftschwingungen ausgedrückt; keine Melodie und keine Klangfarbe in der Sinfonie, die sich nicht vollständig durch den Wechsel der Luftbewegungen und durch die Verbindung von Obertonschwingungen beschreiben ließe. Und da setzen nun auch die wichtigen Untersuchungen der Tonpsychologie ein, die bald in engerer bald in loserer Beziehung zur Physiologie, heute im Mittelpunkt der Musikästhetik stehn. Es gilt etwa zu erklären, warum der Zusammenklang von Tönen in einfachem Schwingungsverhältnis uns angenehm ist; genügt es auf die Abwesenheit der Schwebungen, auf die Deckung der Obertöne, auf die Verschmelzung der Grundtöne, auf die eigenartigen Verbindungs- und Unterschiedstöne hinzuweisen? Es gilt, die gefällige Wirkung der musikalischen Rhythmen zu erklären; welche Rolle kommt den Antworten des Körpers, den Spannungen und Entspannungen, den Bewegungsimpulsen, den Wellen organischer Erregung zu und welche Rolle der Aufmerksamkeit, der Erwartung, der Gemütsbewegung? Es gilt, die psychische Wirkung der einzelnen Instrumente zu verfolgen; die Obertöne, die Veränderungen, die Assoziationen müssen beschrieben werden. Es gilt, die Sonderrolle der in der Musik verwerteten Tonreihen aus den Gesetzen des Bewußtseins abzuleiten; nervöse Einübungen verwickeltster Art müssen herangezogen werden. Und schreiten wir zur Melodie und schließlich zum Ganzen des musikalischen Kunstwerks vor, so wird der vorausgesetzte Erklärungsapparat der psychophysischen Einstellungen immer schwieriger zu übersehen sein: aber dem Wesen nach bleibt die Erklärung der psychischen Sinfoniewirkung in demselben Geleise, in dem sich die Erklärung der einfachsten Oktavenwirkung bewegt. Das einseitige Interesse am ursächlichen Zusammenhang willensfreier, sinnfreier, wertfreier Objekte beherrscht die Probleme und ihre Lösungen.

Wir aber müssen unseren Weg dort suchen, wo die wissenschaftliche Ursachenauffassung noch gar nicht das unmittelbare Tonerlebnis umgemodelt hat. Der Ton ist da noch tönend und nicht aus Schwingungen zusammengesetzt, von denen die Tonerfahrung selbst ja nichts weiß. Und wir, die wir den Ton erfassen, versuchen da den Ton selbst zu verstehn, in seiner Erregung, in seinem Streben und Wollen. Nicht unser Seelenmechanismus erzeugt die Strebungen als unsere psychische Antwort auf den Toneindruck, denn im Erlebnis wissen wir davon nichts, und die Erklärungsfrage ist nicht die unsere. Wir erleben die Erregung als Kraft des Tones, und miterlebend, nicht erzeugend, geben wir uns seinem Wollen hin. Selbst die Klangfarbe der Stimmen und Instrumente ist da noch vollkommen einheitlich, denn die Auflösung in Obertöne mag wohl bereits von der natürlichen Aufmerksamkeit gewonnen werden, aber das Aufgelöste ist dann nicht mehr die reine Klangfarbe, sondern eine Tonmannigfaltigkeit, die nur vom Erklärungsstandpunkt, nicht vom Standpunkt des Erlebnisses aus, mit dem Ursprünglichen gleichgesetzt werden darf. Je mehr wir uns von den naturwissenschaftlichen Denkformen der Physik und Psychologie frei zu machen vermögen, desto eher werden wir das reine musikalische Erlebnis nachfühlen und innerlich begreifen können, ein Erlebnis, das schon entseelt ist, sobald es sich überhaupt dem Denkakt des Erklärens preisgibt.

Rhythmen und Klänge. Was im Sinne des reinen Erlebnisses der Rhythmus bedeutet, trat schon bei der Betrachtung der Dichtung hervor. Zeitwerte und Kraftwerte sind da verbunden. Nur darf dabei nicht an die eine umfassende Zeit und ihre Bruchteile gedacht werden. So wie etwa die Marmorstatue ästhetisch nicht in unserem Raume steht, sondern die eigne Raumhülle mitbringt, so sind die Zeiten des Tonwerks nicht mit unseren Uhren zu messen. Es ist eine eigne Zeit, die im Erklingen selbst erst entsteht, und die Zeitgleichheit der Takte ist eine Gleichheit, die eigentlich doch erst der Physiker auf die Zeit bezieht, so wie sie der Psychologe auf die Bewegungen des Körpers beziehn mag. Dem Lauschenden sind es doch zunächst nur Gruppenbildungen, bei denen die Einzelgruppen der Takte trotz der ganz ungleichen Tonmannigfaltigkeit doch eine Gleichwertigkeit der inneren Kraftbeziehungen zeigen. Ein identisches Wollen trägt sie. Die Betonung des Taktanfanges regelt von vornherein das Willensgefüge der Gruppe, und was sich der Hauptkraft unterordnet, ist gleich, weil es gleiche Bedeutung aufweist. Die Einzeltöne im Takte aber sind dann nicht kurz oder lang in der Zeit, sondern flüchtig, leicht und hastig oder ruhig, schleppend und getragen, und erst aus dieser Wesenheit entspringt ihr Anspruch, so daß ein flüchtiger Ablauf vieler leichter Töne

nicht mehr wiegt als der würdige Hinschritt weniger Klänge oder
das ruhevolle Ausklingen eines einzigen beherrschenden Tones.

Reihen sich so gleichwertige Kleingruppen zusammen, so fügen
sich diese nun wieder zu größeren Gruppen mit eignen Haupt-
kräften und Nebenkräften. Jede rhythmische Einheit dient aber
dem Kunstwerk erst dadurch, daß sie sich wiederholt, und da ihr
eigner Sinn uns eine eigenartige Kraftverteilung ist, so bedeutet
die Wiederholung, daß diese besondere Geltendmachung der Kräfte
im nächsten Gliede anerkannt wird, dort Zustimmung findet und
so der gleiche Verteilungsplan der Kräfte dort zur Tat wird. Diese
wechselseitige Bereitwilligkeit gewährt somit wieder grade die Vor- ·
aussetzungen, die uns stets als Bedingung der Werte gelten: Einstimmigkeit des Wollens. Wir erfassen die eine Gruppe, in der uns
ein Wollen deutlich entgegentritt und suchen in der gegebenen
Mannigfaltigkeit nach dem Ausdruck des gleichen Wollens, weil
dann allein das planlose Chaos sich in ein innerlich einheitliches
selbständiges Ganze verwandelt. Wir suchen nach dem gleichen
aus einheitlichem Quell entspringenden Wollen, und wenn wir es
antreffen, ist unser überpersönliches Verlangen gestillt, ein schlechthin gültiger Wert ergriffen. Die Einstimmigkeit der Takte aber
darf nicht die Mannigfaltigkeit hemmen, und wie im Dichtwerk
kein Jambus in seiner Kraftverteilung genau sich mit einem anderen
deckt, so ist kein Takt nach der Schablone geprägt. Immer neue
Verbindungen und Scheidungen spielen in die gleichförmige Ordnung hinein; die zweite Takthälfte bereitet auf die Kraftäußerung
des nächsten Taktes vor und verknüpft sich so mit der fremden
Gruppe, und die Phrasierung löst und verknüpft und läßt so die
Kräfte sich in Freiheit tummeln, ohne je die bereitwillige Übereinstimmung aufzugeben. Das alles aber wiederholt sich in der
breiteren Gruppe, und durch das ganze Gefüge etwa einer Sonate
ist diese Einstimmigkeit der rhythmischen Teilwollungen lebhaft
zu fühlen.

Zu dieser Harmonie der Rhythmen gesellt sich die der Töne
und Klänge, so wie etwa zu den einheitlichen Raumformen im
Bilde die einheitlichen Farben treten. Meist werden dabei die
Tonhöhenunterschiede mit den Farbenunterschieden verglichen. Es
wäre vielleicht förderlicher mit solchem Herkommen zu brechen
und die Bildfarbe lieber mit der Klangfarbe zu vergleichen, die

Tonhöhenunterschiede dagegen mit den Raumentfernungen. Erst dann würde die Seltsamkeit beseitigt, daß wir nur die sechs Farben rot, grün, gelb, blau, weiß, schwarz kennen, aber daneben zehntausend musikalische Töne als unauflösbar betrachten müssen. Es gibt zahllose Töne wie es zahllose Flächenpunkte gibt, und es gibt wenige Lichtfarben sowie es nur wenige Klangfarben gibt. Sehn wir ein einzelnes Licht, so sagen wir, es ist blau oder blaugrün; hören wir einen Schall, so sagen wir, es ist eine Violine oder eine Pfeife, eine Trompete oder eine Menschenstimme; die absolute Tonhöhe kümmert die unmittelbare Auffassung nicht, und ihre Beachtung gehört nicht dem ästhetischen Zusammenhange zu.

Wesentlich ist uns hier aber, daß Rhythmen, Tonentfernungen und Klangfarben ebenso zum Aufbau der musikalischen Form notwendig sind wie Gestalten, Entfernungen und Farben im Bilde. Was uns die Klangfarbe sagen will, darf sicherlich nicht aus Erinnerungen an die Instrumente abgeleitet werden; der Orgelklang sagt nicht, daß es die Orgel ist und daß ihr Platz im Kirchengewölbe. Die abschließende Erfüllung, die im Orgelton ruht, bewegt unmittelbar die Seele unvergleichbar anders als das trotzige Schmettern der Trompete. Jede Klangfarbe hat ihre eigne Erregungskraft, gleich wie die Landschaft ungleich erregt scheint, wenn sie durch Gläser von verschiedener Farbe gesehn wird. Die Kraft aber dringt wirklich aus dem Klange; es wäre erklärende Psychologie, zu sagen, daß die besondere Obertonverteilung die Kraftgefühle erst in uns erweckt. Und jene Erregungskräfte wollen nun durchaus wieder sich in Übereinstimmung halten und sich wechselseitig unterstützen, vom Zweigesang und der Kammermusik bis zu der unbegrenzten Vielgestaltigkeit des modernen Orchesters.

Am lebhaftesten aber tritt das Verlangen nach innerer Übereinstimmung in der Harmonie der zusammenklingenden Töne und in der aufgelösten Harmonie, der Melodie, uns entgegen. Wenn wir der psychophysischen Fragestellung ausweichen, so tragen Verschmelzung, Obertöne, Differenztöne, Schwebungen und mathematische Schwingungsverhältnisse unmöglich etwas dazu bei, unser wirkliches Harmonieproblem zu lösen. Es bleibt uns in gewissem Sinne ein letztes, daß wir etwa im Durakkord eine Mannigfaltigkeit erleben, in der jeder Ton die anderen sucht und begünstigt.

Wohl herrscht der tiefste Ton, wir fühlen seine entscheidende
Kraft und doch zugleich sein Entgegenkommen für den höchsten
Ton, die so ähnliche zartere Oktave; und beide halten und tragen
die Terze und Quinte, die sich selbständig zur Geltung bringen
wollen und sich doch dabei in ihrem ganzen Streben auf die Grenz-
töne beziehn. Es ist wie ein einziges Gefüge, in dem sich alle
Teile wechselseitig stützen, jeder sich dem Ganzen unterordnet
und jeder doch mehr sein darf als er allein zu sein vermöchte.
Stets handelt es sich aber dabei um ein bewegtes Gleichgewicht;
es ist vollkommene Ruhe der Erfüllung in der Einheit und doch
ein unendliches Hinüber der inneren Bewegung. Die Oktave ließe
sich da etwa mit der Abgeschlossenheit und doch nie endenden
Bewegung des Kreises vergleichen, die Quinte, Terze, Quarte mit
den verschiedensten Ellipsen, die Intervalle von ausgeprägterer
Mannigfaltigkeit mit reicheren in sich zurückkehrenden Figuren.
Die Einstimmigkeit bleibt auch in der bewegtesten Konsonanz
bestehn.

Die Melodie. Im lebendigen Tonwerk ist der Akkord natürlich bei weitem reicher als in solcher Vereinzelung. Dort ist er
Anfang oder Weiterführung oder Vermittlung oder Zusammenfassung oder Abschluß, und sein Einheitswert wird nun so stark
von der Hinführung und der Weiterführung mitbestimmt, daß
selbst die Dissonanz, der Streit der Töne, zur tönenden Schönheit
werden kann. Der Widerstreit stellt sich nur grade so weit in den
Weg, daß seine Auflösung in den Folgetönen die tiefere Einstimmigkeit um so eindringlicher zur Geltung bringt. Erst in der Tonfolge entfaltet sich so der unvergleichliche Wesensgehalt der zarten
verhallenden Klanggeschöpfe; erst in dem Wunder der Melodie
kann der Ton das ganze Glück seiner reinen Willenserfüllung erreichen.

Ja, ein Streben und Suchen, ein Halbgewähren, Einhalten
und Erfüllen ist es, das da im Spiel und Gegenspiel der Töne an
uns vorüberzieht. Aus den unendlichen Tonmöglichkeiten haben
sich in der Tonleiter solche Tonunterschiede herausgehoben, die
deutlich ihre Verschiedenheit zur Geltung bringen und die uns
mit Bestimmtheit sagen, wie sie zu einander stehn, ob sie sich
stützen oder hemmen. Der ganze Reichtum dieser Wechselbeziehungen lebt in jeder Bekundung. Auch in der kleinsten melo-

dischen Bewegung, die wir wirklich verstehn, weist jeder Vor-
wärtsschritt der Töne uns auf diesen Hintergrund. Der Ton, von
dem die Bewegung ausging, verschwindet nicht; der neue Ton ist
sich der Abhängigkeit vom ersten bewußt und wenn er weiter
drängt, so will er nicht planlos einen beliebigen Schall, sondern,
gebunden durch das innere Gesetz, das die ersten Töne verkündet
haben, ist jeder kommende Ton schon vorbereitet und vom latenten
Harmonieverlangen der ganzen Tonmannigfaltigkeit in seine Stelle
eingesetzt. Der deutlichste Fall liegt am Ende des Ganzen vor.
Ist eine Tonbewegung beim vorletzten Tone angelangt, so fühlt
auch der Unmusikalische, daß grade dieses der letzte Ton sein
muß. Er will es nicht: die Töne wollen es so. Er fühlt, wie die
ganze Tonreihe auf diesen einen Ton hingewiesen hat und seinen
Eintritt zum Abschluß verlangt. Vielleicht drängt sich das Selbstwollen der Töne nirgends eindringlicher auf, und brach die Musik
plötzlich ab, so bleiben die Töne da und warten auf den erlösen-
den Ton, den sie verlangten, auf die Rückkehr zur Tonika.

Nun wäre es ja nur flache triviale Musik, bei der mit gleicher
Sicherheit der Hörer stets im voraus sagen kann, welche Lösung
zu folgen habe, und doch gilt es auch von der freiesten und eigen-
artigsten Schöpfung, daß jeder Ton, der da einsetzt, von der Gesamtheit willkommen geheißen wird, als wenn er der eine Erwartete war. Man hat mit Recht gesagt, die Musik sehne sich gar
nicht nach einem Unaussprechlichen, sondern sehne sich einfach
nach dem nächsten Ton. Die Töne, die wir gehört, wollen den
folgenden; sie tragen ihre Forderungen in sich und je reicher die
Läufe da ausweichen und abbiegen, je mannigfaltiger die Neben-
strebungen sich einschmiegen, desto lebhafter bleibt in der Ganzheit das Grundverlangen zur Rückkehr, zur Überwindung des
Trennenden, zur Einheit. Und das Nebenspiel und das Gegenspiel, alles setzt grade so ein, wie die Mannigfaltigkeit selbst es
verlangt, um ihr Wollen zum Ausdruck zu bringen; jeder einzelne
Ton findet da sein fertiges Plätzchen, wo er so glatt hineinpaßt,
als hätten alle anderen Töne sich auf sein Kommen gefreut und
alles sauber für ihn vorbereitet.

Daß auch der Psychologe alles das in seiner Sprache erklären
kann, versteht sich von selbst. Für ihn wollen die Töne selbst
gar nichts. Ihre Auswahl wurde durch die Instrumente, die Reso-

nanz der Räume, und vieles andere historisch bedingt und durch
das Hören solcher Musik sind unsere psychophysischen Systeme
in gewissen Einstellungen des Reaktionsapparates geübt. Wir
haben eine latente Disposition erworben, auf das Hören gewisser
Tonreihen mit Erwartungseinstellungen zu antworten, die durch
die Intervalle der Tonleiter bestimmt sind. Alle diese Erwartungs-
gefühle verschmelzen beim Musikhören mit den Tonempfindungen
und so entsteht der Schein, als ob die Töne selbst ein Streben besitzen und den hinzukommenden Ton im voraus erwarten. Aber
die selbstverständliche Tatsache, daß sich auch Umsetzungen des
ursprünglichen Vorgangs in die Kausalsprache der Psychophysik
ermöglichen lassen, verändert das Verstehen des ursprünglichen
Erlebnisses keineswegs. Wer das Musikalisch-Schöne genießt, weiß
vielleicht nichts von der psychophysiologischen Schulweisheit und
dennoch fehlt ihm vielleicht nicht das Geringste zum vollen Verständnis des Streichquartetts oder der Sinfonie. Er versteht, was
die perlenden Töne wollen und verstünde es nicht besser, wenn er
die Töne in Luftschwingungen und ihr Wollen in Leistungen seiner
eignen Aufmerksamkeit und seines Reflexapparates verwandelt
hätte. Die Töne wollen einander, so wie im Gedicht der Reim
den Reim sucht; die Töne wollen einander, das ist der gewisseste
Ausdruck des unmittelbar erfaßten Erlebnisses. Grade damit ist
dann aber wieder alles gesetzt, was für die überpersönliche Befriedigung notwendig ist. Die Töne sind für uns nicht Eindrücke,
sondern Wollungen und nun halten wir das zu uns sprechende
Wollen fest und suchen ein Mitwollen in der gegebenen Mannigfaltigkeit, und Ton für Ton fällt ein und stimmt zu und
erfüllt das Verlangen nach Einstimmigkeit: da ist ein Wert
vollendet.

So stellen denn Rhythmus, Klangfarbe, Harmonie und Melodie gleichermaßen Willensbeziehungen vor, die im schönen Tonwerk jedesmal in sich einstimmig sind. Kaum aber bedarf es nun
der weiteren Darlegung, daß diese vier Arten der Einheit selbst
wieder sich zu gemeinsamem Tun vereinen müssen. So wie im
Bilde Formen und Farben zusammenstimmen und im Gedicht das
Versmaß, die Bildkraft und die Reime, so kann nun in der Musik
vor allem der Rhythmus nicht von der Melodie sich trennen, die
Klangfarbe nicht vom Rhythmus. Die Veränderung des einen

verlangt Veränderung des andern; die langsame Tonfolge hastig gespielt, hat ihren Melodiewert eingebüßt. So muß ein unendlich vielfaches Wollen sich ineinanderweben und doch sich überall wechselseitig heben und fördern.

Der Sinn der Musik. Ist damit nun aber wirklich der Sinn der musikalischen Schönheit vollständig ausgesprochen? Hat die Musik wirklich nur diese Springbrunnenschönheit, nur diesen Arabeskenwert? Sind die Formalisten im Recht, die jeden weiteren Inhalt dem Tonwerk absprechen? Nicht mehr können wir es dann mit dem Gemälde vergleichen, dessen Gestalten- und Farbensprache uns entzückt, und das doch außer Form und Licht vor allem einen selbständigen Inhalt darbringt, und nicht mit dem Gedicht, das Wortklang und Rhythmus und Bildkraft des einzelnen Wortes besitzt und doch neben und in alledem mit seinem Sinn unser Herz bewegt. Könnte so nicht im Tonwerk die unerschöpfliche Schönheit der bewegten Tonformen neben sich und in sich harmonischen Inhalt dulden?

Nun sind ja sicherlich die im Recht, die es nicht für die Aufgabe der Musik ausgeben, die Dinge der Außenwelt zu beschreiben. Ein solcher Sinn und Inhalt kommt den Tönen wirklich nicht zu. Wo die Programmusik die Dinge zu beschreiben versucht, da muß ja das Programm meist aushelfen, um der Phantasie den Weg zu weisen. Selbst wenn die Dinge durch ihre Begleitgeräusche nachgeahmt werden, wenn Donnerrollen und Pferdegetrappel durch das Orchester zieht, so bleibt es äußerlich, zufällig, im letzten Grunde unmusikalisch. Erst wenn die Vermittlung durch begleitende Gefühle herbeigeführt wird, tritt die Musik in ihr eignes Recht, aber dann handelt es sich unmittelbar um Erweckung von Gefühlen, nicht um Dingeindrücke und damit ist eine ganz andere Frage berührt. Aber können wir denn nun sagen, daß die Musik Gefühle darstellt? Wessen Gefühle sind gemeint? Gewiß erzählt uns das Musikstück etwas vom Gefühlsleben des Komponisten und dann auch wieder etwas vom Spielenden. Und doch sollte das feststehen, daß nicht diese Seelenbekundung Sinn des Tonwerks sein kann. Auch beim Drama auf der Bühne etwa gewinnen wir einen starken Eindruck vom Seelenleben des Verfassers und unabhängig davon mit gleicher Kraft vom Seelenleben des Schauspielers, aber beides ist uns doch nicht der seelische Inhalt des

Stückes. Der Tonsetzer darf kaum träumerisch sein, wenn er
Träumereien komponiert und der Virtuose, der sie spielt, noch
weniger. Wenn aus den Tönen ein träumerisches Gefühl spricht,
so muß es vom Komponisten und vom Musiker ebenso losgelöst
sein wie der Gefühlsinhalt eines Gedichts vom eignen Gemütsleben
des Vorlesers und des Dichters ist.

Daß „Des Mädchens Klage" von einem Mann gedichtet ist,
kümmert uns nicht; der Schmerz einer Mädchenseele spricht zu
uns. Wir sahen, daß so die Dichtung uns jederzeit ein Stück fremden Seelenlebens festhält und insbesondere die Lyrik das eigentliche
Innenleben des Mitmenschen zur Schönheit emporhebt. In ähnlicher Weise, glaubt so mancher, kann nun die Musik uns Gefühle schildern. Daß sie es nicht selten bewußt unternommen
hat, ist zweifellos; aber die künstlerische Wirkung ging dann doch
kaum über die äußerliche Nachahmungsmusik hinaus: wir aber
suchen den tiefsten Lebensnerv des Tonwerks. Alle solche Schilderung fremder Gefühle bleibt wieder unbestimmt und zufällig, im
letzten Grunde auf den Titel oder das gedruckte Programm angewiesen. Vor allem es fehlt jene Anlehnung des Gefühls an das
Mitweltwesen, das zum seelischen Träger jeder lyrischen Dichtung
wird. Die Verse sprechen zu uns wie der Nachbar spricht, auch
wenn wir selbst sie lesen; die Töne aber sind an keinem bestimmten
Ort und gehen von niemandem aus, auch wenn wir mit eignen
Augen den Künstler sehen, der den Bogen über die Geige
gleiten läßt.

Die Bilder sprechen mit der Sprache der Außenwelt, die Verse
mit der Sprache der Mitwelt, die Töne aber kommen nicht von
außen her und nicht als Fremde; in uns selber lebt ihre ganze Bewegung. Daß die Töne da draußen von Instrumenten ausgehen
und von Menschen erzeugt werden, gehört nicht zu ihrem Wesen.
Die Melodie ist nicht verändert, wenn sie von rechts oder links,
von oben oder unten zu uns dringt; sobald wir sie auffassen, ist
sie raumlos geworden und ihr ganzes Sein entwickelt sich in unserem
eignen Innern. Nicht im psychologischen Sinne ist das gemeint;
dann wäre es gleichgültig und bedeutungslos, denn psychologisch
muß auch das Bild und das Schauspiel, die Mitwelt und die Außenwelt meine eigne Vorstellung werden, um mich zu beschäftigen.
Wir stehen hier, fern von der Psychologie, auf einem Standpunkt,

von dem aus gesehen die Außenwelt und die Mitwelt der Innenwelt des Selbst gegenüberstehen und von dem aus die bildende Kunst und die Dichtkunst im Nichtich liegen. Von solchem unmittelbaren Erlebnisstandpunkt aus erscheint nun die Tonbewegung im eignen Innern. Die Töne der Sinfonie sind da nicht unsere Bewußtseinsinhalte — als solche käme ihnen keine Sonderrolle zu — sondern sie sind unsere Erlebnisse, ihr Streben ist unser Streben, ihr Wollen unser Wollen, ihre Erfüllung unser Zurruhekommen.

In diesem Sinne sagen wir, daß, wie die bildende Kunst die Außenwelt kundtut und die Dichtkunst die Mitwelt, so werden wir in der Tonkunst unserer Innenwelt gewahr. Nichts Bestimmtes, begrifflich Eindeutiges teilen die Töne uns mit, denn sie erwecken das eigne Selbst, und nur was in uns ist, können die Töne zum Leben bringen. So können dieselben Töne denn nicht nur dem einen die Frühlingslandschaft, dem andern Mädchengestalten darstellen, sondern scheinbar auch wechselnde Gefühle darstellen, dem Liebe, jenem Freude, und diesem Begeisterung. In Wahrheit stellen sie nichts dar und schildern nichts, sondern erlösen das eigne wollende Selbst zu freiem Sichausleben in den bewegten Tönen. Das Tonwerk gestaltet unsere eigne Innenwelt zu einem einheitlichen Willensgefüge und bringt so Sinn in die Wirrnis unserer Gefühle. Der Wille, den die Musik uns bringt, ist also nicht ein metaphysischer Weltwille, der zur Darstellung kommt. Von Schopenhauerischer Philosophie ist hier nirgends die Rede. Nein, unser persönlicher Lebenswille und unsere persönlichen Gefühle entwickeln sich in ihr; etwas darzustellen ist aber niemals die Aufgabe der Musik.

Nicht wirkliche Gefühle sind es, die da erwachen. Unwirklich sind die Wollungen und Gefühle, so wie die Landschaft des Malers und der Held des Dichters unwirklich sind: sie verlangen keine über das Kunsterlebnis hinauswirkenden Zusammenhänge, sie fordern keine Handlung, sie greifen nicht ins Dasein ein, sie sind vollkommen im Erlebnis selbst, aber sie bleiben deshalb doch durchaus eigne lebenswarme Einzelerlebnisse. Der Maler, der uns die Außenwelt zeigt, macht uns der Unwirklichkeit gewiß dadurch, daß er uns nur das Flächenbild zeigt und die Tiefe wegläßt, der Dichter, der uns die Mitwelt vorführt, dadurch, daß er in Versen

spricht oder im eingerahmten Bühnenraum; der Komponist, der
uns die Wollungen der Innenwelt zeigt, macht uns der Unwirklichkeit unseres Willens dadurch gewiß, daß er es mit den raum-
losen flüchtigen Tönen verwebt, die kein Vorbild in der Welt der
Dinge und Wesen haben und die daher keinen Anhaltspunkt für
unser Handeln bieten. Sind wir uns aber bewußt, daß unser Wollen
kein wirkliches ist und das bedeutet, keines, das Handlungen setzt
und in die Welt der Zusammenhänge eingreift, so kann es nun
ungehemmt sich dem Wollen der Töne einleben und sich selbst
in seiner Willensfülle genießen.

Die anderen Künste lehren uns mit den Dingen und den Wesen
mitzuwollen; die Töne leiten uns zu uns selbst zurück, indem wir
mit ihnen mitwollen, denn sie haben ihre eigne Wesenheit in uns
und wollen nichts als unser eignes Selbst sein. Unser eigner Wille
wird somit das Grundwollen, von dem die Tonbewegung ausgeht.
Das herrschende Wollen der Tonika fühlen wir als unser Selbst,
das Spiel der Melodie tritt in das Wollen dieses Selbst ein, so wie
die Außenwelterfahrung in die Innenwelt eindringt. So wie wir
aber uns stetig unseres Selbst auch in der Außenwelterfahrung
bewußt bleiben, so wird nun jeder Ton der Melodie in Beziehung
auf den Grundton empfunden; unser Grundwollen nimmt fühlend
Stellung zu jeder Erfahrung. In der Mannigfaltigkeit der Harmonie
aber tritt gleichsam eine Wesensvielheit in unsere Innenwelt ein,
und doch bleibt auch da alles auf das Selbst bezogen. Es ist nicht
die Außenwelt selbst, die uns in der Melodie begegnet, nicht die
Mitwelt selbst in der Harmonie, sondern nur Außenwelt und Mitwelt als Erfahrungen und Einschlüsse unserer Innenwelt, in der
alles stetig auf das Streben und Widerstreben, auf das Fühlen
und Wollen des Selbst bezogen ist und zu ihm in Selbsteinheit
zurückkehrt.

Das Leben mit seiner verknüpfenden Wirklichkeit kann uns
nur in den Augenblicken reinsten Glückes diese vollkommene Einstimmigkeit unseres Wollens bringen; im schönen Tonwerk wird
sie uns dauernd gewährt. Die Tonverwebung, die ihren Abschluß-
ton erreicht und so verwirklicht, was sie vom Anbeginn durch
alles Ausbiegen und Abschweifen und Stillhalten hindurch stetig
erstrebt hat, wird uns zum eignen Willen, der durch alle Erlebnisse
hindurch sich in seiner Innenwelt behauptet und so durch die

Einstimmigkeit unserer Strebungen unserem eignen Leben endlich den vollkommenen Sinn gibt. Die Musik stellt diesen Willen nicht dar, sondern die Töne sind Musik erst, wenn sie zu unserer Innenwelt und unserem Wollen geworden sind. Erst dann kann in ihrer Mannigfaltigkeit unser Innenleben sich so einheitsvoll gestalten, daß es in seinem Rhythmus, in seiner Harmonie, in seiner Lebensmelodie zur reinen Schönheit wird. Die Töne aber, denen so das Leben erst Sinn und Inhalt für die unvergleichlich vollendete Form gibt, sprechen dadurch ein Wollen aus, das sich selbst erhält, und damit vollendet sich ihres Wertes ewige Geltung.

Neunter Abschnitt.

Die Entwicklungswerte.

Die Bewertung des Werdenden. Vom Werden soll nun die Rede sein, und wer vom Werden spricht, spricht vom Anderssein und vom Vergehen. Nie kam ein solches bisher in den Umkreis unserer Betrachtung. Alles, was wir bisher überschaut, lag in sich fertig und abgeschlossen vor uns, sobald wir es bewerteten; es war ein vollkommen Gegebenes, das uns wertvoll in seinem Dasein, in seinem Zusammenhang, in seiner Einheit, in seiner Schönheit war. Was aber um seiner Entwicklung willen wertvoll sein soll, das erringt den Wert grade im Übergang vom Gegebenen zum Nochnichtgegebenen; es darf nicht nur Erfahrung, sondern muß Tat sein. Ist die Tat vollzogen, die Entwicklung vollendet, so liegt wieder nur ein Fertiges vor, das als solches nur den Zusammenhangswert und nicht mehr den besonderen Betätigungswert der Entwicklung beanspruchen kann.

In der Außenwelt, in der Mitwelt, in der Innenwelt mag sich solches Werden vollziehen und stets mag der Übergang, das Neugestalten, die Tat schlechthin wertvoll sein, obgleich sie sich ohne zielbewußte Wertsetzung vollzog. Die wertvolle Tat mag aber auch bewußt dem Werte untergeordnet werden; dann wird sie zur Leistung. Ein Schaffen, das sich zielbewußt auf Werte richtet, nannten wir Kultur. Die Leistungswerte sind somit Kulturwerte; die Entwicklungswerte dagegen nur unmittelbare Lebenswerte. So gehören denn Entwicklungs- und Leistungswerte aufs engste zusammen; die Kultur führt in dieser weiter, was in jener angelegt ist. Sie verhalten sich somit zueinander in genau der gleichen Weise wie Einheits- und Schönheitswerte oder wie Daseins- und Zusammenhangswerte. Die von der Kultur herausgearbeiteten Leistungswerte der Wirtschaft, des Staats, der Sittlichkeit sollen uns später beschäftigen. Jetzt aber gilt es zunächst, die Lebenswerte zu verfolgen: wann ist das Werden, das noch gar nicht wirkliche Leistung sein will, an sich schon schlechthin wertvoll? Wir werden dabei wie bisher die Außenwelt, die Mitwelt und die Innenwelt trennen müssen und somit nach der Entwicklung der Natur, der Gesellschaft und der Persönlichkeit fragen.

Wir sagten, alle Wissenschaft und alle Kunst bietet uns Abgeschlossenes, das zur Bewertung keines weiteren Werdens bedarf; die Entwicklungswerte dagegen beziehen sich auf den Akt des Übergangs, in dem das Eine vergeht, damit das Andere entsteht, auf das Werden der Tat, die Tat nur ist, solange der Abschluß noch nicht vollzogen. In dieser Weise trennt sich das Wertgebiet, das vor uns liegt, aufs schärfste von dem, das wir bisher durchmessen haben. Bisher betrachteten wir Tatsächliches, das jeder freien Entscheidung bereits entzogen war. Tatsächlich ist der Naturzusammenhang wie der Geschichtszusammenhang wie der Vernunftzusammenhang, tatsächlich ist die Kunst und das Glück und die Liebe. Bei der Entwicklung aber und bei der Leistung da hängt unser Bewerten grade davon ab, daß der Wert zunächst noch gar nicht vorhanden ist und sich auch nicht notwendig aus dem Vorhandenen ergibt, sondern sich in Freiheit entfaltet. Dabei handelt es sich natürlich nur um den Standpunkt der Betrachtung. Auch das Drama und die Sinfonie ziehen an mir vorüber und wenn ich die erste Szene sehe oder die ersten Takte höre, so wird sich das weitere erst langsam mir enthüllen. Trotzdem gilt mir dabei das Kunstwerk als ein Fertiges und als solches bewerte ich es.

Das Gleiche gilt von der Abfolge der Naturzusammenhänge oder Vernunftzusammenhänge, von denen die Wissenschaft berichtet. Die Mondfinsternisse der nächsten tausend Jahre sind ja als Erscheinungen noch nicht vorhanden; trotzdem gehören sie als Teil der berechenbaren Natur zu dem für uns Abgeschlossenen. Keine Tat der Freiheit kann ihr Sein verändern; unbeachtete Umstände mögen die Berechnung umwerfen, aber was auch kommen mag, es ist durch das Gegebene vollkommen notwendig bestimmt und nur als Teil eines vollkommen notwendigen Zusammenhangs kommt es in Betracht. Was im Kausalzusammenhang steht, läßt somit keine Tat und in diesem Sinne kein freies Werden zu; alles

ist im voraus abgeschlossen. Das gilt auch für die Vernunftzusammenhänge. Was auch der Mathematiker finden mag, sein
Herausfinden ist natürlich eine freie Tat und eine Leistung, aber
seine mathematischen Größen zeigen dabei kein Werden; ihr unendliches System ist notwendig und in seinem Aufbau somit abgeschlossen. Für die Geschichtszusammenhänge gilt das offenbar
nicht; eben deshalb kann das Auge des Historikers nur zurück-
gewandt sein. Die künstlerische oder politische Geschichte der
Zukunft läßt sich nicht wie eine Mondfinsternis berechnen; da
handelt es sich um Tat, um Freiheit, um wirkliche Entwicklung.
Die historische Wissenschaft kann daher nur das bearbeiten, was
bereits Tatsache geworden ist, die Geschichte der Vergangenheit.

Das schließt selbstverständlich nicht aus, daß auch die Kausalwissenschaft ohne Gefahr von ihrem Gewohnheitsrecht Gebrauch
machen und von der Entwicklung reden mag, etwa der Entwicklung der Weltkörper oder der Planzenwelt oder des einzelnen Tier-
körpers oder der Sprache und ähnlichem. Nur verwendet sie dann
einen Begriff, der eigentlich nicht in ihrem Gebiet entstanden ist.
Sie verwendet da ihre Erklärungshilfsmittel für einen Tatbestand,
der nicht unter dem Gesichtspunkt des Ursachenzusammenhangs,
sondern unter dem unkausalen Gesichtspunkt der Zielstrebigkeit
zunächst abgegrenzt und ausgesondert wurde. Strenggenommen
entwickelt sich in der Kausalwelt nichts, denn nichts kann dort
aufhören, das zu sein, was es ist; jegliche Substanz bleibt erhalten;
alles Werden wird dort zur Beharrung.

Nun kann es ja in der Welt nichts geben, das nicht zum
Gegenstand der Erkenntnis werden kann. Wenn es dennoch freie
Entwicklung geben soll, so kann sie sich mithin nicht auf Teile
der Welt beziehen, die der wissenschaftlichen Zusammenhangs-
betrachtung unzugänglich sind, sondern es muß sich um einen
ganz anderen Gesichtswinkel handeln. Was das eine Mal ein Gefüge oder eine Reihe von Tatsachen ist, deren abgeschlossenen Zusammenhang die Wissenschaft logisch bewertet, ist ein andermal
ein Werdendes, dessen Entwicklung wir als Tat bewerten. So
aber wie der abgeschlossene Zusammenhang der Wissenschaft auch
dann zugänglich ist, wenn er noch gar nicht fertig vorliegt, so ist
nun umgekehrt die Bewertung der freien Entwicklungstat sehr
wohl auch dann zulässig, wenn bereits das Endziel erreicht ist.

Nur müssen wir dann uns gewissermaßen in jenen Zeitpunkt zurückversetzen, in dem die Entscheidung noch nicht vollzogen war. Sowie wir die zukünftigen Mondfinsternisse in der Wissenschaft so betrachten müssen, als wären sie bereits Tatsachen, so müssen wir umgekehrt, wenn wir die längst vergangene Leistung des Mucius Scävola als Leistung bewerten wollen, uns in jenen Augenblick hineindenken, in dem er noch frei vor der Entscheidung stand, ob er die Hand in die Flammen strecken solle.

In gleicher Weise steht die Entwicklung und die Leistung den Einheitswerten und dem Schönen gegenüber. Dem Schönen geben wir uns hin, die Leistung würdigen wir; auch hier handelt es sieh um grundsätzlich verschiedenen Standpunkt. Die innere Übereinstimmung, die Gegenstand ästhetischer Bewertung ist, kommt wieder nur dem Vollendeten und Abgeschlossenen zu; was wir als Leistung und Entwicklung bewerten wollen, muß zunächst unabgeschlossen und unvollendet sein. Was schön sein soll, muß sich schon entschieden haben; was wir würdigen sollen, muß sich uns zunächst einmal vor der Entscheidung zeigen.

Der Wille zum Anderssein. Wann sind nun die Bedingungen erfüllt, damit die besondere Art der Bewertung einsetzen kann? Wir sagten zunächst nur, die Welt muß uns als ein Werdendes in Frage kommen. Das Erlebnis, das uns entgegentritt — es sei in Außenwelt, Mitwelt oder Innenwelt — muß also Ausgangspunkt für den Übergang zu einem anderen sein, muß selbst vergehen, um ein neues an seine Stelle zu lassen. Ein Anderssein kann nun aber an sich niemals wertvoll sein, da uns das ja im Mittelpunkt stand, daß alle Befriedigung auf der Erfassung des Identischen beruhe. Dieser Übergang kann somit nur unter einer Bedingung wertvoll sein, nämlich wenn das Andere, das eintritt, die gewollte Verwirklichung des Ersten ist, mit dem Willensziel des Ersten also identisch ist. Wenn wir ein Gegebenes so auffassen, daß es selbst ein Anderes sein will, so ist sein Übergang in jenes Andere eine Verwirklichung, die uns befriedigt, und diesen Übergang nennen wir Entwicklung. Ist jenes Wollen zu bestimmtem Anderssein nun aber derart, daß jeder, der das Erlebnis überhaupt auffaßt, es auch notwendig als von jenem Wollen erfüllt auffassen muß, so ist die Befriedigung am Übergang überpersönlich, der Wert der Entwicklung schlechthin gültig.

Bewertung eines Werdens, Würdigung einer Entwicklung oder
einer Leistung, ist somit davon abhängig, daß ein Erlebnis uns
mit dem Willen zum Anderssein entgegentritt. Das Samenkorn,
das eine Sonnenblume sein will, mag sich entwickeln; verkümmert
es, bleibt es unverändert, verdorrt das erste Pflänzchen, so wird
der Wert nicht erfüllt, und wächst da, wo wir die Sonnenblume
erwarteten, ein Rosenbusch, so ist von Entwicklung wiederum
nicht die Rede. In der Lebenslage, in der wir das Samenkorn in
den Boden senken, fassen wir es als ein Korn auf, das zu einer
Blume werden will. Sein Willensziel wird für uns das eigentliche
Erlebnis und im Wechsel der Dinge kann dann nur die Blume
selbst unser Verlangen nach identischem Inhalt befriedigen. Das
Werden wird so zu einem wertvollen erhoben, das wir würdigen.

Damit ist dann aber auch der Gegensatz zum Erkennen scharf
ausgeprägt. Für den Physiker hat das Samenkorn auch seinen
Willen, aber nur den einen Willen selbst zu sein. Damit die Veränderungen erklärbar werden, die tatsächlich einsetzen, wenn der
Same im feuchten Boden ruht, muß er das Samenkorn als Verbindung zahlloser Teilchen auffassen, deren jedes in sich erhalten
bleibt. Wächst die Blume aus dem Samen, so hat sich für den
Naturforscher nicht etwa der Inhalt des Samens verändert, sondern
es ist der Samenstoff samt dem Wasser und den chemischen Substanzen des Bodens und der Luft, die alle gemeinsam sich in die
Blume umsetzten, alle aber im Aufbau der Blume unverändert
erhalten blieben. Für den Naturforscher ist die Blume somit in
kausalem Zusammenhang mit der ganzen Summe ursprünglich getrennter Stoffe, unter denen das Samenkorn ein unentbehrlicher
aber winziger Bestandteil war. Der Zusammenhang ist logisch
wertvoll, weil die Blume mit jener Stoffmasse von Samen, Boden-
bestandteilen, Wasser und Luftbestandteilen identisch und aus
bloßer Beharrung der Stoffteile verständlich ist. Für den, der
die Entwicklung bewertet, ist die Blume identisch mit dem, was
das Samenkorn gewollt hat, und alle die Stoffe der Umgebung
waren nur Hilfsmittel, die es ausnutzte, um sein Ziel im Anderssein zu verwirklichen.

Innerhalb einer gegebenen bestimmten Mannigfaltigkeit kann
ein auf das Anderssein, auf das Nichtgegebene gerichteter Wille
unmöglich seine Befriedigung finden. Soll das Fertige, Abge-

schlossene, Gegebene als Wert in Frage kommen und somit alle seine Wollungen vollkommen selbst befriedigen, so darf es keine Wollung enthalten, die grundsätzlich auf das Nichtgegebene gerichtet ist. Da nun alle logische und ästhetische Bewertung solch in sich Fertigem zugerichtet ist, so kann der Wille zum Werden, zum Anderssein, zur Entwicklung im Schönen und Wahren überhaupt keinen Platz haben. In den logischen Werten will das Einzelne sich im gegebenen Ganzen selbst erhalten, in den ästhetischen Werten will das Einzelne in der geschlossenen Mannigfaltigkeit mit den anderen Wollungen übereinstimmen; nur in den Entwicklungs- und Leistungswerten will das Einzelne durch eine Tat das Gegebene aufheben und in ein anderes übergehen. Wissenschaft und Kunst sind gebunden durch das Gegebene; hier aber wird alles vom Fortschritt über das Gegebene hinaus erwartet. Die Bewertung dieses Fortschrittes ist daher niemals eine logische Erkenntnis und niemals ästhetische Hingebung; aber die Würdigung, in der sich diese ganz andersartige Bewertung ausspricht, steht mit gleichem unabhängigen Anrecht daneben.

In einer dieser drei Formen muß jede mögliche Bewertung der erfahrbaren Welt sich aussprechen. Jede Bewertung mußte auf Identität beruhen. Nun kann das Erfahrbare als fertig bestimmt erlebt sein. Dann können wir entweder das einzelne Erlebnis unbegrenzt in seiner Identität verfolgen oder wir können in der geschlossenen Mannigfaltigkeit die Identität der vielen Erlebnisse auffassen. Ist dagegen das Erfahrbare noch nicht bestimmt, sondern noch vom Eingreifen freier Tat abhängig, so kann es sich nur darum handeln, daß wir das schließlich Erreichte als identisch mit dem Gewollten auffassen. Eine vierte Identitätsbeziehung innerhalb der Erlebnisse selbst kann es nicht geben.

Der Wille zur identischen Verwirklichung unserer Erlebnisse hatte seine tiefste Wurzel aber in dem überpersönlichen Verlangen nach der Selbständigkeit der Welt. Erst durch die Identität der Erlebnisse war die Welt in ihrer Selbstheit gesichert; erst dadurch gewann sie ihren eignen Sinn und war mehr als nur Erlebnis. Erst dadurch aber wurde sie zugleich wertvoll, da nur die identische Erhaltung uns schlechthin befriedigte. Daß alles Gegebene in der wertvollen Wirklichkeit erhalten blieb, gab der Welt die Selbständigkeit der Selbstbeharrung. Daß sich das Ge-

gebene zu wertvollen Einheiten zusammenfügte, zeigt die Selbständigkeit der Selbstübereinstimmung. Daß nun aber auch der
Wille zum Nichtgegebenen sieh in identischer Gestaltung verwirklicht, das gibt der Welt die Selbständigkeit der Selbstbetätigung. Erst dadurch kann die selbständige Welt uns im tiefsten
Sinne sinnvoll werden. Ob die Welt wirklich sinnvoll ist, bleibt
freilich noch zu prüfen, denn das hängt ja davon ab, ob wir unzweifelhaft einen schlechthin gültigen Willen zum Anderssein und
seine Verwirklichung in der Welt vorfinden. Es könnte ja sein,
daß jeder schlechthin anzuerkennende Wille in den Erlebnissen
sich auf Selbsterhaltung und auf Übereinstimmung richtete, alles
übrige Wollen aber nur individuell ist. Dann gäbe es Wahrheit
und Glück und Schönheit in der Welt, aber kein Werden, keine
Tat, die als solche schlechthin gültigen Wert besäße. Es gäbe
dann also im reinsten Sinne keine Entwicklung, keinen Fortschritt,
keine Leistung. Und während die Vorgänge und Handlungen
und Neugestaltungen wohl persönliche Befriedigung gewähren
möchten, würden sie nach keiner Richtung Anhalt zu schlechthin
gültiger Würdigung geben.

Auch darin gleicht die neue Wertgruppe den bisher betrachteten, daß die Bewertung sich stets auf ein Verhältnis bezieht,
nicht auf die Inhalte, die in das Verhältnis eintreten. Das stand
uns ja gradezu im Mittelpunkt der Wertlehre, daß dem einzelnen
als solchem niemals ein Wert zukommt, sondern nur der Beziehung
zwischen dem Festgehaltenen, das sein identisches Gegenstück sucht,
und dem Anderen, in dem es sich identisch verwirklicht. Nicht
der Eindruck hat logischen Wert, sondern seine Wiederkehr in
neuer Form; nicht die einzelnen Bestandteile haben ästhetischen
Wert, sondern ihr Verhältnis der Übereinstimmung. Das gleiche
gilt — und grade das ist zu leicht übersehen — für den Wert der
Entwicklung. Das Endergebnis der Entwicklung ist an sich zunächst nicht wertvoller als der Ausgangspunkt; wertvoll ist nur
der Übergang von einem zum andern, wertvoll ist, daß die Tat
vollbracht wird. Das Werden ist wertvoll, nicht das Gewordene.

Nur wenn wir dieses Grundprinzip der Wertlehre von der
Schwelle an festhalten, kann späterhin der Sinn der Leistungswerte,
der Sinn von Wirtschaft, Recht und Sittlichkeit vor gänzlicher
Entstellung bewahrt bleiben. Daß die Entwicklung auf Bewertung

zurückweist, ist sicher; wer aber, wie es so oft geschieht, das so
deutet, daß die Entwicklung zu einer wertvolleren Wirklichkeit
führe, verschiebt den Schwerpunkt aufs gefährlichste. Die Henne
ist zunächst nicht wertvoller als das Ei und das Ei nicht wertvoller als die Henne; und dennoch ist es wertvoll, wenn sich das
Ei zur Henne entwickelt, und wenn die Henne sich wieder zu Eiern
entwickelt. Daß das Gewordene mit dem Gewollten übereinstimmt,
das ist wertvoll; und wenn das Gewollte notwendig und überpersönlich von jedem mitgewollt werden muß, der es auffaßt, so
ist es ein reiner Wert, eine wirkliche Entwicklung, ein wahrer
Fortschritt. Was vom Willensziel wegführt aber ist Rückschritt.

Wir trennen wieder die Betrachtung für Außenwelt, Mitwelt
und Innenwelt; wir untersuchen demgemäß das Wachstum der
Natur, den Gesellschaftsfortschritt und die Selbstentwicklung.

A. Das Wachstum.

Naturentwicklung und Naturerklärung. Die Naturwissenschaft unserer Tage ist stolz darauf, Entwicklungswissenschaft zu sein. In ein
unablässiges Werden hat sie das harte Sein der Dinge zerschmolzen,
und erst durch die Erkenntnis der Entwicklungen haben sich die
„Welträtsel" in unseren Tagen in so bequeme Selbstverständlich-
keiten umgesetzt. Wir wissen, wie sich im Weltall fortwährend
neue Weltkörper aus rotierenden Nebelballen entwickelten, wie sich
die Erde selbst aus der Sonne entwickelte, wie durch Abkühlung
sieh die Erdkruste und ihre Gewässer entwickelten, wie dann vor
nunmehr vierzehnhundert Millionen Jahren sich aus anorganischen
Stoffen das erste lebendige Klümpchen entwickelt hat und aus
diesem dann sich erst die Wirbellosen, dann die Fische, die Reptilien, die Säugetiere, schließlich der Mensch weiter entwickelten.
Und trotz alledem muß die Wissenschaftslehre daran festhalten,
daß es in der Natur des Naturforschers im letzten Grunde keine
Entwicklung gibt.

Entwicklung, so behaupteten wir, läßt sich nicht ohne Be-
wertung aussagen. Freilich hüteten wir uns zu fordern, daß der
Zielpunkt der Entwicklung selbst wertvoller sein müsse als der
Ausgangspunkt, aber die Entwicklung selbst ist ein Werden, eine
Veränderung, die wertvoll ist; ohne diese Beziehung auf den Wert
ist der Entwicklungsbegriff sinnlos. Grade diese Wertbeziehung

ist aber dem tiefsten Wollen des Naturforschers schlechthin entgegengerichtet; immer wieder überzeugten wir uns, daß die Dinge,
die in den Kausalzusammenhang der Natur eintreten, keinen anderen Willen haben können, als den, sich selbst zu erhalten.
Der einzige Wert, den die Naturwissenschaft kennen darf, ist der
Zusammenhangswert, der vollendet ist, sobald die wechselnden Erscheinungen auf Beharrungen zurückgeführt sind. Die Richtung
der Veränderung kann somit nicht selbst wieder wertvoll sein,
ohne daß der Begriffskreis des Naturforschers grundsätzlich verlassen wird.

Wir können es auch so ausdrücken: der Wille zum Anderswerden kann niemals in den Zusammenhang der Natur eintreten,
insofern als sie Gegenstand der Erkenntnis sein soll. Die Zielstrebigkeit, die den Entwicklungswert trägt, darf somit für die
Naturwissenschaft nicht in Frage kommen. Das schließt offenbar
in keiner Weise die Verwendung teleologischer Gesichtspunkte für
die Arbeit des Naturforschers aus; die Zielbetrachtung darf dann
nur nicht mehr sein wollen, als ein Hilfsmittel, um die Kausal-
erkenntnis zu fördern. Die Wissenschaft geht vom Endpunkt
einer Veränderungsreihe aus, um rückwärtsblickend die Ursachen
aufzufinden, die zu dem Endpunkt führten; nur darf der Wille
zum Endpunkt nicht selbst dabei als eine wirkende Ursache anerkannt werden. In diesem Sinne mag schon der Physiker und
Astronom seine Tatsachen durch Zielgesichtspunkte ordnen, mag
von Bewegungen sprechen, die den kleinstmöglichen Kräfteauf-
wand anstreben oder vom Kraftaustausch, der zur größtmöglichen,
nicht in Arbeit verwandelbaren Energiesumme hinführt.

Noch viel natürlicher aber wird die Zielbetrachtung in der
Naturwissenschaft da einsetzen, wo die organische Welt verstanden sein soll. Die ganze moderne Darwinistische Biologie ist
ja in diesem berechtigten Sinne von der Zielbetrachtung beherrscht.
Stets handelt es sich da um eine Endaufgabe der Natur, das Werden
vollständig angepaßter Lebewesen, die für die besonderen Bedingungen so zweckmäßig gebaut sind, daß ihre Fortpflanzung gesichert wird. Alles ordnet sich da dem Ziele unter und dennoch
liegt der Sinn und der Erfolg der modernen Auffassung doch grade
darin, daß kein Wille, der dieses Ziel anstrebt, selbst in die Rechnung eingesetzt wird. Alles wird aus Ursachen abgeleitet, die ziel-

los wirken, richtiger, alles wird aus der Beharrung der Dinge und Kräfte erklärt. Das gilt für die Abstammung der Arten und das gilt für das Wachstum des einzelnen Geschöpfes.

Ob der Forscher sich an der Wirkung orientiert oder von der Ursache ausgeht, ist somit für den Charakter der schließlichen Problemlösung grundsätzlich gleichgültig. Geht er von der Wirkung aus, für die er die Ursachen sucht, so mag er das Ende als Ziel vor Augen halten und auch bei der schließlichen Darstellung die Ursachen so anordnen, daß sie dem Ziele zugerichtet erscheinen. Unter den Ursachen selbst kann sich aber niemals eine auf das Ziel gerichtete Kraft befinden. Im Natursystem hat keine Richtkraft aus den Protisten die Tierarten unserer Erde hervorgetrieben und keine Richtkraft läßt aus der Eichel den Eichbaum wachsen. Der Vitalismus, der grade solche zielstrebigen Kräfte zur Erklärung der Lebensvorgänge den physikalisch-chemischen Kräften beiordnen möchte, ist somit unhaltbar und logisch gewissenlos. Tritt er als Gegenwirkung gegen den Leichtsinn auf, der sich gebärdet, als ob alle Vorgänge bereits heute mechanisch verständlich wären, so mag er willkommen geheißen werden. Er weist energisch auf die zahlreichen Erscheinungen hin, die sich noch immer gegen die mechanische Deutung sträuben. Aber der Vitalismus ist doch eben nur ein Sammelname für heute ungelöste Probleme; er selbst bietet nicht die geringste Handhabe zu ihrer Erklärung. Jede Zweckkraft versündigt sich gegen den Geist der Naturerkenntnis.

Nur scheinbar verschiebt sich das Verhältnis dort, wo seelisches Zweckbewußtsein tatsächlich in den Umkreis der Naturerscheinungen eintritt. Im Gefüge des Naturmechanismus ist auch der psychische Zielgedanke nur ein Vorstellungsgebilde, das den übrigen Ursachen des Ereignisses nebengeordnet ist, und die Erklärungsweise grundsätzlich nicht ändert. Gilt uns die Außenwelt als Natur, so ist das psychische Geschehen des Zieldenkens in Tier und Mensch nur ein Teil des psychophysischen Vorgangs, der naturnotwendig weiterwirkt wie irgend eine andere Ursache. Vom Standpunkt der historischen Wesenheit bedeutet das Zielsetzen und die Absicht ein Hinübergreifen in das Ferne, ein Willensgeschehen, das in seiner Subjektivität gefühlt, erlebt, gewollt werden muß, und von allem Objektiven, Wahrnehmbaren, Ursächlichen gänz-

lich verschieden ist. Vom Standpunkt der Naturerklärung aus
wird aber auch die Absicht zum Bewußtseinsinhalt, der nicht
weniger, aber auch nicht mehr vermag als andere Weltinhalte; es
ist eine Teilursache des folgenden Geschehens. Auch die Ziel-
absicht ist dann somit keine Richtkraft und das Vorfinden von
Plangedanken in den Lebewesen darf die Naturforschung nicht
aus ihrem Geleise herausdrängen.

Keine mißverständliche Psychologie darf dem Vitalismus Schein-
gründe leihen. Selbst der Erfinder, der die Maschine baut, ist
mit all seinen vorausplanenden Gedanken für den zuschauenden
Naturerklärer doch nur ein Teil der Ursachen, die beim Entstehen
der Maschine zusammenwirkten. Seine Willenstat, die für den
Kulturhistoriker grade dann wichtig ist, wenn er sie nacherlebbar
und abzielend auffaßt, ist für den Naturbeschreiber eine Empfindungsgruppe, die gewisse Körperbewegungen kausal hervorruft.
Der Zweckgedanke ist psychophysisch ein in sich vollendetes Sein
wie das Sein der Moleküle; er ist nicht mehr auf den Zweck gerichtet, wie er es in der historischen Wesenswirklichkeit war. Daher hat der Naturforscher denn auch von seinem Standpunkt aus
nichts vereinfacht, wenn er die Hypothese einer zwecksetzenden
göttlichen Intelligenz an den Anfang der Dinge stellt; mit seinen
Begriffen kann er die Ursachenwelt nicht verlassen und Gott wird
selbst dann nur zum verwickelten psychologischen Problem. Die
göttliche Zwecksetzung will in ihrer Wirkung dann erklärt werden,
erklärt aber selbst nicht das geringste. Der religiöse Vitalismus
ist nicht günstiger gestellt als der biologische. Der Wille, der
tierische, der menschliche, der göttliche, der in den Naturlauf
eintritt, will nichts mehr; er ist dann ein Bewußtseinsinhalt, der
Ursache nur wie jeder andere Erfahrungsinhalt sein kann.

Das steht für uns also fest: der wirkliche Wille zum Anderswerden und seine Erfüllung können sich niemals zu einem naturwissenschaftlichen Zusammenhangswert zusammenschließen; mit
der Erkenntnis haben sie somit unmöglich etwas zu tun. Der
Entwicklungswert, der sich aus solcher Willenserfüllung ergibt,
läßt die Fragen der Naturwissenschaft somit ganz unberührt und
muß es verschmähen, die Anerkennung zielstrebiger Richtkräfte
der Naturerkenntnis unterzuschieben. Der Wille zum Werden und
Wachsen mag in jedem Samenkorn schlummern, und doch könnte

und dürfte der Naturforscher solchen Willen niemals finden, und selbst wenn, etwa im Kinde, der Wille ein Mann zu werden, tatsächlich auftritt, so ist das vorwärtszielende Streben solchen Willens für die erklärende Erkenntnis bereits verflüchtigt und nur ein ursächlich wirkender Empfindungsniederschlag zurückgeblieben. Hat deshalb aber die Naturwissenschaft das Recht, das Blatt zu wenden und vorzuschreiben, daß die Beziehung, die in ihrer Welt nicht vorkommt, überhaupt nicht als wertvoll und somit nicht als gültig anerkannt werden darf?

Solche Forderung könnte sich offenbar nur auf eine willkürliche und ganz einseitige Überschätzung einer einzelnen Bewertungsart stützen. Die naturwissenschaftliche Wirklichkeit mit ihrem Daseinswert entstand ja erst dadurch, das im Erlebnisinhalt der Wille zur Selbsterhaltung, zur Beharrung, anerkannt wurde — daß deshalb der Wille zur Selbstveränderung, zum Werden, im reinen Erlebnis verleugnet werden muß, wo er sich darbietet, ist sicherlich keine notwendige Folgerung. Fassen wir den Erlebnisinhalt der Außenwelt unter dem Gesichtspunkt der einen Forderung auf, so bauen wir die Welt der Natur auf, fassen wir ihn unter dem Gesichtspunkt der anderen Forderung auf, so bauen wir die Welt der Tat, des Fortschrittes, der Leistung auf. Die eine schließt die andere nicht aus, so lange sie nicht achtlos durcheinander geschoben werden. Erfüllt sich der Beharrungswille, so gewinnen wir den wertvollen Zusammenhang; erfüllt sich der Veränderungswille, so gewinnen wir die wertvolle Entwicklung. Der Zusammenhang bedeutet uns eine Wahrheit, die wir erkennen; die Entwicklung bedeutet uns einen Fortschritt, den wir schätzen und der uns erhebt.

So wie wir aber rückhaltlos anerkennen mußten, daß es im System der Natur keinen Fortschritt geben kann, so darf es uns auch nicht wie eine Beeinträchtigung des Entwicklungswertes erscheinen, wenn wir ebenso rückhaltlos zugeben, daß es im System der zielstrebigen Weltbetätigung keine Wahrheitswerte gibt. Wir können zu dem Weltfortschritt, wie er sich in der Erfüllung des Willens zum Anderswerden bekundet, keine andere Stellung nehmen, als daß wir ihn schätzen, ihn mit Begeisterung willkommen heißen und ihm selbstlos dienen, aber ihn erkennen zu wollen, wäre ein sich selbst widersprechendes Unterfangen. Erkennen wollen hieße ja eben den Willen zum Nichtanderswerden im Erlebnisinhalt als allein gültig voraussetzen.

Wer den Zusammenhang aufsucht, muß die beharrenden Elemente finden, damit er durch sie Erklärung für die scheinbare Veränderung gewinnt; wer die Entwicklung aufsucht, muß die Aufgabe und Absicht finden, damit er durch sie den Sinn des scheinbaren Zusammenhangs aufklärt. Wir mögen bei unserem früheren Beispiel bleiben. Der Botaniker, der das Samenkorn verfolgt, betrachtet es als Verbindung zahlloser chemischer Bestandteile, deren keiner im Naturlauf vergehen und keiner in sich wachsen kann. Ist es eingebettet zwischen Bodenstoffen, deren Kräfte ebenfalls beharren, so müssen durch das Weiterbestehen der gegebenen Elemente und Kräfte notwendig Umlagerungen eintreten, durch die der Boden Stoffe verliert und dem Samen sich Stoffe angliedern. So entsteht der Halm durch Beharren der gesamten Stoffmasse, die sich nur in der Atomlagerung verändert, in ihrem Inhaltsbestande aber dieselbe bleibt. Der Sämann dagegen, der seine Körner dem Felde anvertraut, hat an der chemischen Gleichung gar kein Interesse, weil seine ganze Hoffnung der Ungleichung zwischen dem Samenkorn und der reifen Frucht zugewandt ist.

Eine Ungleichung ist es freilich nur, insofern als ein Zusammenhang in Frage scheint; auch der Sämann will die Verwirklichung einer Gleichung: die Frucht soll gleich sein dem, was das Samenkorn verspricht und anstrebt. Grade deshalb aber kümmern die Elemente des Samens ihn nicht; der Samen als Ganzes ist für ihn eine dem Ziele zugewandte Einheit und nur der Sinn dieses Zielwollens, nicht die Bestandteile des Inhalts haben für die erhoffte Entwicklung irgendwelche Bedeutung. Jetzt wächst der Same selbst zur Erntefrucht; aber die Beziehung zwischen dem Ausgesäten und dem Geernteten ist wertvoll nur als Erreichung des erstrebten Ziels, wertvoll durch das Vollbringen der Natur. Der Botaniker, der nicht würdigen, sondern erkennen will, würde dagegen ein Wunder gutheißen, wenn er die Beziehung zwischen der Handvoll Körner und dem Erntesegen als Zusammenhang bewerten wollte.

Die Ziellosigkeit der Natur. Das volle selbständige Recht der unnaturwissenschaftlichen Bewertung der Entwicklung steht somit

außer Frage; ob die Dinge ihre Absicht erfüllen, muß grundsätzlich
ohne jede Rücksicht auf den Kausalzusammenhang entschieden
werden. Ob im praktischen Leben der Sämann nicht auch Pflanzen-
chemie gelernt hat, und der Botaniker nicht auch die Hoffnungen
des Sämanns im Auge hat, geht uns hier nichts an. Von der wechselseitigen Ausgleichung der Bewertungen kann erst später die Rede
sein; zunächst haben wir jeden Wert in seiner reinen Eigenart zu
kennzeichnen und zu verfolgen. Was uns allein jetzt beschäftigen
muß, nachdem wir den Rechtstitel geprüft, ist offenbar die entscheidende Frage, ob es denn nun wirklich Absichten und Zielsetzungen gibt, die zur Auffassung der Außenwelt so notwendig
gehören, daß die Dinge nicht ohne solches Wollen gedacht werden
dürfen. Solange das Zielstreben der Dinge nur eine persönliche Erwartung ist, kann auch die Erfüllung nur persönliche Befriedigung
bringen. Nur wenn die Dinge Absichten in sich tragen, die von
jedem persönlichen Verlangen unabhängig und jedem zufälligen
individuellen Wollen überlegen sind, nur dann kann auch die Befriedigung einen überpersönlichen Wert darstellen. Nur die Erfüllung eines schlechthin gültigen Wollens zum Anderswerden
bedeutet einen Fortschritt, der unbedingt gilt. Die Grundfrage
muß für uns nun also die sein: wie weit läßt die Außenwelt ein Zielstreben erkennen, das von individueller Auffassung unabhängig ist?

Auf den ersten Blick scheint es, als ob es einfach sein müsse,
eine überzeugende Antwort zu gewinnen. Wollen wir den objektiven Sinn im Werden der Natur erkunden, so tut nichts weiter not,
als zuzuschauen, was sie tatsächlich vollbracht hat. Die Richtung,
in der sie sich verändert hat, muß uns als ausdrucksvolles Zeichen
ihrer eigentlichen Absicht gelten und auch wenn der tiefere Sinn
uns unverständlich bleiben müßte, wir können doch voraussetzen,
daß alles sich in der Richtung weiterbewegen will, in der es seit ungezählten Millionen von Jahrtausenden vorangeschritten ist. Hat
die Natur überhaupt einen Sinn, so kann die ganze bisherige Ver-
änderungsweise ihn unmöglich verleugnet haben. Was bisher sich
vollzogen hat, muß, falls am Anfang der Tage den Dingen überhaupt
ein Zielstreben innewohnte, dem Ziel sich genähert haben, so unendlich unfaßbar fern auch das Ziel selbst sein mag. Es gilt also nur der
vollzogenen Veränderung zuzuschauen, um den Grundgedanken
allen Werdens wenigstens in seiner Richtung zu verstehen. Was sich

da ergibt, ist sicherlich von jeder zufälligen persönlichen Stellungnahme unabhängig und zeigt die Natur wie sie unbekümmert um
kleine Menschenwünsche ihren selbständigen großen Zielen ent-
gegenstrebt. Da wird der Mensch selbst dann nur zur winzigen Zutat in dem gewaltigen Entwicklungsprozeß und selbst sein Schauplatz, die Erde, zum Stäubchen in dem allumfassenden Welten-
werden.

Aber wenn wir anfangen, dem Sinn dieses Schauspiels näher
nachzugehen und die Richtung des Fortschritts im einzelnen zu
erkennen, so verfliegt der zuversichtliche Traum. Zahlloses entsteht und doch nicht eines, das nicht im selben Schauspiel wieder
zugrunde geht, kein Leben, dem nicht der Tod folgt, kein Aufbau,
dem nicht der Zusammenbruch zugehört, und soviele Weltkörper
neu aus den Nebelmassen entstehen, so viele stürzen ineinander
und vernichten sich. Und wer den Blick ausweitet über das Ganze,
bis dahin, wo es in unendlichen Raumesfernen und unendlichen Zeit-
abgründen verschwindet, der schaut ein endloses Kommen und
Gehen, Wachsen und Vernichten, einen ewigen Rhythmus, in dem
es überhaupt nicht mehr eine einzige Richtung geben kann. Es ist
ein unablässiges Pendelspiel; in anfanglosem, endlosem, ziellosem
Wiederkehren und Wiederkehren bauen sich die Welten auf und
zerfallen; Jahrtausende und Jahrmilliarden, es ist immer dasselbe in
periodischem Kommen und Gehen — kein Ziel, keine Absicht,
kein Sinn in dem unendlichen Getriebe. Wer will da sagen, daß es
dem Sinn solcher Natur besser entspricht, das Vielfältige aufzubauen oder das Gleichförmige auszubreiten, Planeten von den
Sonnen abzuspalten oder die Sonnen in die Ursonnen stürzen zu
lassen, Leben wachsen zu lassen oder es im Tode aufzulösen, den
Kosmos wachzurufen oder das Chaos wogen zu lassen — wer will da
sagen, daß in der Kreisbewegung die eine Bewegungsrichtung Fortschritt, die andere Rückschritt sei.

Wie aber könnte es anders sein? Von welcher Natur sprechen
wir denn da? Wahrlich nicht von der Natur, mit der unser Leben
verwachsen ist und die in wirklicher Erfahrung an uns herantritt,
um in ihrem Sinn gedeutet zu werden. In unserem Erlebnis sind
keine Welten entstanden und wieder verglüht; flimmernde Licht-
pünktchen am nächtlichen Himmel sind uns die werdenden Welten
und von den Zeiten, durch die das Weltall streift, umspannt die

Erinnerung der Menschheit nicht den trillionsten Teil. Die Welt, die da sinnlos sich hin und her schwingt, ist gar kein Erlebnisinhalt, sondern das Berechnungsergebnis des Naturforschers, berechnet unter dem besonderen Gesichtspunkt der Wissenschaft, um die besonderen Forderungen der Kausalerklärung zu erfüllen. Das aber sahen wir ja, daß wissenschaftlicher Zusammenhang und Entwicklung sich in ihren Grundvoraussetzungen notwendig widersprechen.

Die Welt, die vom Astronomen in kosmischen Ewigkeiten konstruiert wird, um der Forderung nach Erklärbarkeit zu genügen, muß jede Scheinveränderung letzthin in periodischen Rhythmus und somit in sinnlosen Stillstand umdenken, weil das Zuerkennende schlechthin das Beharrende sein soll. Das endgültige Anderswerden, das für die Entwicklung notwendig wäre, ist durch die Voraussetzungen somit bereits ausgeschlossen, sobald an die Stelle der wirklichen Erfahrungswelt die berechenbare und berechnete Naturforscherwelt gesetzt ist. Die Welt, die sich aus Nebelmassen herauslöst, ist somit grundsätzlich ungeeignet, uns den überpersönlichen Sinn der Außenwelt zu bekunden. Die Natur, die sich nach mechanischen Gesetzen verschiebt und sich um den Menschen nicht kümmert, ist nicht eine Natur, um die sich der Mensch seinerseits zu kümmern hat, wenn es gilt, die Ziele der Welt zu erfassen.

Der Mensch als Ziel der Natur. So sind wir scheinbar auf die Welt verwiesen, die um des Menschen willen da ist, und jederzeit lag es nahe, von dieser Warte aus den Sinn der Natur zu deuten. Entwicklung und Fortschritt ist alles, was zum Menschen hinführt, Rückschritt, was der Entstehung und Ausbreitung des Menschen hinderlich ist. Auch da mag die Erfahrung weit, vielleicht unendlich weit überschritten werden, aber die Konstruktion der Menschenurzeit, der Tierwelt, die zur Menschenwelt führte, der Erdgestaltung, die zur Lebewelt hinführte, alles ist nun einem deutlich erkennbaren eindeutigen Ziele zugewendet. Hier gibt es keine Pendelbewegung. Wie die Welt ihr großes Ziel erreicht, mag dem Naturforscher zur Entscheidung überlassen bleiben. Er mag herausfinden, ob Meteore von fremden Weltkörpern die Lebenskeime zur Erde trugen oder ob sich im Meeresgrund Moneren bildeten, die zu Protisten wurden, oder ob erst unendlich niedrigere Lebewesen entstanden, die erst in langer Entwicklung zu mikroskopisch sichtbaren protoplasmatischen Substanzen wuchsen. Er mag ermitteln, wie

dann die weitere Artenbildung sich vollzog, wieviel die natürliehe
Auslese vermochte, wieviel äußere Bedingungen, wieviel Vererbung
des Erworbenen beitrug. Das eine, das alledem dann übergeordnet
ist, bleibt die Grundgewißheit, daß alle jene Veränderungen, gleichviel wie sie erklärt werden mögen, wirkliche Entwicklung, wirk-
liehen Fortschritt ergaben. Dann gilt selbst der Tod im Reich der
mehrzelligen Wesen nicht als Rückschritt, denn auch er wird notwendige Anpassung, um höhere und höhere Leistungsfähigkeit der
Organismen zu sichern und so das Menschengeschöpf entstehen zu
lassen.

Ist die Herausarbeitung der sprechenden „Herrentiere‟ aber
erst einmal als Ziel aller bisherigen Naturentwicklung anerkannt, so
steht scheinbar auch schon fest, was die Natur weiterhin will. Jetzt
ist eine klare Richtung vorgezeichnet; nicht rhythmisch zerstören
will sie, was sie langsam aufgebaut, sondern so wie sie von niederen
Geschöpfen zum Menschen hingeführt, so will sie nun über den
Menschen hinaus zum Übermenschen schreiten. Nur wer da mithilft,
dient dem Zielstreben der Natur. Diese Veränderung, die zum
Menschen hinführt, dürfen wir nun wahrhaft zum reinen Entwicklungswert erheben, da hier, im Werden des Menschen, ein vorläufiger
Endpunkt vorliegt, auf den wir alles Vorhergehende notwendig
beziehen. Daß die Natur den Menschen erzeugen will, ist kein
individuelles Behaupten. Es muß überpersönlich anerkannt werden
als zum Wesen der Natur gehörig, denn unsere Erfahrung setzt ja
eben damit ein, daß die Natur dem Menschen gegeben ist; wo Natur
sein soll, muß somit auch ihr höchstes Produkt, der Mensch, notwendig mitgedacht werden.

Und doch muß nun auch dieser Glaube an die Entwicklung
der Außenwelt zum Menschen hin, aufs entschiedenste zurückgewiesen werden. Auch diese Deutung des Weltsinns ist ein Über-
griff der Naturwissenschaft. Der ganze Gedankengang ist kausal-
wissenschaftlich, und wenn es wahr ist, daß naturwissenschaftlicher
Zusammenhang und fortschrittliche Entwicklung einander ausschließen, so kann auch dieser Entwicklungsglaube nicht zu Recht
bestehen, falls er wirklich nur verkappte Naturwissenschaft ist.
Dieses und nichts anderes ist er aber aus zwei Gründen. Zunächst
ist nämlich im Erlebnis der Menschheit nicht die geringste Erfahrung gegeben, die uns von der Entstehung des Menschen aus der

Tierwelt und von der Entstehung der Tierwelt aus der leblosen Natur berichtet. Solange der Mensch von der Natur weiß, weiß er auch selbstverständlich vom Menschen und niemals konnte in der Erfahrung ein Mensch entstehen, wo nicht Menschen waren. Nun soll der Naturforscher nicht an der Urzeugung und an der Stammesentwicklung zweifeln, aber nur das muß uns feststehen, daß alles dieses wieder jener konstruierten Naturforscherwelt zugehört, die grundsätzlich ohne Ziel und Absicht und Entwicklung ist. Willkürlich ist da aus dem unendlichen Rhythmus von Entstehen und Vergehen die eine kurze Phase herausgelöst, die von der erkaltenden Erde zum Menschengewimmel auf der Erdkruste führt; aber mit derselben Bewegung führt dann auch alles wieder weiter zur menschenzerstörenden Vereisung oder zum Versinken in der Sonnenglut oder zum Zerstieben bei kosmischem Anprall. Was die Paläontologie uns lehrt, darf immer nur benutzt werden, um unsere Erkenntnis der Außenwelt zu fördern; aber der in der Entwicklung sich bekundende Fortschritt, der gewürdigt werden will, kann nicht durch stammesgeschichtliche Naturforschung erfaßt werden. Die Erfahrung selbst, nicht die Erkenntniskonstruktion, muß uns diejenige Welt zeigen, deren Absicht und Ziel wir verstehen wollen.

Die Naturwissenschaft beeinträchtigt dabei den reinen Entwicklungsgedanken aber noch in einer zweiten, nicht weniger grundsätzlichen Weise. Die Menschenschöpfung als Ziel der Natur zu denken, sollte schlechthin notwendig sein, weil wir in jeder Naturerfahrung uns selbst stets miterleben, die wirkende Natur erst im Menschen zum Gegenstand des Urteils wird. Auch hier aber ist naturwissenschaftliche Denkweise nur oberflächlich verhüllt. Der Mensch, der die Natur in seinem Außenweltserlebnis findet, ist der stellungnehmende Mensch, das historische Wesen; dieses freie selbstgewisse Wesen ist aber wahrlich nicht der Mensch, den die Natur, die Gegenstand des Naturforschers ist, nach der Kausalmethode erzeugt hat. Ob das kausale Natursystem nach den Cölenteraten und Reptilien auch die biologischen Menschenrassen hervorgehen ließ, ist vom Standpunkt des urteilenden Subjekts zufällig und für den Naturbegriff unwesentlich. Das zielsetzende Wesen, das die Natur beurteilt, ist unmöglich das Ziel der Natur, weil es überhaupt nicht in den Naturlauf der Objekte eingekettet ist, sondern dem ganz andersartigen Zusammenhang der Subjekte zugehört.

Der Naturforscher kann im Umkreis seiner Betrachtungen keinen anderen Menschen kennen als das sprechende Säugetier; aber wie reich er auch dieses Geschöpf mit psychophysischen Funktionen ausstatten mag, es bleibt ein grundsätzliches Mißverständnis, es mit dem stellungnehmenden Träger des Welterlebnisses gleichzusetzen. Daß die Natur stets dem Menschen gegeben ist, ist richtig; aber dem urteilenden Menschenwesen, nicht dem empfindenden Menschengeschöpf. Nur das Geschöpf aber wird von der Natur hergestellt; die Selbstgewißheit des Wesens kann daher nicht die Forderung enthalten, daß die Natur die Geschöpfe fabrizieren muß. Dem freien Menschen gilt es daher niemals als notwendiges Ziel der Natur, unfreie Menschen zu formen. Die Natur hat so wenig die Absicht, Menschen und Übermenschen wachsen zu lassen wie es ihr Ziel ist, Nebelringe rollen und zu Weltkörpern werden zu lassen. Die Biologie darf uns so wenig wie die Kosmologie den Sinn unserer Naturumgebung zu deuten versuchen.

Das wahre Ziel der Außenwelt. So bleibt denn von der Natur für die naturwissenschaftsfreie Sinnbetrachtung nichts anders übrig, als daß wir stellungnehmende historische Wesen die Außenwelt . als Gegenglied zu unserem praktischen Wollen vorfinden. Was diese uns lebenswirklich gegebene Dingwelt verursachte und was sie vor Jahrmillionen war, das hat für uns zu fragen keinen Sinn; das bleibt dem überlassen, der das Beharrende im Weltall sucht und ist geltungslos für den, der die Welt in ihrem Zielstreben verstehen will. Damit die Außenwelt überhaupt ins Spiel eintreten kann, muß von ihr somit notwendig nur das eine gefordert werden, daß sie Angriffspunkt für den Willen des historischen Menschen wird. Nur dieses allein kann somit die Aufgabe, der Zielpunkt, das Werdeverlangen der Außenwelt sein: dem wollenden Menschen Material der Tat zu werden. Nicht dazu ist die Natur da, damit sie den unfreien Menschen aus sich hervorgehen läßt, sondern dazu, damit der freie Mensch auf ihr einhergehen kann. Sie will sein Schauplatz und sein Werkzeug werden. Wenn diese Beziehung zu menschlichem Wollen nicht wäre, hätte es für den Menschen keine Bedeutung, von einem Wert im Werden der Außenwelt und somit von Entwicklung oder Rückschritt zu sprechen. Solche Aufgabe

liegt natürlich nicht als ein psychischer Zweckgedanke in der
Scholle des Ackers eingesenkt und kein bewußtes Wollen bewegt
den Wind und die Wellen. Uns Stellungnehmenden aber kann die
Natur nur dann als werdend und als tätig gelten, wenn es als ihre
Aufgabe erkannt wird, ins Menschenleben einzugreifen. Erst wenn
sie in der Beziehung zum strebenden Menschen erfaßt wird, kann die
Natur Objekt der Würdigung und Erhebung werden, so wie sie nur
in der Beziehung zum menschenunbekümmerten Kausalgesetz
Objekt der Erkenntnis werden kann.

Von den stolzen Jahrmilliarden bleibt da freilich nichts zurück;
das Scheinwerden der Welt des Naturforschers, das tatsächlich ein
zielloses Beharren ist, hat aber keinen reinen Lebenswert außer der
Erkenntnisbefriedigung. Ein Sinn, der verstanden, ein Entwicklungswert, der gewürdigt werden will, kommt solcher Ursachenkette
nicht zu. Diejenige Natur, die allein Sinn und Ziel in sich trägt,
führt dagegen weder zeitlich noch räumlich ins Weite; es ist die
Natur, mit der wir täglich ringen und die uns täglich dient. Sie
kennt Entwicklung, denn ihr verliehen wir, nicht durch persönliches
Verlangen, sondern notwendig, die Aufgabe, für uns da zu sein, und
an diesem Ziele messen wir den Wert ihres Anderswerden. Die
Frucht, die uns zuwächst, der Boden, der unserer Arbeit seine Erze
bietet, Wald und Strom, die frische Luft, das Wasser und das
Sonnenlicht, erfüllen so eine Aufgabe, die von selbstischen zufälligen Wünschen der Einzelmenschen unabhängig dasteht, eine
Aufgabe, die anerkannt werden muß, wenn überhaupt Menschentum möglich sein soll.

Ist aber die Zielsetzung, Material der Menschentat zu sein,
schlechthin notwendig mit dem Gedanken der selbständigen Natur-
tendenz gegeben, so bekundet sie erst in der Erfüllung dieses
Wollens ihren reinen Wert und ihren tiefsten Sinn. Nicht jede
Blüte wird uns zur Frucht, nicht jede Woge trägt uns. Wie überall
ist zunächst Wertvolles, Wertfreies und Wertwidriges beieinander.
So fanden wir es ja auch im Kreise der Daseinswerte und der Einheitswerte. Nicht jeder Welteindruck hatte Daseinswert, sondern nur
durch Verfolgung des Beharrenden kann der Geist das Daseiende,
das naturwissenschaftlich Wirkliche aus dem Erlebnischaos heraus-
lösen. Und ebenso war nicht jede erlebte Mannigfaltigkeit harmonisch; nur durch Verfolgen der tieferen Übereinstimmungen kann

der Geist das Schöne aus dem Gleichgültigen und Häßlichen herausheben. So ist auch nicht jede Weltveränderung ein Fortschritt, eine
Entwicklung, ein schlechthin wertvolles Wachstum; erst durch
Verfolgung des Zielzugerichteten erfaßt der Geist die lebendige
sinnvolle Natur in ihrem reinen Werte.

Das bedeutet also nicht, willkürlich den Menschen in den Mittelpunkt der kausalen Natur stellen, wie es die anthropozentrische
Naturwissenschaft vergangener Tage gewollt hat. Davon ist hier
nicht im geringsten die Rede, denn wer den Sinn und die Aufgabe
der Natur deuten will, steht eben grundsätzlich außerhalb jeder
denkbaren Kausalwissenschaft. In der erkennbaren Natur ist das
ganze Menschengeschlecht ein winziges Gewächs auf der Erdkruste
und die Erde selbst ein winziges Stäubchen im All; in der verstehbaren Natur steht der Mensch mit samt seinem Gedanken einer
unendlichen Kausalwelt als der eine Einzige da, für den die Natur
sich müht, damit er in Freiheit sich auslebt. Keinen Schritt könnte
er tun, keine Tat vollbringen, keinen Plan verwirklichen, wenn sie
nicht dienen wollte. Auch wo sie sich zu sträuben scheint, und harte
Arbeit fordert, stemmt sie sich doch nur dem Einzelnen entgegen,
bleibt aber ihrem Sinne nach das Werkzeug und die Kraftquelle der
geschichtlichen Menschheit.

Wenn der Naturforscher der Natur nicht zutraut, daß sie für
den wollenden Menschen da ist und überzeugt ist, daß sie unbekümmert um Menschenwollen sich nach Gesetzen bewegt, ist er
unbestreitbar in seinem Recht: er will die Natur in ihrer Selbstbeharrung auffassen; nur darf er niemals wähnen, in dem so gewonnenen Natursystem überhaupt irgend einen Zweck und ein
Ziel zu finden. Wollen wir die Außenwelt in ihrem Zielstreben
würdigen, so dürfen wir sie nicht gleichzeitig von einem Punkt aus
betrachten, von dem aus ihr Streben grundsätzlich unbeachtet
bleiben muß, vom Standort des erklärenden Naturforschers. Beide
Betrachtungswesen sind zunächst vollständig gleichberechtigt. Der
Forscher hat das Recht, ja die Pflicht, vorauszusetzen, daß sich,
wenn auch die Forschung heute noch so weit davon entfernt sein
mag, die Natur schließlich doch als ein vollkommener kausaler
Zusammenhang erweisen wird; er geht somit davon aus, daß die
Natur wirklich solch Zusammenhang ist, wirklich dem Denkenden
wertvoll ist, so wenig auch von ihrem Zusammenhang bisher er-

kannt sein mag. In gleicher Weise hat der Strebende das Recht,
ja die Pflicht vorauszusetzen, daß, wenn auch noch so viele Lebens-
pläne der Einzelnen von der Natur durchkreuzt werden, die Natur
im letzten Grunde das Ziel hat, dem Vernunftwesen zu dienen und
ihren Sinn darin findet, sich der Erreichung dieses Zieles stetig zu
nähern; er darf somit genau wie der Forscher davon ausgehen, daß
die Natur wirklich im Grunde dem Menschenstreben schlechthin
wertvoll ist, so wenig auch das einzelne Geschehen sich nach den
wechselnden Wünschen richtet.

Und diese Wertvoraussetzung darf in ihrer Gewißheit sicherlich nicht durch ein Hinüberschielen nach den Ergebnissen der
Naturforschung verkümmert werden. Für die Strebenden ist die
Natur der Siriusfernen und der Jahrtrillionen genau so unwirklich
wie für den Naturforscher die Welt, die von Absichten erfüllt ist.
Wie beide Bewertungsformen sich schließlich ausgleichen mögen,
darf uns hier noch nicht kümmern. Daß sie sich berühren, liegt ja
auf der Hand, denn auch der Forscher wird zum Strebenden, der
die Erkenntnis sucht, weil die Welt, die er erkennen will, in das
menschliche Wollen eingeht; der Strebende aber wird zum Erkennenden, wenn er die Natur für das besondere Wollen auswählt und
ausnützt. Wir kehren dahin zurück. Aber wohl können wir schon
von hieraus den reicheren Wert erblicken, der dann einsetzen muß,
sobald die Kultur zielbewußt diesen Lebenswert der dienenden
Natur weiter ausgestaltet. Das Wollen der Natur, Material für die
freie Menschentat zu sein, wird dann emporgehoben zu der Kulturarbeit der menschlichen Wirtschaft.

Nur eines sei noch ausdrücklich betont, obgleich es keinem
Mißverständnis mehr unterliegen sollte, da es den Kernpunkt
unserer Betrachtung betrifft. Die Entwicklung der Natur ist nicht
etwa deshalb wertvoll, weil sie uns als Individuen fördert; das
könnte das Entwicklungsergebnis nützlich und angenehm machen,
aber niemals der Entwicklung selbst schlechthin gültigen Wert
verleihen. Der Wert liegt lediglich darin, daß die Natur sich in der
Entwicklung selbst betätigt, ihrer eigenen Aufgabe treu ist, ihr
eigenes Ziel erreicht. Dieses Ziel freilich ist ja, dem Menschen zu
Dienst zu sein, aber das, was das Werden zum Wert erhebt, ist nicht
die Tatsache, daß das Ziel die Hilfe für den Menschen ist, sondern
daß dieses festgehaltene Ziel aus eigener Kraft von der Natur er-

reicht und somit Gewolltes verwirklicht wird. Wäre das schlechthin anerkannte Ziel menschenfremd oder menschenschädlich, so würde die Veränderung zum Ziele hin immer noch ein reiner Wert bleiben.

Daß aber als Sinn der Natur der Dienst für den Menschen beansprucht wurde, war ebenfalls nicht etwa dadurch bedingt, daß gerade dieses dem Menschen erwünscht und deshalb wertvoll ist. Die Natur muß mit dieser Aufgabe gedacht werden, weil wir Natur im Erlebnis zunächst überhaupt nur als Schauplatz und Werkzeug und Mittel des Menschen kennen. Unser Grundwollen, aus dem alle Bewertung entsprang, war aber das eine, daß der Erlebnisinhalt mehr als Erlebnis sein soll, daß er sein Wesen selbständig in sich trägt. Werkzeug des Menschen, Material seiner Tat sein zu wollen, muß deshalb als objektive Wesenheit der Natur gedacht werden, wenn sie überhaupt sich selbständig behaupten soll. Ob sie dieses vermag, ob sie wirklich in diesem Sinne selbständige Welt ist, kann sie uns nur dadurch beweisen, daß sie sich diesem Ziele zuwendet und somit zeigt, daß sie mit sich selber einig ist. Jedes Werden, durch das sie dem Dienste sich weiht, den Samen zur Frucht werden läßt, bekundet somit, daß sie die Grundforderung erfüllt, eine selbständige Welt ist, in ihrem Werden schlechthin Gewolltes erfüllt und somit sich wertvoll entwickelt.

In gewissem Sinne ließe es sich daher sehr wohl sagen, daß auch der Entwicklungswert ein Beharrungswert sei, da wir die Veränderung der Natur ja gerade dann wertvoll nennen, wenn sie dabei ihre Grundabsicht, dem tätigen Menschen zu dienen, unabänderlich festhält. Wir wollen die ursprüngliche helfende Absicht am Ende der Veränderung wiederfinden, sowie der Naturforscher die gegebenen Atome am Ende der Verschiebung aufs neue sucht. Der Unterschied beruht nur darin, daß das Beharrende einmal das Ding ist, das sich in neuem Zeitpunkt darbietet, das andere Mal die Absieht ist, die in neuer Form wiederkehrt. Die Natur, die als seiend in Betracht kommt, beharrt mit sich selbst einig, und behauptet sich in ihrer Selbständigkeit, wenn sie in ihrem Inhalt unverändert bleibt; die Natur, die als dienend in Betracht kommt, beharrt mit sich selbst einig und behauptet sich in ihrer Selbständigkeit, wenn sie die vorgesetzte Aufgabe erfüllt und zu diesem Zweck in stetigem Wachstum sich verändert. Auch die Selbstbetätigung der Außenwelt, die sich entwickelt, ist somit Selbstbehauptung der Welt, gleichwie die Selbsterhaltung der Natur, die ewig unverändert bleibt.

B. Der Fortschritt.

Die Gesellschaftsentwicklung und die Geschichte. Den Zusammenhang des geschichtlichen Lebens und seinen Wert für die Erkenntnis haben wir ausführlich erörtert, als wir die Bewertungen der Wissenschaft prüften. Wir sahen, wie alles Historische von wollenden Wesen getragen wird und wie nur aus der Gleichheit des Wollens, aus der Erhaltung der identischen Stellungnahme, ein geschichtlicher Zusammenhang ableitbar ist. Wir gewannen so ein System der Geschichte, dessen Wirklichkeit gleichwertig ist der des Natursystems, und in gleicher Weise verlangt es unsere Anerkennung und Unterordnung. In gleicher Weise muß denn nun aber auch die Begrenztheit solcher Betrachtung sich geltend machen. Wir sahen, daß der Naturforscher nur von Veränderungen und Verschiebungen sprechen kann, die im letzten Grunde auf Beharrung zurückgehen, daß er aber nichts weiß von Verbesserung, Wachstum, Entwicklung Es kann nicht anders mit dem Historiker stehen. Wir sahen, wie er zwischen dem Wichtigen und Unwichtigen, dem Einflußreichen und Einflußlosen scheidet, wenn er den wirklichen Zusammenhang in der Geschichte herausarbeitet; aber ob es sich zum Guten wendet oder zum Bösen, ob die Veränderung aufwärts oder abwärts führte, das darf sein historisches Interesse nicht beeinflussen. Der Zusammenhang, der den Verfall des klassischen Altertums ausmacht, ist für den Historiker nicht minder Ziel der wissenschaftlichen Bewertung als jener andere Zusammenhang, der den Aufbau der alten Kultur bedeutet. Wie der Biologe Gesundheit und Krankheit, Leben und Tod gleichermaßen erklären muß, so hat der Historiker mit nachwollendem Verständnis die Höhen und Tiefen, die Edelzeiten und die Schreckenszeiten der Menschheit zu erfassen und uns nur begreifen zu lassen, wie alles gekommen ist.

Gewiß besteht zwischen dem Geschichtsforscher und dem Naturforscher der Unterschied, daß alles Material des Historikers selbst Wille ist oder mit dem Willen verbunden ist, und alles Wollen kann Beziehung zu Werten gewinnen. Die historische Verknüpfung aber hat doch schließlich die Gerechten und die Ungerechten, die Wahrdenker und die Irrlehrer, die Märtyrer und die Frevler mit gleicher Gelassenheit daraufhin zu prüfen, wie weit ihr Wollen tatsächlich das spätere Wollen und schließlich das Wollen unserer Mitwelt beeinflußt hat. Der Zweck des Historikers ist nicht zu

würdigen, denn das in Freiheit Werdende ist für ihn bereits eine
unabänderliche Reihe von Seiendem geworden, das er im Rückblick nur überschaut, um den Zusammenhang zu verstehen. Ob es
einen absoluten Wert hatte, daß es Helden und Verräter, Denker
und Toren gab, daß die Völker aufblühten und hinstarben, das darf
er nicht entscheiden. Und dennoch ist die Frage nach dem Wert des
historischen Geschehens unmöglich von der Schwelle zu weisen.
Der Historiker mag kühl bis ans Herz hinan dem Völkergewimmel
zuschauen: irgendwo außerhalb der Geschichtsforschung — man
mag es Geschichtsphilosophie heißen — muß sich ein Standpunkt
finden lassen, von dem aus deutlich hervortritt, was in der geschichtlichen Bewegung wirklich Fortschritt und Entwicklung war.
Ist das Werden der Menschheit ein Kommen und Gehen ohne Sinn
und Ziel oder hat die Geschichte nicht nur Zusammenhang, sondern
auch Aufgabe und Zweck? Wo aber schlechthin gültige Aufgaben
gelöst und Zwecke erfüllt werden, da gibt es Werte.

Wer da praktisch eingreift, um festzuhalten oder umzustürzen,
zu bessern oder zu bekehren, der will nicht wissen, wie alles gekommen ist, sondern will zur Geltung bringen, was seiner Überzeugung nach wertvoll ist. Er setzt selbstlos seine Kraft und vielleicht sein Leben ein, weil er in tiefster Seele überzeugt ist, daß
dieses Menschengeschehen kein gleichgültiger zielloser Natur-
ablauf ist, sondern daß jede Stunde ihre heilige Aufgabe in sich
trägt. Die Gegner mögen streiten, welche Gestaltung wahrhaft
Fortschritt und Entwicklung bedeute, aber daß die rechte Gestaltung schlechthin wertvoll sei, das setzen sie gemeinsam voraus und
bekunden es, indem sie selbstlos dienen. Dieser Glaube an den
schlechthin gültigen Wert der rechten Menschheitswege kann nun
unmöglich am unmittelbaren praktischen Wirkungskreise haften
bleiben. Wenn auch im Getriebe der Tagesarbeit die Beziehung
zum Ganzen dem Blick entschwinden mag, Sein und Bedeutung
gewinnt doch auch der Tageskampf erst, wenn er sich einstellt in
die Menschheitsbewegung und auch in ihr die unendlichen Werte
erkannt und anerkannt werden. Die Natur, so sahen wir, zeigt ihre
Entwicklung erst, wenn sie von den Formen der Naturwissenschaft
losgelöst wird; kann auch die Geschichte sich erst dann als Fortschritt dartun, wenn sie aus den Auffassungsformen der Geschichtswissenschaft herausgehoben ist?

Wir müssen also ausgehen, den Punkt zu finden, bei dem die Wertbetrachtung historischen Geschehens festen Anhalt findet. Nur wenn wir einen allgemeingültigen Gesichtspunkt der Bewertung gewinnen, kann von Entwicklung im Völkergeschehen die Rede sein. Und darüber müssen wir uns klar sein: die Geschichtsforschung kann uns da auch nicht einmal mittelbar weiterhelfen. Reiche bauen sich auf und zerfallen, was blieb von Babyloniens stolzem Leben, was wird in abermals fünftausend Jahren von unserem Dasein zeugen? Die Völker wandern und wandern, kämpfen miteinander, unterjochen einander, mischen sich miteinander, bald hier, bald dort entstehen innere Bewegungen, verbreiten sich und verschwinden wieder; planlos, ziellos, wälzt sich der Strom durch die Jahrtausende. Der Historiker hat kein Recht, da zu widersprechen. Andere wieder mögen uns sagen, daß es nicht auf die Erhaltung des Geschaffenen ankommt, sondern auf das Glück der Lebenden, und daß in diesem Sinne die Weltgeschichte der große Rückgang der Menschheit war. Denn im Anfang war das Glück, — das Glück der dumpfen Beschränktheit, die den Sinnen fröhnte und nicht für das Morgen sorgte. Das goldene Zeitalter der Trägheit, die keine Opfer um des Abliegenden willen zu bringen hat, ist von der Kultur zerstört und jeder Tag erweitert die Verantwortlichkeit und dadurch die Sorgen der Gemeinschaft. Jeder Pulsschlag der Kultur bedeutet so neuen Verlust an ursprünglichem Glück und keine künstliche Rückkehr zur Natur kann heute den Fall der Menschheit hindern. Wieder hat der Historiker kein Recht, solcher Deutung zu widersprechen. Andere mögen freilich mit gleichem Rechte behaupten, daß erst die Kultur unerschöpfliche Freudenquellen erschlossen, und unerträgliche Fesseln der frühen Tage gesprengt hat, so daß der Genuß gewachsen ist. Und wieder andere mögen uns überzeugen, daß menschliches Glücksgefühl doch immer nur um eine Mittellage schwanken könne, auf hohem und auf niederem Niveau es stets gleichviel Leid und Freude in der Masse geben muß. Niemals hat die Geschichte von sich aus Grund, dagegen Einwendung zu erheben; ihre Zusammenhänge bleiben die gleichen, gleichviel ob das Ganze als Genußsteigerung, als Genußverminderung oder als Genußandauer gedeutet wird.

Vor allem aber hat sie nicht den geringsten Grund zum Einwand, wenn allen drei Ansichten entgegengehalten wird, daß Fortschritt oder Rückschritt überhaupt nichts mit dem Glücksgefühl zu tun haben dürfe. Die größtmögliche Zahl glücklicher Menschen als Ziel der Entwicklung zu betrachten, liegt in der Tat der reinen Geschichte nicht näher und nicht ferner, als die größtmögliche Zahl der gesunden oder der musikalischen Menschen als Ideal des geschichtlichen Werdens anzuerkennen. Nicht weniger aber bliebe es Willkür, wenn der Historiker einfach die heutige Gestaltung der Verhältnisse, den Zustand der modernsten Kultur als Maßstab für die Vergangenheit benutzen wollte. Dann muß er würdigen, was zu unserer Welt hinführte und verurteilen, was ihr im Wege stand. Nicht nur ist unsere Zeit wie jede voll von sich durchkreuzenden Bewegungen und nebeneinander gelagerten ungleichen Kulturen, sondern vor allem der Umstand, daß unsere Verhältnisse die bisher spätesten sind, kann ihnen kein Übergewicht des Wertes verleihen. Wir müßten zu solcher Annahme bereits voraussetzen, daß die Geschichte wirklich ein Entwicklungsaufstieg ist, der sich genau in zeitlicher Folge ohne Rückschritt vollzieht. Wer das voraussetzen wollte, könnte aber für seine eigenen Tage gleichgültig die Hände in den Schoß legen und die Dinge gehen lassen wie sie gehen; was der morgige Tag auch bringt, es muß das Wertvollere sein, weil es das Spätere ist. Parteilichkeit zugunsten unserer Zeit gegenüber der Vergangenheit wäre also ebenso unfähig, allgemeingültige Wertgesichtspunkte zu bieten wie Parteilichkeit für unser Volk, für unseren Stand, für unsere Kirche, für unsere Politik.

Die Gesellschaftsentwicklung als Teil der Natur. Nun hat es ja niemals an Versuchen gefehlt, der Geschichte solche engherzige und willkürliche Scheinbewertung aufzuzwingen; von einer bewertungstheoretischen Notwendigkeit verrät sich da keine Spur. Anders aber liegt es schließlich auch da nicht, wo, mit vermeintlicher Unabhängigkeit von zufälligem Parteistandpunkt, objektive Kennzeichen herausgehoben werden. Immer wieder bleibt die Hauptfrage unbeantwortet, warum gerade hier die Bewertung verankert werden soll. Am täuschendsten und deshalb am gefährlichsten sind alle die Vorschläge, die sich ihre scheinbare Objektivität mehr oder weniger bewußt aus dem Gebiet der Naturwissenschaft holen. Stillschweigend wird dabei vorausgesetzt, daß die Richtung, in der sich die Naturveränderungen bewegen, das Ziel bestimmen müsse für die freie Menschentat. Nun ist der Trugschluß solchen Verfahrens offenbar. Zwei Fälle nämlich sind da möglich. Entweder gilt uns als Natur das gesamte organische Geschehen einschließlich aller Menschengeschichte; dann ist die Frage nach dem Sollen sinnlos. Was auch immer geschehen mag, alles ist dann gleichmäßig von der Natur vorgezeichnet und kein Ausbiegen und keine Menschensatzung kann dann jemals etwas zustande bringen, das nicht selbst den Stempel der Natur trägt. Oder wir nennen Natur nur das, was menschlichem Willen entzogen ist und sich in untermenschlichem Geschehen abspielt. Dann hat ja allerdings der Wille zu entscheiden, ob er sich für seine Betätigung die Natur zum Muster nehmen will, und ob das Vorbild der Natur von der Kultur nachgeahmt werden soll oder nicht. Der Fortschritt in der Gesellschaftsentwicklung mag dann aber vielleicht gerade darin liegen, daß die Wege der fühllosen Natur verlassen und zielbewußt neue entgegengerichtete Pfade eingeschlagen werden. Wer also stillschweigend voraussetzt, daß die Kultur mit der Natur geht, hat dazu nur dann ein Recht, wenn er die Kultur selbst als Teil der Natur auffaßt — in dem Falle ist seine Voraussetzung aber eine nichtssagende und nichtsausschließende Selbstverständlichkeit. Wer dagegen Kultur und Natur auseinanderhalten will, darf keinenfalls stillschweigend voraussetzen, daß sich die Kultur nach der Natur zu richten habe.

Daß alles Leben unter den Auffassungsformen der Naturwissenschaft gedacht werden kann, haben wir stets anerkannt. Die Welt der Lebewesen erscheint dann als eine Welt protoplasmatischer Substanzen, die ihrer Umgebung dadurch angepaßt sind, daß sie auf äußere Reize zweckmäßig reagieren. In den niedersten Formen mag noch die ganze Körperoberfläche reizbar sein und die ganze Körpersubstanz die Antwortbewegung vollziehen; sich zusammenziehen zur Kugelform bei schädigendem Reiz, um die geringste Oberfläche darzubieten, und sich ausdehnen in Scheinfüßen, wenn der Reiz förderlich. Wächst dann der Körper, so kann sich das Verhältnis von Oberfläche und Masse nur erhalten, wenn Einstülpungen den Körper umgestalten und damit setzt dann Teilung der Arbeit im Organismus ein. Gewisse Teile der Oberfläche werden für gewisse Reize besonders empfänglich; so entwickeln sich Sinnesorgane. Gewisse Teile der Masse werden für bestimmte Bewegungen geübt; so entwickeln sich Muskeln. Gewisse Teile des

Innern leiten leichter und leichter die Sinnesreizung zum Muskel
über; so entwickeln sich die Nervenbahnen. Mit wachsender
Mannigfaltigkeit muß sich der Körper immer verwickelteren
Bedingungen anpassen; ein Reiz muß viele Bewegungen auslösen
können, viele Reize müssen für eine Bewegung zusammenwirken.
Die Nervenbahnen müssen sich daher vereinigen und zu einer
inneren Umschaltvorrichtung führen; so entwickelt sich das zentrale Nervensystem. Auch die verwickeltste Antwortbewegung
auf die gegenwärtigen Reize genügt aber nicht mehr, sobald die
Ausgestaltung der Geschöpfe zunimmt. Ein Neues setzt ein: die
zentrale Nervensubstanz gewinnt die Fähigkeit der Nachwirkung.
Ein Reiz löst jetzt nicht nur seine eigene Erregung aus, sondern
diese weckt die Nachwirkung früherer Reize, so daß die Bewegung
nun nicht mehr den gegenwärtigen Bedingungen allein angepaßt ist,
sondern der Gesamtlage der verbundenen Dinge. Gleichzeitig verknüpfen sich die Bewegungen selbst, so daß ein Reiz eine Abfolge
von Handlungen anregt.

Damit steht die Entwicklung am Ende der Tierheit und führt
zum Menschen. Ein Dreifaches kommt hinzu. Die Apparate, welche
die Erregungen von den Sinnesorganen durch das Nervensystem zu
den Muskeln leiten, treten in Wechselbeziehung; nicht anders als
wie die Zellen im Gewebe, die Gewebe im Organ, die Organe im
Organismus in Wechselwirkung arbeiten. Fünfzehnhundert
Millionen Menschen stehen heute in solcher näheren oder weiteren
Arbeitsteilung; die Zahl der unendlich fein differenzierten Neurone,
die in einem einzigen Gehirn in gerade solcher arbeitteilenden
Wechselbeziehung stehen, ist aber noch viel größer. Zweitens die
Sprachlaute; die ausgestoßenen Schallwellen werden mehr und
mehr zum Ersatz für die Hinweisebewegungen und Ausdrucksbewegungen durch welche die Geschöpfe einander erregen und
erlauben somit wachsende Mannigfaltigkeit der Beziehungen.
Drittens das Werkzeug, ein Gehirnprodukt, das die Sinnesorgane,
die Nerven und die Muskeln in ihrer Wirksamkeit steigert, und
gegenüber allen dem Körper anhaftenden Hilfsorganen der Tier-
reihe den Vorteil gewährt, vom Körper ablösbar zu sein. Es kann
somit beim Tode des Einzelnen erhalten und sofort weiter benutzt
werden, so daß eine unbegrenzte Steigerung möglich wird; das
Fernrohr und das Kleinrohr sind nützlicher für die Weltdurch-

musterung als irgend eine denkbare Fortbildung des Auges selbst. Alle diese Vorgänge von einzelligen Lebewesen bis zum Kulturmenschen sind nun von seelischen Erscheinungen begleitet; vom dumpfen Tast- und Geschmackgefühl des Aufgußtierchens bis zur Weltanschauung des tiefsten Denkers. Aus dem Zusammenwirken aller dieser Vorgänge setzt sich die Geschichte der Menschheit zusammen mit ihren Kämpfen und ihren Erfolgen, und alle ungewöhnlichen Persönlichkeiten sind Zufallsschwankungen um die Durchschnittsgestalt.

So ungefähr sieht die Natur aus, wenn sie wirklich unverfälscht im Sinne der Naturforschung hingenommen wird. Zeigt sie dann wirklich irgendwo noch ein Besserwerden, eine Entwicklung? Der Mensch des zwanzigsten Jahrhunderts, der mit seiner Zeitung stündlich die Vorgänge des Erdenrunds wahrnimmt, mit Eisenbahnen läuft, mit Dampfern schwimmt, mit Kabeln über die Meere spricht, mit Büchereien sich erinnert, ist seinen äußeren Lebensbedingungen durchaus nicht besser angepaßt als das winzige Urschleimklümpchen seinen Bedingungen im Wassertropfen. Nur wachsende Verschiedenheit der Teile, wachsende Mannigfaltigkeit liegt vor — wer kann den anderen Lügen strafen, der da behauptet, daß nur das Einfache gut sei und alles Verschiedenwerden ein Abfall sei; dann wäre die Ausgestaltung ein stetiger Rückschritt.

Vor allem aber, in solchem Geschehen kann nichts den Ruhm beanspruchen, der Natur mehr gerecht zu werden als ein anderes; wie sich auch die Geschicke wenden, sie bleiben notwendige Naturgestaltung. Da können die Beispiele gerade so wohl von den verwickeltsten Vorgängen der Neuzeit wie von den einfachsten tierischen Verhältnissen herausgegriffen werden. Wenn etwa im heutigen Gewerbeleben die Besitzer und die Arbeiter kämpfend gegenüberstehen, so wird innerhalb des Naturschauspiels es gleichermaßen natürlich sein, wenn die Macht des Kapitals die Arbeiterschicht bis zur untersten Grenze herabdrückt oder wenn die Arbeiterschaft, durch Vereinigung stark, den Besitzern rücksichtslos ihren Willen aufzwingt, oder wenn das noch umfassendere Menschengefüge, der Staat, beide Teile zu Nachgiebigkeit nötigt und so ein Gleichgewicht herstellt. Daß der Starke den Schwachen ausnutzt, daß die Kleinen vereinigt den Großen beherrschen, daß Gegenkräfte durch äußeren Druck gehemmt werden, alles findet sich im Naturgang tausendfach; die Natur weiß da nichts zu raten und was auch erfolgt, muß gleichermaßen als Entwicklung gelten eben weil es erfolgt.

Die Gesellschaftsentwicklung als Weiterführung der Natur. Statt die Menschheit als Teil des notwendigen Naturlaufs aufzufassen, kann der Mensch sich in Freiheit der Natur gegenüberstellen und nun Entwicklung da sehen, wo in freier Wahl die Wege der Natur weiter verfolgt werden. Man mag etwa in Darwinistischem Gedankengange den Fortschritt der Natur auf die Auslese der best Angepaßten zurückführen. Mithin wird auch das Menschengeschlecht nur dann vorwärts schreiten, wenn die schlecht Angepaßten absichtlich beseitigt werden und die Menschheit wird sinken, falls die unzureichend Angepaßten künstlich erhalten werden. Das klingt fast selbstverständlich und dennoch ist es trügerisch. Es verhüllt die entscheidende Tatsache, daß der Gegensatz von guter und schlechter Anpassung bereits das gesamte Bewertungsproblem in sich schließt. Nur durch unabhängige Gesichtspunkte der Bewertung können wir entscheiden, was im Gefüge des Kulturlebens den Verhältnissen angepaßt ist. Ist wirklich auch im Kulturkreis nur der muskelkräftige ausdauernde Körper der gut angepaßte und der schwache kranke Organismus schlecht angepaßt, obgleich seine Gehirnzellen vielleicht die Menschheitsbewegung in neue Bahnen zwingen? Wohl mag es zutreffen, daß die antike Welt zugrunde ging, weil durch Parteikämpfe, Verfolgungen, Hinrichtungen, Askese gerade die Besten ausgerottet wurden; aber wer die Besten waren, kann nur von dem entschieden werden, der schon eine Entwicklungslinie für die Kultur vor sich aufsteigen sieht. Im Sinne der Natur würden wohl eher die siegenden Verfolger um ihres Sieges willen als die besser Angepaßten zu gelten haben.

Nicht anders aber verhält es sich, wenn wir undarwinistisch die Naturformen nebeneinander sehen und von den Pflanzen und Tieren, die überall nach Macht ringen, nun lernen wollten, was des Mannes Höhenziel sein soll. Zunächst hätten wir ja überhaupt nachzuweisen, daß die Kulturentwicklung das Wollen in der Natur nachzuahmen habe. Die Geschichtsbewegung könnte ja vielleicht gerade dort einsetzen, wo der Wille zur Macht durch den Willen zur Ruhe, zum Frieden, zur Liebe still überwunden ist. Ohne

diesen Beweis bleibt es nur eine Lebensstimmung, wenn wir die
opferbereite Moral als Widernatur verdammen und eine Umwertung aller Werte fordern. Aber selbst wenn wir eine Menschheits-
entwicklung nur dort erkennen wollten, wo der Wille zum Selbstsein und somit der Wille zur Macht sich auslebt, wieder würde doch
das ganze Kulturproblem in die Entscheidung verlegt, was denn nun
für den historischen Umkreis eigentlich Macht bedeutet. Ist im
Kultursinn das Selbst, das selber duldend das Beispiel der selbstlosen Hingabe in Millionen menschlicher Seelen zur Nachahmung
einpflanzt, nicht schließlich machtvoller in der sieghaften Durchsetzung seiner eigenen Wesensart als irgend ein Herrenmensch und
eine Raubritternatur, die den Widerstand aufstachelt?

Dorthin gehört aber schließlich auch die Rassenlehre, die in der
Rassenreinheit das geschichtliche Ziel sucht. Nicht darauf kommt
es uns an, daß alle Erfahrungsgrundlagen der Rassenlehre heute
noch schwankend sind und der Begriff der reinen Rasse zu will-
kürlichen Mutmaßungen führt, gleichviel ob man von der Sprache,
vom Körperbau oder von der Wesensart ausgeht. Entscheidend ist
nur, daß hier der Geschichte, durch spielerische Vergleichungen mit
Naturzüchtungsvorgängen, Ziele vorgeschrieben werden, über deren
Wert noch gar nichts entschieden ist und auf dem Boden der Naturbetrachtung nichts entschieden werden kann. Die reine Rasse ist
ein möglicher naturwissenschaftlicher Begriff, die Vorstellung der
edlen Rasse weist bereits auf menschliche Zielsetzung hin und überschreitet die Naturbegriffe; ob aber nun die Geschichte den Adel in
jenen Wesenszügen suchen darf und soll, die für die Erhaltung
reiner Rassen entscheidend sind, das gerade kann nur nach unabhängiger Zielsetzung entschieden werden. Mit gleicher Begriffs-
vertauschung könnte sonst behauptet werden, daß nur mit chemisch
reinen Farben sittlich reine Bilder gemalt werden können. Erst
müssen wir wissen, was menschlich wertvoll ist; dann mögen wir
die Nebenfrage verfolgen, ob Rassenreinheit oder Rassenmischung
die günstigere Vorbedingung für die Erfüllung bietet, falls es uns
überhaupt wichtig dünkt, den unklaren Begriff der Rasse aus der
Anthropologie dort heranzuziehen, wo der scharf ausgeprägte
historische Begriff des in seinen Mitteln und Zwecken einheitlichen
Volkes zur Verfügung steht. Gleichviel ob uns der Wille zur Macht
oder die Reinheit der Rasse als Maßstab der gesellschaftlichen Ent-

wicklung aufgedrängt wird, es bleibt stets eine leichtfertige Vertauschung von Erklärungsbegriffen und Wertbegriffen. Die Verwirrung wird um so gefährlicher, wenn uns der Machtwille mit dem
Verführungszauber unerreichbarer Sprachkunst, die Rassenreinheit
mit den Entstellungskünsten unverantwortlicher Viertelswissen-
schaft gepriesen wird.

Ziel der Entwicklung. Im Grunde kann überhaupt keine Erklärungsfrage das Bewertungsproblem berühren. Für die Unterscheidung von Fortschritt und Rückschritt bleibt es daher auch
gleichgültig, welche Umstände bestimmend auf den Geschichts-
verlauf eingewirkt haben. Der Streit etwa, ob die Masse oder der
einzelne Führer für die Gestaltung der Verhältnisse verantwortlich
ist, ob die Umwelt der Völker, einflußreicher ist als die ange-
stammte Wesenheit, ob die wirtschaftlichen Verhältnisse für die
politischen und geistigen Zustände grundlegend sind, alles das mag
in der einen oder der anderen Richtung entschieden werden oder
unentschieden bleiben: in sich selbst kann es nichts zu der anderen
Entscheidung beitragen, ob es sich um Aufwärts- oder Abwärtsbe-
wegung handelt. Aber selbst wenn der formalistische Standpunkt
der Soziologie gewählt wird, und nun überall etwa ein langsamer
Ausgleich der widerstreitenden Kräfte als wesentlich wiedergefunden
wird oder ein Übergang unzusammenhängender Gleichförmigkeit
in zusammenhängende Ungleichförmigkeit, so bleibt es doch noch
immer ganz willkürlich, darin Zeichen des Fortschritts zu erblicken.
Mit dem gleichen Recht könnte gerade die Gleichförmigkeit das
Ideal sein. Überall greift da die Bewertung nur durch eine willkürliche Übertragung ein, etwa so wie in der alten Astronomie die
Gestirne sich im Kreise drehten, weil der Kreis die edelste Linie sei.

Statt alles dessen kann es sich für uns nur darum handeln, ob
in dem geschichtlichen Zusammenleben der Menschen ein Zielpunkt notwendig mitgedacht werden muß. Wenn wir aus unserem
Grundstreben nach selbständiger Welt ein menschliches Miteinander nicht auffassen können, ohne ein bestimmtes Wollen mitzu-
fühlen, so wird jede Erfüllung solchen Wollens wieder schlechthin
wertvoll sein. Auch hier aber handelt es sich wieder auf beiden
Seiten nicht etwa um psychologische Entdeckung; weder hat die
Gesellschaft den Willen zum Ziel als bewußte Vorstellung in sich,
noch haben wir beim Auffassen der Gesellschaft solche Willens-

erfahrung in klarem Bewußtsein. Es handelt sich nur darum, was wir logisch mitwollen und mitfesthalten müssen, wenn wir die erfahrene Mitwelt überhaupt zu einer Wirklichkeit mit selbständigem Sinn erheben wollen.

Nun sollen uns die Menschen hier ja nicht in ihrer auf sich selbst bezogenen Innenwelt beschäftigen, sondern als die Wesen, die füreinander Mitwelt sind, also sich aufeinander beziehen und mit und durcheinander wirken. Ihre ganze Wesenheit aber fanden wir in ihrem Wollen. In solcher Menschengruppe sind dann also die Einzelnen, soweit sie auf sich selbst bezogen sind, gewissermaßen ausgeschaltet; nur ihr auf die Wechselbeziehung und Gemeinsamkeit bezogenes Wollen tritt in die Gesellschaft ein. Nun fordern wir, daß solche Gesellschaft ihren eigenen selbständigen Sinn haben soll. Das kann aber nur bedeuten, daß diese wollenden Menschen als Glieder dieser Gesellschaft das gleiche gemeinsame Wollen haben und sie werden diese Gemeinsamkeit um so voller zum Ausdruck bringen, je mehr jeder Einzelne in seinem Wollen als Gesellschaftsglied den Standpunkt der ganzen Gruppe einnimmt. Das selbstbezogene Innenweltleben bleibt davon unberührt. In der Mitweltverbindung aber bringt jeder Einzelne seine Gruppenzugehörigkeit notwendig um so deutlicher hervor, je mehr er sein Wollen vom Einzelverlangen loslöst und in sich den Gruppenwillen herausarbeitet. Die Gruppe mag ein Paar, mag die Familie, mag Gemeinde oder Stadt, mag Beruf oder Kirche, mag Volk oder Menschheit, mag Gegenwart oder Weltgeschichte sein. Soweit wir die Gruppe mitbilden, geben wir ihr eigenen selbständigen Sinn nur insofern, als wir die persönlichen Willensziele von überpersönlichem Standpunkt aus wählen. Jedes andere Glied der Gruppe muß mit uns mitwollen können

Nicht als ob jeder im Kreise die gleiche Aufgabe zu erfüllen hat; von Unterschiedslosigkeit ist nicht die Rede. Sitzen wir am Schachbrett, so sorge ich für die schwarzen Steine, und mein Gegner sorgt für die weißen, aber die Spielregeln müssen wir gemeinsam wollen und der spielgerechte Ausgang der Partie muß uns gemeinsam am Herzen liegen; daß ich meinen König schütze und seinen König angreife, das will mein Gegner selbst, dadurch verlasse ich den Gruppenstandpunkt nicht: mein Gegner und ich wollen das gleiche. Will ich aber, daß ich um jeden Preis gewinne,

auch wenn ich der schlechtere Spieler bin, so arbeite ich dem
Gruppenwillen entgegen. Die Gruppe will, daß der bessere Spieler
siegt. Die Mannigfaltigkeit des Einzelwollens erleidet also wahrlich
keine Einbuße durch die Eingliederung in das umfassendere
Willensgefüge, und doch muß die Aufgabe feststehen: die Gemeinschaft hat ihre ideale Form erst dann gefunden, wenn jeder seine
besondere Aufgabe von einem Willensstandpunkt aus betrachtet,
der für jeden anderen in der Gemeinschaft gleichermaßen der
gegebene ist. Viele Köpfe nicht nur, sondern auch viele Aufgaben
setzen das Leben einer Nation zusammen, aber der nationale
Standpunkt kann und soll für jeden bei seiner Aufgabe der gleiche
sein. Ohne solche Forderung hat die besondere Gruppe ihren selbständigen Sinn verloren.

Schon von hier aus sehen wir schlechthin wertvolle Entwicklung. Wenn wir eine Gruppe nicht anders denken dürfen als
von dem Streben erfüllt, daß jedes Mitglied für sein Wollen den
Einzelstandpunkt aufgibt und den Gruppenstandpunkt einnimmt,
so muß der freie Übergang zu vollerer Verwirklichung dieses Strebens ein reiner Wert sein. Wohlverstanden: der Übergang, nicht
der Endzustand. Ob es an sich wertvoll ist, daß dieser Endzustand
im einzelnen Falle erreicht wird, das mag dabei ganz zweifelhaft
bleiben. Wertvoll kann uns ja immer nur Erfüllung eines Wollens
sein; die Gruppe, die solche Umbildung ihrer Glieder will, bringt
den Wert hervor, indem dieser Wille zum Werden befriedigt wird.
Ist aber die Befriedigung eingetreten, das Ziel erreicht, die Entwicklung vollendet, so ist einfach ein bestimmter Gemeinschafts-
zustand gegeben, bei dem es gar nichts mehr zu erfüllen und zu
entwickeln gibt, also auch kein Wert zu würdigen bleibt. Die
Bewegung zum Ziele hin ist das einzig Wertvolle; das Ziel selbst
mag gleichgültig sein. Wir dürfen ja nie vergessen, daß absoluter
Wert auch dem sonst geringsten, gleichgültigsten und nach anderer
Richtung Wertlosesten zukommen kann. Das törichte Urteil, daß
zweimal zwei nicht dreihundert sei, ist wahr und in seiner Wahrheit
logisch ebensosehr ein reiner Wert wie die fruchtbarste mathematische Entdeckung. So mag auch die Gemeinschaftsentwicklung
als Entwicklung wertvoll sein auch wenn das schließlich Entwickelte
nur ein überflüssiger Verein, eine unheilvolle Partei, ein räube-
risches Volk ist. Fassen wir die betreffende Gemeinschaft überhaupt

als für sich bestehende Gruppe auf, so müssen wir notwendig das Ziel mitdenken, daß jedes Mitglied den überpersönlichen Gruppenstandpunkt einnehmen soll und jede Veränderung in der Richtung zum Ziel muß dann Befriedigung unseres objektiv mitfühlenden Zielwollens sein.

Trotzdem können wir sofort darüber hinausgehen. Wir kümmern uns ja nicht um die unendlich vielen albernen und unfruchtbaren Urteile, die jederzeit mit vollem logischem Wahrheitswert gefällt werden können, sondern halten nur diejenigen fest, die mit gewisser Tragweite in umfassenderen Gedankenzusammenhang eingehen können. So ordnen wir auch die möglichen Entwicklungswerte notwendig umfassenderem Entwicklungszusammenhang unter. Nicht als ob die engere Gruppe in der umfassenderen aufgehen sollte, etwa die Gemeinden im Staat und die Staaten in farbloser Kulturmenschheit zerschmelzen müßten. Im Gegenteil, jede Entwicklung will Mannigfaltigkeit. Aber wir können das Ziel einer Gruppe nicht wirklich im eigenen Mitwollen festhalten, wenn ein umfassenderes Wollen in uns sich dagegen richtet. Rein begrifflich können wir das Gruppenziel der Räuberbande so gut verstehen wie das einer Philosophenakademie; aber wenn wir es nicht innerlich mitwollen, so kann die Bewegung zum Ziele hin nicht mehr als Erfüllung unseres überpersönlichen Wollens zur Geltung kommen und damit ist der reine Wertcharakter aufgehoben.

So muß sich denn doch schließlich jeder gesellschaftliche Entwicklungswert auf einen letzten Wert stützen, auf ein letztes Gruppenziel beziehen. Den Abschluß stellt dann aber notwendig der reine, schlechthin überpersönliche Standpunkt dar, der nicht nur von jedem Mitglied einer bestimmten Gruppe, sondern überhaupt von jedem denkbaren Subjekt eingenommen werden kann. Jedes schlechthin überpersönliche Wollen ist aber, wie wir immer wieder erkannten, gerade das, was uns als reines Bewerten entgegentrat. Und so erscheint denn schließlich als letztes richtungsgebendes Ziel des menschlichen Miteinander, daß sich das gesellschaftliche Wollen des Einzelnen zum schlechthin gültigen Standpunkt des Bewertenden erhebt. Was sich diesem Ziele zubewegt, ist reiner Fortschritt, was sich von diesem Ziele wegbewegt, ist Rückschritt.

Dadurch erst erhält jede einzelne Gruppenbildung und Gesell-

schaftsentwicklung ihren eigenen festen Platz im Wertganzen. Die
Gemeinschaft, die ihr eigenes Zeil erreicht hat, hört dadurch auf,
einen gleichgültigen Gesellschaftszustand darzustellen, denn ihr
eigenes Fertigsein verwandelt sich nun in ein Entwicklungsstadium
im Werdegang des Gesellschaftsganzen. Der Einfluß eines Volkes,
dessen inneres Wachstum unter seinem eigenen Gesichtspunkt
einen Fortschritt bedeutete, mag so von der höheren Warte des
Bewertungszieles einen weltgeschichtlichen Rückschritt bedeuten.
Ein höheres Ziel kann es nicht geben, und ein anderes daneben auch
nicht. Es ist das eine unerreichbare aber schlechthin notwendige
Ziel, ohne das wir die Mitwelt in ihrer Ganzheit nicht denken können:
jedes Einzelwesen soll als Glied der Gesellschaft zum Träger der
reinen Bewertung werden.

Die Richtungen und Ziele der Kultur. Der Bewertungsarten
gibt es viele und selbstverständlich dürfen wir an dieser Stelle nicht
zwischen denen unterscheiden, die wir bereits erörtert haben, wie
die Erkenntniswerte, die Einheitswerte, die Schönheitswerte, und
jenen, die erst weiterhin uns beschäftigen sollen, wie die Rechts-
werte und Wirtschaftswerte, die Sittlichkeitswerte und Religions-
werte. Die Ordnung unserer Betrachtung entspricht ja keinem
historischen Stufengang; unser logischer Fortschritt der Darstellung
setzt an jeder Stelle doch das Wertsystem in seiner Geschlossenheit voraus. In immer neuen Richtungen kann somit die Entwicklung sich abspielen. Wo die Auffassung der Dinge zum überpersönlichen Wahrheitswert drängt, wo die Anschauung sich zur Hingabe an die Schönheit steigert, wo Eintracht und Liebe und Glück
verbreitet wird, wo die Natur zu wirtschaftlichen Werten umgemodelt wird, wo Menschengetriebe durch Recht geregelt, und in
der Innenwelt die Sittlichkeit siegt, wo der Glaube zu echtem Re-
ligionswert auswächst und alles Wollen sich selbst in wertetragende
Weltanschauung emporhebt: da ist das Werden eine Entwicklung,
die in sich schlechthin wertvoll ist. Und wenn statt dessen die Schönheit zu bloßem Genuß herabgewürdigt wird, bei der Betrachtung die
Dinge aus ihrem Zusammenhang herausgerissen werden, Zwietracht
gestiftet, Unheil verbreitet wird, das Gemeinsame von selbstischem
Standpunkt geregelt und vom unmittelbaren Erfolg bestimmt wird,
wenn Wirtschaft zur kurzsichtigen Ausnützung, Staatsleben zum
einseitigen Mißbrauch der Machtmittel, Sittlichkeit zur Schlau-

heit, Religion zum selbstsüchtigen Aberglauben und Weltanschauung zur Weltentwertung wird: dann sinkt die Menschheit
hinab, auch wo sie mit den Hilfsmitteln verwegenster Zivilisation
prunkt.

Damit ist denn auch schon gesagt, daß es sich nicht um eine
bestimmte Stufenfolge etwa von Unkultur, Halbkultur, Ganzkultur
handelt oder um so einseitige enge Entwicklungslinien wie die,
welche vom theologischen zum metaphysischen und von dort zum
positivistischen Denken führen. Und ebenso sind dadurch alle Zielsetzungen ausgeschlossen, die jenseits der wirklichen Menschheit
liegen; die Beziehung etwa auf ein göttliches Weltgericht mag sich
inmitten wertvoller Religion ergeben, aber diese Religion selbst
muß sich zunächst als wertvoller Teil menschlicher Entwicklung
erweisen. Die Prüfung des sozialen Entwicklungswertes darf nicht
über unsere Welt der möglichen Erlebnisse hinausführen. Dort aber
muß er nun überall anerkannt werden, wo die Veränderung sich
der Bewertung zubewegt. Fortschritt kann es deshalb auf der
niedersten Gesellschaftsstufe schon ebensowohl geben wie auf der
verzweigtesten und die reichste verwickeltste Gesellschaft kann
sich im Rückschritt bewegen.

Vor allem muß die Vielspältigkeit des Bewertens es dahin
bringen, daß zu gleicher Zeit in demselben sozialen Körper Entwicklung und Stillstand und Rückbildung möglich sind. In mäch-
tiger Entwicklung mag sich das religiöse Bewußtsein eines Volkes zu
reiner Bewertung erheben, und doch sein wissenschaftliches Erkennen brach liegen, oder der Schönheitswert mag zu Welthöhe-
punkten getragen werden und gleichzeitig das sittliche Bewerten
verkümmern. Niemand wird die Philosophie Indiens, die Kunst
Chinas, die Religion Palästinas, die Literatur Griechenlands, das
Rechtsleben Roms zum Maßstab ihrer Gesamtentwicklung wählen.
Ja, es wird zu prüfen sein, ob es überhaupt möglich ist, daß jede
Bewertungsart mit jeder anderen gleichzeitig ihre Vollentwicklung
finden kann, ob nicht eine die andere hemmt und so eine historische
Arbeitsteilung notwendig wird. Jedenfalls haben wir unter dem
Gesichtspunkt des reinen Entwicklungswertes sicherlich kein Recht,
scharfe Grenzlinien zwischen den verschiedenen Völkergruppen zu
ziehen. In den Urwäldern mag sich nach mancher Richtung eine
schlechthin wertvolle Entwicklung vollziehen, hinter der die sitt-

liche Verworfenheit in mancher elektrisch beleuchteten Großstadt-
straße weit zurückbleibt.

Und alles das wiederholt sich im engeren und engeren Kreise.
Wo inmitten des einzelnen Volkes in einer Gemeinde, in einem
Stand, in einer Gruppe die Entwicklung nach einer Richtung
weiterführt, mag sie nach anderer Richtung an ganz anderer Stelle
ihre beste Kraft entwickeln; es ist nicht zu erwarten, daß die Religio-
sität und Sittlichkeit ihre ˙stärkste Entfaltung gerade in den
Kreisen des Staates findet, die am lebhaftesten sich der Hebung des
Wirtschaftslebens und der Kunst und der Wissenschaft widmen.
Entwicklung kennt eben der Lebensmannigfaltigkeit gegenüber kein
großes allgemeines Ja oder Nein, sondern sieht überall das unendliche Spiel von Auf und Nieder. So wie uns in der Natur das Aufgehen jedes einzelnen Samenkorns ein reiner Entwicklungswert ist
und jede verwelkende Blüte eine Wertaufhebung, so setzen sich
auch die gesellschaftlichen Entwicklungswerte aus millionenfachen
Einzelbewegungen zusammen.

Trotzdem bleibt es natürlich zu Recht bestehen, daß in dem
Werden der ganzen Menschheit die Kulturvölker eine höhere Stufe
der Entwicklung einnehmen als die Unzivilisierten, und daß es
zwischen den weitesten Gegensätzen vielerlei deutlich sich abhe-
bende Zwischenstufen der Teilkultur gibt. Dabei mag es dahingestellt bleiben, ob jedes Volk aus eigenen Kräften von Stufe zu
Stufe ˙steigen kann, ob die sogenannten Halbkulturen überhaupt
je in Ganzkulturen übergeführt werden können, oder ob die Weltgeschichte selbständige neue Ansätze machen muß, um zu den
reichsten Entwicklungen hinzuführen. Entscheidend bleibt, daß
in dem Kulturkreis zur überpersönlichen Bewertungshöhe erhoben
ist, was im Unkulturkreis im wesentlichen noch vom persönlichen
Einzelstandpunkt aus erfolgt. Dem widerspricht durchaus nicht,
daß gerade auf niederer Kultur das Leben schablonenhaft verläuft,
jeder wie der andere zu sein scheint und erst im Sonnenlicht der
Kultur die feinste Blüte der Individualität sich entwickelt. Schablonenhaft sein heißt noch nicht überpersönlich sein, sondern eher
unterpersönlich, und Persönlichkeitsfärbung in der Lebensbetätigung zeigen, heißt nicht selbstisch sein.

Was deutlich den Gegensatz bekundet, ist das Triebmäßige,
das Sinnliche, das Erregbare, das Planlose, das Unmittelbare in

dem Leben der Wilden im Gegensatz zur Kultur. Wenn dort die Leidenschaft herrscht und hier die Besonnenheit, dort die unmittelbare triebmäßige Gegenbewegung und hier die planvolle vorausschauende Ordnung des Wirkens, so liegt das alles eben auf dem Weg vom zufälligen persönlichen Wollen zum überpersönlichen Gruppenwollen und schließlich zum schlechthin gültigen Bewerten. So, wenn die sinnliche Auffassung der Dinge bei den niederen Stämmen langsam zur begrifflichen Festhaltung übergeht und schließlich zu festgefügter allgemeingültiger Wissenschaft wird. So, wenn das ursprüngliche heitere Zufallsleben, das nicht für den nächsten Tag sorgt, übergeht in die ernste verantwortungsbewußte Gesellschaftsreife, die Opfer fordert im Dienste der kommenden Geschlechter. So, wenn das unstetige, von jedem äußeren Impuls bewegte Treiben zur stetigen in der Vergangenheit verankerten zielbewußten Volksbetätigung wird. So, wenn die selbstsüchtige genießende Trägheit der Arbeit und der Arbeitsfreude und der schöpferischen Leistung das Feld läßt. Immer ist es der Aufstieg vom Persönlichen zum Allgemeingültigen, vom Einzelwollen zum Bewerten.

Dabei wird die Bewegung überall von den besonderen Anlagen, Hilfsmitteln, Ausgangspunkten und Neigungszielen gefärbt sein. Es ist wertlos zu streiten, ob heute vielleicht das eine oder das andere Kulturvolk höher steht; es sind verschiedene Grundlagen und verschiedene Hauptakzente. Neigung zur Mathematik und Naturerkenntnis wird nicht gleiche Neigung zur Geschichte erwarten lassen, Begabung für bildende Kunst schließt nicht solche für Musik ein. Ganz besonders im Tatwollen bekunden sich tiefgreifende Unterschiede. So mag das Wollen zur Betätigung sich bald mehr der Außenwelt, bald mehr der Mitwelt, bald mehr der Innenwelt zuwenden; und so entstehen drei Grundtypen, die sich im engsten Kreise gegenüberstehen mögen, die aber ebenso großen Parteien und Scheidungen im Lande, oder ganzen Völkern und Völkergruppen die Scheidelinien vorzeichnen. Schon in den primitivsten Gesellschaften sind solche Gegensätze notwendig angelegt, und deshalb handelt es sich dabei durchaus nicht erst um Stufen der Kultur, sondern um nebeneinanderbestehende gleichberechtigte Wesenheiten. Jede von ihnen mag von persönlicher Unkultur zu überpersönlicher bewertender Vollkultur erhalten bleiben.

Es sind die Gruppen der Arbeiter, die sich mit der Außenwelt abmühen, der Krieger, die der Mitwelt gegenüber handeln, und der Denker, der Sänger, der Priester, die der Innenwelt Gehör geben. Die einen sind beherrscht von der Aufmerksamkeit, die anderen vom Willen, die letzten vom Verstand und Gefühle. Händlerische, kriegerische und religiöse Volksstämme gab es jederzeit, so wie es jederzeit inmitten des Staatsgebildes unpolitische, politisch konservative und politisch liberale Gruppen gegeben hat. Auf jeder Stufe bilden sich diese Gegensätze neu um, vor allem erheben sie sich immer mehr vom persönlichen Trieb zum überpersönlichen Wert. Die einen legen den Hauptwert auf den Fleiß, die anderen auf die Treue und die dritten auf die Gerechtigkeit. Die einen streben die wachsende Beherrschung der Natur an, die zweiten streben nach der Macht des Volkes, die dritten nach seiner sittlichen Durchdringung. So gibt es heute auch Völker, die höchster Arbeitsausbildung zudrängen, andere die in vollkommenster staatlicher Geschlossenheit ihr Ziel sehen, und andere die in freiester Initiative der Einzelnen die Aufgabe erkennen. Das eine steht nicht höher als das andere, und jedes bewegt sich auf dem Wege reiner Entwicklung, soweit in seiner besonderen Art das Wollen zum überpersönlichen Bewerten wird. Andererseits kann jeder der drei Typen gleichermaßen auch den Rückschritt erleben; in jeder dieser Formen kann der ererbte Wert unerworben bleiben, kann die Macht vergeudet und zum Persönlichen herabgezogen werden, kann Fleiß und Kraft und Freiheit für selbstische Willkür und Genuß mißbraucht sein.

Trotzdem ist es offenbar kein Zufall, daß bei diesem unendlichen Spiele von zahllosen Vorwärts- und Rückwärtsbewegungen der Glaube doch daran festhält, daß die Gesamtbewegung ein unaufhaltbarer Aufstieg sei und daß jeder Rückschritt durch verstärkten Fortschritt überwunden wird. Wäre das nicht, so würde das Werden und Vergehen für die Kulturwerte der Menschheit gelten wie es für die Körper der Menschen gilt, würde alles nur sich gestalten um wieder zu zerfallen, und statt der Erziehung des Menschengeschlechts nur ein zielloses Hinvegetieren dem weiter ausschauenden Blicke erkennbar bleiben; dann wäre ja auch jedes Einzelleben sinnlos und sinnlos der Beruf, die Partei, das Volk, die ganze Mitwelt, der wir ein Glied sein wollen, um ihren Sinn zu erfüllen. Das aber kann nicht sein, weil die wahre Entwicklung, wie wir erkannten, stets vom Persönlichen zum Überpersönlichen führt; dieses Überpersönliche aber, das schlechthin Wertvolle, muß gerade, weil es für jeden gilt, so unvergleichlich stärkere Geltungskraft und Eindringlichkeit haben als das Zufällige, das nur vom Einzelwillen getragen ist. Der Rückschritt ist im Grunde stets nur ein persönlicher Abfall von der Bewertung; der Abfallende büßt dabei seinen eigenen Wert ein, aber das Bewertete selbst kann unberührt erhalten bleiben. Der Fortschritt dagegen schafft notwendig neue Werte, und während er für den Bewertenden selbst Wert erringt, sind die neugestalteten Werte zugleich unvergänglich für die Gesamtheit gewonnen.

Ist eine neue Wahrheit entdeckt, so mögen andere kommen, die sie unbeachtet lassen und rückwärts gehen, aber die Entdeckung selbst ist errungen und wird an andere Seelen rühren, die sich zu ihrem Wert erheben können. Hat große Kunst für ein Stück Welt den vollendeten Einheitsausdruck gestaltet, so mag die Schönheit einer untergehenden Zeit zum niederen Sinnenkitzel werden, aber andere werden kommen, die von der Kraft dieser Einheit überwältigt werden und selbstlos sich zum Überpersönlichen erheben lassen. Das alles aber gilt in gleicher Weise für Recht und Sittlichkeit, für Wirtschaft und Staat, für Religion und Philosophie. Der Fortschritt hat da stets ein Element der Unvergänglichkeit, der Rückschritt stets etwas Zufälliges und Ausschaltbares, weil jeder Fortschritt Werte zeugt, die als solche für jeden wieder gültig sind. Gewiß mag Wüstensand über alte Kulturen fegen, aber ihr Innerliehstes mußten sie doch stets dem großen Entwicklungsgang überlassen; nur das Äußerliche zerfiel, wenn seine Zeit gekommen war. Daß diese Entwicklung je ein Ende erreicht, bleibt ausgeschlossen; jeder neue Wert öffnet neue Aufgaben, die sich zunächst an das persönliche Wollen wenden und erst im Ringen der Geschichte zur überpersönlichen Lösung geführt werden können. Jeder reine Wert ist ein in sich Vollendetes, doch in dem Bewertenden setzt jeder neue Wert eine neue Willenslage, die ein verändertes Gleichgewicht verlangt und somit über sich selbst hinausführt. In dieser Weise ist aber nicht nur das letzte Ziel der Menschheit ein unerreichbares Ideal, sondern auch jede Teilentwicklung trägt in sich unbegrenzte Gelegenheiten.

Nur das müssen wir unbedingt festhalten, daß es nicht der

Ausgangspunkt und nicht das erreichte Ziel, sondern der Übergang, das Werden ist, auf das sich alle Entwicklungswerte beziehen. Die Gruppe als solche wird so aufgefaßt, daß es ihre Aufgabe wird, in jedem Gliede den selbstischen Willen in einen Gruppenwillen und letzhin in einen schlechthin gültigen Bewertungswillen zu erheben: das allein ist die Grundlage, von der aus Entwicklung möglich ist. Die Mannigfaltigkeit der Wollensziele, die Neigungen, Anlagen, schöpferischen Kräfte und äußeren Mittel, die vorhanden sind, um jene Aufgabe zu erfüllen, haben also an sich keinen Entwicklungswert. Daß ein Volk reichere Begabung, buntere Geschicke, wirkungsvollere Hilsmittel besitzt als ein anderes, verleiht seinem Entwicklungswert keinen Zuwachs. In gleicher Weise aber entscheidet auch der Selbstwert des erreichten Zieles nicht. Besteht die Entwicklung darin, daß Eigenwollen in reines Bewerten übergeht, so muß ja freilich am Ende der Bewegung ein Wert stehen, etwa ein Sittliches oder ein Religiöses, ein Schönes oder ein Einträchtiges, ein Wahres oder ein Ewiges. Aber der Wert, der diesem Endgebilde zukommt, hat an sich keinen Anteil an dem selbständigen Wert der Entwicklung, die dort hinführt. So ist denn beispielsweise der gesellschaftliche Entwicklungswert durchaus kein sittlicher Wert, auch wenn der Fortschritt zur Sittlichkeit hinführt.

Am deutlichsten tritt der Gegensatz zwischen dem Wert des Ziels und dem Wert der Bewegung vielleicht dann hervor, wenn wir uns die Beziehung zur Kultur vergegenwärtigen. Als Kulturwerte galten uns durchweg die Werte, welche durch bewußtes auf den Wert gerichtetes Schaffen herausgearbeitet werden. So galten uns zwar der bloße Daseinswert oder der Einheitswert als unmittelbare Lebenswerte, dagegen der Zusammenhangswert der Wissenschaft oder der Schönheitswert der Kunst als echte Kulturwerte. Bei der Entwicklung der Menschheit müssen wir nun unbedingt zu dem Ergebnis kommen, daß die Entwicklung, wie wir sahen, ihrem innersten Wesen nach notwendig zu Kulturwerten hinführt, daß aber die Entwicklung selbst, das Übergehen vom Einzelwollen zur Bewertung, von Unkultur zu Kultur, durchaus kein Kulturwert sondern ein unmittelbarer Lebenswert ist. Die Menschheit ringt zielbewußt vorwärts, aber das Ziel, das dem Ringenden bewußt bleibt, ist die Wahrheit, die Schönheit, die Wirtschaft, die Sittlichkeit; das Ziel ist nicht die Entwicklung selbst. Daß die Menschheit, indem sie die Kulturgüter ergreift, sich dabei selbst entwickelt und dadurch in ihrem eigenen Werden selber zum Wert wird, das ist ein unbeabsichtigter unmittelbarer Lebenswert, so wie das Glück und die Liebe. Es ist ja eine Absicht, die sich erfüllt, aber die Absicht ist nur dadurch gegeben, daß wir die Menschheit nicht anders denken können, als zur Bewertung hinstrebend; sie sucht dieses Ziel so wenig bewußt, wie die Eichel bewußt zum Eichbaum werden will.

Gewiß kann auch dieses Ziel ein bewußtes werden, so wie jeder andere unmittelbare Lebenswert zweckbewußt weitergeführt und dadurch in einen Kulturwert umgesetzt werden kann. Will die Menschheit der Entwicklung noch zielgewisse Förderung bringen, so schafft sie den Staat, die Erziehung, vor allem das Recht; durch sie erst kann der Fortschritt dauernd gefestigt werden, aus dem naiven Entwicklungswert des Lebens wird dann der seiner Aufgabe vollbewußte Leistungswert der Kultur.

C. Die Selbstentwicklung.

Die Aufgabe der Persönlichkeit. Auch die Innenwelt kennt ein Anderswerden und ein Vergehen des Gegebenen. Wir hatten früher von dem Innenleben in seiner logisch wertvollen Selbstbeharrung zu sprechen; da verfolgten wir die Wertungen der Vernunft. Dann betrachteten wir die gegebenen Innenwelterlebnisse mit Rücksicht auf ihre Einheit; da fanden wir das ästhetisch wertvolle Glück. Jetzt aber stehen wir vor dem Selbst, das seine Erlebnisse erst gestalten will: wann ist das Werden der Innenwelt schlechthin wertvoll und somit wahrhaft Entwicklung? Sofort aber müssen wir eines betonen, das uns später von entscheidender Bedeutung sein soll. Die wertvolle Selbstbetätigung ist zunächst durchaus nicht sittlich wertvoll, denn den Begriff der Sittlichkeit müssen wir für jenen Kulturwert zurückbehalten, bei dem die wertvolle Selbstbetätigung bewußtes Ziel ist, und die Tat somit zur wirklichen Leistung wird. Zunächst aber ist die Selbstentwicklung ein reiner Lebenswert und keine zielbewußte Kulturtat. Wohl entwickelt sie sich an zielbewußten Arbeiten, aber so mannigfach auch die Ziele sein mögen, die Erhebung des eigenen Selbst zum Werte ist noch nicht das Ziel. Das Gegenteil werden wir erst dann finden, wenn wir

zur Sittlichkeit gelangen; da setzt sich die wertvolle Selbstbetätigung in zielgerechter Kulturtat fort und die Leistung erarbeitet
bewußt den Wert für das Werden der Innenwelt. Es ist der gleiche
Gegensatz, den wir soeben in der Gesellschaftsbetätigung fanden,
bei der zunächst auch die reine Entwicklung zwar Kulturwerte
herbeiführt, aber nicht selbst Kulturwert ist, da die wertvolle Betätigung an sich nicht das bewußt gewollte Ziel ist; erst in Staat
und Recht wird gerade dieses verwirklicht.

Daß jede Anerkennung einer Entwicklung schon vorher die
Setzung eines Wertes verlangt, steht uns längst fest. Zu prüfen
gilt es also nur: wann ist das Werden der Innenwelt schlechthin
wertvoll? Auch da ist der Weg uns bereits vorgezeichnet. Der
Übergang vom Gegebenen zum Nochnichtgegebenen ist wertvoll,
wenn dadurch ein im Gegebenen notwendig mitgedachtes und mit-
empfundenes Wollen erfüllt wird; ist jenes Wollen wirklich notwendig, so daß wir das Gegebene gar nicht anders auffassen können,
als daß wir ohne Rücksicht auf uns selbst dieses Wollen schlechthin
mitfühlen, so muß die Erfüllung uns überpersönlich befriedigen und
somit ein Wert sein. Das führt dann aber auf die letzte Frage hin:
welches Wollen gehört notwendig zu jeder Innenwelt, die als solche
anerkannt werden soll?

Hier steht es nun aber beim Selbst nicht anders als bei der
Natur und der Gesellschaft. Auch hier gibt es kein Wollen, kein
Abzielen, kein Gerichtetsein, wenn das Selbsterlebnis gar nichts
anderes als nur gerade ein Erlebnis, ein Hauch, ein Traum sein soll.
Was der Außenwelterlebnis der Natur und dem Mitwelterlebnis der
Gesellschaft und nun dem Innenwelterlebnis des Selbst einen notwendigen Plan gibt, der durch die freie Tat erfüllt oder nicht erfüllt
werden kann, das ist immer wieder nur jenes Grundwollen, daß die
Welt mehr als ein Erlebnis sei. Auch unser oder irgend ein Selbst,
das als ein Ich dem Du entgegentritt, soll dann mehr als das zufällige
Stück innerer Erfahrung sein, soll eigene unabhängige Selbständigkeit und eigenen Sinn besitzen. Die wahre Frage lautet also: wenn
das Selbst einen eigenen Sinn haben soll, was ist das Nochnicht-
gegebene, dem die gegebene Selbsterfahrung notwendig zustrebt, so
wie die Blüte in der Natur der Frucht, die Unkultur in der Gesellschaft der Kultur zudrängt?

Wir müssen dabei aber klar im Auge behalten, was denn eigentlich jenes Ich sei, von dessen möglichen Fortschritt oder Rückschritt wir sprechen. Es ist ja nicht etwa der ganze Bewußtseinsinhalt im psychologischen Sinne. Eingekapselt in das psychologische Innenleben ist ja die Vorstellung der Außenwelt und die Forderung der Mitwelt ebenso wie die Wahrnehmung des Selbst. Als ein Ich galt uns das Wollen, durch das wir Stellung nehmen; Ziel für das Werden dieses Ichs selbst kann somit immer nur wieder ein neues Wollen sein. Das gegebene Wollen mag auf einen noch nicht gegebenen Inhalt gerichtet sein, aber durch das Eintreffen des Inhalts und das Entstehen der Lust wird das Ich selbst nicht vorwärts und nicht rückwärts verändert. Durch die Erfüllung eines nach außen gerichteten Wollens wird der Sinn des wollenden Ich selbst nicht erweitert oder gefestigt. Was das Selbst wollen muß, um durch die Erfüllung des Wollens seinen eigenen Sinn zu bekunden, muß somit in seinem Wollen selbst notwendig liegen und rein auf sein eigenes Wollen bezogen bleiben. Das bedeutet aber: das Selbst will sein eigenes Wollen weiterführen, will sein Wollen entfalten und steigern und doch in seinem Wollen stets mit sich einig bleiben.

Dieses in der Tat ist die einzig mögliche Veränderung im Ich, die wertvoll ist, weil sie die Erfüllung des einzig möglichen Planes ist, durch den das Ich selbständigen Sinn erlangt. Will es mit sich selbst nicht einig bleiben, will es, daß seine neuen Wollungen keine Entfaltungen und Steigerungen des in der Selbstgewißheit erlebten Wollens sind, so hört es auf ein Selbst zu sein und wird eine sinnlose beziehungslose Reihe. Das bedeutet durchaus noch nicht, daß jedes Selbst in seiner Abzielung auf solche Willensentfaltung aufgefaßt werden muß. Nicht jeder muß jeden Wert mitverwirklichen. So wie man Natur etwa benutzen kann, ohne sich irgendwie in ihre Schönheit einzuleben, so kann man auch zu einem Selbst in Beziehung treten, ohne es mit Rücksicht auf sein Werden aufzufassen. Man mag es in jedem Punkt als ein Fertiges hinnehmen, das vielleicht in seinem Glückswert betrachtet wird. Nur das verlangen wir: daß wenn das Ich mit Rücksicht auf seine wertvolle Veränderung gedacht werden soll, die mit sich einige Willensentfaltung allein als Ziel gelten kann und somit nur Veränderung in dieser Richtung den Wert der Entwicklung besitzt.

Die Stufen der Selbstbetätigung. Auch da müssen wir verschiedene Stufen unterscheiden, ähnlich wie bei der Gesellschaftsent-

wicklung. Zunächst wird es sich nur darum handeln, daß die
einzelnen Wollungen, aus denen sich des Lebens Tagewerk zusammensetzt, sich nicht widersprechen. Das Selbst entwickelt sich
so in jeder neuen Tat zu neuen Wollungen, die mit den gegebenen
einig sind und somit die Absicht des gegebenen Ich durch neue
Bekundung erfüllen. Bringen wir die millionenfachen Willens-
entscheidungen in große Klassen, so würden wir sagen, daß hier
alles hingehört, was aus Geduld und Fleiß und Beharrlichkeit, aus
Selbstbeherrschung und Tapferkeit hervorgeht; immer wird das
alte Wollen in neuem gleichgerichteten Wollen entfaltet und durchgeführt. In anderer Weise wieder wirkt dahin Bescheidenheit,
Genügsamkeit und Demut, die mit sich selbst einig bleiben können,
weil sie das Wollen von vornherein nicht zum Unerreichbaren
schweifen lassen. Nur sei immer wieder aufs ernstlichste betont,
daß es sich bei alledem noch nicht im geringsten um Tugend,
Pflicht, Gewissen, Sollen und Sittlichkeit handelt, sondern um ein
Wählen in freier Neigung. Genügsam sein, beharrlich sein, fleißig
sein, tapfer sein, sind Eigenschaften, die der einzelne seiner Anlage
folgend in seinem Innenleben entwickelt und durch die seiner
Lebensweise innere Einigkeit und Planmäßigkeit erwächst. Zunächst sind sie nicht anders da als künstlerisches Talent oder
mathematische Begabung, heitere Stimmung oder liebevolles
Gemüt. Wer von Natur fleißig ist, hat nicht erst in sittlicher Leistung fortwährend die Faulheit zu überwinden; wer genügsam ist,
ringt gar nicht erst in sittlichen Kämpfen mit der Habsucht; der
Tapfere geht mutig seine Straße, ohne erst überhaupt von der
Feigheit verlockt zu sein.

Das gleiche gilt nun für alle die Neigungen und Triebe, in
denen das neu entwickelte Wollen nicht nur einig bleibt mit dem
ursprünglichen, sondern dieses mit gesteigerter Kraft entfaltet.
Der Trieb zur höheren Bildung, zur tüchtigen Leistung, vor allem
auch zur schöpferischen Tat gehört hierher. Die ganze Persönlichkeit kommt zu reicherem Ausdruck und doch bleibt es immer
wieder nur ein freudiges Sichausleben, das keine Würdigung für
die Leistung erwarten darf. „Wenn einen Menschen die Natur erhoben, ist es kein Wunder, wenn ihm viel gelingt" — nicht zusammen-
werfen dürfen wir den Entwicklungswert solchen sich selbst erfüllenden sieghaften Wesens mit dem sittlichen Wert dessen, der

„von allen seinen Lebensproben, die sauerste besteht, sich selbst bezwingt".

Immer aber muß, damit wir Entwicklung erkennen, das Neue wirklich schon im Plane des Alten liegen. Wenn reiche Kenntnisse uns wie im Traume anfliegen würden, so daß wir plötzlich unvermittelt zum Weltall Stellung nehmen könnten oder wenn ein geniales Kunstwerk uns gelänge, ohne daß unsere Neigung bisher der künstlerischen Auffassung zugewandt war, so hätte der Übergang keinen Entwicklungswert; es wäre nicht ein Werden, nicht ein Fortschritt, sondern ein plötzliches Verschwinden zugunsten eines unvermittelten anderen. Wir selber wachsen in unserer Bildung, weil der erweiterte geistige Weltkreis vor unseren Augen sich dehnte und die neue kultursichere Stellungnahme nur als Entfaltung der früheren tastenden Auffassung empfunden wird. Der Hochgewinn der Künstlertat ist unserer, nicht weil wir das Wachsen des Werkes in uns erklären könnten und anzugeben wüßten, wie wir es vollbracht, sondern weil es uns Ausdruck unseres Sehnens, unserer Spannung wurde. Selbsterhaltung, Selbstbereicherung, Selbststeigerung muß einsetzen, damit der Übergang vom gegebenen zum neuvollbrachten Wollen dem Innenleben wahrhaft Entwicklungswert einträgt. Jede Gegenbewegung aber bedeutet dann Rückschritt; wenn feige, faul und geduldlos das Wollen verloren geht, die Kraft vergeudet wird, die Anteilnahme flüchtig von dem zu jenem irrt, das Können ungenützt bleibt, hochschweifende Pläne unstet zerflattern und das Selbst ohne Aufgabe vor der Welt steht, dann ist der Eigenwert der Ichentwicklung preisgegeben.

Aber alles dieses erfahrungsmäßige Verwirklichen des geplanten Wollens stellt doch nur gewissermaßen die erste Stufe der wertvollen Selbstbetätigung dar. Auch die verächtliche Neigung, selbst das verbrecherische Wollen in uns mag wachsen und die rein äußerlichen Bedingungen der wertvollen Entwicklung scheinen auch dann erfüllt. Aber so ist es nicht. Schlechthin wertvoll war das Wachsen und Werden nur dann, wenn es die Erfüllung einer Absicht war, die wir bei der Auffassung des Selbst mitempfanden und mitwollten. Das verbrecherische Wollen mag wachsen, aber wir fassen kein Selbst so auf, daß dieses Wachstum des zerstörenden Willens selbst Ziel des Wollens sei. Wir können es gar nicht so auffassen, denn solche Absicht würde gehemmt sein durch das vernünftige Grund-

wollen, das wir in der tiefsten Schicht jeder menschlichen Seele
erkannten und das uns den Menschen zum Menschen macht. Wir
können kein Selbst anders auffassen, als daß es im tiefsten Grunde
Vernunft besitzt, das schlechthin Wertvolle also mitwill, und wenn
es sich voll entfalten könnte, es selber seine Befriedigung am Irrtum,
am Unglück, am Häßlichen, an der Zwietracht, am Rückschritt
am Verbrechen, an der Sünde in Widerwille verwandeln würde.
Das Innenleben, das von frevlem Wollen gelenkt wird, mag somit
wohl auf der Oberfläche uns zunächst zumuten, den Sinn dieser Persönlichkeit im Steigern ihrer verirrten Neigung zu suchen; die notwendige Anerkennung seiner vernünftigen Grundwesenheit, ohne
die der Mensch uns zum unverantwortlichen Geistesgestörten oder
zum Tier wird, hemmt aber solche Auffassung und hebt sie auf.
Der Wille zum Wertwidrigen mag somit jederzeit als bestimmter
Zustand und Eigenschaft eines Menschen empfunden werden, aber
kann nie als die Wesenheit gedacht werden, die Erfüllung und Steigerung verlangt, damit die Persönlichkeit sich voll betätigt. Die
Frage, was denn im einzelnen sich erhalten und steigern soll, damit
sein Werden reinen Entwicklungswert gewinnt, bleibt somit im
letzten Grunde doch von dem allgemein menschlichen Vernunft-
willen abhängig, ohne den wir kein Selbst als Selbst anerkennen.

Es wiederholt sich der Stufengang der Gesellschaftsentwicklung. Auch dort fanden wir zunächst kein anderes Verlangen, als
daß alle Glieder der Gruppe sich dem erfahrungsmäßigen Gruppenwillen einfügen. Dann aber erkannten wir, daß schließlich doch
nicht jede Annahme des Gruppenwillens Fortschritt bedeutet, die
Gruppenziele selbst vielmehr wieder an höherem Maßstabe zu
messen sind. Von der Gruppe schritten wir so zum schlechthin
Überpersönlichen fort und erkannten Entwicklung der Gesellschaft
im letzten Grunde nur dort, wo das Wollen der Einzelnen sich mehr
und mehr der überpersönlichen Bewertung nähert. In gleicher Weise
finden wir, daß in der Persönlichkeit Entwicklungswerte bereits
gegeben sind, wenn alle Wollungen einheitliche Entfaltung und
Steigerung der wirklich erlebten Ausgangswollungen sind. Jetzt
aber sehen wir, daß diese wirklich erlebten Wollungen doch nicht
genügen, um die Richtung zu zeigen, in der sich die Entwicklung
zu bewegen hat. Diese Erlebnisse des Wollens müssen selbst wieder
gemessen werden an dem tieferen zugrundeliegenden Wollen, das

den Wollenden zum Menschentum erhebt, an der Vernunft, die wir als Grundwollen voraussetzen müssen, auch wo sie sich nur kümmerlich im Erlebnis verwirklicht hat.

Dann findet der Mensch seinen echten Entwicklungswert also nur, wenn das besondere Wollen, das sich in ihm steigert, sich selbst in Eintracht mit den Idealen der Vernunft weiß. Nur wo das tiefste Grundwollen zum Werte das besondere persönliche Wollen trägt, kann durch dieses das Ich in seiner schlechthin anzuerkennenden Absicht bestimmt sein; sobald es aber geschieht, muß die Erfüllung der Absicht einen schlechthin gültigen Entwicklungswert setzen. Alle wertvolle Selbstentwicklung entstammt so letzthin der tiefsten seelischen Schicht und unvergänglich wertvoll ist es, wenn so sich in unserer Willenstat erfüllt, was wir in freier Selbstbestimmung als unser Wesen wollen.

Träger dieses Wertes zu sein ist der vornehmste Sinn des Lebens. Das Leben allein gibt die Möglichkeit des Selbstausdrucks, der Selbstentfaltung, der Selbststeigerung auf Grund des selbstbestimmenden Wollens. Das Leben gering achten, mit dem Leben spielen oder es wegwerfen, bedeutet daher Aufhebung des schlechthin gültigen Entwicklungswertes; es ist kennzeichnend für niedere Kultur in der Gesellschaft, für niedere Gesinnung in der Persönlichkeit. Das Leben aber um der Lust willen schätzen, bedeutet, es herabziehen aus der Höhe des Überpersönlichen zum zufälligen Nur-Erlebnis. Erst als Träger der Entwicklung wird sein Inhalt mehr als persönliches Erfahren und Genießen, wird unabhängiger selbständiger Sinn und Wert. Das Leben und seine Entwicklung der Kräfte zu höchsten Zielen ist somit schlechthin wertvoll; und nichts wird von diesem reinen Werte geraubt, wenn wir trotzdem daran festhalten wollen, daß der Lebensaufstieg noch kein Leistungswert sein kann und sein unendlich wertvolles Geschehen nicht jenseits, sondern diesseits von Gut und Böse sich abspielt.

Zehnter Abschnitt.

Die Leistungswerte.

Die Entwicklung als bewußtes Ziel. Wie sich die Daseinswerte erst in den Zusammenhangswerten der Wissenschaft vollenden, und die Einheitswerte erst in den Schönheitswerten der Kunst zur Kulturtat werden, so müssen die Entwicklungswerte nun zu den Leistungswerten weiter führen. Unmittelbar gegeben sind die einen, in bewußter Zielsetzung geschaffen werden die anderen. Der Trieb, der die Natur, die Gesellschaft, das Selbst belebt, führt sie den Zielen der Entwicklung näher; nur aus der bewußten zielsicheren Wertherausarbeitung aber, die wir Kultur nennen, entstehen die Leistungen der Wirtschaft, des Rechts, der Sittlichkeit.

Auch Entwicklung kann es, wie wir erkannten, ja nur dort geben, wo ein Werden in freier Tat einsetzt. Die Welt unter dem Gesichtspunkt des Kausalzusammenhangs kennt Veränderungen, aber keine Entwicklung; Wirkungen treten ein, aber sie sind an sich nicht besser als die Ursachen; die Verschiebung kann als solche keine Veredlung sein. Nicht oft genug kann dies betont werden, wenn der eigentliche Sinn unserer ganzen Untersuchung nicht versickern soll. Unsere Zeit hört freilich immer wieder den Vorwurf, daß die großen Historiker wohl die „Ideen" im Wandel der Völker erkannten, aber nicht genugsam nachwiesen, wie diese Ideen verursacht waren und welche Wirkungen von ihnen ausgingen. Das geht nicht an. Wenn die Welt sich kausal gebärdet, wird sie von keinen Ideen getragen, weder die gesellschaftliche Welt, noch die natürliche; und wenn sie von Ideen belebt gedacht wird, dann ist ein Standpunkt gewählt, für den die Frage nach Ursache und Wirkung so bedeutungslos wäre wie die nach ihrer fünften Dimension. Entwicklung fanden wir nur in der Welt der Freiheit, der Ideenentfaltung, der Tat. Im kausalen Gefüge ist das Neue, das

Kommende, bereits vollkommen in der Gesamtheit des Gegebenen vorausbestimmt und somit letzhin kein Neues; in der Entwicklung aber muß das Werden zu einem Neuen führen, vor dem die freie Tat steht und das im Gegebenen nur als Ziel angelegt ist.

In diesem Reich der Freiheit sahen wir die unkausale Außenwelt sich ihrem Ziele zubewegen, und dieses Ziel war ihre Zweckmäßigkeit für den Willen des Menschen; und wir sahen die Gesellschaft als solche sich ihrem Ziele zubewegen, und dieses Ziel war die überpersönliche Allgemeinheit des Wollens; und wir sahen den Einzelnen in seinem Innenleben sich seinem Ziele zubewegen, und das Ziel war die Entfaltung des Wollens. Und weil diese Ziele notwendig waren, notwendig mitgedacht werden mußten, mit Natur, Gesellschaft und Selbst, wenn diese überhaupt selbständigen Sinn haben sollten, so ist ihre Erreichung immer schlechthin wertvoll; denn von dem überpersönlichen Verlangen, daß die Außenwelt, die Mitwelt und die Innenwelt eigenen Sinn haben und somit für sich selbst sind, nicht nur traumhaftes Erlebnis, von diesem Grundverlangen können wir nun einmal nicht lassen. Wenn so aber das Samenkorn zur nährenden Frucht, die Horde zum arbeitsamen Volk, der Schüler zum gereiften Manne wird, so wird der Übergang nun doch nirgends um seines Entwicklungswertes wegen selbst angestrebt.

Wir können das Ungereifte nicht denken, ohne das Reifenwollen als seinen Sinn zu erkennen, aber der unfertige Knabe wird zur in sich einheitlichen Persönlichkeit nicht mit dem Willen, reif zu werden und eine schlechthin wertvolle Entwicklung zu gewinnen, sondern mit dem Verlangen, sich auszuleben. Und so nur steigert sich das Gemeinschaftswirken; nicht die Entwicklung selbst wird geplant, sondern die Aufgabe des Tages. Die Entwicklung ergibt sich in diesem Sinne von selbst und unbeabsichtigt; nur der Bewertende vergleicht den Sinn des Anfangs mit dem erreichten Ende, erkennt in der Frucht das Ziel des Samens, im Weltreich das Ziel des Kriegerstammes. Aber mag in die Entwicklung auch reichstes Zweckwollen eingehen, mag der Einzelne sich in schöpferischen Werken und persönlichster Führerschaft entfalten, mag die Gesellschaft Bleibendes auf tausend Gebieten schaffen, die eigene Entwicklung, der eigene Wert ist zunächst nicht selbst als Aufgabe empfunden; der Schaffende selbst bewertet nur das Werk, aber nicht das Schaffen des Werkes: die Entwicklung ist objektiv wertvoll, aber

für den Sichentwickelnden ist sein eigenes Verhalten noch nicht als
Wert in Frage.

Hier setzt nun die neue Gruppe von Kulturarbeiten ein: die
Aufgabe der Entwicklung kann durch zielbewußtes Bemühen
gesichert und gefördert werden. Der natürliche Fortschritt der
Außenwelt, Mitwelt und Innenwelt mag durch künstliche An-
strengung gegen Hemmungen geschützt und gegen Hindernisse
gestärkt werden. Die Gesellschaft, die mit dieser eigenen wert-
sichernden Absicht sich ihrem Ziele nähert, und so der Einzelne,
der bewußt darauf hinarbeitet, den inneren Entwicklungsplan zu
verwirklichen, ist somit nicht mehr zufälliger Träger eines Ent-
wirklungswertes, sondern vollbringt eine Tat, durch die das handelnde Selbst zum Wert wird. Erst da ist eine Leistung geschaffen;
erst da ist Würdigung und Anerkennung im engeren Sinn geboten;
erst da erreicht die Selbstbetätigung der Welt ihr Höhenziel. Die
Verhältnisse in den drei großen Gebieten liegen aber hier so sehr
verschieden, daß es fruchtbarer sein mag, die Betrachtung von vornherein zu gabeln und sofort die zielbewußte Entwicklung für die
Außenwelt, die Mitwelt und die Innenwelt gesondert zu verfolgen.
Auch trotz der Sonderung wird die tiefbegründete Einstimmigkeit
aller Leistungswerte hervortreten. Ja, gerade hier mag es deutlich
hervortreten, wie nur die systematische Ableitung der Werte ihre
Verwandtschaft erkennen läßt. So bieten etwa das Recht der Gesellschaft und die Sittlichkeit der Person eine Gleichartigkeit dar,
die nur zu leicht verdeckt bleibt: beide sichern, daß in der äußeren
Tat wirklich das geschehe, was innerlich gewollt wird und nur diese
Identität von Wille und Handlung gibt Recht und Sittlichkeit den
schlechthin gültigen Wert. Aber zunächst hat uns die zielerfüllte
Leistung der Natur zu fesseln.

A. Die Wirtschaft.

Das Vorurteil gegen den Wert der Wirtschaft. Im Haushalt
der reinen Wertlehre galt die Wirtschaft bisher als das Aschen-
brödel; wenn die glücklicheren Schwestern im Schmucke zum
Tanze fuhren, dann mußte sie sich schelten lassen und daheim in
der Küche sitzen; und doch, wenn der Königssohn sie erst einmal
anschauen könnte .... Seltsam ist es in der Tat und doch wieder
auch leicht verständlich, wie wenig die idealistische Philosophie

sich bisher um die Wirtschaft gekümmert hat. Wahrheit und Schönheit, Sittlichkeit, Recht und Religion, das sind ewige Werte, welche die ringende Menschheit emporziehen; aber Handel und Tausch, Betrieb und Verbrauch, das sind Niedrigkeiten, die den Menschen herabziehen und die, an sich wertlos, nur ertragen werden, um die Notdurft der Völker zu befriedigen. Der Gott im Menschen schafft das Gute und Wahre und Schöne, aber das hungrige und frierende Tier im Menschen schafft die Wirtschaft vom Hackbau und der Jagd des Wilden bis zu den Fabriken und Börsen einer zahmeren Menschenart. Reine Werte schöpferisch zu gestalten, bedeutet, sich über die wirtschaftliche Arbeit erheben; und der Philosoph, dessen Blick den Ideen der Weltentwicklung zugewandt ist, hat keinen Grund beim Markten und Handeln und gar beim eigennützigen Erwerb zu verweilen. Das alles schien so selbstverständlich, daß es kaum besonderer Begründung bedurfte; es genügte einfach, Wirtschaftsleben aus dem Gehege der Philosophie zu verbannen.

Das schloß natürlich nicht aus, daß die Geschichtsphilosophie auch die wirtschaftliche Seite des gesellschaftlichen Lebens verfolgte; sie tat das jederzeit und in wachsendem Maße wurde dabei die Wichtigkeit der wirtschaftlichen Grundlagen für die Gesamtentwicklung betont. Die materialistische Geschichtsauffassung suchte schließlich im Wirtschaftsleben nicht einen einzelnen Bestandteil sondern die entscheidende Grundlage aller gesellschaftlichen Gestaltungen und Wandlungen. Immer neue Stufenreihen wirtschaftlicher Formen wurden historisch herausgearbeitet; bald stand dabei die Technik, bald die Betriebsart, bald der Verkehr und bald das Eigentum im Vordergrund, und auch das Nebeneinander der heutigen Wirtschaftserscheinungen ließ sich so dem verfolgbaren Nacheinander zuordnen. Aber gleichviel, ob nun wirklich die ökonomischen Verhältnisse die historische Gestaltung bedingen oder ob die politischen, die geistigen, die sittlichen Interessen mit gleichberechtigter Wirksamkeit eingegriffen haben, an der ideellen Wertlosigkeit des Wirtschaftlichen wird auch dadurch in keinem Falle etwas geändert.

Der realistische Kulturhistoriker mag die Wirtschaftsverfassung als bestimmend anerkennen und trotzdem ihren Eigenwert nicht höher einschätzen als der Idealist; auch für ihn bleibt es doch nur

der körperliche Stoffwechsel, der dem eigentlich wertvollen Seelenleben zugrunde liegt. Der Philosoph und der Kulturhistoriker
mögen streiten, ob die geistigen Güter nur historische relative Bedeutung besitzen oder, wie wir es fordern, absoluten Wert haben,
der sich im Historischen entfaltet; aber darin, daß die Wirtschaft
überhaupt nicht wertvoll ist, und nur durch Beziehung zu geistigen,
sozialen, politischen, rechtlichen, sittlichen Gütern mittelbar Wert
gewinnen kann, darin bleiben sie gemeinsam einig. Im Grunde
kommt es immer darauf hinaus, daß die Triebfeder des Marktes der
Eigennutz sei, und solche selbstsüchtige Gewinnsucht gewissermaßen den seelischen Gegenpol zur selbstlosen Hingabe für die
ewigen Güter darstellt. Alles, was in die Wirtschaft eintritt, wird
so geradezu zum reinen Unwert.

Man hat die Niedrigkeit des Wirtschaftlichen, ohne Rücksicht
auf die seelischen Antriebe, auch aus dem Wesen des Geschaffenen
selbst abgeleitet. Man setzt nämlich voraus, daß sich der Wert der
menschlichen Schöpfungen darnach abstuft, wie stark und wie lange
Zeit hindurch sie in der Menschheitsgeschichte fortzuleben vermögen. Aussicht fortzuwirken, über Ort und Zeit des Entstehens
hinaus, hat jegliches Menschenwerk aber desto mehr, je leichter es
von den Bedingungen seines Werdens loslösbar ist, und das bedeutet schließlich: je geistiger es ist. Religion und Weltanschauung
sind daher höchste Kulturtat, Wissenschaft und Kunst und sittliche Anschauungen gesellen sich nahe dazu. Nicht ohne weiten
Abstand folgen Staat und Recht und Gesellschaftsordnung, denn
diese sind viel schwerer übertragbar. Als letzte in der Reihe aber
zieht die Wirtschaft einher; unübertragbar haftet sie am Boden,
hat „gleichsam erdigen Charakter". So lassen sich denn auch die
Völker selbst in ihrem Kulturwert darnach abstufen; ein Volk steht
desto höher, je mehr es für die geistigen Güter geleistet, und um so
niedriger, je mehr sein Wirken auf die äußerliche Wirtschaft gerichtet ist.

Aber darf dieses wirklich das letzte Wort sein? Es mag zunächst dahingestellt bleiben, ob die Loslösbarkeit wirklich für das
Fortwirken eines Kulturfortschritts entscheidend ist. Jedenfalls aber
muß dabei doch der innere Sinn und Gehalt des Werkes, nicht das
Werk in seiner Äußerlichkeit betrachtet werden. Burgen und Pa-
läste sind gewiß nicht loslösbar von dem Boden, auf dem ein Volk

sie errichtet; der Architekturstil aber, der diesen Bauwerken ihre
Eigenart gibt, mag sich loslösen und fortpflanzen und über den Erdkreis verbreiten; die Säulenordnung der unbeweglichen griechischen
Tempel ist viel weiter gewandert und hat viel länger fortgewirkt
als der Gottesdienst jener Tempelbauten. Mag es so nicht auch von
der Wirtschaft gelten, daß ihr Stoffliches am Boden haftet, ihr Sinn
und Geist aber leicht beweglich und weithin wirkend sich loslösen
mag und so schon äußerlich die Bedingungen der wahren Kultur
erfüllt? Ist denn der Geist, in dem die Wirtschaft geführt wird, von
Stamm zu Stamm, von Volk zu Volk, von Zeitalter zu Zeitalter
nicht ebenso verschiedenartig wie der Geist, in dem Bauwerke errichtet und Erkenntnisse geklärt werden? Japanische und chinesische Kunst stehen sich unendlich viel näher als japanischer und
chinesischer Geschäftsgeist und Wirtschaftsauffassung. Romanisches
und angelsächsisches Wirtschaftsleben sind von ganz verschiedenem
Sinn erfüllt. Wer aber der Übertragbarkeit nachprüft, darf nur
fragen, ob solch eigenartiger Sinn und Geist sich nicht loslösen und
weiter anregend betätigen kann.

Damit ist aber bereits der Punkt berührt, dessen Vernach-
lässigung zu solcher Einseitigkeit in der Bewertung des Wirtschaftslebens geführt hat: nicht nur die Wirtschaftsform, sondern der
innere Geist der Wirtschaftsauffassung kann so verschiedenartig
sein wie die Sittlichkeit und das Recht, die Wissenschaft und die
Kunst. Es gibt niedere und höhere und ideale Auffassungen auch
dort, und diejenige Wirtschaftsauffassung, welche bisher stets den
Hintergrund der Wertphilosophie und der wertsetzenden Kultur-
geschichte gebildet hat, war eine erniedrigende, oft eine feindliche.
Man stelle sich doch einmal vor, daß die Wertphilosophie in einer
puritanischen Gemeinde entwickelt würde, in der die bildende
Kunst und weltliche Musik als Versündigung gegen die Forderungen
der Kirche, im besten Fall als sinnliche Augenweide und als niedriger Ohrenschmaus gilt. Da würde es dann als selbstverständlich
gelten, daß die Kunst, da sie der Belustigung der Sinne gewidmet
ist, nur egoistischen Trieben diene und somit keine Stelle im Kreis
der reinen Werte besitzt. Sie würde vielleicht noch hinter die Wirtschaft geschoben werden, da die selbstischen Triebe nach wirtschaftlicher Bedürfnisbefriedigung wenigstens von der Natur gesetzt
sind, während das Verlangen nach bloßem Nervenkitzel durch

Kunst eine überflüssige Verirrung bleibt. Und doch handelt es sich um die gleiche Kunst, deren überpersönlicher Schönheitswert das unerschöpfliche Glück der unpuritanischen Menschheit bildet.

Mag nicht in gleicher Weise das Werk der Wirtschaft verschiedene Auffassung zulassen? Es mag mit der Engherzigkeit betrachtet werden, die da nur Befriedigung selbstischer niederer Triebe erkennt, und es mag mit dem weiten Sinn erfaßt werden, der auch dort ein schlechthin Wertvolles, ein Höchstes erkennen mag. Die Wertlehre aber wird dann nicht nach der verworrenen niederen Auffassung fragen, in der sich der reine Wert noch nicht historisch entfaltet hat, sondern wird den Wert mit den Augen derer sehen wollen, die seinen überpersönlichen Gehalt erschauten. Daß meisthin in der Philosophie die engherzige Auffassung des Wirtschaftslebens zur Geltung kam, ist nur natürlich. Gelehrte waren es, die den Wertmaßstab herbeitrugen, und doch findet überall der Geist der wissenschaftlichen Forschung seine Kraft in einer gewissen Gegensätzlichkeit zum Erwerbsleben. Mag die Welt rings nach Schätzen hasten, der Forscher geht unbeirrt von Gold und Goldeswert seiner Erkenntnis nach und wappnet gleichsam sich für seinen Beruf durch eine triebartige Geringschätzung der erwerbenden Arbeit. Gewiß wird er gern unermüdliche Sorgfalt auf die Erforschung der wirtschaftlichen Erscheinungen verwenden, wird ihren geschichtlichen Strom und im Querschnitt des Stroms die begrifflichen Beziehungen mit hingebender Gründlichkeit studieren. Trotzdem aber mag selbst der, dessen besonderer Beruf die Erforschung der Wirtschaft ist, die höchste Schätzung seines Berufs mit der geringsten Schätzung seines Materials verbinden; das Wirtschaftliche mag noch so wichtig sein, es kann trotzdem als ein Niedriges gelten.

Der wahre Sinn der Wirtschaft. Das Weltvorurteil der Wissenschaft gegen die Wirtschaft fand den günstigsten Nährboden gerade in jenen besonderen nationalen Verhältnissen, unter denen die philosophische Lehre von den absoluten Werten emporwuchs. Es war der deutsche Idealismus, der die Wertüberzeugung in ihrer Notwendigkeit und Allgemeinheit erkannte; aber gerade das Deutschland jener Tage war in der würdeleeren Auffassung der Wirtschaft erzogen. Der Glanz vergangner Jahrhunderte war dahin, die auch im deutschen Land so manchen ,,königlichen Kauf-

mann" gekannt und fern lag noch in der Zukunft die neue Wirt-
schaftskraft des geeinten Reiches. Es war das ärmliche Deutschland, das sich von der Verwüstung des Dreißigjährigen Krieges noch
nicht erholt hatte und das seine neuen Kräfte endlich in der Dichtung und der Wissenschaft sammelte: der Geist seiner Wirtschaft
blieb noch lange kümmerlich und bedrückt. Über allem, was
Handel und Wandel betraf, lastete das Gefühl, daß es das Nötige
war, um die Not zu verscheuchen, daß es dem Erdenteil des Volkes
zugehört; alles Edlere, alles, was den Mannesehrgeiz spornen darf,
war jenseits von Teuer und Billig zu finden. Und langsam nur kann
diese Nachwirkung armer Zeiten in unseren Tagen überwunden
werden; noch immer gelten im sozialen Gefüge die wirtschaftlichen
Berufe geringer als die „gelehrten", wie sehr sich auch die Zeichen
mehren, daß mit dem neuen Wohlstand sich ein neues Gleichgewicht
der Kräfte langsam herstellt. So kam es denn, daß in der Tat die
Philosophie dem Wirtschaftswollen mit gleicher Geringschätzung
gegenüberstand wie der puritanische Geistliche der bildenden
Kunst. Aber um die Kunst zu verstehen, soll man sie mit den Augen
des Künstlers sehen.

Der hanseatische Handelsfürst, dessen Schiffe den Ozean durch-
furchen, weiß, daß er für ein Größeres schafft als nur für den eigenen
Erwerb. Vielleicht tritt die andersartige Bewertung nirgends deutlicher hervor als dort, wo die Geschichte der Neuzeit die glänzend-
sten Bedingungen für die Edelauffassung der Wirtschaft zusammen-
trug: in den Vereinigten Staaten von Amerika. Hier war ein Land
gegeben, das vom Atlantischen zum Stillen Ozean einen unermeßlichen Spielraum eröffnete mit unvergleichlichen Schätzen in Wald
und Feld, in Metallen und Kohle und Wasserkräften. Hier strömten
Millionen ins Land, die sich nicht von der Heimat losgerissen hätten,
wäre nicht Tatkraft und Unternehmungsgeist in ihrer Seele lebendig gewesen. Diese wagemütige Kraft setzte nun ihr Bestes ein, die
unendlichen Schätze zu heben.. So entstand in den Formen einer
neuen Kultur, welche Wertvolles aus allen Ländern zu neuer Einheit zusammenschmolz, ein Wirtschaftsleben, dessen ungeheure
Außenentfaltung bei weitem nicht so eigenartig ist wie der Geist,
der es erfüllt.

Hier kann nun niemand mehr in die Tiefe blicken, ohne zu
empfinden, daß der persönliche Erwerbstrieb eigentlich nur die

kleine Scheidemünze im Verkehr ist, daß aber für alles Größere ganz
andere Triebe eingesetzt werden. Schaffen, mit ganzer Seele mitschaffen an dem Wunderwerk des Wirtschaftsgetriebes, das ist
das Verlangen und der Ehrgeiz der Begabtesten. Nicht um des Er-
werbes willen werden die Schätze gehäuft; kaum gewonnen, werden
sie mit freier Hand fortgegeben und alle Schleichwege des Erwerbs
wie das Spiel sind verachtet, die Mitgift ist unbekannt: die Jagd
nach dem Gewinn ist der stürmische Drang nach erfolgreicher
Betätigung. Der Gewinn wird geschätzt, weil er allein besagt, daß
die Aufgabe gelöst, der Sieg errungen ist, und das Erworbene wird
wieder zu neuem Angriff verwandt. Da gibt es keine Rentner, die sich
zurückziehen, wenn sie genug beiseite gelegt haben; in den Sielen
will der Unermüdliche sterben, denn nur das Mitschaffen, das
Plagen und Unternehmen ist Lebensfreude. Und Jung und Alt,
Arm und Reich eint sich so in dem einen Gefühl: es ist ein Riesenwerk, das wir gemeinsam schaffen. Und wenn wir das Land erschließen und die Wildnis durchackern, die Schätze des Bodens
heben und die Werke des Gewerbefleißes über die Erde senden, im
Niedersten neue und neue Bedürfnisse wecken, um sie auf millionenfachen Umwegen zu befriedigen, so begeistern wir uns für ein Volks-
ziel, ein Menschheitsideal, das neben Recht und Freiheit, Wahrheit
und Sittlichkeit in unvergänglichem Selbstwert dasteht. Wo ein
Grashalm wuchs und nun zweie wachsen, wo ein Schienenstrang
das Tal durchzog und nun zweie sich strecken, wo ein Schornstein
rauchte und nun tausend Schlote von nützlicher Arbeit zeugen, da
ist ein schlechthin gültiger Fortschritt vollzogen, durch den die Welt
besser und wertvoller geworden ist. Und solche Wirtschaftsauffassung ist loslösbar von der Scholle, so gut wie Kunst und Weltanschauung, und kann die Kulturwelt ergreifen; sie wächst auch im
besten wirtschaftlichen Deutschtum jetzt täglich heran.

Wird aber die Wirtschaft erst einmal von solchem Hochgefühl
durchdrungen, so kann es nicht schwer sein, in ihr ein schlechthin
Wertvolles zu erkennen, das allem wirtschaftlichen Treiben ge-
meinsam ist. Dann wird es gleichgültig, ob das schlechthin wertvolle
Geschehen sich in der historischen Welt mit niederen oder mit hohen
Motiven verbindet, so wie der ewige Wert der Wahrheit nicht davon
berührt wird, wenn das Wissen vom einzelnen für selbstische
Zwecke gebraucht oder gar für verächtliche Zwecke mißbraucht

wird. Nur das eine steht zur Entscheidung, ob der wirtschaftliche Fortschritt an sich ein reiner Wert sei, gleichviel wie weit die bewußte Erfassung dieses Wertes in der historischen Entwicklung der Gesellschaft bisher entfaltet ward. Dadurch knüpft sich aber die Betrachtung unmittelbar an die Untersuchung der Entwicklungswerte an.

Dort hatten wir vom Fortschritt der Natur gesprochen und eines deutlich erkannt: die Natur der Naturwissenschaft, die Natur der mathematischen Physik, kennt keinen Fortschritt und keine Entwicklung, ihre Veränderungen sind wertfrei. Das schloß aber nicht aus, daß die wirkliche Außenwelt ihre Aufgaben, ihre Ziele, ihre Werte hat, denn die Außenwelt, in der und mit der wir leben, ist zunächst noch gar nicht in die Begriffsformen der Kausalwissenschaft eingegangen. In der lebendigen Berührung mit dem wollenden Menschen bedeutet die Außenwelt, wie wir sahen, zunächst das Hilfsmittel und Hindernis, das Material unserer Zwecke. Eigenen Sinn zeigte die Natur nur dann, wenn sie dem menschlichen Zweckgefüge sich anpaßt, wenn sie das vernünftige Wollen des Menschen fördert und nur die Veränderung auf dieses Ziel hin trat uns als schlechthin wertvolles Werden, als wahres Wachstum und Entwicklung entgegen. Haben wir uns so erst einmal von der Einseitigkeit der Kausalwissenschaft befreit — ohne dadurch das unbegrenzte Recht der Naturwissenschaft in ihrem eigenen Kreise anzutasten — so kann uns nichts hindern, in genau gleicher Richtung zu neuen Werten vorzuschreiten.

Die wirkliche, noch nicht umgemodelte Natur will dem Menschen dienen — dem Menschen nicht im kleinen persönlichen selbstischen Sinne, sondern im schlechthin gültigen Vernunftsinn. Die Außenwelt bleibt bedeutungslos, wenn diese tiefste Beziehung zur Menschheit nicht mitgedacht wird und statt dessen das Weltbild gleichgültiger Atome dem Wirkenden untergeschoben wird. Ist aber dieses Gerichtetsein der reinen Außenwelt erst erkannt, dann sehen wir auch das notwendige Ziel der Kulturarbeit: es gilt der Natur zur Erreichung ihres Zieles zu helfen, ihre Zweckerfüllung zu sichern, zu fördern, ja, ins Unendliche zu steigern. Und das allein ist der Sinn der Wirtschaft. So wie die Naturschönheit das Streben der Außenwelt nach innerer Einheit bekundet, dieses Wollen aber doch erst in der Kulturarbeit der bildenden Kunst sich vollkommen erfüllt, so vollendet sich erst in der Wirtschaft der Entwicklungsdrang der Natur.

Der Geist des Wirtschaftslebens. Die Außenwelt will den Zwecken des Menschen dienen. Die Sicherung und Förderung dieses Wollens ist somit notwendig sowohl durch die gegebene Welt wie durch die immer neuen menschlichen Zwecke bestimmt: beide müssen in steter Wechselbeziehung bleiben. Würde die künstliche Weiterentwicklung der Natur allein berücksichtigt, so würde sich die Wirtschaft zum technischen Fortschritt verengern; im ökonomischen Gesamtfortschritt muß das Werden der Natur bei jedem Schritt den neuen Bedürfnissen der Gesellschaft angepaßt werden. Die angepaßte Naturentwicklung aber bleibt der eigentliche Inhalt der Wirtschaft. Man hat die Wirtschaft als eine durch Güterausstattung vermittelte menschliche Gemeinschaft bezeichnet; wir müssen statt dessen behaupten, daß die Wirtschaft eine der menschlichen Gemeinschaft dienende Güterausstattung ist. Der scheinbar geringe Unterschied des Standpunktes bedeutet tatsächlich eine grundsätzliche Scheidung. Solange es sich um die Gesellschaft, um ihre Wünsche und deren Befriedigung handelt, bleibt alles im Kreise des nur Historischen; von absoluten Werten ist da keine Rede. Wenn aber die Güter selbst, die Natur in ihrer zielgemäßen Angepaßtheit, als der eigentliche Wirtschaftsinhalt erfaßt werden, dann ist der Weg offen, auch die Wirtschaft als reinen Wert zu würdigen. Die Gemeinschaft, die ihren Hunger stillt und sich gegen die Kälte schützt, oder, viele Stufen höher, die Schätze des Erdenrunds auf Dampfern und Bahnen zusammenträgt, um das Leben zu genießen, erfüllt dadurch persönliche Zwecke. Die Natur aber, die den Menschen nährt und schützt und in unendlicher Umwandlung sich überallhin verteilt, um ihre Aufgabe, die Erfüllung menschlicher Zwecke, zu lösen: sie erreicht ein schlechthin gültiges Ziel und bietet überpersönlichen Wert dar. Für den, der die Außenwelt nur durch die Brille der Naturwissenschaft sehen kann, fällt dieser Unterschied freilich fort; ist die Natur sinnlos und tot, so ist ihr überhaupt keine Aufgabe mitgegeben und nur der Mensch, der sie ausnutzt, könnte uns kümmern.

Ist dagegen unser Interesse den Gütern zugewandt, ihrer Erzeugung, ihrer Verteilung und ihrem Verbrauch, so ist dadurch ja das gesellschaftliche Bedürfnisleben nicht etwa ausgeschaltet;

im Gegenteil, jeder Schritt in der Entwicklung weist auf das menschliche Wollen hin. Nur der Wert oder Unwert des wirtschaftlichen Objekts beruht jetzt nicht mehr darauf, daß die Bedürfnisse der Wirtschaftenden befriedigt werden; von hier aus ließen sich immer nur im absoluten Sinn gleichgültige, persönliche Bewertungen finden, Werte, die nur für den gelten, dessen Wünsche da erfüllt werden. Der Wert oder Unwert beruht jetzt vielmehr darauf, daß die Natur ihrer einzig denkbaren Aufgabe gerecht wird; ein Wert, der von jedem anerkannt werden muß, der den Sinn der Natur überhaupt erkannt hat und verstehend mitwill. Wir wollen notwendig mit der Natur, daß sie den wollenden Menschen fördern könne, und weil ihr Wollen so zu allgemeinem Wollen wird, muß die Erfüllung durch die freie Tat auch allgemeine Befriedigung bringen und somit schlechthin wertvoll sein.

Es ist der gleiche Unterschied wie zwischen dem nur Angenehmen und dem wahrhaft Schönen. Handelte es sich nur um die Bedürfnisbefriedigung der Menschen, so würde jeder neue Beitrag lediglich ein Bemühen sein, für das eigene Wohlbefinden oder für das Wohlbefinden der anderen zu sorgen. Das eigene Behagen zu erhöhen, ist aber sicherlich keine überpersönliche Tat; das Wohlbefinden anderer zu erhöhen, mag ja unter Umständen in den Umkreis des Sittlichen fallen, aber als wirtschaftliche Tat bleibt es wiederum ohne Anhaltspunkt für reine Bewertung. Aus dem bloßen Wohlbefinden kann kein reiner Wert fließen, gleichviel ob nach Wildenart das Behagen durch ein paar vom nächsten Baum gepflückte Kokosnüsse geschaffen wird oder ob hunderttausend Hände nötig sind, um dem Großstadtkind die Genüsse des Luxuslebens zu bieten. Und wo es kein Ideal gibt, hat die Begeisterung keinen Sinn; wirtschaftliche Arbeit bleibt dann in der Niederung, in der Lust und Unlust herrschen.

Mit einem Schlage aber verändert sich der Geist des Wirtschaftslebens, wenn es sich um das Verlangen der Natur selbst handelt. Jetzt gilt es, den schlummernden Trieb in der Außenwelt zu wecken, ihr ohnmächtiges Wollen durch mitwirkende Menschenkraft zum Erfolg zu führen, und so zur Erfüllung zu bringen, was notwendige allgemeingültige Aufgabe der Natur ist. Da ist der eigentliche Sinn der Tat nun nicht mehr auf die Lust und Unlust gerichtet. Wohl mag es zur Aufgabe der Natur gehören,

wenn sie den menschlichen Zwecken dient, auch Lust zu fördern und
Unlust zu beseitigen. Aber das Höhenziel der Wirtschaft ist eben
nicht diese Lust, sondern das Ausleben der Natur, die Erfüllung
der Naturmission, die Verwirklichung ihres eigentlichen Sinns in
dem Umgestalten und Verteilen der Außenwelt. Und dadurch ist
nun wahrhaft ein Ideal gesetzt, dem hingebend zu dienen ein reines
Ziel der Kulturarbeit sein darf. Dann erst ist der edelsten Begeisterung die würdige Aufgabe gestellt: mitzuhelfen, daß die dumpfe
Natur erwacht und sich vollendet, wie sich der Samen zur Frucht
entwickelt. Das ist ein schlechthin gültiger Fortschritt und da Hand
anzulegen und seine beste Kraft einzusetzen, bedeutet, einem absoluten Wert zu dienen; von diesem Reinsten und Höchsten strahlt
kaum ein Abglanz auf den, der nur um des Erwerbs willen sich der
wirtschaftlichen Arbeit widmet.

Wer aber in solchem Geiste am Wirtschaftsleben seiner Zeit
mitarbeitet, der vollführt eine idealistische Kulturtat, auch wenn er
nur am Steuer steht oder hinter dem Ladentisch, den Acker pflügt
oder das Eisen hämmert. Auch wer der Wahrheit und der Schönheit und der Sittlichkeit dient, ist nur selten berufen, das Große
und Entscheidende zu vollbringen; die Aufgabe der Stunde mag
gering sein, aber ihr idealistischer Gehalt kann dadurch nicht geschmälert werden. Die Welt ist zu leicht geneigt, den Gegensatz
von materialistischer und idealistischer Arbeitsgesinnung mit dem
Gegensatz der materiellen und nichtmateriellen Arbeitsmittel zu
vertauschen. Weil der Kaufmann mit materiellen Dingen zu schaffen
hat, wird dann seiner Arbeit der idealistische Wert abgesprochen,
während die geistigen Arbeiten von vornherein als idealistisch anerkannt werden. Aber von solcher einfachen Beziehung darf keine
Rede sein. Die Tätigkeit an nichtmateriellem Stoff kann äußerst
selbstische, materielle Motive haben; auch selbst der Wissenschaft
und Kunst, dem Recht und der Religion kann der Ideallose aus
recht materialistischen Gründen beruflich dienen. Dagegen kann
ein reiner Idealismus auch die geringste wirtschaftliche Tat beherrschen. Nur darum handelt es sich, ob die Leistung aus selbstischen Beweggründen erfolgte oder aus dem Glauben an den
Selbstwert des Vollbrachten. Wer aber in der Wirtschaft eine Erfüllung der großen unendlichen Naturaufgabe erkennt oder auch
nur dunkel fühlt, der wird in der Tat mit selbstloser Freude an

dem Riesenwerk mitarbeiten, hingebend so wie der echte Künstler und Gelehrte, der rechte Diener des Rechts und der Religion nur wirken mag.

Der technische Fortschritt. Diese reine Bewertung des wirtschaftlichen Fortschritts sei nicht mit jenem Stolz verwechselt, mit dem der Kulturmensch gerne auf die wachsende technische Beherrschung der Naturkräfte blickt. Das eine hat nichts mit dem anderen zu schaffen. Dieser Triumph der Physik und Chemie wird da lediglich als wissenschaftliche Leistung bewundert; nicht der Fortschritt der Natur, sondern die Überwindung der Natur befriedigt da den Ehrgeiz. Die Arbeit, die alle Hindernisse überwindet, kommt dann nicht als wirtschaftlicher, sondern als naturwissenschaftlicher Wert in Frage. Ja, wenn die Brücke gebaut, der Tunnel gebohrt, die Botschaft drahtlos über das Weltmeer gesandt ist, so wendet sich, bei solch positivistischer Alltagsanschauung, das stolze Fortschrittsgefühl durchaus dem Denker zu, dessen Berechnungen sich so glänzend bewähren. Nicht die Natur, sondern die Gesellschaft ist es dann, die durch ihre Denktaten fortschreitet, gerade weil sie die Natur zügelt und Raum und Zeit überwindet; die praktische Anwendung scheint nur die selbstverständliche, an sich wertlose Zutat zu der wertvollen mathematischen Berechnung und dem bahnbrechenden Laboratoriumsversuch. Es ist der Philisterstolz des Aufklärungszeitalters; die Natur ist noch rechtlos, willenlos, ziellos, in der Sklaverei.

Sind aber erst einmal die Sklavenketten gelöst, so daß auch die Natur in ihrem Selbstwollen gewürdigt und dies menschliche Mühen als eine Mitarbeit mit der Natur verstanden wird, dann tritt auch die technische Wissenschaft in ein neues Verhältnis. Von einem Gegensatz zwischen der Wirtschaftsnatur, die da will und soll, und der Wissenschaftsnatur, die da wahllos muß, ist auch dann nicht die Rede; beide bilden eine unlösliche Einheit. Herrschend freilich bleibt auch dann das freie Wollen der Natur; ohne dieses bliebe die Außenwelt und alle Wirtschaft ohne eigenen Sinn und Wert. Aber wo die Natur einem Ziele zugewendet ist, das für den Menschen in Betracht kommt, da ist die Zusammenarbeit nur dann durchführbar, wenn der Übergang vom Gegebenen zum Erstrebten vollständig übersehbar wird. Er muß als ein für den Denkenden notwendiger Zusammenhang begriffen werden können. In naiver Form

bekundet sich dieses Verlangen als blindes Vertrauen in die Regelmäßigkeit der Naturerscheinungen; in reifster Form führt es zu
einer begrifflichen Umarbeitung der Materie, bis alle Erscheinungen
als Identitäten gedeutet sind, so daß die Festhaltung des Gegebenen
genügt, um die Veränderungen aus der Beharrung voraus zu
berechnen.

   Die Wirtschaft findet also nicht die eine mechanische Natur
des Physikers vor, deren Atome sich seit Jahrmilliarden ziellos im
Weltraum nach ehernen Gesetzen verschieben und in deren endlosem Spiel zufällig etwas eintritt, das für den Menschen in Betracht
kommt.   Die Wirtschaft findet vielmehr die mit uns arbeitende
Natur vor, deren Wesen in ihrem Sinn ruht und ihr Sinn ist, die
Aufgaben des wollenden Menschen mit zu erfüllen.   Erst im Interesse dieser Zusammenarbeit wird zwischen Anfang und Ende der
einzelnen zielmäßigen Umgestaltung die kausale Auffassung eingeschaltet, die dann, ins Unendliche erweitert, das Begriffsbild des
zwecklosen Weltmechanismus hervorbringt.   Die Wirtschaft ist
somit incht in die Physik eingeschaltet, sondern die Physik, soweit
sie zur Technik wird, ist selbst ein Teil der Wirtschaft.   Die Natur
nimmt, um ihre Aufgabe des Menschendienstes zu erfüllen, gewissermaßen die physikalische Form an, sobald sie sich zur Zusammenarbeit einstellt, weil sie nur in dieser Form der Vorausberechenbar-
keit mit dem handelnden Menschen zur Einheit werden kann.

   Ist diese Einheit aber erst einmal hergestellt, so wird nun die
Tätigkeit der Person selbst zum Teil der sich zielgemäß entfaltenden
Natur.   Die Dinge der Außenwelt erfüllen sich gleichsam mit der
Kraft des arbeitenden Menschen; die Natur entwickelt sich ihrem
letzten Zweck gemäß, indem sie die Muskelarbeit in sich aufnimmt.
In diesem Sinne wird im Gefüge des Wirtschaftslebens der arbeitende Körper selbst zur Außenwelt und die Leistungen der Muskeln,
soweit sie in den Wirtschaftsverkehr eintreten, werden gleichartig
mit den Leistungen der leblosen Stoffe.   Ob die Hand arbeitet oder
die elektrische Maschine, ob der Arm die Last hebt oder ob es durch
Dampfkraft geschieht, ob der eilende Fuß die Botschaft trägt oder
der Draht und der Funke, das ist für den wirtschaftlichen Erfolg
nicht grundsätzlich verschieden.   Selbst dort, wo kein äußerliches
Stück Natur in die Arbeit eintritt und alles auf berufskundiger
Tätigkeit beruht, wie etwa bei der Arbeit des Arztes oder Lehrers,

ist die schließliche Bewegung vom Standpunkt des Wirtschafts-
austausches gesehen, doch letzthin ein Stück feinster entwickeltster
Natur. Im historischen Geschehen mag ja die Muskeltätigkeit einfach als Ausdruck des Willens gelten und bei solcher Betrachtung
fängt dann die Außenwelt erst außerhalb der menschlichen Körperoberfläche an, so daß die Muskeln selbst zur Innenwelt gehören.
Aber im Wirtschaftlichen wird solche Trennung wieder aufgehoben;
Muskel und unkörperliche Natur verschmelzen und beide werden
schließlich die eine krafterfüllte zum Ziel hinstrebende Natur, welche
die Verwirklichung der menschlichen Willenszwecke möglich macht.

Die Entwicklung der Wirtschaft. Überblicken wir das ganze
Gebiet, so hat sich nun durch die bewertende Betrachtungsweise im
einzelnen nichts geändert und doch sind die gesamten Beziehungen
umgestaltet. Bestimmt ist jegliches durch die Wollungen der
Menschen, denen die Außenwelt aus eigener Kraft in ihrer natürlichen Entwicklung zustrebt, und denen sie nun von Menschenkraft
durchdrungen in der Kulturleistung der Wirtschaft entgegen-
drängt. Dabei muß der Entwicklungsgang der Gesellschaft diese
Wollungen der Einzelnen immer höher und höher treiben, von dem
selbstischen trägen Verlangen der niederen Sinne, das sorglos nur
an Essen und Schlafen denkt, bis hinauf zu dem idealen Gipfelpunkt,
auf dem jedes Wollen von reiner überpersönlicher Bewertung beherrscht wird. Auf jeder Stufe aber, vom trägen Zustand der Ur-
waldmenschen bis zum hastigen Treiben der Weltstadtbewohner,
wird das menschliche Wollen dabei von sozialen Wechselbeziehungen beeinflußt sein, die als solche nicht zum Wirtschaftsleben
gehören. So ist etwa die Auffassung des Eigentums von politischen
und vielerlei anderen unwirtschaftlichen Bedingungen abhängig,
und nur in der engen Grenze solchen historischen Rechts kann sich
das Eigentumsverlangen im Wirtschaftsleben betätigen. In gleicher
Weise wirken ethische und ästhetische, soziale und religiöse Motive
auf das tatsächliche Wollen ein. Aber so wie es nun schließlich
gewollt wird, steht es als Ziel für die wirtschaftliche Bewegung da.
Es gibt kein Wollen, das nicht der Naturmithilfe bedürfte, um sich
in wirksame Tat einzusetzen. Aus der Durchführung erwachsen
aber wieder neue Triebe, aus der Befriedigung neue Bedürfnisse und
unablässig modelt so die gewährende Natur den verlangenden
Menschen um.

Aus dem rein wirtschaftlichen Umkreis greift das umgestaltete Willensgefüge aber wieder in neue und neue Gebiete über, und regt so Wandlungen an im Politischen, Rechtlichen, Sozialen und Sittlichen. Jeder Niedergang des Wollens in irgend einem Gebiet der Volkskraft läßt so auch das wirtschaftliche Leben erlahmen, und jeder Aufschwung zu politischer Macht bringt bald auch volkswirtschaftliche Höhenbewegung; der Überschuß an Kraft, der aus dem Erfolge fließt, setzt sich in neues Wollen um, das der Naturbewegung weitere Ziele setzt. Von niederstem tierähnlichen Wollen, das nur die Frucht vom Baume verlangt, steigt so die Menschheit auf zur Entwicklung des Erwerbtriebs und weiterhin bis zu der Stufe, da alle Arbeit dem allgemeinen Fortschritt dienen will, alles Wollen somit auf letzte Werte zurückführt und der persönliche Erwerb zur bloßen Begleiterscheinung herabsinkt.

Auf jedem Punkte dieser menschlichen Entwicklung steht nun die Natur bereit, ihre Gaben mit dem Wollen zur Einheit werden zu lassen und so die wirtschaftlichen Güter hervorgehen zu lassen. Von der Frucht am nächsten Baum und dem Fisch im nächsten Gewässer, mit denen der Wilde seinen Hunger stillt, führt der Weg stetig weiter zu unserer Weltwirtschaft, in der die Teestaude in China, das Zuckerrohr in Cuba, die Silbererze in Nevada, die Porzellanstoffe in Sachsen, der Flachs in Irland und hundert andere Gaben der Natur sich entwickeln und loslösen müssen, damit uns ein aromatischer Trank am gedeckten Teetisch reizt. Das Feuer flammte auf und förderte die Menschenzwecke; der Ton formte sich in der Töpferei; Mais und Getreide wuchsen im durchhackten Felde; die Steine, später die Bronze und bald das Eisen fügten sich zu Waffen und Werkzeugen; und jeder Fortschritt schuf unbegrenzte neue Befriedigungen und neue Bedürfnisse. Und immer weiter und immer reicher wurde der Kreis der Güter, die zusammenströmten, um dem Menschen zu dienen und so ihrer Aufgabe gerecht zu werden, immer vielgestaltiger ihre Umwandlung, ihre Ausmodelung, vor allem ihre Ineinandergliederung. Aus dem hohlen Baum, der dem barbarischen Küstenfahrer genügte, wurde der Riesendampfer, der Tausende zugleich über den Ozean trägt; aus der Schleuder des Wilden die Kanone, aus seiner Lehmhütte der kuppelgewölbte Dom und das dreißigstöckige Geschäftshaus; aus seinem Schurzfell die heutige Tracht, bei der vielleicht die Wolle Europas,

die Baumwolle Amerikas, die Seide Asiens, die Diamanten Afrikas
sich zusammenfanden; aus seinem Höhlenfeuer das elektrische
Glühlicht, dessen Kraft aus meilenweit entferntem Wasserfall zu
uns strömt; aus seinem Merkzeichen in der Baumrinde wurde die
Zeitung, die dem Leserkreis von Hunderttausenden die Kabelnach-
richten des ganzen Erdkreises zuträgt. Aber immer bleibt es, einfach oder unendlich zusammengesetzt, ein Stück Natur, das
Menschenzwecke erreichen hilft.

Freilich die Ummodelung zum brauchbaren Werkzeug und das
Ineinanderschmelzen der Güter erreicht den Zweck der Natur noch
nicht. Was Bergbau und Landwirtschaft und Gewerbe zutage
fördern und ausgestalten, muß nun erst sich verteilen und durch
millionenfache Kanäle fließen, um dorthin zu gelangen, wo es den
Menschenwillen erreicht, den es befriedigen will. Da setzt nun der
Verkehr ein, der nahe und ferne, mit Tausch und Markt, mit Kauf
und Verkauf. Das ist nicht das sinnlose Hin- und Herschieben der
Naturatome, sondern ein sinnvolles Sichdurchdringen und wechselseitiges Plätzetauschen der Naturgüter. Das Geld ist eines unter
ihnen, aber seit bald fünftausend Jahren das beherrschende. Erst
durch den neutralen Austauschwert und die Aufbewahrungs-
fähigkeit des Geldes kann sich der Dienst der Natur für den wollenden Menschen ins Unbegrenzte steigern. Aber selbst wenn in der
entwickeltsten Geldwirtschaft der Milliardär einen Millionenscheck
unterzeichnet und das Stückchen Papier nun ausgetauscht werden
kann gegen Güter, mit denen ganze Volksstämme ihre Bedürfnisse
befriedigen könnten, so bleibt es doch immer noch ein Stück Natur;
nur hat es in fast zauberhafter Weise die Wirkungskräfte einer
unendlichen Naturvielheit in sich aufgenommen.

Das wirtschaftliche künstliche Wachstum der Natur zum
Menschenzweck hin verlangt zum ersten Freiwerden ihres Roh-
stoffs, zu ihrem gewerblichen Sichausmodeln und zu ihrem zielsicheren Sichverteilen eine so reiche und mannigfaltige Kraft, daß
sie nicht durch Verschmelzung mit einer einzelnen Menschenkraft
sich einstellt. Die Verschiedensten müssen ihr Tun in die Dinge
einfüllen, damit die Natur ihre Aufgabe erfüllen kann. So entsteht
die Arbeitsteilung in der Stofförderung, Stoffbearbeitung und Stoff-
verteilung von der frühesten Stufe bis zum neuzeitlichen Gewimmel
der Fabriken und des Händlertums, der Berufspaltung und der

Produktionsteilung. An dem Anzug, den wir tragen, hat zunächst
der Schafzüchter, der Spinner, der Weber, der Färber, der Händler,
der Schneider zusammengewirkt, aber ihre Tätigkeit führt sofort
ins Unendliche weiter; die Maschinen, die der Spinner und Weber
gebraucht, verlangten tausend Hände, ehe ihr Rohstoff gefördert
und geformt war, und der Händler bezog die Stoffe aus der Fabrik
auf Eisenbahnen, deren Schienen gelegt, deren Dampfkessel ge-
walzt sein wollten, und jedes setzte vielfältige Arbeitsteilung
voraus.

Nicht darauf kommt es hier an, noch einmal an die allbekann-
ten Wunder der Volkswirtschaft und Weltwirtschaft zu erinnern,
sondern immer nur darauf, den schlechthin wertvollen Sinn dieser
Bewegung herauszuarbeiten und über das nackte persönliche Eigen-
interesse zu erheben. Auf jeder Stufe und in jeder Form ist Inhalt
der Wirtschaft nicht der Volkskörper mit seinen Lust-Unlust-
Bedürfnissen, sondern die Natur mit ihren schlechthin gültigen Aufgaben, deren Erfüllung ein absoluter Wert ist. Aber ganz besonders
betont sei immer wieder, daß der Wert sich niemals an ein bestimmtes Ergebnis dieser wirtschaftlichen Naturentwicklung knüpft. Wir
wissen ja, daß ein Einzelnes überhaupt nie ein reiner Wert sein kann,
sondern daß der schlechthin gültige Wert immer auf einer Beziehung zwischen zwei identischen Beziehungspunkten beruht. Was
auch die Wirtschaft erreicht, als ein Fertiges, als ein Gegebenes,
als ein auf sich Beruhendes ist es, am absoluten Maßstab gemessen,
wertlos. Es mag Bedürfnisse befriedigen, aber damit doch nur
angenehm und nützlich, nicht schlechthin wertvoll sein. Wertvoll
ist nur die Entwicklung selbst, in der die Natur ihre Aufgabe erfüllt und somit Identität zwischen dem notwendig mitgedachten
Zielpunkt und dem wirklich Erreichten herstellt. Nur dieses Verhältnis, dieser Übergang, dieser Fortschritt ist das wahrhaft Wertvolle in der Wirtschaft. Das träge sorglose Wollen des Busch-
negers wird durch die Früchte und Jagdtiere gerade so gut befriedigt
wie unser Wollen durch die Weltwirtschaft des zwanzigsten Jahrhunderts; an dem Behagen gemessen ist eines nicht besser als das
andere, und als bloße Quelle des Behagens ist weder das eine noch
das andere wertvoll. Aber daß die Natur immer reicherem Wollen
gegenüber die Gewährende bleibt und ihre Schätze zielsicher fortwährend in Güter umarbeitet, die das neue Wollen zur Verwirk-

lichung und zur Befriedigung führen, das ist eine Tat vergleichbar
nur dem immer neuen Sichentfalten der Wissenschaft und Kunst
und Religion. Die Natur erfüllt, im Licht des Bewußtseins, ihre
eigenste Aufgabe: das ist der Sinn der Wirtschaft; und, nicht das
Ergebnis, wohl aber die freie Tat dieser Erfüllung ist ein unver-
gänglicher reiner Wert: die zielbewußte Selbstbetätigung der
Außenwelt.

B. Das Recht.

Die falschen Auffassungen des schlechthin gültigen Rechts.
Der Weg, der uns weiterführen muß, liegt klar vor unseren Blicken.
Wir sahen, daß Werte entstehen, wenn die Natur, die Gesellschaft
oder das Selbst sich so ausleben, daß die notwendig in sie hinein-
gedachte Aufgabe sich erfüllt; wir nannten dieses freie Übergehen
von der Absicht zum Ziel eine schlechthin wertvolle Entwicklung.
Dann aber fragten wir nach der schlechthin wertvollen Kulturleistung, die solche Entwicklung zielbewußt sichert und fördert.
Für die Natur fanden wir sie in der wirtschaftlichen Arbeit,
wir zögerten nicht, im recht verstandenen Sinn, die Wirtschaft so
neben Wissenschaft und Kunst den reinen Kulturwerten einzuordnen. Die nächste Wendung des Weges muß also dahin führen,
daß wir prüfen, wie es mit der zielbewußten Entwicklung der Gesellschaft steht.

Aber vielleicht läßt sich die Kulturleistung da gar nicht durch
einen einzigen Begriff kennzeichnen. Möglichkeiten, die Aufwärtsbewegung der Gesellschaft zu sichern und zu fördern, sind so
mannigfaltig und in sich so verschiedenartig, daß es gekünstelt sein
mag, sie in einer einfachen Formel wiederzugeben. Von der Erziehung, vom Unterricht, von der politischen Reform, und vielen
anderen müßte da die Rede sein. Und doch bleibt eines durchaus
das wesentlichste: das Recht. Das Recht und der Staat, so weit er
dem Recht dient, bieten die Leistung, die wir hier erwägen, so
zwecksicher und so rein, daß wir unbedingt dorthin vor allem die
Aufmerksamkeit zu wenden haben.

Wir behaupten also, daß uns im Recht ein neuer absoluter
Wert begegnet. Aber wir vergessen dabei nicht, daß solche Forderung hier vielleicht mehr von Mißverständnissen bedroht ist als in
irgend einem anderen Wertgebiet. Die historische Bedingtheit der

Rechtsanschauungen scheint so selbstverständlich, der willkürliche
gesetzgeberische Eingriff in die Rechtsgestaltung scheint so all-
täglich, und vor allem die altmodischen Ideen vom natürlichen,
ewigen, göttlichen, höheren Gesetz scheinen so gänzlich abgetan,
daß es geradezu leichtsinnig dünken muß, wenn heute noch für
einen schlechthin gültigen Rechtswert geworben wird.   Aber
blicken wir näher zu.   Haben wir wirklich keine Möglichkeit, trotz
alledem vom wechselnden Recht der Assyrier und Römer, der Is-
länder und Japaner zu dem einen ewigen unwandelbaren Recht vorzuschreiten?   Verschiedene Wege scheinen da zunächst offen zu
stehen.

Mannigfaltig wie die Sprachen der Völker sind ihre Rechtsvorschriften.   Aber gerade weil die Menschheit in stetigem Ringen
vom niederen zum höheren Rechtsleben vordringt, kann uns, so sagt
man, jedes historische Recht nur als der unsichere tastende Versuch gelten, das eine in den Sternen geschriebene ewige Recht der
Menschheit zum Ausdruck zu bringen.   So wie die wissenschaftlichen Theorien der Zeiten wechseln und doch jenseits der streitenden unvollkommenen Theorien die eine unabänderliche vollkommene Wahrheit thront, so ruht das schlechthin wertvolle Recht
hoch erhaben über den Gesetzestafeln des Hammurabi oder dem
Strafgesetzbuch, das moderne Parlamente beraten.   Nur die reine
Vernunft kann dieses ungeschriebene Gesetz erfassen; in der
historischen Wirklichkeit besagt die Verschiedenheit, daß es
nirgends rein ausgeprägt ist; nur jenseits der Rechte, also in einer
Ideenwelt, bleibt es verbürgt, was wahre Gerechtigkeit sei. Zu allen
Zeiten hat der platonisierende Idealismus solch überhistorisches
schlechthin wertvolles Recht gefordert.

Für uns aber steht das lange fest, daß die Werte, die wir
kritisch suchen, nicht etwa in einer, der Erfahrung verschlossenen,
geahnten Überwirklichkeit verborgen sind.   Auch die Wahrheit
war uns durchaus ja nicht ein fertiges jenseitiges Idealgebilde; in
den wirklichen wahren Urteilen ruht der Erkenntniswert, und die
Notwendigkeit, die unsere wahren Urteile im voraus beherrscht,
ruht im Grundwesen unseres eigenen, Identität suchenden Wollens.
Das gleiche galt für jeden Wert: in dieser Welt des Erlebnisses war
sein einzig möglicher Platz, und während seine Form im voraus durch
unser Wollen bestimmt ist, blieb es für uns sinnlos, die schlechthin

gültigen Werte in metaphysischen Gefilden zu suchen. Die Außenwelt, die Mitwelt, die Innenwelt kann uns befriedigen und kann uns
verletzen; nach Werten suchen, bedeutete zu prüfen, wann diese
Befriedigung überpersönlichen Sinn hat. Aber stets doch handelte
es sich um die Befriedigung an der erlebten Welt, und was in Über-
welten gilt, durfte niemals einen irreführenden Lichtschein auf
unsere Wege werfen. Mit besserem Recht noch als der Naturforscher durften wir behaupten, daß wir eine andere Welt als die
des Erlebnisses nicht kennen und jede Beziehung auf eine zweite
Welt den absoluten Sinn der Werte, die wir fanden, nicht etwa
gefestigt, sondern zunächst grundsätzlich aufgehoben hätte. Alles
das kann nun aber für den Rechtswert nicht anders sein; gibt es
überhaupt etwas schlechthin Wertvolles im Umkreis des Rechtes,
so muß es sich im historischen Rechtsleben aufweisen lassen. Selbst
das Ideal entnimmt, soweit es noch nicht erreicht ist, doch seinen
ganzen Sinn aus den möglichen Gestaltungen des gegebenen Gesell-
schaftslebens.

Wer so dem Diesseits des Rechtes zugewandt bleibt, mag dann
wohl versucht sein, das schlechthin Wertvolle aus dem Zufälligen
gewissermaßen herauszusieben. Was von Volk zu Volk wechselt,
muß vergänglich sein; wenn aber Gesetze sich finden lassen, die
überall wiederkehren, oder wenigstens hinter den ungleichen Gesetzen gleichbleibende Rechtsnormen, so wäre da ein Grundstock
allgemeingültigen Rechtes gegeben, der überragenden Wert beanspruchen kann. Freilich die Völkerkunde verhält sich da von vornherein zweifelnd. Die Rechtssatzung zeigt sich immer wieder so
vollkommen von den besonderen Gemeinschaftsformen bedingt,
daß an verschiedenen Orten und Zeiten nicht nur Verschiedenes,
sondern geradezu Entgegengesetztes als Recht galt.

Aber nehmen wir einmal an, daß irgend ein Gebot sich
überall, wo Menschen Recht und Unrecht scheiden, gleichartig
wiederfände. Vielleicht kommt dem am nächsten das: du sollst
nicht töten. Freilich hat jede Gemeinschaft auch wieder ihre Aus-
nahmen; weitverbreitet ist das Recht, die Schwachen oder die Alten
zu tödten, und uns ist es Recht, die Entarteten als Verbrechens-
sühne oder die Feinde im Krieg zu töten. Aber selbst, wenn es
ausnahmslos gälte, daß die Tötung des Menschen schlechthin ein
Unrecht sei, so müßten wir nun doch sorgsam ein Zweifaches unter-

scheiden. Einmal besagt es, daß die Tötung verabscheut wird; außerdem aber, daß der bestehende Abscheu mit gemeinsamen Zwangsmitteln den Gliedern der Gesellschaft aufgezwungen wird. Es fragt sich, ob es dieses Aufzwingen oder jenes Verabscheuen ist, das den Wert darstellen soll. Nun ist offenbar der bloße Widerwille gegen die mörderische Tat an sich überhaupt noch kein Recht. Solch Abscheu unterscheidet sich nicht von anderen Gefühlen, die sich im Gemeinschaftsleben entwickelt haben.

Gewiß mag es wertvoll sein, daß sich im Zusammenleben eine Abneigung gegen das Töten herausbildet, aber es bleibt doch als bloßer Abscheu immer nur ein gesellschaftlicher Entwicklungswert. Der Widerwille gegen die Tötung steht mit anderen, rechtlich ganz gleichgültigen, Neigungen und Abneigungen zunächst auf gleichem Boden. Man verabscheut die Tötung, wie man den Genuß verfaulter Nahrung verabscheut; es ist ein Trieb, der die Gemeinschaft schützen mag, der aber keine Spur eines Rechtswerts einschließt. Vielleicht mag auch ein sittlicher Wert sich beigesellen; es mag Gewissenssache für den einzelnen sein, unter keiner Bedingung zu töten. Aber der Sittlichkeitswert der Triebbeherrschung bleibt selbstverständlich wieder vom Wert des Rechts begrifflich gesondert. Selbst wenn das Recht sich gestaltet hat, und nun wieder als ein neuer sittlicher Wert die Gewissenspflicht einsetzt, schlechthin dem Recht zu gehorchen, so ist auch dieses kein Wert des Rechtes selbst. Für den Rechtswert bleibt dann aber nur in jenem zweiten Tatbestande Platz, der sich in dem rechtlichen Tötungsverbot zum bloßen Tötungsabscheu hinzugesellte: die Ordnung, welche den gesellschaftlichen Abscheu jedem einzelnen aufzwingt.

Sollte es aber wirklich sich so verhalten, daß der Rechtswert sich nur auf die gesellschaftliche Ordnung bezieht, welche die Wollungen der Gesamtheit dem einzelnen aufnötigt, so verliert offenbar das Tötungsverbot seine Sonderstellung. Wir hoben dieses Verbot ja nur deshalb hervor, weil es so häufig wiederkehrt und somit zu dem überall gültigen Grundstock rechtlicher Vorschriften gehört. Wenn der Rechtswert aber überhaupt nicht in dem Verbotsinhalt, sondern nur in der hinzutretenden Zwangsordnung liegt, so ist es ja für die Wertfrage ganz gleichgültig, ob ein häufig wiederkehrendes oder ein zufälliges und vereinzeltes Gebot betrachtet wird: die Zwangsordnung ist ja allen Gesetzen ohnehin gemeinsam, auch wenn

ihr Inhalt noch so gleichgültig und absonderlich sein mag. Der
Gedanke, daß der schlechthin gültige Wert des Rechtslebens darauf
beruht, daß gewisse Gebotsinhalte in jedem Recht wiederkehren,
bewegt sich somit in grundsätzlich falscher Richtung. Der Gebots-
inhalt mag einen Entwicklungswert darstellen und mag sich mit
sittlichen Werten verkoppeln, aber der Rechtswert muß vom Inhalt
gänzlich unabhängig sein.

Auch jene mögliche, durchaus nicht notwendige Verbindung
mit dem sittlichen Gewissen kann niemals den Rechtswert als
solchen begründen. Einen Rechtsinstinkt als innere Stimme gibt
es nicht und kann es nicht geben. Für die sittliche Entscheidung
fragen wir unser Gewissen, und kein anderer kann da für uns ein-
springen; im Rechtszweifel fragen wir den Rechtsanwalt, und es ist
nur zufällig, wenn wir selber Bescheid wissen. Aus dem freien sittlichen Wollen der Einzelnen setzt sich niemals eine rechtsartige
Ordnung zusammen. So wenig wie Staat und Recht je aus persönlichen Verträgen entstanden sind, so wenig können sie auf Betätigung der Sittlichkeit zurückgeführt werden. Die Sittlichkeit ist ein
schlechthin Innenweltliches, das Recht ist mitweltlich. Das Gemeinschaftsleben ideal sittlicher Persönlichkeiten würde ja sicherlich zu vielfach ähnlichen Ergebnissen führen wie das ideale Rechtsleben innerlich unsittlicher Menschen; nur würde dann im ersten
Falle das Recht fehlen, sowie im zweiten Falle die Sittlichkeit fehlt.
Sittlichkeit und Recht gehen vollkommen parallel, aber gerade deshalb können sie sich niemals berühren; die Sittlichkeit muß stets im
Gebiet der Persönlichkeit bleiben und das Recht im Gebiet der Gemeinschaft. Die Innenwelt der pflichtbewußten Persönlichkeit ist
aber niemals nur ein Bruchstückchen der Gemeinschaft und die
rechtserfüllte Gemeinschaft ist niemals nur eine Verbindung sittlicher Persönlichkeiten. Freilich werden wir bald erkennen, daß
zwischen den beiden Parallelen, wenn sie sich auch niemals berühren
können, es doch mannigfache Verbindungslinien gibt. Für die Erfassung des Rechts in seinen notwendigen Werten müssen wir aber
beim Rechte selbst bleiben und können nicht vom sittlichen Gewissen Hilfe holen.

So ist uns denn also der absolute Rechtswert zunächst nicht ein
Wert aus einer Übererfahrungswelt; er muß im wirklichen historischen Rechtsleben zu finden und dort allein zu begründen sein.

Der absolute Rechtswert ruht aber auch nicht in der Allgemeinheit der Anerkennung oder des Abscheus für gewisse Handlungsweisen; die Gebotinhalte weisen nur auf gesellschaftliche Entwicklungswerte hin, aber entbehren noch gänzlich der Rechtsnatur. Der absolute Rechtswert ist schließlich unabhängig von den Gewissensentscheidungen der Persönlichkeit; das Recht ist als solches nicht auf die Sittlichkeit gestützt. Und nach diesen ablehnenden Vorbetrachtungen können wir nun unbeirrt uns unserem Ziele zuwenden, und vor allem, wir sind dem Ziele längst näher gerückt.

Der wahre Sinn des schlechthin gültigen Rechts. Wir halten also daran fest, daß der Inhalt jeden Gebots oder Verbots zunächst nur Bekundung der Befriedigung oder Unbefriedigung an gewissen Handlungen ist und als solch Ausdruck des gemeinschaftlichen Wollens nicht Rechtswert, sondern nur Entwicklungswert beanspruchen kann. Wir haben ja ausführlich die Gesellschaftsentwicklung verfolgt. Wir sahen, daß der Gemeinschaft nur dann das Wollen des Einzelnen zuzurechnen war, wenn es sich wirklich auf die gemeinsame Welt bezog, und daß jeder Fortschritt den Übergang vom selbstischen zum gemeinschaftlichen und schließlich vom gemeinschaftlichen zum schlechthin allgemeingültigen, bewertenden Willensstandpunkt erheischte. So wächst die Familie, die Gemeinde, der Stamm, das Volk, in reiner Lebensentwicklung, wächst wie das Samenkorn in der Ackerfurche, und, fern noch von Recht und Gesetz, muß so in der Gemeinschaft ein gemeinschaftliches Wollen und Verlangen entstehen. Der einzelne will mehr und mehr das, was jeder andere im Verband in gleicher Weise wollen würde; aus selbstischer Zersplitterung entsteht die Einheit der Gemeinde, in der jedes einzelne Glied im Sinne der Gesamtheit Stellung nimmt. Nur wo solche Übergänge sich einstellen, konnten wir Fortschritt und Entwicklung erkennen.

Nun suchten wir nach derjenigen Kulturarbeit, die solche Entwicklung zielbewußt sichern und fördern würde. Und sofort sahen wir ein, daß es der Mittel viele geben muß. Hat sich in der Gemeinschaft etwa eine überpersönliche Auffassung der Dinge herausgebildet oder eine gemeinschaftliche Gefühlsanschauung der Welt, so wird künstlerische Erziehung und wissenschaftlicher Unterricht der Jugend einsetzen, um als zweckbewußte Kulturleistung die Gemeinschaftsentwicklung zu fördern. Die erzieherische Auf-

gabe wird aber weit über die Bildung der Jugend hinausgreifen.
Die ernste volkerhebende politische Arbeit, die Reformtätigkeit auf
jedem öffentlichen Gebiet, wird ja hier erst ihre Bedeutung gewinnen: das notwendig mitgewollte Zielstreben der Gemeinschaft wird
hier durch bewußte Kulturarbeit in der Richtung reiner Entwicklung gefördert.

Es muß nun aber gewisse Wollungen geben, die für die Entwicklung der Gemeinschaft von überragender Bedeutung sind:
jene Wollungen, welche das Gemeinschaftsleben selbst erst herstellen. Die Wollungen, durch welche die Beziehungen der Gemein-
schaftsglieder zueinander sich überhaupt erst gestalten, müssen
notwendig die Grundlage alles Gemeinschaftslebens bleiben. In
dem Aufbau dieser Wechselbeziehungen müssen sich weitgehende
Verschiedenheiten geltend machen; die verschiedene Höhe der erreichten Entwicklung muß das bedingen, und vor allem die ungleichen Lebensbedingungen. Damit die Gemeinschaft sich zur
Einheit zusammenschließen und in wechselseitiger Anpassung entfalten kann, werden sich etwa beim Händlervolk ganz andere
Schätzungen und ganz andere Abneigungen entwickeln als beim
Kriegervolk und wieder andere beim religiösen Volke. Die wirtschaftlichen Verhältnisse, die politischen Formen, die geographische
Lage, das Klima, die natürlichen Stammesanlagen, die gemeinsamen
Erinnerungen, alles kommt zusammen, um schließlich sehr ungleiche
Wechselbeziehungen wünschenswert und verabscheuenswert erscheinen zu lassen. Die Bewunderung für die Treue und den Gehorsam taugt besser für die eine Gemeinschaft, die Bewunderung
für die Selbständigkeit und den Fleiß taugt besser für die andere,
und wenn die eine Gemeinschaft das Leben heilig hält, um sich zu
schützen, mag sich die andere unter ihren ganz anderen Lebensbedingungen nur schützen können, wenn sie die Aussetzung der
Schwachen und die Tötung der Alten vorzieht. Bald wird so der
tiefste Abscheu sich gegen den wirtschaftlichen Betrug, bald gegen
die Feigheit wenden, bald gegen die Gottlosigkeit, bald gegen die
Tötung, bald gegen die Freiheitsberaubung, bald gegen den Un-
gehorsam.

Trotzdem aber erscheint es nicht minder selbstverständlich, daß
in gewissen Grundrichtungen die Freude und der Abscheu am
wechselseitigen Behandeln in allen Gemeinschaften etwas Überein-

stimmendes aufweist. Daß Stehlen, Rauben, Morden im Grunde überall verabscheut wird, besagt doch nur, daß die Gemeinschaftsentwicklung sich notwendig überall in dieser Richtung bewegte, weil ohne solche Gefühlsbetonung das Zusammenleben schließlich unter den wechselndsten Bedingungen gleichermaßen zersprengt worden wäre. So wie die Kost von Land zu Land wechselt, für den Eskimo die Nahrung des Tropennegers unbrauchbar wäre, und doch gewisse Grundverhältnisse der Nahrungsstoffe über den Erdkreis die gleichen sind und aus physiologischen Gründen die gleichen sein müssen, so muß auch im Gemeinschaftsleben ein gewisses Mindestmaß von Handlungsbewertungen überall sich gleichförmig ausbilden.

Das besagt nicht, daß zwischen diesem engeren Kreis der überall gleichgerichteten und dem weiteren Kreis der überall wechselnden Tatschätzungen ein sittlicher oder überhaupt ein grundsätzlicher Unterschied obwaltet. Es ist der Unterschied zwischen zufälligen wirtschaftlich, politisch, religiös, klimatisch bedingten Zuständen und jenen Grundverhältnissen der Gemeinschaft, die für jedes Gemeinschaftsleben notwendig sind; notwendig, weil überall nur die Frauen die Kinder bekommen, überall die Männer kampfrüstiger sind, überall die persönliche Begabung für verschiedene Leistungen verschieden ist, überall Fleiß und Faulheit, Überblick und Beschränktheit, Kraft und Schwäche sich gegenübertreten, überall das Übereinkommen stärker macht als der Streit. Entscheidend ist für uns also, daß sich ein reich entwickeltes Bewerten der wechselseitigen Behandlung in jeder Gemeinschaft entfaltet, ohne daß in diesem Gemeinschaftswillen ein Rechtselement verborgen ist. Daß Rauben, Morden und Stehlen jedem einzelnen Glied der Gruppe abscheulich wird, gehört zum außerrechtlichen Fortschritt.

Aber das steht fest: es ist wirklich ein Fortschritt. Gegenüber dem selbstischen Verlangen nach bloßer Triebbefriedigung, ein Verlangen, das sich in Stehlen und Rauben umsetzt, ist der Übergang zum Verabscheuen der fremden Schädigung ein Fortschritt zu überpersönlicher Stellungnahme — ein Schritt vorwärts auf dem Wege zur schlechthin gültigen Bewertung. Von hier aus ergibt sich nun aber unmittelbar die Antwort auf unsere grundsätzliche Frage, wie dieser Fortschritt und diese Entwicklung zielbewußt gesichert werden können. Nur eines ist nötig: die Gemeinschaft muß es er-

zwingen, daß ihr gemeinschaftliches Wollen auch wirklich sich in
Handlungen betätigt und nicht durch Rückfälle der Einzelnen in
den selbstischen untergemeinschaftlichen Willenstypus durchkreuzt
wird. Soll die Entwicklung der Gruppe anhalten und der Fortschritt nicht wieder durch Gegenbewegung verloren gehen, so muß
die Gesamtheit Sorge tragen, daß ihr tatsächliches Wollen für alle
wechselseitigen Beziehungen von jedem einzelnen Gliede mitgewollt wird. Ob die Tötung der Altersschwachen wirklich von der
Gemeinschaft verabscheut wird, hängt von den besonderen Lebens-
verhältnissen ab; hat der Fortschritt aber einmal diese Gefühlslage herbeigeführt, so darf die Gemeinschaft nicht dulden, daß die
Gesamtheit durch den Eigenwillen der Einzelnen herabsinkt: sie
muß es erzwingen, daß jeder mit der Gesamtheit will und somit in
der Gruppe wirklich das geschieht, was die Gruppe will.

Solche Zwangsmittel liegen bereits überall in der Sitte vor; mit
ihr setzt die Sicherung des Gemeinschaftswillens ein und ihre Macht
dauert fort, teils unterstützend, teils und vor allem ergänzend für
das Unwichtige und Zufällige, wenn bereits energischere Zwangsmittel in Kraft treten. Dahin gehört auch die religiöse Bekräftigung.
Der Gesamtwille wird durch Gebot und Verbot der Gottheit geschützt. Aber die Wirksamkeit dieses in vielfacher Beziehung
stärksten Zwangsmittel verlangt noch vollkommen den naiven
Glauben im Gegensatz zur zielbewußten Leistung. Wohl mag der
Priester oder der Herrscher das religiöse Machtmittel mit Bewußtsein für die Gemeinschaftszwecke ausnützen, aber die Wirkung wäre
verflüchtigt, sobald die Gesamtheit das göttliche Verbot als menschliches Hilfsmittel des Gruppenschutzes auffassen würde. Zu wirklich zielbewußter Tat wird dieser Schutz erst im Rechte.

Recht ist uns also die Ordnung, durch welche die Verwirklichung des Gemeinschaftswillens, im Wechselverkehr der Gemein-
schaftsglieder, zielbewußt durch Zwangsmittel gesichert wird.
Nur diese Ordnung, diese Sicherung, diese Gewißheit der Verwirklichung bildet den schlechthin gültigen Rechtswert; was den tatsächlichen Gemeinschaftswillen inhaltlich ausmacht, hat dagegen
mit dem Wert des Rechtes nichts zu tun. Ob der Gruppenwille
hochentwickelt ist oder noch auf niederer Stufe steht, ob er grundsätzlich wichtigen Inhalt umfaßt oder gleichgültigen, durch zufällige Umstände bedingten, ob er mit den letzten Forderungen der

Sittlichkeit übereinstimmt oder nicht: das alles hat auf den Rechtswert keinen Einfluß. Darauf allein kommt es an, ob das tatsächlich
Gewollte durch Zwangsmittel zielbewußt gesichert wird. Der Rechtswert kann daher zu reicher Entfaltung kommen, wo die Rechts-
inhalte eine niedere Entwicklungsstufe des Gemeinschaftswillens
bekunden, und umgekehrt mag das Bewerten und Verabscheuen
menschlicher Handlungen eine hohe Stufe erreicht haben und doch
der Rechtswert kümmerlich entwickelt sein.

Der Wert der Rechtsordnung. Schlechthin wertvoll im Recht
ist also nicht der Rechtsinhalt, sondern die Rechtsordnung, durch
welche die Verwirklichung des gemeinschaftlich Gewollten von
jedem Gliede der Gemeinschaft erzwungen wird. Sobald dieser
Standpunkt erreicht ist, leuchtet das aber sofort ein, daß diese
Rechtsordnung ein außerordentlich zusammengesetztes Gefüge ist,
das nicht etwa nur aus Gesetzen besteht. Blicken wir auf die entwickelte Form des modernen Kulturstaats, so müssen wir als
Rechtsordnung die gesamte Organisation anerkennen, durch welche
der Wille des Volkes sich in einen Zwang für den einzelnen umsetzt.
Dazu gehört die Staatsverfassung, welche die Gesetzgeber, das
Staatsoberhaupt und die Volksvertretung mit Macht ausstattet,
die Gesetze, die erlassen werden, die öffentlichen Ankläger, die
Gerichte, bei denen jeder Geschädigte Untersuchung und Richterspruch fordern kann, die Strafmittel der Gefängnisse, und vieles
mehr. Der Staat selbst, wenigstens soweit seine wichtigste Aufgabe
in Betracht kommt, ist somit ein Teil der Rechtsordnung.

Verhält es sich aber so, dann wissen wir auch, was im Rechtsleben wertwidrig sein muß. Wertwidrig ist nicht das Unrecht,
sondern die Rechtlosigkeit. Wertwidrig sind alle Wege, auf denen
der Gemeinschaftswille gefälscht wird, die gesetzgebenden Körper-
schaften etwa durch das Auswahlverfahren nicht den Volkswillen
darstellen oder die Gesetzgeber selbst nicht nach bester Überzeugung das Gesamtwollen in den Gesetzen zum Ausdruck bringen;
wertwidrig sind Gesetze, welche dem Volkswillen widersprechen und
Ankläger, die den Vorurteilen einzelner Gruppen folgen; wertwidrig sind ungerechte Richter oder zwecklose Strafen oder will-
kürliches parteiisches Prozeßverfahren. Ein Gesetz, das den
Volkswillen getreu wiedergibt und unparteiisch und streng durchgeführt wird, mag töricht sein, weil die betreffende Rechtsgemein-

schaft über den besonderen Punkt törichte Anschauungen hat, aber das Gesetz kann niemals dadurch an schlechthin gültigem Rechtswert einbüßen.

Das Wesentliche dieses Zwangsschutzes ist nun aber auch da gegeben, wo diese vielfältige Zerspaltung der Arbeit noch nicht durchgeführt ist. Noch mag es keine geschriebenen Gesetze geben, sondern nur Gewohnheitsrecht und keine Gesetzgeber, sondern Richter, die nach eigenem Ermessen im Streit entscheiden und den Schuldigen strafen, oder Könige, die solche Richter sind. Durch alles das wird aber nichts geändert. Der Richter und der König vermögen ihr Amt nur dadurch auszuüben, daß sie vom Willen der beherrschten Gesamtheit getragen werden und so im voraus ihr persönlicher Urteilsspruch als Ausdruck des Gesamtwollens gutgeheißen wurde. Gleichviel wie die Zwangsgewalt sich sozial organisiert hat, so lange sie die Verwirklichung des Gemeinschaftswillens durchsetzt, setzt sie eine rechtlich wertvolle Ordnung. Auch wo ein scheinbar selbstherrlicher Wille der Gemeinschaft übergeordnet ist, bleibt seine Macht doch Willensergebnis der Gesamtheit und durch lebendige Rechtschöpfung seines unverantwortlichen Willens setzt die Gemeinschaft sich selbst eine Rechtsordnung, die ihre Willensentwicklung sichert.

Was so für die staatlich geordnete Gesellschaft gilt, wiederholt sich grundsätzlich gleichartig in jeder Gruppe, die sich selbst Gesetze gibt oder Gewohnheitsrechte anerkennt. Es mag ein enger Klub sein, dessen Satzungen die Mitglieder bindet, es mag die weite Gemeinschaft der Kulturvölker sein, deren völkerrechtliches Übereinkommen den gemeinsamen Willen jedem einzelnen Gliede aufzwingt. Dabei können sich die verschiedensten Gruppen durchdringen: die kirchliche Gemeinschaft etwa ihr Recht neben der staatlichen entwickeln. Immer aber wird das begrifflich formulierte Gesetz nur ein Ausschnitt aus der wertvollen Rechtsordnung bleiben. Zunächst hat das lebendige Rechtsbewußtsein, das sich auf die Einzelhandlungen bezieht, in den begrifflichen allgemeinen Formeln schon ein Stück seiner Willenswirklichkeit eingebüßt und verlangt so zur Ergänzung den auf den Einzelfall bezogenen Richterspruch. Überdies aber kann Gesetz und Richterspruch der Rechtsaufgabe nur dann gerecht werden, wenn es nach der einen Seite mit den gesetzgebenden Staatsgebilden, nach der anderen

Seite mit den Machtmitteln der Gemeinschaft organisch verbunden ist. So wie das Gehirn nutzlos wäre, wenn es nicht mit den Sinnesorganen einerseits, mit den Muskeln andererseits in genauester Verbindung stände, so muß auch das Gesetz nur als das Mittelstück eines viel umfassenderen Apparates im Volkskörper aufgefaßt werden. Das Gesetz hat Wert nur als Teil der gesamten staatlichen Ordnung, die von der Verfassung durch die Gesetzgebung zu den Gesetzen hinführt und von dort durch die Gerichte zu den erzwungenen Einzelhandlungen und Sühnungen weiterführt. Vom Willen der Gesamtheit geht die Rechtsordnung aus und zum Handeln der Gesamtheit führt sie hin. Der Staat aber bleibt da allen übrigen Gruppen von vornherein überlegen, weil, etwa ein Klub, eine Genossenschaft, eine Partei, eine Gemeinde, eine Sekte, ihre Macht an die Machtmittel des Staates anlehnt und ihre Ordnung so doch schließlich aus der Staatsordnung ableitet.

Wenn so der Wert durchaus der Rechtsordnung, also dem objektiven Recht, und hier wiederum nicht dem Rechtsinhalt, sondern der zwangsmäßigen Sicherung des Willens zukommt, so ist das persönliche Rechttun des Einzelnen überhaupt kein absoluter Rechtswert, das Unrecht keine Wertwidrigkeit. Die subjektive Rechtgemäßheit mag sittlich wertvoll sein — das kümmert uns hier noch nicht; das straffordernde Unrecht des Einzelnen wäre dann sittlich wertwidrig. Der Gesetzesinhalt andererseits mag, wie wir sahen, den reinen Wert der Gesellschaftsentwicklung darstellen; und wertwidrig in diesem Sinne wäre dann ein Gesetz, das gesellschaftlichen Rückschritt bedeutet, ein Gesetz, das den Stempel der selbstischen Gesinnung trägt. Aber Rechtswert kommt weder jenem sittlichen Wert noch dem gesellschaftlichen Entwicklungswert zu. Im rechtlichen Sinne absolut Wertwidriges kann daher nur die Gesellschaft nicht der Einzelne tun, wobei der einzelne Gesetzgeber oder der einzelne Richter als Teil der Gesellschaft zu gelten hat. Der einzelne Verbrecher dagegen mag wohl die absoluten Werte durch seine Unsittlichkeit durchbrechen, durch seine Unrechtlichkeit aber kann er im absoluten Sinne nichts Wertwidriges vollbringen. Will er das Gesetz nicht erfüllen, sondern lieber die Strafe leiden, so ist das eine rein praktische Entscheidung, die in den Umkreis der persönlichen Lust- und Unlustbeziehungen fällt. Die verbrecherische Tat, Morden, Rauben, Stehlen, Be-

trügen, Ehebrechen ist keine Aufhebung des absoluten Rechtswerts; selbstische Gesetzgebung, Rechtsbeugung des Richters,
parteiischer Strafvollzug, Willkürlichkeit der Verfolgung, ver-
knöcherte Rechtsvorschriften, die den Gesamtwillen nicht mehr zum
Ausdruck bringen, kurz Rechtsunsicherheit und Rechtlosigkeit
allein können den absoluten Rechtswert zerstören.

Aber dürfen wir nun wirklich den absoluten Rechtswert, den
wir sowohl dem Rechtsinhalt der Gesetze wie der Rechtgemäßheit
der Handlung absprechen, dürfen wir ihn wirklich der gesellschaftlichen Rechtsordnung zuschreiben? Ließe sich die Aufgabe, die sie
löst, nicht schließlich auch als eine relative erweisen? Aber hier darf
nun kein falsches Zugeständnis die Lage verwirren. Daß hier dieses
und dort jenes Gesetz ist, darf niemals den täuschenden Glauben
erwecken, daß es überhaupt keinen schlechthin gültigen Rechtswert gibt: der absolute Wert der Rechtsordnung ist über jeden
Relativismus und Skeptizismus erhaben.

Eines allein forderten wir vom schlechthin gültigen Werte:
die Identität der Erfahrungen, so daß der im Ausgangserlebnis notwendig wirkende Wille zum Selbstsein durch das neue Erlebnis vollkommen befriedigt wird. In den Auffassungswerten von Kunst und
Wissenschaft verlangte die Selbstbehauptung des Gegebenen nur
die Identität zwischen Teilen einer bereits fertigen Welt; in den
Entwicklungs- und Leistungswerten mußte das Identische erst
durch freie Tat geschaffen werden: der Same muß erst auswachsen,
um die Frucht zu bringen, aber in der Frucht muß Sinn und Absicht des Samens erhalten bleiben. Will die Gemeinschaft sich in ihrem
Selbst behaupten, so ist es die einzige schlechthin unerläßliche
Forderung, daß ihre Tat identisch ist mit ihrem Wollen; wenn das
Gemeinschaftswollen umgebogen wird, ehe es sich verwirklicht, so
ist der Sinn des Gemeinschaftslebens überhaupt zerstört. Niemand
kann das Mitwelterlebnis der Gemeinschaft wirklich innerlich auffassen, ohne nicht notwendig und in schlechthin überpersönlicher
Weise mit ihr mitzuwollen und es in sie hineinzuwollen, daß ihr
Handeln zum Ausdruck ihres Wollens wird.

Der Übergang vom Gemeinschaftswollen zur identischen Ge-
meinschaftshandlung ist daher die Befriedigung eines schlechthin
überpersönlichen Verlangens, und somit ein reiner absoluter Wert.
Wo die Gemeinschaft eine Entwicklungsstufe erreicht, auf der sie

das Morden verabscheut, darf es in ihrem Umkreis kein Morden
geben, wenn sie sich nicht selber aufheben soll. Die Sicherung des
mordfreien Zusammenlebens durch Androhung von Strafen für den
Mörder, und durch gerechte Verfolgung, Rechtsprechung und Be-
strafung nach erfolgtem Mord, ist daher eine zielbewußte Leistung
der Gesellschaft, durch welche ihr eigenes Grundwollen sich verwirklicht. Die Gemeinschaft würde zum zufälligen Nur-Erlebnis
ohne eigenen Sinn, ohne eigenes Ziel, ohne eigene Wertbedeutung,
wenn die Forderung nach Identität zwischen ihrem Wollen und
ihrem Handeln nur eine historisch auftauchende zufällige wäre.
Es ist die eine Forderung, die ihr den Sinn des unabhängigen be-
deutungsvollen Selbstseins gibt, und ihre Erfüllung durch die Rechtsordnung bleibt daher ewig wertvoll, auch wenn die Welt, das heißt
die Welt der nur persönlichen Wünsche darüber zugrunde geht.

C. Die Sittlichkeit.

Der vorsittliche Standpunkt. Unbegrenzt ist die Fülle der Probleme, die das sittliche Leben dem Nachdenken des Philosophen
bietet; während die Menschen stets weitgehend einig darin waren,
wie sie als sittliche Persönlichkeiten handeln sollten, blieben sie
uneinig, so heute wie je zuvor, in bezug auf Sinn und Bedeutung der
Sittlichkeit. Wieder werden wir unsere eine besondere Frage um so
einfacher beantworten können, je reiner wir sie aus solchem Fragen-
gewirr herausarbeiten und alle Nebenfragen loslösen, um sie unberührt zu lassen. Aber wenn so nichts uns ferner liegt, als etwa das
Gesamtgebiet der Ethik zu durchstreifen, so dürfen wir uns darüber
doch nicht täuschen, daß unsere einzige Frage uns sofort in die Mitte
des Gebiets trägt, dorthin, wo alle Wege zusammen treffen. Denn
unerläßlich muß ja für uns die eine Überlegung sein: gibt es im sittlichen Leben ein schlechthin Wertvolles? Und erkennen wir einen
absoluten Sittlichkeitswert an, so müssen wir prüfen, ob wir ihn
wirklich an dieser Stelle in das Wertsystem einordnen dürfen.
Nachdem wir in der Wirtschaft die zielbewußte Entwicklung der
Außenwelt, im Recht die zielbewußte Entwicklung der Mitwelt
fanden, kann es sich an dieser Stelle ja nur um die zielbewußte Entwicklung der Innenwelt handeln; also um diejenige Leistung, für
welche die Selbstbetätigung der Persönlichkeit bewußte Aufgabe
ist. Liegt wirklich hier der Wert des Sittlichen und nicht in der sitt-

lichen Aufgabe, die erfüllt wird, nicht in dem Erfolg, der durch die sittliche Tat erreicht wird?

Aber die Verhältnisse liegen jetzt schon geklärt vor uns, da sie im letzten Grunde die gleichen sind wie die, welche den Rechtswert umgaben. Mit überraschender Genauigkeit entsprechen die Rechtsbeziehungen den Sittlichkeitsbeziehungen; und jede Lösung, die wir dort fanden, wird auch hier zutreffen. Das bedeutet freilich nicht etwa, daß die Sittlichkeit sich an den Rechtswert anlehnt. Im Gegenteil, auch wenn wir das Rechtsprinzip im weitesten Sinne fassen, so daß alle gesellschaftlichen Zwangsmittel umfaßt werden, selbst die der Sitte und der Kirche, so bleibt die Sittlichkeit doch von alledem unabhängig. Aber in genau gleicher Weise betonten wir ja, daß alles Recht begrifflich aufs schärfste von der Sittlichkeit getrennt bleiben muß und von ihr unabhängig ist. Das Recht, sagten wir, ist niemals erzwungene Sittlichkeit, denn die Sittlichkeit gehört in den Umkreis der einzelnen Persönlichkeit und alles Recht ist Leistung der Gemeinschaft, und zwar wirklich der Gemeinschaft als Einheit, nicht etwa als Bündel vereinzelter Persönlichkeiten. Daß die Gesetzesforderungen dem sittlichen Willen gemäß sind, hat nichts mit dem rechtlichen Wert zu tun, und daß es sittlich ist, sich dem Gesetz unterzuordnen, ist ebenfalls kein Rechtswert. Das Recht mit seinen Eigenwerten würde unverändert sein, wenn es keine Sittlichkeit geben würde: die Gemeinschaft könnte die Verwirklichung ihres Wollens durch Zwangsmittel sichern, auch wenn kein Einzelner sich durch sittliche Pflichten gebunden fühlte. In gleicher Weise ist nun also die Sittlichkeit vom Recht und jedem anderen gesellschaftlichen Zwange frei. Sitte und Recht, Kirche und Staat, mögen von außen her mit ihren Machtmitteln das Gewissen bedrängen; aber die sittliche Tat selbst fängt da erst an, wo jene Einflüsse aufhören. Das Sittliche ist durchaus ein Geschehen der Innenwelt.

Auch im Sittlichen können wir zunächst von den Alltagserfahrungen ausgehen, um den reinen Wert zu gewinnen. Ein Ding in fremdem Besitze reizt uns, aber wir verabscheuen das Stehlen und überwinden schließlich das Verlangen, der Stimme des Gewissens gemäß. Wenn der Diebstahl doch noch zu sehr an Recht und Gesetz erinnert, mögen wir an Handlungen denken, die kein Richter bestraft. Durch eine Lüge können wir uns gegen Schaden schützen, aber wir verachten die Lüge und wieder folgen wir dem Gewissen, erdulden das Leid, um bei der Wahrheit zu bleiben. Oder, wenn nicht das Unterdrücken der gewissenlosen Handlung, sondern die Durchsetzung der pflichtgemäßen Tat in Frage kommt: wir sehen den Fremden im brennenden Hause, wir fürchten die Gefahr, aber wir fühlen, daß die rettende Tat unsere Pflicht sei und ohne Zaudern dringen wir durch die Flammen vor, wie das Gewissen es gebietet.

Im Umkreis des Rechtes trennten wir jedesmal den gefühlsbetonten Rechtsinhalt von der Erzwingung des Gewollten durch die Rechtsordnung; nur in der letzteren fanden wir den Rechtswert. So können wir nun auch in diesen Erfahrungen, die unzweifelhaft zum sittlichen Leben gehören, den gefühlsbetonten Inhalt scharf trennen von seiner Erzwingung durch das Gewissen. Inhalt ist der verabscheute Diebstahl, die verachtete Lüge, die hochgeschätzte Hilfetat, und, genau wie beim Recht, fragt es sich wieder, was denn nun eigentlich wertvoll sei: die Gefühlsbetonung dieser Inhalte oder die Erzwingung ihrer Ausführung durch das Gewissen. Die erste Möglichkeit wäre die nächstliegende und bequemste Lösung. Die Unlust am Diebstahl ist so stark, könnten wir sagen, daß sie die Lust am Besitz überwiegt; die Lust an der rettenden Tat ist so lebhaft, daß sie die Unlust an der Gefahr verdrängt, und schlechthin wertvoll an diesem Zustand ist nun, daß sich die überwältigende Lust gerade auf die wertvolle Rettung des Mitmenschen, die Unlust auf seine wertwidrige Eigentumsschädigung bezog. Der Wert der sittlichen Handlung würde somit aus Lust und Unlust an gewissen Erfolgen abzuleiten sein: es ist sittlich wertvoll, fremdes Leben, fremdes Glück und fremde Wohlfahrt zu bevorzugen.

Für uns kommt es nun zunächst gar nicht darauf an, welche besondere Schattierung solche Erfolgsmoral annimmt. Es mag die trivialste Glückseligkeitsmoral sein, es mag die ernstere Lehre der ethischen Kultur sein, die nicht das Glück, sondern die Wirksamkeit und gesunde Entwicklung bevorzugt sehen will. Vielleicht sinkt sie gar zum nackten Egoismus herab und fordert das fremde Glück nur, weil es schließlich das eigene Wohlergehen gewährleistet. Oder sie mag sich zu ihrem höchsten Punkt erheben und die Tat verlangen, weil ihre allgemeine Nachahmung den Lebensforderungen der Gesellschaft entspricht. Wir fragen auch nicht, warum das fremde

Glück den Vorrang haben soll vor dem eigenen. Wir wollen nicht einmal prüfen, warum denn die Herbeiführung von Glück und Gesellschaftswohlfahrt durch unsere sittliche Handlung wertvoller sein soll als wenn der gleiche Erfolg durch zufällige Vorgänge geschaffen wird. Nicht gar selten nämlich wird dieses Glücksziel sicherlich durch „unsittliche" Handlungen schneller erreicht. Wir lassen hier alles beiseite, was uns vom Ziele abführen kann; für uns kommt es nur auf einen Punkt an: haben wir wirklich ein Recht, sittlichen Wert darin zu suchen, daß der Mensch gewisse Handlungsweisen bevorzugt und andere verabscheut?

Da kann es nun aber für uns keinen Zweifel mehr geben, denn gerade diese Gefühlsbetonung gewisser Handlungsweisen erkannten wir längst bereits als Entwicklungswert der Persönlichkeit, als Ergebnis des Fortschritts vom selbstischen Trieb zum reinen bewertenden Wollen. Daß der einzelne die Lüge und den Diebstahl und die Feigheit verabscheut, das alles fanden wir bereits im Umkreis der Entwicklungswerte, ehe von irgend einem Verdienst die Rede sein konnte und somit ehe die Handlung den Charakter der Sittlichkeit annimmt. Was da einsetzt, ehe die Sittlichkeit in Frage kommt, mag wohl Vorbedingung für das sittliche Leben sein, aber kann nicht seinen eigentlichen Sinn und Wert ausmachen. So aber verhält es sich in der Tat: Vorbedingung für das Sittliche ist das Bewerten von fremdem Glück und Wohlfahrt und Gesellschaftsleben und vielem andern, aber diese Bewertung entbehrt noch völlig des eigentlichen Sittlichkeitswertes, sowie der bloße Abscheu vor Raub und Mord noch keinen Rechtswert schafft. Jede Erfolgsethik bleibt so notwendig auf dem Standpunkt des Vorsittlichen stehen. Wer zu Lüge und Diebstahl und Hilfeleistung überhaupt keine bewertende Stellungnahme besitzt, ist unfähig, moralisch zu handeln; er ist aber nicht unmoralisch, sondern amoralisch: es fehlen die Vorbedingungen für die Möglichkeit des sittlichen Geschehens, aber dieses selbst ist doch eben ein Neues, das zu jener bewertenden Stellungnahme hinzutreten muß.

Soll das innere Leben ein Entwicklungsgang sein, so führt es notwendig von dem kurzsichtigen selbstischen Augenblicksbegehren aufwärts zur reinen bewertenden Auffassung der Welt. Wir haben diesen Fortgang des Selbst Schritt für Schritt verfolgt. Wir sahen, wie die Innenwelt sich nur dann verwirklichen kann, wenn das einzelne Wollen mehr und mehr in Übereinstimmung mit dem ganzen Willensgefüge des Selbst tritt. Diese erfahrungsmäßige innere Willenseinheit führt dann aber weiterhin zum Ideal der höheren Einheit, in der nicht nur die erfahrungsmäßigen Wollungen übereinstimmen, sondern alle beherrscht werden von jenem letzten inneren Grundwillen, der da fordert, daß die Welt kein Traum, kein Nur-Erlebnis ist, sondern eigenen Sinn und selbständige Bedeutung besitze. Nichts anderes aber war die Forderung von reinen Werten, und so nähert im natürlichen Entwicklungsgang das Selbst, das sich entfalten will, sich stetig dem reinen Bewerten. Da liegt kein äußerer Zwang vor und keine Rücksicht auf die gesellschaftliche Mitwelt; es ist schlechthin Entwicklung der Innenwelt, freie Selbstentfaltung, die vom selbstischen. Verlangen zum Bewerten alles dessen führt, das der Welt Sinn gibt und schlechthin gültigen Wert darstellt.

Auf welcher Stufe dieser Entwicklungsreihe der einzelne steht, hängt zunächst von dem geschichtlichen Fortschritt seiner Gemeinschaft ab; auch der armseligste Bürger eines modernen Staates steht der reinen Bewertung der Welt näher als das hochherzigste Glied eines Barbarenstammes. Und innerhalb jeder Gemeinschaft wieder kann der einzelne seinen Genossen weit voranschreiten oder zurückstehen. Trotzdem wissen wir, daß von alledem die sittliche Leistung und die sittliche Höhe nicht abhängt. Wollten wir den Entwicklungswert selbst schon zum Sittlichkeitswert erheben, so hätten Verantwortlichkeit und Verdienst, Gewissen und Pflicht ihren eigentlichen Sinn eingebüßt und statt zum Sollen vorzudringen, blieben wir im Bewerten stehen. Gewiß, wer reine Werte will, statt den persönlichen Augenblickszielen zu folgen, ist der höherstehende Mensch. Wer die Wissenschaft sucht statt der widersprechenden Eindrücke, die Kunst statt des Sinnenkitzels, das Glück der Menschen statt des eigenen Vorteils, den Fortschritt statt des Verfalls, das Recht statt der Willkür, Religion statt Aberglaubens, kurz wer eine Welt des Sinnes sucht statt beim Widersinn des Erlebnisses zu verharren, der steht dem Ziel des Menschentums näher. Überragt er seine Genossen, so muß unsere Bewunderung seiner Seele huldigen.

Aber wir erfreuen uns an solcher reinen bewertenden Seele wie an einer schöpferischen Begabung oder einem weitschauenden Geist;

es ist etwas Hohes und Schönes, das die edelsten Zwecke fördert, aber etwas, das ohne Verdienst geworden und gewachsen ist. Das reine Wollen seiner Seele ist in nicht höherem Maße seine eigene Tat als etwa sein künstlerisches Talent oder sein staatsmännisches Genie oder seine optimistische Gemütsverfassung. Wir mögen die Entwicklung solcher großen, schönen, reinen Seele bewerten in ihrem Aufflug zu den Menschheitshöhen, aber sittliche Verehrung ist es nicht, die sich in uns regt. Und wer unentwickelt auf tiefer Bewertungsstufe steht, der mag unser Mitleid erwecken, aber er wird deshalb allein durchaus nicht unsere sittliche Verachtung herausfordern. Es muß eine ganz andere Betrachtungsweise einsetzen, um den eigentlichen Sittlichkeitswert zu erkennen; die Inhaltsethik kann uns da niemals bis zum Ziele führen: sie bleibt in jeder Form grundsätzlich auf einem vorsittlichen Standpunkt stehen.

Die Handlung als Wert. Um den wesentlichen Punkt klarzustellen, müssen wir aber zunächst noch ein anderes erwägen. Der Aufbau und die Zerstörung von Werten ist durch unser eigenes Handeln beeinflußt. Gewiß finden wir fortwährend um uns Wertvolles und Wertwidriges, das unserem Tun entzogen ist, aber immer wieder bringt uns das Leben in solche Lagen, in denen es von uns selbst abhängt, ob ein Wertvolles verwirklicht oder vernichtet wird. In solchem Falle ist dann unser Handeln selbst ein Teil der Wertgestaltung. Wir wollen unsere Handlung in solcher Lebenslage also nicht deshalb, weil sie zu einem Werte hinführt, selbst aber außerhalb des Wertes liegt; wir wollen sie vielmehr, weil sie selbst ein Teil des Wertes ist. An sich ist jede Handlung gleichgültig; als Muskeltätigkeit hat sie keinen Wert. Aber wenn sie in ein Geschehen der Außenwelt oder der Mitwelt oder der Innenwelt so eingreift, daß sie ein Wertverhältnis vollendet, so wird die Handlung selbst ein Teil des Wertes. Sie tritt in die Gesamtlage ein wie eine harmonische Farbe in das Bild, wie ein Ton in die Melodie. Das schlechthin gültige Wollen des Wertes wird in solchem Falle ein schlechthin gültiges Wollen einer bestimmten Handlungsweise, weil diese Handlungsweise selbst erst das gegebene Stück Welt zum Wert erhebt.

Eile ich in das brennende Haus, den Unbekannten aus den Flammen zu retten, so ist mein eigenes Handeln die Voraussetzung dafür, daß sich da überhaupt ein Wert entfaltet. Durch mein Zueilen bekunde ich erst, daß ich auch das mir zunächst gleichgültige und mir fremde Menschenleben als solches würdige, und durch solche Stellungnahme wird die Gemeinschaft zum Wert erhoben. Ist der Gefährdete dagegen ein Freund, den ich um seiner selbst willen rette, so ist natürlich von dieser schlechthin gültigen Bewertung bei meiner Tat keine Rede. Jetzt will ich den Freund und es ist gleichgültig, wer und was ihn rettet; kann ich selbst die rettende Tat vollbringen, so bleibt sie doch nur Mittel zum Zweck; die Handlung wird gewollt, weil ich für mich die Freude will, den Freund gerettet zu wissen. Will ich den Unbekannten retten, weil ich das gerettete Menschenleben bewerte, so ist der Mensch mir gleichgültig, meine Handlung aber ist mir wichtig, denn nur durch die Handlung gestalte ich den Wert; will ich den Freund retten, so ist meine Handlung mir gleichgültig, und nur das Ergebnis, der gerettete Freund, ist mir wichtig.

Habe ich also die Entwicklungshöhe erreicht, auf der ich Wertvolles bevorzuge, so muß ich in immer neuen Lebenslagen mein eigenes Handeln als entscheidenden Teil bei der Verwirklichung des Wertes wollen. An sich ist es bedeutungslos. Aber ebenso bedeutungslos ist das äußere Handlungsergebnis. Wertvoll ist nur das Gesamtverhältnis, in das die Handlung sowohl wie das Ergebnis, das Retten und der Gerettete, als Teile eintreten. Genau die gleiche Lage ist etwa beim Nichtlügen oder Nichtstehlen gegeben. Bewerte ich die Wahrheit, so weiß ich, daß mein wahrheitgemäßes Sprechen die Worte überhaupt erst zum Wert erhebt. Erst durch mein Bekunden erfolgt jene lebendige Bejahung der verbundenen Gedanken, durch die das Gesprochene den Anspruch gewinnt, als schlechthin gültig anerkannt zu werden. Die Wirklichkeit und der Zusammenhang, für den ich Zeuge bin, wird durch meine Bekräftigung so erst zum Wert gestaltet und ich kann solche Wahrheit nicht bewerten, ohne nicht mein Wahrsprechen und somit mich als Wahrsprechenden zu wollen. In gleicher Weise schließlich will ich mein Nichtstehlen. Erst durch meine Handlung vollende ich die wirkliche Gestaltung des schlechthin anzuerkennenden rechtlichen Eigentumswertes. Durch den Diebstahl hebe ich tatsächlich die Bewertung selbst auf. Das gestohlene Ding wird ja nicht verändert, aber sein Sinn als ein Besitzstück, das anerkannt sein will durch den Nachbar, wird durch meine Handlung verneint.

Der Wert des Eigentums liegt ja aber gerade in diesem Sinn, und wenn ich den Anspruch vernichte, kann es da keine Erfüllung und somit keine Bewertung geben. Meine Handlung, welche die Anerkennung des Eigentums bekundet, wird somit wieder ein unerläßlicher Bestandteil des Bewertens.

Wir dürfen das verallgemeinern. Wenn der Wert durch unser Handeln aufgebaut oder zerstört wird, dann ist die Handlung nicht ein äußerliches Hilfsmittel, das durch irgend ein anderes Hilfsmittel ersetzt werden kann, sondern die Handlung ist ein unerläßlicher Teil des Wertes. Erst vermöge der Handlung wird das Ergebnisganze zum Wert erhoben. Es wird also nicht nur das Endergebnis, sondern die Handlung selbst gewollt. Das Helfen und Retten selbst wird gewollt, das Lügen und Stehlen selbst wird verabscheut. Solange wir nicht rein bewerten, sondern nur wünschen, verlangen und selbstisch wollen, so ist solches Wollen der Handlung unmöglich. Auf dem triebmäßigen Standpunkt wird das Ergebnis gewollt; durch welche Mittel es erreicht wird, ist gleichgültig. Das Ding wird gewünscht, aber die Handlung, die das Ding gewinnt, wird nicht selbst verlangt.

Für den selbstischen Genuß ist es ja ganz gleichgültig, ob durch die Tätigkeit selbst ein Sinn und ein Wollen schlechthin gültig in das Ding hineinverlegt wird. Das wertgleichgültige Leben will nur Erfolge und kümmert sich nicht um die Mittel; das wertgestaltende Leben will die Handlungen, durch die wir die Welt als Wert bejahen. Und dennoch gilt auch auf dieser Stufe zunächst noch, daß wir die Handlung vollbringen, einfach weil wir sie wollen. Wir wollen sie als Teil der Bewertung; das Bewerten schließt das Wollen der Handlung ein, aber die Handlung selbst ist nur gewollt, nicht gesollt. Es ist eine wertvolle Entwicklung, daß wir zu solchem Bewerten und dadurch zu solchem Handlungswollen vorgeschritten sind, aber dieser Wille selbst ist noch keine Pflicht und kein sittlicher Wert. Die Persönlichkeit, welche dahin gelangt ist, ihre eigenen wertgestaltenden Handlungen zu wollen, steht auf der Entwicklungsleiter viel höher als zu einer Zeit, da sie nur Handlungserfolge genießen wollte, aber dieser Entwicklungswert ist immer noch außersittlich.

Der Selbstwert des Handelnden. Von hier aus bedarf es nun aber nur eines Schrittes. Die schlechthin wertvolle Selbstent-

wicklung bringt es also dahin, daß wir in gewissen Lebenslagen gewisse
Handlungen, ohne Rücksicht auf persönlichen Erfolg, nur der Werte
wegen wollen.   Wird nun die Kulturarbeit zielbewußt darauf gerichtet, diesen Entwicklungswert zu sichern, so tut dazu nur eines
not.   Immer wenn die gewollte Handlung in Konflikt gerät mit
einer Handlung, die zwar als solche nicht selbst gewollt ist, deren
Erfolg aber aus persönlichen Bedürfnissen gewünscht wird, so muß
die gewollte Handlung, weil sie die wertbildende ist, irgendwie erzwungen werden.   Das geschieht aber durch eine vollkommen neue,
vollkommen eigenartige Wertsetzung: wir lernen uns selber als
einen schlechthin gültigen Wert auffassen, der sich in unserem
Handeln verwirklicht.   Solange wir nur Dinge wollen, die Handlung selbst aber gleichgültig ist, können wir, die Handelnden, für
uns selbst nicht als wertvoll oder wertwidrig in Betracht kommen.
Sobald wir aber uns selbst in bestimmter Tätigkeit wollen, ein Wollen, das nun doch wieder ganz unpersönlich ist, ganz im Dienste des
reinen Bewertens steht, so muß die Erfüllung solchen Wollens, also
die Ausführung der gewollten Tätigkeit, uns selbst zum Wert erheben.   Wir wollen uns selbst als Rettende oder Wahrheitsprechende
nur um der Handlung selbst willen, und nicht für persönliche
Zwecke.   Wenn dieses so gewollte Selbst sich nun verwirklicht, so
ist ein reines überpersönliches Wollen erfüllt, unsere rettende oder
wahrheitsprechende Persönlichkeit wird so zu einer sich selbst betätigenden Wirklichkeit.

Reizt uns dagegen ein äußerer Erfolg zu der entgegengesetzten
Handlung, so mag irgend ein gewünschtes Ergebnis erreicht werden,
unsere Handlung entspricht aber nicht dem Handlungswollen;
unsere eigene Tat macht uns als handelnde dann wertwidrig: was
sich in dem Handeln verwirklicht, ist nicht das überpersönlich gewollte Selbst und der reine Wille wird nicht befriedigt.   Sehe ich
untätig dem brennenden Hause zu, statt bei der Rettung zu
helfen, so erreiche ich ja mein persönliches Wohlbefinden, das ich
will und zu wollen berechtigt bin, aber da ich außer meinem Wohlbefinden tatsächlich auch mich selbst als Rettenden wollte, so hat
meine Handlung mich nicht verwirklicht, ich habe mich nicht selbst
behauptet, mein Selbst hat seine Selbsterhaltung eingebüßt, ich
bin nicht mehr identisch mit mir selbst, ich bin wertlos geworden.
Wenn ich lüge, wenn ich stehle, so erreiche ich ja jedesmal meinen

Zweck und das Ergebnis ist in der Tat gewollt, aber die Handlung selbst war nicht gewollt; ich wollte nicht lügen und stehlen. Dagegen wollte ich tatsächlich mich selbst als Wahrheitsprechenden und Eigentumachtenden. Meine lügnerische oder diebische Tat hat somit wohl das ausgeführt und erreicht, was ich nach der einen Richtung wollte, nämlich den vorteilhaften Erfolg; sie hat aber nicht die entgegengerichtete Handlung verwirklicht, die ich als einen Teil meines handelnden Selbst verlangte; mein Selbst wie ich es aufgefaßt, hat sich somit überhaupt nicht in neue Erfahrung umgesetzt, sondern ist verloren gegangen; das Lügen oder das Stehlen hat den Wert meiner Persönlichkeit zerstört.

Diese Identität zwischen gewollter Handlung und ausgeführter Handlung ist der Sittlichkeitswert. Nicht die Handlung ist wertvoll, sondern die Persönlichkeit, die in der ausgeführten Tat ihr Handlungswollen und somit das eigene gewollte Selbst verwirklicht. Unsittlich ist nur die Persönlichkeit, welche die gewollte Handlung nicht ausführt, sich also nicht selbst verwirklicht, und statt dessen eine Handlung vollzieht, die als Handlung selbst gar nicht gewollt ist, sondern vollzogen wird, um irgend einen gewollten Erfolg zu erreichen. Sittlichkeit ist also Verwirklichung der gewollten Handlung. Wo ein bestimmtes Handeln überhaupt nicht gewollt wird, kann die Persönlichkeit mithin niemals ihren sittlichen Wert durch eine andere Handlung einbüßen. Der Verbrecher, der da stiehlt, muß die eigentumachtende Handlung als Handlung wollen. Will er sie nicht, so bleibt sein Diebstahl vielleicht rechtlich bedeutungsvoll, aber sittlich ist sie gleichgültig; sein Selbstwert ist nicht geschmälert, da er sein eigenes Handlungswollen nicht verleugnete. Und wer sich selbst gar nicht als Wahrheitsprechenden anstrebt, der mag die objektive Unwährheit sprechen, aber er kann nicht lügen; seine Unwahrheit ist sittlich so gleichgültig wie das Gefasel des Geisteskranken.

Uns selbst so als mögliche Werte aufzufassen, müssen wir lernen; es ist Kulturtat. Wir müssen gewissermaßen lernen zwischen unserem gewollten Selbst und dem durch die Handlung entstehenden Selbst bewußt zu sondern, um die Identität zwischen beiden erfassen zu können. Solange wir nur die Erfolge und nicht die Handlungen selbst wollen, ist solche Trennung uns fremd; unser Handeln kommt uns nur als Mittel für den Erfolg, nicht als Verwirklichung

eines gewollten Selbst in Betracht. Ist aber diese neue, kulturreife
Auffassung erst erlernt, so daß die Handlung selbst vor und nach
der Tat verglichen wird, so ist durch die Ausführung der gewollten
Handlung wirklich ein schlechthin gültiger Wert geschaffen: das
Selbst, das seine Handlung will, steht jetzt als eine selbständige,
unabhängige Wirklichkeit vor uns, mit der wir gleichsam selbstlos mitwollen, und die Erfüllung des Wollens befriedigt uns daher
in allgemeingültiger Weise.

Ist diese Auffassung aber erst einmal errungen, so ist dadurch
in der Tat der Entwicklungswert der Persönlichkeit vollkommen
gesichert. Wir erblickten die Persönlichkeitsentwicklung darin,
daß mehr und mehr der bewertende Standpunkt eingenommen
wird, der die Welt in ihrer Selbständigkeit anerkennt und nicht der
selbstische, der die Welt als Nur-Erlebnis hinnimmt. Tritt nun
eine Lebenslage ein, in der die Bewertung zu der einen Handlung,
das selbstische Verlangen zur entgegengesetzten Handlung führen
würde, so ist der Wert zunächst gefährdet. Der Trieb zum persönlichen Genuß könnte sich leicht stärker erweisen als das Wollen der
Handlung, die den überpersönlichen Wert aufbaut. Haben wir aber
die neue Auffassung erlernt, so hat sich die Gesamtlage völlig verändert. Jetzt steht die Wahl nicht mehr zwischen einem Erfolg, den
wir selbstisch verlangen, und einem anderen Erfolg, den wir selbstlos bewerten; jetzt steht auf der einen Seite der erwünschte Erfolg
und auf der anderen Seite der Wert der eigenen Persönlichkeit. Dem
selbstischen Triebe folgen, heißt jetzt, den Selbstwert preisgeben;
auf den Genuß verzichten, heißt jetzt, den Selbstwert gewinnen.

Es liegt auch nicht etwa so, daß wir uns nun erst zu entscheiden hätten, ob wir den absoluten Wert unseres Selbst bewerten
wollen oder nicht. Sobald wir erst einmal überhaupt unseres schlechthin gültigen Wertes bewußt sind, so können wir gar nicht anders uns
verhalten als bewertend. Das ist ja gerade wesentlich für den reinen
Wert, daß niemand ihn auffassen kann ohne ihn mitzuwollen.
So wie wir den logischen Schluß nicht verstehen können, ohne ihn
zu wollen, so können wir uns selbst in unserer sittlichen Selbstbetätigung nicht auffassen, ohne uns notwendig so zu wollen. So wie
wir den Schluß nicht verstehen mögen, so mögen wir auch zu jener
Zerlegung der eigenen Persönlichkeit und ihrer Identitätssetzung
noch nicht vorgedrungen sein. Aber sobald die neue Auffassung

erst einmal gewonnen ist, das Handlungswollen und die Handlung einander gegenübergestellt sind, so wird es unmöglich, ihre Identität nicht zu bewerten und etwa den Selbstunwert dem Selbstwerte vorzuziehen. Die neue Auffassung, welche die Kultur erringt, gibt dadurch Gewähr, daß der bewertende Standpunkt gegenüber dem Erfolgstreben festgehalten wird; die Bewertung der handelnden Persönlichkeit selbst schützt und sichert so die Handlungen, welche den Werten dienen.

Auch diese Sicherung ist keine vollständige; das Bewußtsein des gefährdeten Selbstwerts kann natürlich doch noch von dem Verlangen nach einem ersehnten Genuß überwältigt werden. Dann liegt eine unsittliche Handlung vor, bei der das Selbst sich wertwidrig entfaltet, um das Verlangen zu stillen. Aber kein äußerer Zwang könnte die Festhaltung der Entwicklungshöhe und die Durchführung des überpersönlichen Wollens so kräftig sichern wie diese erarbeitete Auffassung der eigenen Persönlichkeit als schlechthin gültiger Wert. Daß dieser Wert, der eigentliche Sittlichkeitswert, von jeder Inhaltsbestimmung unabhängig ist, versteht sich nunmehr von selbst. Welche Handlung wir wollen, ist ganz gleichgültig; sittlich sind wir, sobald wir die Handlung ausführen, die wir als Handlung wirklich wollen. Ob die Handlung, die wir als einen Teil unseres handelnden Selbst tatsächlich wollen, eine hohe oder niedere Entwicklungsstufe darstellt, hat mit dem Sittlichkeitswert daher gar nichts zu schaffen. Zweifellos wurde jederzeit unendlich viel rein Sittliches vollbracht, das seinem Handlungsergebnis nach einen niederen Entwicklungswert darstellt.

Wir haben nicht einmal das Recht, vom Standpunkt der Entwicklungsbewertung aus, zu behaupten, daß der sittliche Mensch höher stände als derjenige, der ohne den Zwang der Selbstbeurteilung in unmittelbarem Lebensdrange den Werten dient. Die schöne Seele, deren Wille zum Wert in sich stark genug ist, um die selbstischen Triebe zu überwinden, ohne erst durch Rücksicht auf den sittlichen Eigenwert dazu gezwungen zu werden, mag mit Rücksicht auf den Entwicklungswert höher dastehen als manche Persönlichkeit, deren kümmerlicher Wertwille nur durch das Gefühl der sittlichen Wertwidrigkeit den selbstischen Willen überwindet. Eine Überstrenge, die nur dem sittlichen Handeln überhaupt Wert beilegte, wäre sicherlich verkehrt; eine Handlung, die ohne Kampf,

ohne bewußte Heraushebung der Handlung als solcher und somit
ohne Rücksicht auf den absoluten Wert der eigenen Persönlichkeit,
aus Hingebung für den Wert erfolgt, mag den höchsten persönlichen
Entwicklungswert darstellen: nur sittlichen Wert hat sie nicht. Sie
wird dadurch nicht etwa unsittlich, sie ist nur außersittlich, ohne
deshalb in ihrem Wert als Bekundung schlechthin wertvoller, persönlicher Entwicklung etwas einzubüßen.

Im allgemeinen wird es aber doch dabei bleiben, daß das sittliche Wollen, das ist das Wollen, das im absoluten Selbstwert des
Handelnden verankert ist, doch auch für die Selbstentwicklung
das höhere Wollen darstellt, weil hier allein die Erreichung der
seelischen Aufgabe, das Handeln im Dienst der Werte, gegen alle
Einflüsse gesichert werden kann. Ob der schöne Lebensdrang wirklich aus sich heraus die selbstischen Gelüste überwinden wird, muß
immer der zufälligen Lage überlassen bleiben. Auch die reinste Liebe
zum Wert wird häufig unwirksam bleiben, wenn es gilt, auf der
anderen Seite ein großes persönliches Leid zu beseitigen oder einen
hinreißenden Genuß zu gewinnen. Nur die Bewertung des eigenen
Selbst kann die Werthandlung über jede Lusthandlung empor-
heben und den Märtyrer um der Wahrheit willen auch auf den
Scheiterhaufen führen.

Das Gewissen. Erst angesichts dieses Selbstwertes entsteht ein
Sollen, entsteht die Pflicht, entsteht das Gewissen. Daß nicht etwa
jeder Wert schon ein Sollen umschließt, haben wir deutlich erkannt,
als wir den Sinn der Werte prüften. Wir haben kein Recht, das überpersönliche Wollen auf einen überwirklichen Zwang zurückzuführen.
Ein Sollen gibt es im Recht, wenn die Gesellschaft mit ihrem
Zwange den Einzelnen bedroht. Ein Sollen gibt es hier in der Sittlichkeit, wenn das Bewußtsein des gefährdeten Selbstwerts unser
Wollen bedroht. Wir stehen vor zwei Handlungsmöglichkeiten; die
eine wollen wir nicht, aber sie führt uns zu erwünschtem Erfolg, die
andere wollen wir als Handlung. Da setzt wirklich die Drohung
des Sollens ein; handeln wir nicht so, wie wir uns selbst als handelnde
wollen, so werden wir unser Selbst verlieren; die Stimme des Gewissens kann uns nichts anderes zuraunen. Es gibt somit im
Grunde nur ein sittliches Sollen: du sollst die Handlung ausführen,
die du wirklich willst! Es gibt aber kein sittliches Gebot: du sollst
nicht lügen und nicht stehlen und nicht morden oder du sollst

helfen und retten! Nein, ob du das Helfen und Wahrheitsprechen als deine Handlungsweise willst, hängt von der Höhe deiner Entwicklung ab; dazu kann dich niemand verpflichten. Aber falls du diese Handlungen willst, so sollst du sie auch ausführen, und nicht etwa durch Lust und Unlust dich zu Handlungen treiben lassen, die du als Handlungen gar nicht willst. Verwirkliche die Handlung, die du selber willst, das ist das einzige unbedingte Gebot. Freilich ließe sich ja auch dieser kategorische Imperativ in einen bedingten verwandeln: verwirkliche die Handlung, die du selber willst, falls du nicht dein Selbst aufheben willst. Aber diese Bedingung ist schlechthin unmöglich; ich kann niemals wirklich wollen, daß mein Selbst nicht mit sich selbst identisch bleibe.

Selbsttreue ist somit das einzige sittliche Gebot und der einzige sittliche Wert. Raub und Mord sind an sich nicht sittlich wertwidrig, sondern nur dem Entwicklungswert entgegengesetzt. Sittlich wertwidrig wäre es erst, wenn meine außersittliche Entwicklung mich dahin geführt hätte, die Handlung des Raubens zu verabscheuen und ich sie nun doch vollführte. Dann ist es aber nicht der Raub, der unsittlich ist, sondern die Nichtverwirklichung des gewollten handelnden Selbst. Sogar der Kampf zwischen verschiedenen widerstreitenden Wertmotiven ist nicht eigentlich ein sittlicher Konflikt, sondern ein außersittlicher. Es ist nicht ein Widerstreit zwischen zwei sittlichen Pflichten, denn sittliche Pflicht ist unbeirrbar die eine nur, die Handlung auszuführen, die wir wirklich wollen. Der innere Kampf bezieht sich also nur darauf, welche von zwei wertdienenden Handlungen wirklich gewollt wird; erst wenn die Entscheidung vollzogen ist, setzt die sittliche Betätigung ein. Und selbstverständlich ist es stets die einzelne vorliegende Handlung, auf die sich das Sollen bezieht; die sprachliche Gruppierung vieler ähnlicher Fälle in zusammenfassenden Allgemeinbegriffen, wie Lüge, Diebstahl, Rettung, gehört natürlich der wissenschaftlichen oder vorwissenschaftlichen ethischen Bearbeitung, nicht der wirklichen Lebenserfahrung zu. Eine einzelne bestimmte Handlung wird um ihrer selbst willen gewollt; ein lustbetonter Erfolg erheischt eine entgegengesetzte, an sich nicht gewollte Handlung: das ist die Vorbedingung, damit der Sittlichkeitswert überhaupt ins Spiel treten kann. Nur wer im Innern schon weiß, was er wirklich will, kann sich selber treu sein.

Die Übereinstimmung zwischen dem Sittlichkeitswert der
Persönlichkeit und dem Rechtswert der Gesellschaft ist nunmehr
klar übersehbar. Beide haben nur den einen Sinn, die Selbsttreue
zu fordern und dadurch den erreichten Entwicklungswert zu sichern.
Die wechselseitigen Wollungen der Gesellschaftsglieder entwickeln
sich außerrechtlich, so wie die Wollungen der Persönlichkeit sich
außersittlich entfalten. Ob Gesellschaft und Persönlichkeit sich
wirklich entwickelten, hängt davon ab, ob sie mehr und mehr ihrer
notwendig mitgedachten Aufgabe gerecht wurden. Dieses gewach-
sene Wollen auf jeder Entwicklungsstufe gegen ein Herabsinken zu
schützen, und in seiner Werthöhe zu sichern, vermag nur der Zwang,
den für die Gesellschaft das Recht, für die Persönlichkeit das sittliche Gewissen einführt. Recht und Gewissen verlangen, daß Gesellschaft und Persönlichkeit wirklich die Handlungen ausführen, die
sie tatsächlich wollen. Der Rechtswert wird daher nur durch die
Rechtslosigkeit aufgehoben, in der das gewollte Gesellschaftsver-
halten nicht mehr zur Tat wird, und der Sittlichkeitswert wird nur
durch die Selbstuntreue aufgehoben, durch die eine gewollte Handlung unausgeführt bleibt oder die nicht gewollte Handlung vollzogen wird. Was durch Recht und Gewissen geschützt und gefestigt
wird, muß wechseln und mag vergehen; ewig wertvoll bleibt nur,
daß das Gewollte in Mitwelt und Innenwelt sicher geschützt wird.
Nur durch das Recht betätigt die Gesellschaft, und nur durch die
Sittlichkeit betätigt die Persönlichkeit ihr eigenes Wollen in ihrem
Handeln. Sich selbst zu betätigen, in Freiheit sich selber treu zu
bleiben, und so Wollen und Handeln identisch zu setzen, bedeutet
aber für Gesellschaft und Persönlichkeit, daß in ihnen sich eine
selbständige Wirklichkeit entfaltet, daß sie nicht nur Erlebnis,
sondern Werte sind.

Elfter Abschnitt.

Die Gotteswerte.

Der Konflikt der Werte. Wir blicken noch einmal zurück. Im Gewühle unserer Erlebnisse suchten wir nach dem Wertvollen. Das erkannten wir klar: ein Vereinzeltes, ein schlechthin nur Erlebtes, eine Reihe, eine Summe, ein Chaos solcher Gegebenheiten bleibt an sich notwendig wertlos. Befriedigung gewinnen wir nur dann, wenn das Erlebte festgehalten wird, um sich in neuem Erlebnis neu zu gestalten und so im Wechsel sich selbst zu behaupten. Befriedigung verlangt Spannung und Lösung, verlangt Ausgangspunkt und Ende. Die Verwirklichung des Lustbetonten, des Erfreulichen, Angenehmen, Gewünschten, schafft solche Befriedigung; und mag so den Dingen den Schimmer des Werts verleihen. Aber um Zufallswerte handelt es sich da, die vom Standpunkt der einzelnen Persönlichkeit abhängen. Mag auch in der sozialen Gruppe das Lustgefühl der Einzelnen übereinstimmen, es bleibt doch nur eine Häufung persönlicher Werte, solange für jeden einzelnen die Erhaltung der Lust oder Beseitigung der Unlust das Entscheidende ist: hier gilt das wirre Spiel der Sinnesfreuden und Genüsse, der Vorteile und Eitelkeiten.

Wir aber suchten die reinen Werte, die der Welt selbst zugehören. Wir suchten die Werte, die schlechthin befriedigen, ohne Rücksicht auf die Zustände des Einzelnen: die überpersönlichen Werte. Solche reine Werte müssen nun überall da hervorleuchten, wo nicht die eigene Lust, sondern Dinge und Personen, Eindruck und Ausdruck sich im neuen Erlebnis selbst behaupten, im Wechsel des Lebens in der neuen Gestaltung erhalten bleiben. Da ist Befriedigung, die nicht vom Genuß abhängt, da ist Erfüllung, die nicht vom persönlichen Begehren bestimmt wird. Die Erlebnisse rauschen entweder vorüber und sind dann nichts als Erlebnisse, wertlos und

weltlos, oder das Erlebte erhält sich, bekundet sein Selbstsein und
baut uns so eine unabhängige Welt auf. Solche Welt aber ist
schlechthin wertvoll, weil alles, was in sie eintritt, seinem Wesen
nach grundsätzlich jedes mögliche Bewußtsein befriedigt. Da
treten die Dinge und Wollungen zunächst insofern ein, als sie sich
selbst behaupten in der Wiederkehr der Erlebnisse; das wertlos
Traumhafte des Empfindens wandelt sich so in ein wertvolles Dasein, das haltlos Vereinzelte in einen wertvollen Zusammenhang,
und aus dem bloßen Erlebnis wird so eine schlechthin gültige Welt
der Erfahrung und des Wissens. Und diese Welt der Erfahrung und
des Wissens ist unbedingt wertvoll, ohne Rücksicht darauf, ob
unser zufälliges Wissen und Erfahren viel oder wenig umspannt.

Dann aber traten in die Welt der Werte auch die Dinge und
Wollungen insofern ein, als ihre Mannigfaltigkeit sich als einstimmig erwies. Wenn das Viele im Grunde nur Eines ist, wenn das
Getrennte so zusammen klingt, daß wir im einen des anderen gewiß
werden, so muß die Gesamtheit solcher Harmonie wiederum
schlechthin wertvoll sein; denn wieder ist da jedes Einzelne nicht
nur Ausgang sondern auch Erfüllung. Die Welt der Liebe, des
Glücks, der Schönheit baute sich so in ewiger Reinheit auf. Und
schließlich erstand als unbedingt wertvoll die Welt der Entwicklung
und der Tat. Wenn das Einzelne in sich ein Reicheres, Volleres,
Wirksameres trägt und es im Erlebnis bekundet, so wird das Bewußtsein schlechthin befriedigt, sobald das so Ergriffene sich in
neuem Erlebnis verwirklicht. Der Same wird zur Frucht, und Recht
und Fortschritt und Sittlichkeit betätigen sich in einer Welt, deren
reiner Wert wieder jedes zufällige persönliche Gefallen weit hinter
sich zurückläßt. Und doch ruht auch hier der Wert vollständig in
der Identität von wirklichem Wollen und Tat.

Wir haben verfolgt, wie jede dieser drei Wertwelten aus dem
Leben selbst uns emporwächst und wie jede gleichermaßen durch die
zielbewußte Arbeit der Kultur ausgestaltet und bereichert wird.
Wir haben verfolgt, wie jede sich gleichermaßen auf Außenwelt,
Mitwelt und Innenwelt bezieht. Und jeder Schritt zeigte uns deutlicher, wie alles und jedes in diesen Welten gleichermaßen von der
Selbstbehauptung des Erlebnisses abhängt, wie der Wert überall
erst dadurch entsteht, daß Gleiches und Gleiches erfaßt wird, daß
ein Altes sich in der neuen Gestalt selbst als Erhaltung, als Erfüllung,

als Betätigung darbietet, und daß jede solche Verwirklichung wieder Ausgangspunkt und Anhaltspunkt für neues Wollen wird.

Aber trotz aller Gemeinsamkeiten des Aufbaues bleiben es denn nun doch drei voneinander gesonderte Welten. Die Weltformel, die jede einzelne in sich zusammenhält, ist im Grunde die gleiche; die dreifache Verwirklichung der Formel führt aber zu drei in sich geschlossenen, voneinander unabhängigen Wertwirklichkeiten. Die logischen Werte der einen erfässen wir durch Erkenntnis, die ästhetischen Werte der anderen durch Hingabe, die ethischen Werte der dritten durch Würdigung. Ein Durcheinandermischen der drei Wertarten bedeutet notwendig ihre Zerstörung. Gewiß kann ein Erlebnis in vielfache Wertbeziehungen eintreten. Eine Entwicklung, die einen wertvollen Fortschritt darstellt und als solcher gewürdigt wird, mag in ihrer Vollendung ein harmonisches Ganze sein, in dessen natürliche Schönheit wir uns versenken, und jede Phase der Entwicklung mag sich uns gleichzeitig in einen überschaubaren wissenschaftlichen Zusammenhang einordnen. So mag das gleiche denn wohl oft dreifacher Bewertung zugänglich bleiben, aber das ändert doch nichts daran, daß es in jeder Wertbeziehung zunächst ein anderes ist. Die Ursachenkette als solche kann weder schön noch sittlich erhebend sein, die sittliche Leistung als solche ist kein wissenschaftlich erkennbarer Zusammenhang, die vollendete Einheit als solche will nicht als Leistung gewürdigt werden, schließt vielmehr alles Nichtvollendete zunächst aus der ästhetischen Betrachtung aus. Die Bewertungen sind aber nicht nur voneinander unabhängig, auch wo sie äußerlich nebeneinandergehen, sondern meisthin führen sie auch zu getrennten Wegen. Ein Roman mag den höchsten Schönheitswert erreichen und seine Gestalten können deshalb doch geschichtlich wertlos sein; sie haben keinen Daseinswert und keinen Zusammenhangswert in der Welt unserer wertvollen Erfahrungen, und die Tat des Helden mag ein sittliches Verbrechen sein. Eine Leistung mag die höchste ethische Anerkennung verdienen und doch nirgends einen Anhalt für ästhetische Bewertung bieten. Und wer wird die Zusammenhänge der mineralogischen oder chemischen Erfahrungswelt als solche unter ästhetische oder ethische Wertgruppen künstlich einreihen?

Aber die bloße Unabhängigkeit und das Voneinanderfortbewegen ist doch noch nicht der ganze Sinn des Verhältnisses. Ohne

Unterlaß zeigt uns das Leben, wie die Werte gegeneinander an-
prallen. Es ist die scharfe Gegensätzlichkeit der reinen Werte, die
uns weiterdrängt zu neuem Verlangen und zu neuer Tat. Die Welt
des Wirklichen verneint zu oft die Ansprüche der Sittlichkeit und
das Verlangen nach harmonischer Einheit; die Welt der Schönheit
mag den Fortschritt hindern und den Zusammenhang der Dinge
verleugnen; die Welt der wertvollen Betätigung mag das Glück zerstören und der Erkenntnis entgegen arbeiten. Unser ganzes Sein ist
erfüllt von der Spannung dieser Gegenkräfte.

Dabei haben wir kein Recht, die eine Weltausgestaltung
unserer Erlebnisse grundsätzlich den anderen überzuordnen; durchaus gleichberechtigt entwickelt sich jede aus dem gleichen Urstoff
des noch wertfreien Erlebens. Gewiß sind wir im täglichen Denken
geneigt, die logische Wertgruppe den anderen voran zu stellen und
so die Welt, welche Dasein und Zusammenhang aufweist, für die
eigentliche Welt zu halten. Die Welten des Glücks und der Sittlichkeit verblassen dann; sie werden zu scheinhafter Einbildung gegenüber der Welt der Wirklichkeit oder werden Nebenbestimmungen
der einen allein bestehenden Welt. Wir wissen längst, daß solche
Bevorzugung unzulässig ist. Wir wissen, daß die Welt als wirklich
anzuerkennen nichts anderes bedeutet, als daß die Erlebnisse in
Rücksicht auf gewisse Beziehungen bewertet werden; das Dasein
der Welt, ihre Wirklichkeit und ihr Zusammenhang gilt uns als eine
bestimmte Bewertung der freischwebenden Erlebnisse. Wenn wir
statt dessen andere Beziehungen berücksichtigen und somit andere
Werte aus dem Lebensinhalt herausgewinnen, so erheben sie sich
mit genau gleichem Anrecht. Die Welt, die Dasein hat, weil sie sich
selbst erhält, ist nicht wichtiger und nicht unmittelbarer und nicht
gewisser als die Welt, die harmonisch ist, weil sie sich selbst erfüllt,
oder die Welt, die würdig ist, weil sie sich selbst betätigt. Es sind
schlechthin gleichwertige notwendige Gebilde, gleichermaßen von
der überpersönlichen Bewußtseinsform des Wertes zusammengehalten.

Die Vereinigung der Werte. Je sicherer die Gleichwertigkeit der
verschiedenen Welten feststeht, desto deutlicher wird es, daß der
Konflikt sich nicht aus ihrem eigenen Wesen heraus beseitigen läßt.
Jeder Ausgleich bleibt da nicht nur äußerlich, sondern hebt den
Sinn auf. Wenn etwa die Wissenschaft vergangener Tage Schön-

heitswerte zum Erklärungsgrund erhob, die Bewegung der Gestirne
etwa aus der Schönheit der beschriebenen Kurven, die zentrale
Stellung der Sonne aus der edlen Reinheit ihres Feuers erklären
wollte, so war die Erkenntnisaufgabe preisgegeben. Und nicht
besser ist es, wenn die Wissenschaft unserer Zeit die Ursachenkette
im Gehirnvorgang zerreißt, um einem Willensakt, seines sittlichen
Wertes wegen, ein Sonderrecht nichtursächlicher Freiheit zuzu-
billigen. So aber wird auf der anderen Seite die reine Schönheit aufgehoben, wenn wissenschaftliche Belehrung oder praktisch sittliche
Leistung zur Aufgabe des Kunstwerks wird, und die sittliche Tat
wird entkräftigt, wenn nicht der Wert der Tat selber, sondern der
ästhetische Wert des erzielten Glückes zum Maßstab wird. Wer die
Grenzen der Wertgebiete durcheinander laufen läßt, kann keiner
Bewertung ganz gerecht werden. Die Werte wirklich vereinigen,
muß mehr bedeuten als sie achtlos durcheinandermischen.

Vereinigt werden aber müssen sie, wenn die Welt als Ganzes
nicht in sich widersprechend und somit im letzten Grunde wertlos
werden soll. Das haben wir ja zur Genüge erkannt und in seiner
Notwendigkeit begriffen: daß wertvoll stets nur das sein kann, was
in dem wechselnden Erlebnis mit sich selbst identisch bleibt und
so die Gegebenheit der einen Erfahrung in der anderen Erfahrung
verwirklicht und betätigt. Nur diese Gleichheit bringt dem suchenden Willen Befriedigung; das schlechthin Neue bleibt notwendig
das Unwahre, das Unschöne, das Unwürdige. Wertwidrig müßte
so auch das Weltganze sein, wenn die erhebenden Leistungen, die
glückliche Schönheit und die wahren Zusammenhänge nicht letzthin
als Gleiches erfaßt werden können. Die Welt zerfällt, das Leben wird
sinnlos und läßt grundsätzlich unbefriedigt, wenn der Übergang
von der einen Wertgruppe zur anderen den Übergang zu einem neuen
Sein, zu einer ganz anderen Wirklichkeit bedeutete.

Wir dürfen dabei jene drei Wertgruppen zunächst nicht von
dem Standpunkt aus erwägen, von dem aus unsere philosophische
Untersuchung sich mit ihnen befaßte. Unsere ganze werttheoretische
Aufgabe hier war es ja, zu zeigen, wie diese Wertgruppen vom überpersönlichen Bewußtsein geschaffen werden und wie sie nur verschiedene Betrachtungsweisen desselben Erlebnisses sind. Im Lichte
unserer Darstellung mag es daher erscheinen, als wenn gar kein
Problem mehr vorliegt, eine Vereinigung der Wertgruppen anzu-

streben gar nicht mehr nötig ist, da ihre Getrenntheit hier von
vornherein als nachträglich geschildert wurde. Aber wir haben
offenbar kein Recht, die Einsichten der Philosophie von vornherein
dem wirklichen Leben unterzuschieben, als wenn die einzelne Persönlichkeit sich bewußt wäre, was das überpersönliche Bewußtsein
in ihr vollbringt. Den Willen, eine sich selbstbehauptende Welt zu
besitzen, finden wir ja niemals als persönlichen Bewußtseinsinhalt
vor, sondern erkennen ihn erst bei der philosophischen Untersuchung aus der wertvollen Gestaltung der Erlebnisse. Alle jene,
die Identität herausarbeitenden Umwandlungen der Erlebnisse, die
zu den Wertwelten führen, liegen der ethischen, ästhetischen und
logischen Erfahrung zugrunde, aber sie sind nicht selbst in der
Erfahrung gegeben. Sie schaffen die Wertwelten, sind aber nicht
in den Wertwelten selbst wahrnehmbar. Die ethischen, ästhetischen
und logischen Werte besitzen, heißt also durchaus nicht, der Schritte
bewußt sein, die zu diesen Systemen schlechthin gültiger Befriedigungen hinführen. Mit anderen Worten: wer das Wahre und Schöne
und Gute als schlechthin gültige Werte auffaßt, weiß deshalb noch
durchaus nichts von der erkenntnistheoretischen Vereinigung, die
durch unsere philosophische Betrachtungsweise langsam ange-
bahnt ist.

Für das individuelle Bewußtsein sind die Wahrheiten und die
Schönheiten und die Fortschritte also schlechthin gegebene Werte,
die zunächst auf kein weiter Zurückliegendes und somit auch auf
keinen einheitlichen Urgrund zurückführen. Das Glück und der
Naturlauf und die Sittlichkeit sind da voneinander gesonderte
Sphären, die wir als solche einfach vorfinden und anerkennen müssen.
Und doch sind wir mit unserem Selbst in jedem Lebensakt mit allen
jenen Sphären in Verbindung: wie können wir handeln, wie können
wir auch nur sicher vorwärtsschreiten, wenn die Sonderung grundsätzlich bestehen bleibt. Wir wollen Wertvolles in Freiheit schaffen
und erkennen doch die Notwendigkeit des Ablaufs an; wir suchen
allen Wert in der umgestaltenden Tat und finden doch alles Glück
und die Schönheit in der Vollendung, die kein Umgestalten mehr zuläßt. So wird unser Leben innerlich zerrissen und haltlos; wurzellos
wird unser Wollen hin und her getrieben: wir sind bald in dieser,
bald in jener Welt, und wenn wir die eine festhalten, bleibt uns die
andere stets ein Fremdes, Unvergleichbares, Unversöhnbares.

Der Sinn unseres Lebens hängt davon ab, daß unsere Welt doch schließlich ein und dieselbe ist. Und nicht nur, daß die Welt dann allein unserem Leben Sinn gibt, sondern — und das steht uns hier voran — dann allein ist die Welt selbst schlechthin wertvoll, weil sie sich gleich bleibt und sich selbst behauptet, wenn wir vom Wahren zum Schönen oder zum Guten hinüberschreiten. Die einzige Bedingung ist dann erfüllt, die wir für alles schlechthin Wertvolle stellen mußten: Selbstbehauptung beim Übergang in das neue Erlebnis, das so zur Verwirklichung des Gegebenen in neuer Form wird. Wir fanden diese Selbstbehauptung innerhalb des Logischen und innerhalb des Ästhetischen und innerhalb des Ethischen, und wir sahen, daß es keine andere Art der Selbstbehauptung und deshalb keine andere Wertgruppe innerhalb der Welt geben kann. Die Welt als Ganzes wird nun wertvoll sein, wenn diese Selbstbehauptung von der einen Wertgruppe zur änderen hinüberführt und so die Welt des Zusammenhangs in ihrer Gesamtheit sich wieder in der Gesamtheit des Sittlichen und des Schönen verwirklicht.

Die Bewegung zu solcher Weltauffassung hin verlangt auch hier wieder eine Umarbeitung und Bereicherung des unmittelbar Erlebten. Bei jedem einzigen Wertgefüge verfolgten wir ja die mannigfaltigen Umgestaltungen, die nötig wurden, um das Wertvolle herauszuarbeiten. Wohl unterschieden wir jedesmal zwischen den Lebenswerten, die sich ohne absichtliches Suchen ergaben, und den Kulturwerten, die sich erst dann enthüllten, wenn zielbewußte Absicht den Werten zustrebte. Und in beiden Fällen blieb dem Einzelnen gegenüber der Wert ein Gegebenes und Feststehendes, dessen Gültigkeit allem Suchen vorangeht. Aber unsere erkenntnistheoretische Beleuchtung ließ erkennen, daß auch dieser in reiner Absolutheit vorangehende Wert, den der einzelne unmittelbar vorfindet oder mit Bewußtsein sucht, nicht wirklich dem Erlebnis zugehörte, sondern aus dem Erlebnis entwickelt wurde. Er war nur deshalb schlechthin bindend, weil er Identitäten schuf und das Verlangen nach Identität jedem Bewußtsein schlechthin notwendig war. Es ist unser überpersönlicher Akt, der die Identität herstellt, und unser persönlicher Akt, der sich der so gewonnenen Identität unterrodnet. Des persönlichen Aktes sind wir uns unmittelbar bewußt, den überpersönlichen Akt kann nur die erkenntnistheoretische

Untersuchung feststellen, indem sie vom Ergebnis zu seinen Bedingungen zurückgeht.

Alles dieses muß nun auch für die letzte Wertgruppe gelten,
die vor uns liegt. Auch hier ist der Erfahrungsstoff, das Wahre,
das Schöne, das Gute, an sich zunächst noch nicht als Identität
gegeben. Auch hier ist es das überpersönliche Gesetz des allgemeinen
Bewußtseins, das eine schlechthin gültige Identität allem Einzel-
denken vorangehen läßt. Solange unser Denken und Fühlen vor
einer Welt stehen bleibt, die zerfällt, ist das Verlangen nach Identität nicht befriedigt, das Ergebnis also nicht wertvoll. Wir wissen
somit im voraus, daß nur eine Welt, die sich im Wahren, Guten
und Schönen als identisch behauptet, für uns letzten Wert besitzen
kann, und dieses Gesetz unseres Bewußtseins bindet uns somit in
jeglicher Auffassung. Auch diese Abschlußwerte des Weltganzen
ruhen somit in uns, und nicht im Stoff des Erlebnisses, aber auch
sie gehen somit dem Suchen des Einzelnen schlechthin gültig voran.
Auch hier wird nun aber wieder der historisch gefundene Wert sich
entweder unmittelbar als Lebenswert darbieten oder aus zielbewußter Kulturarbeit entstehen. Der Lebenswert, der diese Aufgabe
erfüllt, ist in der Religion gegeben, der Kulturwert in der Philosophie.

Das Ziel der Religion. Wir behaupten also, daß Religion und
Philosophie die gleiche Aufgabe haben. Beide wollen die Wertwelten als letzthin identisch erfassen und somit das Weltganze
selbst als wertvoll begreifen, da es sich dann in allen Wertgestalten
einheitlich selbst behauptet und somit als Ganzes die Bedingungen
des reinen Wertes erfüllt. Beide, Philosophie und Religion, müssen
dazu über das Erlebnis hinausgehen und die Welt der Erfahrung
überschreiten. Es ist die im Geist der überpersönlichen Forderung
ergänzte und erweiterte Welt, die den scheinbaren Gegensatz der
Werte überwunden hat und sich einheitlich in den wechselnden
Werten verwirklicht. Aber haben wir das Recht bei solcher Übererfahrungswelt noch von einer Verwirklichung zu sprechen? Trägt
die Ergänzung des Erlebnisses uns nicht grundsätzlich über das
Verwirklichbare hinaus?

Das Wirkliche im engeren Sinne des Wortes wird ja nun freilich in der Tat auf den logisch wertvollen Erfahrungsinhalt beschränkt, auf sein Dasein und seinen Zusammenhang. Eine religiöse
oder philosophische Ergänzung der Welt ist in diesem Sinne sicher-

lich nicht wirklich, sondern muß außerwirklich oder vielleicht überwirklich bleiben. Dagegen bedeutete Verwirklichung für uns doch
stets etwas Weiteres als den bloßen Eintritt in den Daseinswert.
Das Wesen der Verwirklichung lag uns stets darin, daß das neue
Erlebnis zum Ausgangspunkt und Anhaltspunkt für die beab-
sichtigte Handlung wurde. Gewiß besteht die Verwirklichung häufig
darin, daß der Übergang vom Vorgestellten zum Daseienden führt,
aber auch dann ist es Verwirklichung nicht, weil das Daseiende der
„Wirklichkeit" zugehört, sondern weil nur dieses und nicht das
Vorgestellte die geplante Handlung erlaubt. Das Erwartete und
das Verwirklichte mag nicht minder häufig in der gleichen Sphäre
zu finden sein; beides mögen nur Vorstellungen oder nur Gedanken
sein, oder beides mag von vornherein dem physischen Kreise an-
gehören. Stets ist die Verwirklichung vollzogen, und somit im
weiteren Sinne die Wirklichkeit gewonnen, sobald die Neugestaltung
des Identischen eine feste und bestimmte Unterlage für die erstrebte
Betätigung gewährt. Unser eigenes Wollen und unser Handeln
muß entscheiden, ob die Fortbewegung im Erlebnis uns als Verwirklichung zu gelten hat. Was sich in seiner Selbstbehauptung so
umgestaltet, daß es unsere Tat stützt, das ist wirklich, gleichviel
ob es Daseinswert hat oder nicht.

Alles das erkannten wir zuvor und es gilt nur, das Ergebnis für
unseren besonderen Fall zu betrachten. Religion und Philosophie
verlangen ein Weiterschreiten über die Grenze des Erfahrbaren und
wir zögerten, dieses scheinbar Außerwirkliche dem Wertbegriff
unterzuordnen, da jeder Wert verlangte, daß sich das Gegebene in
neuer Gestalt „verwirkliche". In der Tat, können wir jetzt sagen,
die Welt verwirklicht sich in jener religiösen oder philosophischen
Erweiterung der Erfahrung, denn jene Übererfahrung kann zwar
allerdings nicht ein Stück erfahrbares Dasein werden, nicht wirklich im engeren Sinne des Wortes sein, sie ist aber Inhalt der Überzeugung, und da die Überzeugung uns allerfestesten Anhalt zur
Tat gibt, so ist der Sinn der Verwirklichung auch hier im vollsten
Maße erfüllt. Die erfahrene Welt, die unversöhnt in logische,
ethische, ästhetische Sonderwelten zerspalten ist, verwirklicht sich
in der umfassenden letzten Welt, die von unserer religiösen und
philosophischen Überzeugung getragen wird und in der jeder Gegensatz verschwindet. Und weil diese letzte Welt identisch ist mit der

Gesamtheit der Wertwelten, und doch eine volle Verwirklichung herstellt, so bringt uns das Verhältnis wieder einen schlechthin gültigen Wert.

Die Ergänzung durch das Übererfahrbare erfolgt nun aber in Religion und Philosophie in entgegengesetzter Richtung. Wohl trägt in beiden Fällen gleichermaßen die Überzeugung das neue Weltganze, und in beiden Fällen gibt die Überzeugung uns Wirklichkeit, weil das Ergänzte uns Anhalt zur Handlung bietet und so unser Leben beherrscht. Der Gegensatz der Richtung aber bleibt doch zunächst ein grundsätzlicher. Um ihn sofort klarzustellen, können wir sagen, daß die Religion über die Erfahrung hinausgeht, die Philosophie dagegen zu den Voraussetzungen der Erfahrung zurückgeht. Die Religion errichtet gewissermaßen einen Oberbau, der die erlebte Welt überwölbt, und die Philosophie einen Unterbau, der die erlebte Welt trägt. Die Religion schafft so die Gottesvorstellung, die der Welt Heiligkeitswert gibt; die Philosophie sucht den letzten Urgrund, das Unbedingte, das der Welt Ewigkeitswert verleiht. Den logischen, ästhetischen und ethischen Werten stehen beide Wertgruppen, die der Heiligkeit und die der Ewigkeit, die Gotteswerte und die Urgrundwerte als metaphysische Werte gegenüber.

Von einer scharfen Scheidelinie zwischen der Metaphysik des religiösen Gefühls und der Metaphysik der philosophierenden Vernunft kann im praktischen Leben nicht die Rede sein. Die Religion eines Plato, eines Spinoza, eines Fichte gehört sicherlich im·wesentlichen der Philosophie zu, und die historischen Weltreligionen sind mit philosophischen Elementen durchsetzt. Der philosophische Weg wird vornehmlich dann gesucht, wenn jene letzte Einheit, die allen metaphysischen Werten ihren Sinn gibt, durch zielbewußte Gedankenarbeit gewonnen werden soll. Die Religion erreicht auf ihrem Wege das gleiche Ziel unabsichtlich und dem Gefühle folgend. In diesem Sinne — und selbstverständlich nur in diesem Sinne — gruppieren wir wieder nur die Philosophie unter die Kulturwerte, die Religion unter die Lebenswerte, denn für die Kulturwerte wollten wir ja stéts verlangen, daß die Gewinnung des Wertes das Ergebnis zielbewußter Absicht sei.

Die Stufen der Religion. Die unmittelbaren Lebenswerte beschäftigen uns zunächst: die Werte der gotterfüllten Welt, die

Werte des Heiligen. Das Heilige ist dem Wahren und Schönen und Guten in der Werttafel als letzter Wert nebengeordnet; in anderem Sinne aber bleibt es jenen anderen Werten übergeordnet, da der Sinn und die Aufgabe des Religiösen ja gerade die sein sollte, alle übrigen Werte zu vereinheitlichen. Die vom Gottesglauben durchstrahlte Welt kennt keinen Gegensatz mehr zwischen ihrem wirklichen Zusammenhang, ihrem Glücksgehalt und ihrer sittlichen Betätigung, und diese Gotteswelt ist wirklich, denn unsere Überzeugung, die wir im Umkreis der Religion den Glauben nennen, verwirklicht sie.

Selbstverständlich wird Religion dieser Aufgabe auch schon da dienen, wo von einer ausgebildeten Göttervorstellung noch gar nicht die Rede ist. Ja wenigstens die Richtung auf diese letzten Werte hin werden wir vielleicht schon dort erkennen, wo irgend ein Symbol so auf die Welt zurückstrahlt, daß dem gesteigerten Gefühl die enttäuschende Gegensätzlichkeit der Welt verschwindet und die Einheit der Natur, des Glückverlangens und der Tat sich im Bewußtsein vollzieht. Der niedrigste Stamm auf Ceylon, die Felsenweddahs, die keinen Ackerbau kennen und kein Feuer für ihre Nahrung benutzen, ergehen sich im Waldesdickicht in wilden nächtlichen Tänzen um den großen in den Boden gestoßenen Pfeil, mit rhythmischen Rufen und Dankpreisungen, und schließlich mit krampfhafter Verzückung. Kein Geist und kein Gott ist für sie in dem Pfeil, aber der Pfeil ist der Mittelpunkt ihres Daseins, das Haupthilfsmittel ihrer Erhaltung. So bewegt sich ihr ganzes Sinnen um den Pfeil: in allen wichtigen Stunden, in Krankheit und Not wird der Pfeil verehrt. In jenen nächtlichen Tanzerregungen strahlt dann von dem Pfeil eine Kraft aus, die ihre ganze Welt umgestaltet. Die Naturdinge, die sich dem Menschen entgegenstellen, sein Sehnen nach Glück und all sein Wollen sind nun zusammengeschmolzen: der Pfeil hilft und wird helfen, er triumphiert über die feindliche Natur, die Welt ist jetzt da, um ihrem Wollen und Verlangen zu dienen, alle Gegensätze sind überwunden.

Von der Ekstase dieser Wilden, die noch zu keinem wirklichen Geisterglauben vorgedrungen sind, bis hinauf zur Andacht einer Kirchengemeinde führt ein stetiger Weg. In immer reinerer und reinerer Form werden die unmittelbaren Gegensätze überwunden. Das logische Selbsterhalten, das ästhetische Selbsterfüllen, das

ethische Selbstbetätigen wird immer deutlicher umfaßt von dem
Gedanken der metaphysischen Selbstvollendung der Welt, in der
alles Wertvolle mit sich einig ist. Die Stärke und die Innigkeit des
religiösen Bewußtseins muß darüber entscheiden, wie weit es gelingt, den reinen Wert einer vollkommenen Harmonie der Werte
herauszuarbeiten.

Dagegen wird unabhängig von der Kraft und Tiefe des Reli-
gionswertes sein Wert dadurch bestimmt werden, in welchem
Maße die Einzelwerte, die er versöhnt, selbst schon zur Entwicklung gekommen sind. Die Religion, welche unentwickelte Natur-
vorstellungen mit rohem Glücksverlangen und mit unerzogenem
Tatendrang verschmelzen will, mag in der Erfüllung ihrer besonderen Religionsaufgabe gar nicht zurückstehen hinter einer anderen
Religion, welche geklärte Wissenschaft, feinstes Einheitsgefühl und
hohes sittliches Bewußtsein durch eine Jenseitsvorstellung incin-
ander schmilzt. Sie ist vielleicht nicht weniger religiös, aber sie
steht auf niederer Stufe, weil sie den reinen Wert auf unreinen Stoff
bezieht. Die höchste Religion wird da vorliegen, wo die reinste
Vereinigung der reinsten Werte gegeben ist, Zusammenhang und
Schönheit und Leistung somit ihre vollste seelische Eigenentwicklung
erreicht haben und die Gottesgewißheit nun die Gegensätze dieser
schlechthin gültigen Werte in schlechthin gültiger Weise aufhebt.

Die Religionsauffassung der Sollenstheorie. Wir beleuchten
unseren Religionsbegriff vielleicht noch voller, wenn wir ihn einer
anderen Auffassung gegenüber stellen, die auf den ersten Blick ähnlich
erscheinen mag. Religion ist uns, erkenntnistheoretisch gesprochen,
der notwendige Akt des überpersönlichen Bewußtseins, durch den
die zunächst voneinander unabhängigen Werte der Welt miteinander verbunden und in eins gesetzt werden, und zwar durch die
Ausbildung einer Erfahrungsergänzung. Wert soll also mit Wert
vereinigt werden. Dem gegenüber steht nun ein anderer Religionsbegriff, der nicht minder auf werttheoretische Bedingungen
zurückgeht und die Aufgabe der Religion ebenfalls in einer Vereinigung sucht: Religion, sagt man, soll den Wert mit dem Wertlosen
verbinden. Blind, zufällig, mechanisch, wertlos spielt sich das Welt-
getriebe um uns ab; wie kann es in solcher Welt des gleichgültigen
Geschehens nun logische, ästhetische und ethische Werte geben?
Durch Gott muß sich der Wert mit dem Wertlosen verknüpfen.

Und zwar findet die Vereinigung nunmehr in jedem der drei Gebiete für sich statt, denn der Gegensatz von Wert und Wertlosem klafft ja in jedem der Kreise.

Aber so gestaltet sich die mögliche Aufgabe der Religion doch eigentlich nur dann, wenn dem Wertbegriff von vornherein jene metaphysische Deutung verliehen wird, die wir unbedingt ablehnten, nämlich die Deutung, daß im reinen Werte ein Sollen liegt. Wir wollten in der Grenze des Erlebnisses bleiben und erkannten als das Wesen des Wertes, daß er unbedingt befriedigt ohne Rücksicht auf persönliches Wohl und Wehe. Von der Verpflichtung, die ein Sollen unserem Willen auferlegt, fanden wir nichts im reinen Wertbegriff, und wir sehen, daß selbst im Sittlichen der Wert nicht aus dem Sollen quillt, sondern das Sollen aus dem Werte. Fassen wir dagegen als wertvoll das Gesollte auf, so verschiebt sich sofort natürlich die Umgrenzung der Werte selbst. Im Ethischen war für uns wertvoll die Welt, die sich selbst betätigt, sich entwickelt, fortschreitet, im Handeln sich selber treu bleibt; für jene Sollensauffassung ist wertvoll das gute Wollen. Im Ästhetischen war wertvoll für uns die Welt, die mit sich selbst in Einheit ist, sich selbst erfüllt, in Liebe, Eintracht, Glück und Schönheit; für jene Sollensauffassung ist wertvoll das schöne Fühlen. Im Logischen schließlich war wertvoll für uns die Welt, die sich selbst erhält, sich als daseiend und als zusammenhängend bekundet; für jene Sollensauffassung ist wertvoll das wahre Denken.

Der Gegensatz ist scharf. Nun ist das ja klar: wenn wirklich die Werte, der Sollenstheorie gemäß, im wahren Denkakt, im schönen Gefühlsakt, im guten Willensakt gegeben sind, so sind die Werte eingebettet in wertlose wirkliche Gegebenheiten. Überall hebt sich dieses gesollte und deshalb wertvolle Geschehen der idealen Persönlichkeit aus einem Chaos wertlosen und wertwidrigen Geschehens hervor, das an sich nicht weniger gegeben ist und nicht weniger Wirklichkeit hat. Das Stoßen der Atome, das blinde Spiel der Gefühle und Vorstellungen alles ist gleichermaßen wirklich und es scheint unvergleichbar mit dem auf Ideale gerichteten Wollen; es ist der Gegensatz von Sollen und kausalem Müssen, und da das Unvergleichbare nicht unversöhnbar bleiben darf, so muß das überpersönliche Bewußtsein die Aufgabe vorfinden, das Wertvolle und das Wertlose durch die Religion zu vereinen.

Dieser Religionsbegriff ist in der Tat folgerichtig aus dem Sollens-Wertbegriff abgeleitet. Lehnen wir aber diesen metaphysischen Begriff ab, und halten wir an unserem Wollens-Wertbegriff fest, so fällt auch die Aufgabe weg, das Wertvolle mit dem Wertlosen zu verknüpfen, als wären sie zwei gleichberechtigte Wirklichkeiten. Ruht der logische Wert nicht im gesollten Urteil über die Welt, sondern in dem Dasein und dem Zusammenhang der Welt, den das wahre Urteil ausspricht, so ist der Naturlauf und alles körperliche und geistige Müssen durchaus nichts Wertloses, sondern im Gegenteil ein schlechthin wertvoller Weltinhalt, den das Wertbewußtsein gesucht und herausgearbeitet hat. Wertlos im Gebiet des Logischen ist dann das ungeordnete Erlebnis, von dem wir ausgehen, der Inhalt, dem noch nicht Zusammenhang, ja nicht einmal Daseinswirklichkeit zugeschrieben werden kann. Eine Versöhnung oder Vereinigung zwischen diesem wertlosen vorwirklichen Chaos und dem daseienden geordneten Weltinhalt herbeizuführen, liegt aber kein Grund vor und wahrlich kann das nicht der Sinn der Religion sein. Das Wertlose ist ja bereits überwunden, wenn der Wert erreicht ist; sobald die wertvolle Welt errungen ist, ist die wertlose Welt zum Nichtdasein geworden und eine Überbrückung des Gegensatzes ist nicht mehr nötig.

Das gleiche gilt aber im Ästhetischen und Ethischen. Stellen wir uns auf den Willenswertstandpunkt des Ästhetischen, so hat die Welt, die unser Wille sucht, überhaupt nur Wirklichkeit insofern, als das Verlangen nach Welteinheit befriedigt wird. Von solchem Standpunkt aus ist das Unharmonische, das Unschöne, das in sich Streitende überhaupt nicht in gleichberechtigtem Dasein, sondern ist nur der Willensausgangspunkt, von dem aus die wirkliche Welt des Ästhetischen gesucht wird. Wenn wir dem Unschönen trotzdem Wirklichkeit zuschreiben, so geschieht es nicht, weil das häßliche für die ästhetische Bewertung auch als wirklich anzuerkennen ist, sondern weil das, was ästhetisch überwunden ist, im logischen Zusammenhang sehr wohl als ein Daseiendes Geltung haben mag. Das Unschöne ist uns dann aber nicht ein ästhetisch Wertwidriges, sondern ein logisch Wertvolles. Wir vertauschen den Wertstandpunkt und gehen von der ästhetischen Welt zur logischen Welt über, wenn wir das volle Dasein des Unharmonischen behaupten. Ist das Dasein des Unharmonischen aber nur ein Dasein in der logischen

Welt, so ist die Versöhnung von Schönheit und unschöner Wirklichkeit dann nicht mehr eine Versöhnung von Norm und Normwidrigen,
von Sollen und Müssen, von Wert und Wertlosem, sondern durchaus eine Vereinigung von zwei verschiedenen Werten: dem ästhetischen und dem logischen.

In gleicher Weise scheidet für den ethischen Standpunkt das
Unethische aus der Wirklichkeit aus, die der Wille sucht. Es dreht
sich alles da immer wieder um das willkürliche Vorurteil, als sei die
logisch wertvolle Welt des wirklichen Zusammenhanges sicherer
oder zuverlässiger oder berechtigter als die ethisch wertvolle Welt.
Beide sind Ziele des Willens, beide sind aus dem Erlebnis erst
herauszuarbeiten und durch überpersönliche Bewertung zu finden.
So wie die im Erlebnis gefundenen Dinge der Sinnestäuschung oder
des Traums oder die Wahngebilde keinen Platz in der wirklichen
Welt besitzen, weil der bewertete Zusammenhang der Natur sie
ausschaltet, so gehört für den ethischen Standpunkt alles, was sich
nicht selbst betätigt, ebenfalls nicht zur wirklichen Welt, das heißt
zu der Welt, bei der unser Suchen Ruhe findet. Das sich selbst
Verleugnende, das sich Untreue, das Rückschreitende und Unrechte
und Unsittliche gehört somit einerseits zum unmittelbaren Erlebnis,
aber liegt als solches noch vor aller Herausarbeitung der wirklichen
Welt, und gehört andererseits zur logischen Wirklichkeit des natürlichen und geschichtlichen Zusammenhanges. Das Unethische ist
somit wirklich nur insofern, als es logisch wertvoll ist; in seiner sittlichen Wertlosigkeit ist es vom ethischen Standpunkt unwirklich.
Kurz, jener Gegensatz von Wert und Unwert, den die Sollenstheorie festhalten muß, hat für uns in der wirklichen Welt gar keine
Geltung mehr; der Unwert ist da das bereits Überwundene, das
Müssen aber, das dem Sollen gegenüber steht, ist selbst ein voll-
gültiger Zusammenhangswert.

So bleibt es denn dabei, daß auch die Verbindung von Sittlichem und Naturlauf keine Verbindung von Wert und Wertlosem,
sondern Vereinigung zweier getrennter Werte ist, die beide gleichberechtigt vom überpersönlichen Bewußtsein aus dem Erlebnis
gewonnen sind. Und ein gleiches gilt vom Naturlauf und dem
Schönen. Die Welt die das religiöse Bewußtsein sucht und die sich
nur dann verwirklicht, wenn das religiöse Bewußtsein befriedigt
wird, ist somit nicht berufen, den Wert mit dem Unwert zu ver-

söhnen, da überhaupt nur Werte in ihren Umkreis eintreten können.
Und genau so weit wie die Umarbeitung der Welt und Ergänzung
durch Gottesglauben es ermöglicht, die Werte von ihren Widersprüchen zu befreien, so weit wird das religiöse Bewußtsein befriedigt werden.

Der Abschlußwert. Mehr noch als im Logischen, Ethischen oder
Ästhetischen mag die Befriedigung dieses Verlangens nach letztem
Wertzusammenschluß auf ungleiche Weise gesucht und erreicht
werden. Wir hatten schon betont, daß die ungleiche Ausbildung der
verschiedenen Einzelwerte sehr ungleiche Religionsformen entstehen lassen muß. Dazu kommt dann aber die ungleiche Betonung
eines Wertes gegenüber den anderen. Es gibt Religionen, in denen
das Ethische so vorwiegt, daß die logischen und ästhetischen
Werte nur ins Ethische hineingesenkt sind und ihre Ineinssetzung
somit im wesentlichen darauf beruht, daß eines die anderen umschließt. In gleicher Weise gibt es ästhetische und intellektuelle
Religionen.

Entscheidend aber bleibt es immer, daß dieser Akt der Ineinssetzung das Wesen der Religion ausmacht. Die Religion verhält sich
zu den Einzelwerten, sowie die Einzelwerte zu dem unmittelbaren
Erlebnis. Religion ist also auch nur eine **Auffassungsform des überpersönlichen Bewußtseins** und bezieht sich somit im tiefsten auf
keine andersartige Grundwesenheit. Wenn der Wert ein Sollen
bedeutet und wenn Wahrheit, Schönheit, Sittlichkeit somit nur als
eine Norm für das Denken, Fühlen und Wollen gilt, dann liegt es
nahe, beim Übergang zur Religion eine vollständige Wendung vor-
zunehmen. Die Religion, sagt man dann wohl, gibt allen diesen
Normen erst ihre übersinnliche Wirklichkeit und verankert so die
Gebote durch den Glauben mit einem höchsten, das wirklich Inhalt
ist, während die Gebote doch nur Formen sind. Uns kann auch dieses
Letzte und Höchste nur Form des überpersönlichen Bewußtseins
bleiben und somit an sich nicht in anderem Sinne notwendig sein
als das Logische, Ästhetische und Ethische selbst: die Form, in der
der Inhalt gedacht werden muß, um überhaupt gemeinsame, sich
selbst behauptende Welt zu werden.

Die Religion ist aber die Form der Formen; sie ist die schlechthin gültige Form für die Verbindung dessen, das selbst schon in
verschiedenen Formen gestaltet ist. Sie führt somit nicht zu

festeren Werten, wohl aber zu umfassenderen. Die Gewißheit
der Wahrheit oder die Vollkommenheit der Schönheit oder die
Würde der Selbstbetätigung muß in sich selbst und durch sich
selbst vollkommen sein; es wartet nicht auf Sanktion durch das
Gottesbewußtsein. Die Kraft der Wahrheit kann nicht daher
stammen, daß sie mit der Schönheit und Sittlichkeit zusammenstimmt. Wohl aber wird erst durch diese Harmonie die Welt ihre
letzte Vollendung erhalten; erst in diesem Einklang aller Werte wird
somit das Einheit suchende Schaffen des Bewußtseins zum Abschluß gelangen — wenigstens soweit es in naiver Lebensbetätigung
zum Abschluß gelangen kann. Zu höchstem Abschluß freilich wird
mehr von nöten sein; da wird es der zielbewußten planmäßigen
Kulturarbeit bedürfen: das ist die Aufgabe der Philosophie.

Soll nun so die Welt der Erfahrung durch ein Jenseitiges ergänzt werden, das alle Werte zur Vereinigung bringt, so wird die
Erfahrung wieder in drei Gestalten in Frage kommen; wir fanden
alle drei in jeder Wertgruppe vor. Wir trennten ja stets die Außenwelt der Dinge, die Mitwelt der anderen Wesen, und die Innenwelt
des Selbst. Auch der Jenseitsgedanke wird für jedes dieser drei
Reiche seine besondere Aufgabe haben. Nicht mehr als eine An-
deutung dieser Aufgaben, und sicherlich nicht eine scharfe Umgrenzung ist versucht, wenn wir sagen, daß der religiöse Wert sich
mit Rücksicht auf die Außenwelt im Glauben an die Schöpfung
bekundet, mit Rücksicht auf die Mitwelt im Glauben an die Offenbarung, mit Rücksicht auf die Innenwelt im Glauben an die Erlösung. Wir müssen das im einzelnen verfolgen.

A. Die Schöpfung.

Der Schöpfer und die Natur. Der Gläubige, der zu Gott, dem
Schöpfer des Himmels und der Erde, aufblickt, ist nicht mit einer
naturwissenschaftlichen Hypothese beschäftigt. Zunächst: Glauben
im religiösen Sinn hat ja nur den Wortlaut mit jenem anderen
Glauben gemeinsam, das sich aufs bloße Glauben beschränkt, weil
es keinen zureichenden Anhalt zum Wissen hat. Der Gottesglaube
ist kein unsicheres, probeweises Fürwahrhalten, das sich mit einer
Annahme begnügt, weil kein Beweis da zur Gewißheit ausreicht; der
religiöse Glaube trägt vielmehr eine Gewißheit in sich, die aller
logischen Beweiskraft überlegen ist. Vor allem aber ist Gott der

Schöpfer deshalb keine naturwissenschaftliche Hypothese, weil der
Schöpfer, der nur Ursache des Weltenlaufs im Sinne der Naturwissenschaft wäre, gerade das Wesentlichste zum Gott entbehrte.

Ob die naturwissenschaftliche Betrachtung der Dinge es überhaupt von sich aus notwendig macht, von der Erfahrungswelt zu
einem Weltschöpfer überzugehen, mag dahingestellt bleiben. Das
wesentlichste Argument vergangener Tage war die Zweckmäßigkeit
und Angepaßtheit der Natur, die nur dann erklärbar sei, wenn ein
vorausschauender Geist sie von Anbeginn geplant hat. Aber gerade
solche Betrachtung hat in der Gegenwart ihren Hauptsinn eingebüßt. Das Entstehen von Gestaltungen, die ihrer Umgebung
angepaßt sind und sich so unter wechselnden Bedingungen selbst
erhalten, dünkt der Naturwissenschaft kein unlösbares Problem
mehr. Auf der anderen Seite ist der Blick der Wissenschaft heute
dafür geschärft, zu sehen, wie unendlich vieles in der Natur durchaus nicht angepaßt und zweckmäßig erscheint. Vor allem aber
würde die Annahme eines Schöpfers, der unserer Welt vorbedenkend
und zwecksetzend gegenüber stünde, das Problem im naturwissenschaftlichen Sinne nur dann lösen, wenn er als ein Gefüge körper-
licher und seelischer Vorgänge gedacht wird.

Der menschliche Erfinder kann als zureichende Ursache für
die Entstehung der Maschine gelten, weil Physiologie und Psychologie ihn als Kausalreihe von Vorgängen deuten; seine geistigen
und körperlichen Erregungen wirken zusammen, um die zweck-
mäßigen Wirkungen hervorgehen zu lassen. Der Erfinder, als Ursache gedacht, kommt also nicht in seiner geistigen Wirklichkeit,
sondern als psychophysisches Geschehen in Betracht und seine
Zwecksetzung ist dann selbst nur ein Stück psychophysischen
Naturlaufs, ein Glied in der kausalen Kette. In gleichem Sinne
würde dann aber auch Gott nur als ein gewaltiger psychophysischer
Apparat in Frage kommen, und das bedeutet, daß er zwar aus-
reichend die Folgeerscheinungen, nämlich das Gestalten der Erfahrungswelt erklären mag, sogleich aber selbst auf weiter zurück-
liegende Ursachen hinweist. Kurzum auf diesem Wege käme die
Naturwissenschaft immer wieder nur zu einem naturwissenschaftlichen Gegenstand; er mag alles Erfahrungsmäßige überragen, aber
gibt der Betrachtung unmöglich einen Abschluß.

Anders aber liegt es, wenn an den Anfang der Reihe ein

Schöpfer gestellt wird, der nicht psychophysischer Mechanismus, sondern Geist sein soll, nach Art unseres wirklichen Geisteslebens. Das forderten wir ja stets, daß unsere Willenstat als Teil des historischen Geschehens frei und ursachlos erfaßt werden müsse. Sie ist frei, weil es sinnlos wäre, nach ihrer Ursache zu suchen; ihr ganzes Sein liegt in ihrem Sinn; sie verlangt daher nicht Erklärung, sondern Darstellung ihrer Absichten. Ein Schöpfer, der so die Welt will, ist in der Tat Anfang und Ende, und die Welt, die er voraus sieht, ist eingeschlossen in sein Tatganzes. Die Ursachenreihe der Welt wäre durch des Schöpfers freies Wollen dann erst gesetzt und seine nachfühlbare Willensfreiheit würde jedes Fragen zur Ruhe bringen.

Eines aber müßten wir allerdings fordern, daß nämlich dieser schöpferische Jenseitswille sich wirklich nur auf das bezieht, was Erklärung erheischt: das gesetzmäßige Geschehen des Naturlaufs. Nichts anderes also darf solch ein Weltschöpfer wollen, als jenes in sich selbst blinde Hin- und Herschieben der unveränderlichen Bestandteile der Dinge. Sein einziges Ziel muß das ziellose Getriebe der Atome sein. Gewiß ist ein solcher Schöpfer nicht mehr ein bloß weit hinaus geschobenes Naturding, das selbst Erklärung verlangt; er ist wirklich der Schaffende und Gesetzgebende — er hat die unveränderliche Masse geschaffen und die unveränderlichen Energien gesetzt. Und doch: würde ein Schöpfer, der so wirklich auf seine logische Aufgabe beschränkt bliebe, uns als ein Gott gelten? Ein Geist, der nichts als das Dasein des Stoffes und die Geltung der Naturgesetze will, und diesen Willen verwirklicht, wäre eine gespenstische Allmacht, die weder Ehrfurcht noch Vertrauen, weder Hoffnung noch Furcht, weder Dank noch Liebe erwecken kann, kurz der kein religiöses Gefühl antwortet und der somit das Wesentlichste zum Gott fehlt. Ja, selbst von Allmacht darf kaum die Rede sein; denn, wenn der Allgeist wirklich die Natur nur als Natur will, so kann er gar nichts anderes als das Gesetz wollen und ist jedem gesetzlichen Geschehen gegenüber ohnmächtig: er vermag niemanden zu schützen und niemandem zu helfen. Für den Gedanken der Allgüte würde es überhaupt an jedem Anhalt fehlen.

Damit aus solchem Schöpfer ein Gott werde, ist ein grundsätzlich Neues notwendig: er muß in Beziehung treten zur ästhetischen Welt des Glücks, der Eintracht, des Schönen und zur ethischen Welt der Entwicklung und des Sittlichen. Die Verbindung der getrennten Wertwelten gibt erst dem Gottesgedanken Lebenskraft. Die Welt, über welche die Gottheit herrscht, mag das unendliche Universum der entwickeltsten Naturwissenschaft sein oder mag ein dürftiger Ausschnitt aus der Erfahrung sein, den die Phantasie des Naturvolks abgegrenzt hat, jedesmal ist doch erst die Ineinssetzung einer Wertmehrheit die wahrhafte Probe der Gottheit. Und ob die Gottheit über den Dingen steht oder in der Welt der Dinge selbst lebendig ist, ob ein Gott oder viele, alles das bleibt eine Scheidung zweiter Ordnung; grundsätzlich ist nur immer die Frage, ob dieselbe Gottheit, welche die Dinge in ihrem Naturzusammenhang ordnet, zugleich unsere Erlebnisse zu schöner Einheit fügt und unsere Ideale in der Entwicklung der Dinge verwirklicht.

Das religiöse Gefühl muß also gewiß sein, daß die Welt, in der die Dinge sich nach Gottes Willen bewegen, eine Welt ist, welche in ihrem Zusammenhang gesetzlich geordnet ist, dabei gleichzeitig alles schließlich zur inneren Harmonie fügt, und endlich den Sieg des Guten in sich trägt. Dabei mag der Erkenntniszusammenhang nicht mehr als die oberflächlichste Verknüpfung der Erfahrungen sein, die innere Harmonie nicht mehr als das Behagen des Genusses und das sieghafte Gute nicht mehr als der selbstische Wunsch des Volksstammes; die Werte mögen somit auf niederster Stufe stehen, aber die Welt, welche Gott beherrscht, muß allen diesen Wertgruppen gemeinsam dienen. An Gott den Schöpfer glauben heißt innerlich überzeugt sein und bei jeder Handlung von der Überzeugung getragen sein, daß unser Leben sich in solcher Welt abspielt. An Gott den Schöpfer glauben heißt, in jedem Erlebnis die Welt so auffassen, daß in ihr vermöge einer jenseitigen Macht der Gegensatz zwischen Naturordnung, Glück und Sittlichkeit sich aufhebt. Keine wissenschaftsartige Erklärung hat diese Ineinssetzung begreiflich zu machen; Religion hat nur, wer dieser Einheit durch Gott persönlich und unmittelbar gewiß ist.

Der Schöpfer in den historischen Religionen. Solch ein Schöpfer steht im Mittelpunkt jeder einzigen großen historischen Religion. Wohl mag da bald das logische, bald das ästhetische, bald das ethische Fordern überwiegen, je nach der Gefühlslage der verschiedenen Völker und Zeiten. Bald mag so auch in dem persönlichen Verhältnis zu Gott die Dankbarkeit und Liebe oder das

Abhängigkeitsgefühl, die Demut und selbst die Furcht oder vielleicht das Vertrauen und der Kampfesmut oder schließlich der selbstvergessende Verzicht vorherrschen. In der Unbeirrtheit des Glaubens, der ohne Beweise das tiefste Lebensgefühl aus einem Jenseits schöpft, in dem alle Werte zur Einheit werden, da ruht die Religion, die allen den wechselnden Religionen zugrunde liegt.

Blicken wir zum fernsten Orient, so finden wir in den Chinesen sicherlich ein am Weltlichen haftendes Volk, dessen Ahnenverehrung nicht darüber täuschen darf, daß es im Grunde religionsarm war, bis der buddhistische Kultus von außen eindrang. Aber von Anfang an stand das doch fest und ward durch die großen Lehrer vertieft, daß der oberste Herrscher, der zunächst der Himmel selbst ist, die natürliche Ordnung der körperlichen Dinge und die sittliche Ordnung der im Staat vereinten Menschen vollkommen einheitlich regle. Und als das ursprüngliche chinesische Bewußtsein in Laotse seinen tiefsten Gemütsausdruck findet und wirklich zu reiner verinnerlichter Religion wird, da verkündet er: ,,Der Mensch stammt von der Erde, die Erde vom Himmel, der Himmel stammt vom Tao, und das Tao stammt ohne Frage allein aus sich selbst. Die ganze geschaffene Natur und ihr Schaffen und Wirken ist nur ein Sichtbarwerden des Tao. Dieses, obgleich an sich ein geistiges und stoffloses Wesen, umfaßt doch alles Sichtbare, und in ihm sind alle Wesen. Unbegreiflich und unsichtbar aber wohnt in ihm ein erhabener Geist. Dieser Geist ist das höchste und vollkommenste Wesen, denn in ihm ist Wahrheit, Glaube, Zuversicht. Von Ewigkeit zu Ewigkeit wird sein Ruhm nicht aufhören, denn in ihm vereinigt sich das Wahre, Gute und Schöne im höchsten Grade der Vollendung". Das ist der Grundton, der durch die Religionen aller Völker und Zeiten klingt: die Ordnung der Natur, das reine Glück und das sittliche Streben müssen irgendwie durch ein Jenseitiges vereinigt werden, das wir nicht verstehen können, aber an das wir glauben müssen: ,,Unbegreiflich und unsichtbar wohnt in ihm ein erhabener Geist — in ihm vereinigt sich das Wahre, Gute und Schöne".

Von China führt der Westweg nach Indien. Das wunderbare früh erschlaffte Volk der Inder hat in seiner Religion seine beste Kraft entfaltet und Grübeln und Träumen hat die Grundgedanken in vier Jahrtausenden immer aufs neue umgeformt. Von den unent-

wickelten Symbolen der Frühzeit bis hin zu den philosophischen
Religionssystemen der späten Priester erhält sich wohl ein gewisses
mysteriöses Gefühl, aber der Inhalt der Religion erlaubt keine einheitliche Formel. Und trotzdem wird man sagen können, daß schon
von früh her sich langsam der Glaube vorbereitet, der dann später
unvergleichlichen Ausdruck fand, der Glaube, daß die Dinge nur
ein Schein, das Leiden nur eine Täuschung, das Schlechte nur
ein Mißdeuten sei; alles wahre Wesen ist Geist und in der Hingebung an den reinen Geist fließt alle Erkenntnis, alles Glück und
alle Sittlichkeit zusammen. Gewiß ist die Aufhebung der Wert-
gegensätze hier durch eine ganz neue Wendung gewonnen; der
Zwiespalt wird dadurch überwunden, daß die Welt des Zwiespalts
als Scheinwelt erkannt wird, aber der letzte Sinn ist auch in dieser
indischen Wendung der gleiche wie in allen weltwirksamen Religionen. Der Glaube hat auch hier den Kampf zwischen Naturerkenntnis und Glücksverlangen und Lebensforderung überwunden,
wenn auch das Glücksverlangen unbedingt die treibende Kraft im
Ganzen ist: trotz aller scheinbar sittlichen Kraft des Entsagens
bleibt es doch die ästhetische Sehnsucht nach der Aufhebung des
Leides, die das Ganze der Weltanschauung beherrscht und Natur
und Sittlichkeit unterordnet.

Die ältesten vedischen Naturgötter überwinden den Gegensatz
noch in der äußerlichen Form; sie sind allmächtig, allwissend,
unsterblich, sind gütig und vergeben Sünden. So hat etwa Varuna
die Ordnung der Natur geschaffen, hat die Erde vom Himmel
getrennt und den Weg der Sonne gebahnt und daneben Recht und
Unrecht geschieden, die Sittlichkeit geregelt; dem Missetäter gegenüber ist Varuna selbst Richter und furchtbarer Rächer. Und wieder
ist er daneben voll Erbarmen und sorgt, daß dem Frommen das
Leben eine Zeit des Glückes sei. Und nicht anders Indra, der allei-
nige Schöpfer und Erhalter, der in seiner Faust das ganze Weltall
umschließen kann und nun doch seine grenzenlose Macht einsetzt,
um die dämonischen Feinde der Menschen zu verfolgen und so für
Ernte und Sonnenschein zur Freude der Menschen zu sorgen. Daß
Indra groß genug ist, um mit einer Zehe die ganze Erde zu bedecken,
macht ihn noch nicht zum Gotte; daß dieser Riese aber den Dä-
monen die gestohlenen Regenkühe wieder fortnimmt, damit die
Menschen den nötigen Regen haben und so seine Macht mit der

Sorge für das Glück verbindet, das gibt dem Glauben an Indra religiösen Sinn.

Und doch welch weiter Weg nun von dort zu den späteren Veden, wenn Brahma, das zauberwirkende Wort, selbst zur Welt-wesenheit, zur Gottheit geworden ist, aus der alle besonderen Wesenheiten hervorgehen und zu der sie wieder zurückkehren müssen. Das ist der Grundsinn der Upanishaden: „Der Mensch, der versteht, daß alle Geschöpfe in Gott allein bestehen und so die Einheit des Daseins begreift, hat keine Trauer und keine Illusion". So ist die vollkommenste Einheit der Werte zunächst in der Per-sönlichkeit selbst erreicht: die vollkommene Erkenntnis muß, da sie ein Erschauen des allein wirklichen Wesens ist, zugleich höchstes Strebensziel sein, und diese Erfüllung der höchsten Pflicht ist zu-gleich höchste unendliche Glückseligkeit. Diese Einheit im Selbst bedingt nun aber doch zugleich auch Einheit in der von Gott um-spannten Welt selber: die Welt, wie sie in der Anschauung Gottes als wirklich erkannt wird, ist eine Welt, in der es kein Unschönes für das Fühlen und kein Enttäuschendes für den Willen geben kann. Durch die Beziehung auf Gott hat die Welt selbst somit vollständige Einheit des Wahren, Schönen und Guten gewonnen. In der Ve-dantalehre schlägt die religiöse Anschauung in Philosophie um, denn Philosophie wollten wir da finden, wo das wertvereinigende Prinzip nicht jenseits der Welt, sondern in der auffassenden Seele gesucht wird. In Buddhismus andererseits tritt die Beziehung des Jenseits zum Selbst, die Einheit der Werte in der Erlösung völlig in den Vordergrund, und die religiöse Spekulation über die Welt der Dinge in den Hintergrund.

Die wahre Gotteswelt der Inder ist ewig und unveränderlich, alles Werdende ist nur ein Schein; in schärfstem Gegensatz dazu der Glaube der Perser in der Religion Zarathustras. Die Welt-geschichte ist ein Weltkampf, den die Götter führen und der einst mit dem Triumph des Guten und dem Untergang des Bösen enden wird; nach der zwölftausendjährigen Weltzeit kommt der Heiland die Toten erwecken. In dieser zeitlichen Welt der Sinne spielt sich somit das religiöse Drama ab, doch die wirkende göttliche Kraft vereinigt auch hier die Sittlichkeit, das Glück und die Ursächlich-keit. Die persischen Bauern, von Feinden umgeben, sahen, daß das Gute und das Schöne und das Ursächliche in ihrem Kampfesdasein

voneinander getrennt blieben, ja daß die Mächte, welche das Geschehen beherrschten, die Unsittlichkeit siegen ließen. Da setzte
die Mission Zarathustras ein: der wahre Gott hat nichts mit jenen
Lügengöttern gemein; im wahren Gott ist Macht und glückspen-
dende Güte und strengste Sittlichkeit vereint. Ahura Mazda, der
wahre Gott, ist Schöpfer und Erhalter der Welt und für den gesetzmäßigen Verlauf der Natur wird ihm besonders Dank gespendet.
Zugleich aber ist er der Heilige, der in absoluter Reinheit fort-
dauernd göttliche Energie ausströmt, und so dem sittlichen Menschen
machtvoll hilft, die Welt vor dem Schlechten und Unreinen zu bewahren. Schließlich aber ist Gott gerecht und verbürgt für das gute
Wort und die gute Tat herrlichen Lohn am jüngsten Tage. Der große
Dreiklang der Werte muß so auch hier zur Einheit verschmelzen.

Seit der Gründung des babylonischen Weltreichs unter Hammurabi galt Marduk als der König der Götter. Am Morgen der
Schöpfung tritt Marduk seine Weltherrschaft an. Er bringt den
Sieg des Lichts und überwindet die finsteren unterirdischen Mächte;
er leitet die segnenden Ströme; er schenkt das Getreide und alle
Nahrung für den Menschen; er heilt die Krankheiten und befreit
den Leidenden von Not; er erweckt die Toten. Und wie vieles da
auch roh und noch völlig unter der Herrschaft des Naturmythus
stehen mag, dieser Zusammenhang zwischen Naturherrschaft und
Menschenglück und lichter helfender Tat wiederholt sich in der
gesamten babylonisch-assyrischen Götterlehre. Der Zorn der Götter
sendet die Sintflut, um die Frevel der Menschen zu strafen. Und so
schicken sie Seuchen und Niederlagen im Kriege denen, die unrecht
tun, die frevelhaft schwören oder Gelübde brechen, Gefangene
ungerecht binden oder die Eintracht der Familie zerstören.

Wir kommen zum Mittelmeer. Gewiß wäre es vergeblich, die
mannigfachen Elemente der uralten ägyptischen Religionen mit
ihren zahllosen Gottheiten, mit ihrem Tierkultus und Totenkultus
und mit ihrer langen wechselvollen Geschichte in ein geschlossenes
Lehrsystem umzudenken. Sobald aber erst der Gedanke einer
höchsten die Natur lenkenden Macht sich durchgerungen, dient sie
doch wieder auch hier gleichzeitig der Förderung des glücklichen
Gedeihens und der Erzwingung sittlicher Gebote. Es ist Amon-Ra,
der höchste Sonnengott. „Er befahl und die Götter entstanden;
er ist's der die Menschen machte und der die Tiere schuf. Die Men-

schen kamen aus seinen Augen und die Götter aus seinem Munde."
— „Auf ihn setzen die Unterdrückten ihr Vertrauen, denn er ist
der Vezier der Armen, der sich nicht bestechen läßt." Das letzte
Glück im Paradiese des Osiris aber findet nur, wer das Totengericht
bestanden hat und bekennen konnte, daß er „keine Sünde gegen
Menschen getan und nichts getan habe, was die Götter verabscheuen". Im Reiche Ra's gibt es keinen Zwiespalt zwischen Naturlauf, Seligkeit und sittlicher Betätigung.

Wer die griechischen Götter im Spiegel der Homerischen Gesänge erblickt, mag zweifeln, ob auch der Hellenengeist durch seine
Religion die Werte der Welt zu vereinen suchte. Wer sie im Bild
der platonischen Mythen erschaut, der weiß, daß der Zusammenklang des Wahren, Guten und Schönen niemals reiner und tiefer war.
Und doch selbst in dem unphilosophischen Götterhimmel, in dem so
viel niederes unsittliches Gelüste und so viel ungerechte Laune sich
tummelt, da herrschte doch schließlich der Zeus, der als König der
Götter und Menschen vor allem Schirmherr der Gerechtigkeit und
Beschützer der Schutzlosen und Schwachen ist. Und mag der
schönheitsfreudige Dichter auch das heitere Götterleben der Sitten
bar erscheinen lassen, durch ihre nationale Wirkung bekunden
Athene und Apollo, daß eine tiefe sittliche Kraft von diesen Kin-
dern des Zeus ausging und so sich wieder der unvergleichlichen Schönheit und der Macht auch die moralische Wirksamkeit zugesellte.

Auch Jahve, der Gott des israelitischen Volkes, war ja zunächst
wohl nur eine Naturmacht, der Gott des Berges und der Gewitter-
stürme, aber die geistig-sittliche Vertiefung des Jahvegedankens ist
die Geschichte des Judentums. Und wenn bei der Zertrümmerung
des israelitischen Staates die Jahvereligion nicht mit unterging, so
geschah es, weil durch das Wort der Propheten der Volksgott längst
zum Gott der sittlichen Weltordnung entwickelt ward, erhaben über
den Wandel der Erlebnisse. Aus tiefstem sittlichen Seelengrunde
hatte schon Elias gefordert, daß das Volk grundsätzlich wähle
zwischen dem wahren heiligen sittlichen Gotte und den unheiligen
Naturgöttern. Der Gott Israels war der Mächtige, der die Meere zu
teilen vermag, zugleich der Gütige, der seinem Volke Wohlfahrt und
Glück bringt, und vor allem der Gerechte, der selbst sein Volk aufgibt, wenn die sittliche Gerechtigkeit es fordert. In dieser Einheit
liegt der Sinn und die Kraft des Glaubens.

27*

Für die christliche Religion gilt es mehr als für irgend eine andere, daß die Auffassung der Dinge und des Dingjenseits nicht ausreicht, um ihren tiefsten Religionsgehalt zum Ausdruck zu bringen; erst die Auffassung des Selbst und des Selbstjenseits, die Zuversicht in die Erlösung trägt das Leben derer, die an den Gekreuzigten glauben. Gewiß muß auch die Außenwelt ihre Stelle im Ganzen der christlichen Lehre finden, aber das Reich Gottes ist in uns, und in der Innenwelt vollzieht sich der Einzug der Gottesherrschaft. Hier können wir wieder nur nach dem Weltbild fragen. Da aber geht das doch schon aus den Evangelien und aus den Überzeugungen des Urchristentums hervor, daß diese Welt der Dinge von dem einzigen Gott frei geschaffen und geordnet ist, daß sie von dem gleichen Gott für die Herrschaft des streng Sittlichen vorbereitet ward, und daß sie von dem gleichen Gott mit der Seligkeit des Glücks gesegnet wird. Die Allmacht, die Allsittlichkeit und die Allliebe sind in dem Schöpfer vereinigt; die Welt seiner Schöpfung ist somit von vornherein so angelegt, daß der geregelte Naturlauf, das glückliche Geschehen und der Sieg des Guten ihren scheinbaren Gegensatz für die Seele des Gläubigen verlieren müssen. Von Anbeginn ist das Christentum die Lehre von der Vereinigung der Naturordnung, des Glücks und der Sittlichkeit durch die heilige Jenseitsgewalt des geistigen Schöpfers.

Alles das hat seit den Tagen der ersten christlichen Gemeinden unablässige Wandlungen im einzelnen durchgemacht. Gewiß ist die Naturordnung sehr ungleich gedacht, wenn einmal jede Veränderung im Weltall als immer neues Eingreifen des Schöpfers gedacht wird, und ein andermal der Glaube gewiß ist, daß Gott der Natur ihre Gesetze für alle Zeiten von Anfang an verliehen hat. Gewiß ist noch mehr die Sittlichkeit verschieden gedacht, wenn einmal in jeder Menschenseele die freie Kraft zum Guten und zum Schlechten als Voraussetzung gilt, und ein andermal es dem puritanischen Glauben feststeht, daß Gott im voraus bestimmt hat, wer die Kraft zum Guten hat und den Kampf siegreich führen darf. Und gewiß ist die Seligkeit des Glücks unvergleichbar verschieden gedacht, wenn sie einmal für die Auferstehung am jüngsten Tage versprochen wird, und ein andermal in der gläubigen Gewißheit selbst, im Herzenszustand des Kämpfenden hier in der Stunde des Kampfes gefunden wird.

Aber an der Grundforderung wird auch selbst durch solche Gegensätze nichts geändert. In jedem Wandel der Glaubenslehren, wofern sie nur wirklich von lebendigem Glauben getragen wurden, bleibt es dabei, daß die Welt des Schöpfers für die Vereinigung der unabhängigen Werte angelegt ist: das Sittliche mag sich dabei durch die Entscheidung des Einzelmenschen oder durch die vorherige Gnadenwahl Gottes vollziehen und die Seligkeit mag in Äonen kommen oder heute schon unsere Seele durchleuchten. Die unruhige Hin- und Herbewegung zwischen dem Wahren, Guten und Schönen im Weltlauf ist für den Christen aller Jahrhunderte durch den Glauben an Gott den Vater aufgehoben. Es ist wie Augustin sagt: „Du hast uns zu dir hin geschaffen; darum ist unser Herz ruhelos, bis es zur Ruhe kommt in dir".

Auch der Islam hätte seine ungeheure Macht über die Völker nicht erlangt, wenn der Koran nicht, trotz aller phantastischen Ausschmückungen, mit klaren Worten ebenfalls lehrte, daß das Weltganze, das Allah geschaffen, der Naturordnung, der Sittlichkeit und dem Glück gemeinsam dient. Gott hat nur sieben Grundeigenschaften, das Leben, das Wissen, das Herrschen, das Wollen, das Hören, das Sehen und das Reden, aber diese Liste enthält nicht die Barmherzigkeit, von der tatsächlich im Koran so häufig die Rede ist und die nicht wenig dazu beiträgt, die lebendige Einheit der Werte auch im Glauben an Allah und Mohammed zu finden. Und noch wichtiger, daß der Koran auch darüber keinen Zweifel läßt: trotz der Vorherbestimmung, die der Allmacht Gottes gemäß ist, bestimmt doch schließlich der einzelne Mensch den sittlichen Wert seiner Handlung. Nach seinem Tode wird er verhört, und wenn erst der Tag des Urteils kommt, so wird er Lohn oder Strafe finden. Wenn nur irgendwie das Gute über das Böse hervorragt, so wird er die Höllenbrücke ohne Schaden überschreiten und zum Paradiese gelangen, das die Propheten und Märtyrer schon nach dem Tode betreten.

Was in den großen historischen Religionen so deutlich hervortritt, ist nur unklarer und vor allem unvollkommen in den Naturreligionen und Halbreligionen der niederen Stämme ausgedrückt. Inder und Perser, Ägypter und Griechen, Israeliten und Araber gingen ja gleichermaßen von rohen Symbolen der Natur und des Lebens aus. Aber jene Naturgottheiten und Ahnengötter, selbst

in der unbeholfenen Gestalt frühester Mythenbildung, trugen doch
immer schon die Aufgabe in sich, getrennte Wertgruppen zu vereinigen. Gerade durch diese ursprüngliche Anlage konnte die niedere
Gottheit mit der Entwicklung der in sie eingehenden Einzelwerte
stetig wachsen und die innere Kraft höchster Glaubenserfüllung,
allmählich und stetig, ohne plötzliche Wandlung, in sich aufnehmen. Was der Jahvismus in Israel war, ist in der vorangehenden
Jahveverehrung bei den Keniten noch kaum angedeutet; aber der,
im höheren Sinne sittlich gleichgültige, Lokalgott des Berges
Sinai, dessen Waffe der Blitz und dessen Stimme der Donner war,
vereinigt doch schon die Macht über ein Naturgebiet mit dem
Willen, die Lebenshoffnungen des Stammes und so das überpersönliche Wollen der Menschengruppe zum Sieg zu führen. Auch in
der rohesten Form muß er schon mehr als nur überpersönliche
Naturursache sein, um überhaupt religiöse Verehrung zu finden.
Und alles das gilt für die tausendfache Gestaltung, in der die
animistischen Götter noch heute bei den kulturlosen Völkern das
Hoffen und Fürchten beherrschen. Ob die Naturgewalt da ver-
menschlicht wurde, ob menschliche Führergestalten zur Naturgewalt wurden, ob begriffliche Worte zu persönlichen Namen
wurden, in jedem Fetisch ist doch bereits eine schöpferische Kraft
gegeben, die das Werden und den natürlichen Zusammenhang der
Dinge irgendwie beherrscht und zugleich zum gemeinsamen Wollen
und Wünschen des Stammes in Beziehung tritt. Da mögen die
verschiedensten Wollungen in den Vordergrund treten, und die
Gestalten mögen noch unstet und vergänglich sein, aber auch aus
dem unbeholfensten und plumpesten Glaubensgebilde spricht der
schlechthin gültige Wert der Werteinheit. Es ist wie die Buddhisten
sagen: „Viele Wege von den verschiedensten Ausgangspunkten
führen zum Gipfel des Berges empor, aber auf alle scheint doch derselbe Mond hinab". Und der gleiche Mond leuchtet schließlich auch
über den vielen Pfaden, die nur eine kurze Strecke aufwärts führen
und den Gipfel selbst nicht erreichen.

B. Die Offenbarung.

Der göttliche Wille und das geschichtliche Leben. Die Gottesherrschaft war uns das Jenseits der Außenwelt; so ist die Erlösung
das Jenseits der Innenwelt, die Offenbarung aber das Jenseits der

Mitwelt. Die Offenbarung ergänzt den geschichtlichen Zusammenhang wollender Wesen, so wie die Schöpfung den ursächlichen Naturzusammenhang ergänzte. Von der Offenbarung her durchdringt das Göttliche dann als Priesterlehre, als Kultus und Kirche, das ganze Getriebe der menschlichen Gesellschaft und sichert dem Gemeinschaftsleben seinen überpersönlichen Wert. Sollen unsere Bewertungen in sich widerspruchslos werden, so ist es nicht genug zu glauben, daß die Dingwelt mehr als nur Natur ist; wir müssen auch gewiß sein, daß die Menschenansprüche, die als geschichtliche Wirklichkeit an uns herantreten, mehr als nur Menschensatzungen sind.

Alles nur Menschliche ist zunächst erfüllt von Gegensätzen durch Selbstsucht und Streit; aber tiefer liegt wieder die Gegensätzlichkeit der Werte. Würdig und wertvoll ist uns der historische Zusammenhang als solcher und doch mag er den Werten unseres Pflicht- und Rechtbewußtseins entgegenwirken und beide mögen im Widerspruch zu unserem überpersönlichen Hoffen und Verlangen stehen. Nur dann können und müssen alle Gegensätze verschwinden, wenn wir gewiß sind, daß der historische Zusammenhang auf Gott zurückführt, daß die Forderung der Menschen letzthin durch Gott geheiligt ist, in dem alle Ordnung und alle Sittlichkeit und alle Seligkeit zur Einheit werden. Nur soweit wie das geschichtliche Wollen unmittelbar aus Gottes eigenem Willen fließt, hat es den höchsten Abschlußwert erreicht: es muß in sich, in unbegreiflicher Weise, die Werte der historischen Ordnung, der sittlichen Pflicht und der unendlichen Lebensharmonie vereinen.

Das überpersönliche Verlangen nach vollkommener Einheit der Werte muß so das Gemeinschaftsleben auf eine göttliche Offenbarung zurückführen. Gott ist dann auch dem historischen gegenüber der geistige Hintergrund, in dem sich die Widersprüche lösen. Sein Eingreifen ist somit durchaus nicht nur eine gradlinige Weiterführung der historischen Tradition. Ein Gott, so sahen wir, der nichts sein wollte, als Naturursache, wäre tatsächlich kein Gott, sondern ein psychophisischer Mechanismus, der selbst in die Naturwissenschaft gehört. In gleicher Weise wäre ein Gott, dessen Offenbarung nur Anfang des historischen Geschehens sein wollte, tatsächlich kein Gott, sondern ein nebelhaftes Stück Vorgeschichte. Zur göttlichen Offenbarung wird die übermenschliche Einwirkung

erst, wenn sie neben dem historischen Zusammenhangswert zugleich den ästhetischen Erfüllungswert und den ethischen Zielwert
enthält.

Offenbarung kann deshalb aber auch immer aufs neue einsetzen,
denn immer aufs neue kann der göttliche Wille in das nur Historische hineingreifen, um die Bewertungen zusammenzubinden und
der menschlichen Gemeinschaft so Vertrauen und Richtung zu
geben. Jedes Wunder ist solche neue Offenbarung, und es ist klar,
daß in diesem Sinne das Wunder zu den notwendigsten Bekundungen des bewertenden Bewußtseins gehört. Das Wunder ist
keine Aufhebung der Naturgesetze, denn der Zusammenhang, in
dem allein es Bedeutung hat, ist gar nicht die Naturordnung,
sondern der Willenszusammenhang. Was da im Wunder sich vollzieht, ist ohne Beziehung zu der Frage, ob die Erlebnisse sich auch
als physikalische Tatsachen beurteilen lassen; werden sie solchem
Gesichtspunkt untergeordnet, so müssen sie selbstverständlich auch
dem Naturgesetz gehorchen und ihr scheinbarer Ausnahmecharakter
wiese nur auf die Unfertigkeit der Wissenschaft. Dieser Gesichtspunkt der Wissenschaft ist aber gekünstelt und fremdartig für das
wirkliche Erlebnis des Wunders, in dem alles davon abhängt, daß
sich ein Wille, ein übermenschlicher Wille bekundet. Wir sahen,
daß es immer gekünstelt und fremdartig ist, die Gedankenformen
der kausalen Naturwissenschaft an das eigentlich historische Geschehen heranzutragen, die Welt der Freiheit vielmehr ihre eigenen
Zusammenhangsformen verlangt. Nur in dieser Welt der Freiheit
ereignet sich das Wunder; ein Wille bekundet sich, den wir als göttlichen verstehen; von einem Durchbrechen der Naturordnung ist
da keine Rede, weil in dem Reich der Freiheit keine Naturordnung
in Betracht kommt. Nicht in der negativen Beziehung zu fehlenden
Ursachen liegt die Kraft des Wunders, sondern in der positiven Beziehung zu einem überragenden Willen, in der Bedeutsamkeit und
Einzigartigkeit des Eindrucks.

So hat die Offenbarung denn auch stets viel mehr zu vermitteln als nur die Erkenntnis, daß Gott vorhanden ist. Das gesamte geschichtliche Leben findet dort seine Antriebe und seinen
bindenden Sinn. Göttlich sind die Staatsordnungen und die
Herrscherkronen, göttlich das Recht und die Strafgewalt, göttlich
die Ehe und der Eid, das sittliche Gebot und jedes ideale Streben in

der Gemeinschaft. Das ganze historische Leben in seiner Rückbeziehung auf die göttliche Offenbarung ist so eingebettet in die
Religion und es ist ganz mißverständlich zu glauben, daß zwischen
Religion und Staat, Religion und Wissenschaft, Religion und Kunst,
ein grundsätzlicher Gegensatz bestehen könne. Wo solcher Gegensatz geschichtlich einsetzt, muß eine der beiden Seiten oder beide
der höchsten idealen Aufgabe untreu geworden sein. Die Einzelwerte untereinander mögen in Streit geraten, die Religion aber kann
mit keinem grundsätzlich uneinig sein, da ihre Aufgabe gerade die
ist, alle Bewertungen durch die Beziehung auf ein Jenseitiges grundsätzlich zu vereinigen. Daß eine engherzige Kirche, eine selbstische
Politik, eine kleinliche Schulwissenschaft, eine leichtfertige Kunst,
eine erstarrte Sittlichkeit, nicht miteinander auskommen können,
das ist leicht verständlich.

Wo es Gemeinschaftsleben gibt, gibt es auch Offenbarung, und
überall baut sie erst so recht das Zusammenleben auf, weil immer
wieder sich durch die Beziehung auf den göttlichen Willen das Aus-
einanderstrebende zusammenschließt und das Bewußtsein der
historischen Ordnung, der sittlichen Pflicht und des höchsten
Glückes sich nur im religiösen Gemeinwesen verbinden kann. Der
bloße Kulturfortschritt als solcher wäre unfähig, die Gegensätze
der Bewertung zu versöhnen. Gewiß fehlt es dabei auf den niederen
Stufen meist an bestimmter Tradition für die überhistorische Vermittlung. Daß der Fetisch und das Idol seine Zauberkräfte besitzt,
daß das heilige Tier der Totemisten vom ganzen Clan verehrt werden
müsse, daß die Tabuvorschriften mit allen ihren Verboten befolgt
werden müssen, alles das wissen die Priester, ohne daß der Einzel-
vorgang hervortreten muß, durch den die übernatürliche Kunde
sich offenbarte. Aber überall, bei den afrikanischen und amerika-
nischen Naturvölkern, bei den Völkern der Südsee und bei den
Mongolen, überall ist es der überweltlich gebotene Glaube und
Kultus, der die Gemeinschaft bindet, den Einzelnen verpflichtet
und das Zusammenleben zum einheitlichen Inbegriff der vorhandenen Bewertungen ausgestaltet. Die Anfänge staatlicher Ordnung,
sittlicher Pflicht, rechtlicher Gebundenheit, sozialer Eintracht, und
erklärender Erkenntnis finden durch die offenbarten Gebote ihren
letzten Zusammenhang untereinander und ihre Harmonie mit den
Hoffnungen und Wünschen für das gemeinsame Glück.

Der Offenbarungsglaube in den historischen Religionen. Zu
voller Ausprägung kommt der Offenbarungsglaube natürlich erst
in den großen entwickelten Regionen. Wenn etwa Zarathustra auf
Bergeshöhe die Berührung mit Gott erlebt, zu dem himmlischen
Throne emporgetragen wird und nun von Gott selbst die göttliche
Wahrheit hört, so liegt in diesem überhistorischen Ausgangspunkt
des persischen Glaubens das Wesentlichste. Von dorther fließt die
Kraft, mit der die historische Ordnung, die Glückshoffnung und die
sittliche Überzeugung in persischem Volksleben ineinander griffen.
Dort vor seinem Throne hatte Gott selbst Zarathustra zu seinem
Propheten berufen; alles Geschichtliche hat in dieser Übertatsache
den schlechthin gesicherten Ausgangspunkt.

Buddha andererseits empfing die Offenbarung nicht, sondern
sein Erdendasein selbst war die Offenbarung. Um der Menschheit
ein Erlöser zu werden, entschloß er sich, vom Himmel zu den Menschen hinabzusteigen; zu seiner Mutter erwählte er eine fromme
Königin, und sofort als er geboren wurde, rief er laut: Ich bin das
Erhabenste und Beste in der Welt und werde allem Leiden ein Ende
machen. Und in späterem Kirchenglauben ist der geschichtliche
Buddha überhaupt nur eine, wenn auch die bedeutsamste, Erscheinung des Urbuddha; vorher und nachher hat er sich auch in
anderen Gestalten offenbart.

Die immer erneute Offenbarung göttlichen Willens hat vielleicht nirgends tiefer in das nationale Gesamtleben eingegriffen als
es das delphische Orakel der Griechen durch Jahrhunderte getan.
Politische Bündnisse und eingreifende Gesetze wurden von der
Stimme des delphischen Apollo abhängig gemacht und durch
Apollo spricht Zeus selber. Die Frage ist da nicht, wie weit da
priesterliche Berechnung und wie weit gläubiges Prophetentum
das Volk beeinflußte. Entscheidend ist nur, daß durch den Glauben
an die Worte der jungfräulichen Pythia in dem historischen Kräfte-
spiel ein tiefes kulturschaffendes Ineinander von politischen Staats-
bewegungen, sozialen Friedensbewegungen und sittlichen Rechts-
bewegungen gesichert war. Die logisch zu bewertende historische
Ordnung, die ästhetisch zu bewertende Harmonie des Lebens und
die ethisch zu bewertende Verwirklichung des tiefsten Wollens durch
die Tat, konnten im Griechentum nur durch die Macht des Kultus
zur Einheit zusammenschmelzen.

Das gleiche gilt von den religiös so reich beanlagten Völkern Vorderasiens. Den Assyrern und Babyloniern sind sogar Kunst und Wissenschaft unmittelbare göttliche Offenbarung, so wie die Königswürde von den Göttern verliehen ist. Die Gesetze in Hammurabis altbabylonischer Gesetzessammlung sind alle auf göttliche Offenbarung zurückzuführen; die Reliefdarstellung des berühmten Dioritblocks zeigt, wie der Sonnengott von Sippar den König als Richter einsetzt.

Auch die Religionsbedeutung von Moses liegt darin, daß sich der Gott der Väter ihm als ein lebendiger Gott bezeugte, der so dem unter ägyptischem Druck hinsiechenden Volke Israels den Glauben an die eigene Aufgabe wieder verlieh. Es war die göttliche Offenbarung, die aus Geboten und Rechtssprüchen durch Moses zu den Mutlosen sprach und eine neue Entwicklung einsetzen ließ, in der alle Ideale wieder zur Einheit werden durften. Wie Gott sich schon Abraham und Isaak und Jakob offenbart hatte, so hat der Jahve des Moses in immer neuen Nachfolgern lebendig fortgewirkt und dem historischen Werden überhistorischen Zusammenhalt verliehen.

Und in dem Offenbarungsglauben liegt die Triebkraft für die welthistorische Arbeit des Christentums. Gewiß ist der Sinn der christlichen Überzeugung dann am tiefsten erfaßt, wenn die Offenbarung ins eigene Herz verlegt wird und in der Wandlung gesucht wird, die der Glaube dem inneren Leben bringt. Aber die Kirche, die protestantische so gut wie die katholische, hat guten Grund gehabt, als Offenbarung zunächst doch durchaus die offenbarte Lehre festzuhalten. Die inspirierte heilige Schrift als solche war die unversiegliche Quelle der historischen Wirkung. Das Leben Jesu mit seinen Wundern war die Offenbarung des Gottes der Liebe; die christliche Gemeinde fand in dieser Offenbarung von der Krippe bis zum Kreuze den jenseitigen Beziehungspunkt, von dem aus alles wertvolle Wirken, Wünschen und Wollen innere Einheit gewann. Das Wunder wirkte aber so weltbewegend nicht, weil es übernatürlich war, sondern weil es übergeschichtlich war; zur Natur stand es überhaupt in keiner Beziehung, zur Geschichte aber stand es in entscheidender Beziehung: für die historischen Wollungen war es Erhebung und Umgestaltung.

Auch in bezug auf den Islam kann darüber kaum ein Zweifel sein, daß Mohammed wirklich selber glaubte, er sei von Allah zu seiner Predigt berufen, und daß seine prophetische Offenbarung sich verwirklichen würde. Der Islam bestreitet nicht, daß Gott sich häufig der Welt offenbart habe durch Engel, Propheten und Gesandte, von Adam und Noah bis Jesus, aber der Koran, der Mohammeds Offenbarungen zusammenfaßt, ist allein für die gesamte Menschheit bestimmt; die früheren heiligen Schriften sind durch den Koran außer Kraft gesetzt; er ist das eigentliche Wort Gottes, welches seit ewigen Zeiten bei Gott aufgezeichnet lag und durch den Engel Gabriel herabgesandt wurde, damit Mohammed es stückweise offenbare. Und wieder war damit für die Gläubigen ein geschichtliches Jenseits gewonnen, von dem aus für die politisch tatsächlichen, die ästhetischen und die ethischen Kräfte sich eine gemeinsame und einheitliche Richtung ergab.

So hat in immer neuen Formen und Gestalten das menschliche Gemeinschaftsleben sich die Einheit seiner auseinanderstrebenden Bewertungen durch den Glauben an einen übergeschichtlichen Anhaltspunkt errungen. Im Glauben selbst verwirklichte sich die Ineinssetzung, die keiner Wahrnehmung und keiner Wissenschaft bedurfte. Der Mystiker freilich hat zu allen Zeiten und an allen Orten diese Beziehung zu einem verkündenden Gott unmittelbar in sich selber gefunden. Ließ er die Offenbarung, die er erlebte, auf die Mitwelt weiter wirken, so wurde er selbst zu historischer Religionskraft. Bestimmte aber das, was er erschaute, nur sein eigenes Leben, so war damit gewissermaßen der geschichtliche Lebenszusammenhang ausgeschaltet. Vertieft dagegen wird der Glaube der Gemeinschaft, wenn die Offenbarung, die der einzelne in gläubigem Gemüt erlebt, sich selbst den Offenbarungen der Kirche einordnet und so die Innenwelt bezeugte, was die Mitwelt fordern muß, um die Einheit ihrer Werte festzuhalten.

C. Die Erlösung.

Der Erlösungsgedanke in den historischen Religionen. Die Innenwelt ist erfüllt vom Widerstreit. Durch unsere eigene Kraft ist dieser Gegensatz unserer Wollungen unmöglich zu überwinden. Da sucht die Seele nach einem Jenseits des Erlebnisses, in dem das Widerspiel verstummt. Es mag eine überirdische Vorsehung sein, die Sorge trägt, daß gerade unser eigenes Selbst doch schließlich zu einer vollkommenen Einheit gelangt. Oder es mag die fromme

Andacht, es mag ein himmlisches Schauen sein, das unser Ich über alle inneren Kämpfe still emporhebt. Oder es mag ein Leben nach dem Tode sich vor dem gläubigen Blick entfalten und dort sich alles bieten, was das Leben versagt. Oder stellvertretendes Leiden mag uns von der Sünde entlasten. Unendlich in der Tat sind die Formen, in denen „der Menschheit ganzer Jammer" äußerlich oder innerlich durch den Glauben überwunden wird und so die letzte Einheit nicht für den Naturlauf der Außenwelt, nicht für die Geschichtsbewegung der Mitwelt, sondern für die Erlebnisse der Innenwelt gewonnen wird. Der Drang nach diesem schlechthin gültigen Einheitswert ist die Erlösungssehnsucht. Sie regt sich, wo es in der Welt Menschentum gibt, denn das Notwendige, das Sittliche, das Glückliche sind im Erlebnis noch niemals restlos ineinander aufgegangen.

Der Gedanke vom Leben nach dem Tode an einem besseren Platz steht dabei durchaus nicht notwendig im Vordergrund, und gerade dieser Gedanke ist andererseits häufig ohne Beziehung zur Erlösungsidee ausgebildet worden. Die Seelenvorstellung, die das Sterben oder der Traum anregt, mag zum Glauben an ein anderes Leben führen, das durchaus kein besseres ist. Schon bei den niedersten Stämmen, bei denen kaum Spuren religiöser Triebe zu finden sind, gehört der Jenseitsgedanke oft zum Weltbild; die Toten werden etwa mit Schuhen für die weite Reise ausgerüstet, aber daß es ihnen dort in dem fernen Land besser ergehen wird, liegt zunächst gar nicht im Kreis der Betrachtung. Dennoch ist von solchen Vorstellungen der Weg zum Paradiese dann nur noch ein kurzer. Auch dem niedersten Indianer etwa ist das Jenseits der Ort für Genuß und Freude, dem Jägervolk vor allem ein Jagdplatz reich an Büffeln.

Ist aber das zukünftige Leben oft zunächst unabhängig von dem Verlangen nach Erlösung, so ist sicherlich noch häufiger die Erlösung unabhängig von einem himmlischen Leben. Hier auf Erden wird durch göttlichen Einfluß, durch gütige Vorsehung, durch Gebet und gute Tat das Leid der Seele verschwinden und alles sich zu vollendeter Einheit fügen. Ja, selbst das Leben nach dem Tode muß nicht notwendig ein der Erde entrücktes sein: die Seelenwanderungslehre, etwa in der stark ethisch gefärbten Gestalt des Brahmanismus, ist sicherlich auch Erlösungslehre. Der Mensch,

dessen Dasein von guten Taten erfüllt ist, wird durch göttlichen Ein-
fluß zu einer höheren Lebensstufe emporgehoben, die von den
Schmerzen und Kämpfen seiner Stufe befreit ist; die teilweise Be-
freiung von der Schranke erfolgt somit zwar erst, wenn der jetzige
Lebenskampf zu Ende gekämpft ist, aber doch noch durchaus im
Rahmen des Erdenlebens.

Die volle Erlösung sucht aber der indische Geist doch erst in
der vollständigen Befreiung vom Verlangen nach den Gütern des
Lebens. Das Leben ist Leid weil es Begierde ist; wenn die Begierde
in uns ertötet ist, so ist die Qual des Daseins überwunden.
Selbstlose, milde, reine Gesinnung und enthaltsame Selbstzucht
predigt Buddha daher für die Masse; und für die, welche die Seligkeit der vollen Erlösung erreichen wollen, bedarf es darüber
hinaus des hingebenden Sichversenkens. Da werden alle sinnlichen
Erregungen ausgelöscht, und ein Zustand der träumenden Verzückung herbeigeführt. Der Schwerpunkt scheint bei alledem
nur auf dem Leid der Welt zu ruhen, und die Weltüberwindung
scheint nichts Höheres als Befreiung vom Schmerz zu sein. Aber
Buddha sagt: Jeder ist selbst die Ursache seines Leidens und durch
sich selbst wird er davon frei. Das also was angestrebt wird, ist
im letzten Grunde nicht Loslösung von der Welt, sondern Befreiung von der selbstischen Stellungnahme zur Welt; nur wenn wir
die Dinge auf uns als Einzelpersonen beziehen, werden sie Übel:
versenken wir uns in ihre schlechthin gültige Wesenheit, so gibt es
nichts Häßliches und nichts Schmerzvolles. Die Erlösung von der
Welt ist also letzthin die eigene Erhebung zum Standpunkt der
reinen Bewertung.

Nun scheint es freilich, als sei der höchste Konflikt, der Konflikt der reinen Werte selbst, damit noch gar nicht berührt. Tatsächlich werden wir uns dieses Wertkonfliktes doch aber gerade
durch die selbstische Beziehung der Welt auf die eigene Person erst
bewußt. Die Notwendigkeit des Weltenlaufs und die selige Harmonie der Dinge und die Reinheit der Ideale sind an sich nicht im
Widerspruch; erst durch ihre Durchkreuzung in unserem persönlichen Willenserlebnis setzt der Gegensatz ein, weil die Einheit
unserer Persönlichkeit auch die Vereintheit jener Wertgebiete
erheischt. Dann ist der notwendige Ablauf der Dinge, der als
solcher nur wertvoll ist, vielleicht ein Wertwidriges, wenn er dem

Harmoniewert widerspricht und uns Unglück zuträgt. Und anderereseits ist die an sich nur wertvolle Harmonie des Erfreuenden vielleicht ein Wertwidriges, wenn sie dem Sittlichkeitswert widerspricht und so die Sünde darstellt. Und wiederum alles, was wertvoll in die Welt der sittlichen Reinheit oder des schönen Einklangs gehört, mag wertwidrig sein, wenn es unserem Verlangen nach verläßlicher Ordnung der Dinge widerspricht und so Unwahres einschließt. Das Unheil, die Sünde, der unwahre Schein sind somit in bezug auf die Einzelperson Auflehnungen gegen die ästhetischen, ethischen und logischen Werte; in bezug auf die Welt selbst aber sind sie wechselseitige Durchkreuzungen der Werte selbst. Erlischt jede Beziehung der Werte auf das persönliche Wollen, so hört mithin auch die wechselseitige Störung der Werte auf, weil ihre wechselseitige Beziehung überhaupt aufhört.

Wer sich in die Welt versenkt, ohne Rücksicht auf sein eigenes Selbst, hat somit wahrhaft die Gegensätzlichkeit der reinen Werte überwunden, aber doch nur deshalb, weil der Verzicht auf den eigenen Willen zugleich das Verlangen nach Einheit in der gegebenen Welt selbst ausgeschaltet hat. Die Welt in sich ist nicht sündhaft, nicht unglücklich, nicht unwahr, aber sie bleibt dafür vielfältig: jeder ihrer Werte ist ein Werden besonderer Art, ein Ausgestalten besonderer Ideale, die einander nicht stören, aber auch nicht berühren. Damit eröffnet sich aber der Weg zu einer neuen Einheit: nicht in der Welt, sondern in der nach Idealen ringenden Seele, nicht jenseits der Dinge sondern diesseits. Nicht der Gott, der das All beherrscht, sondern der Geist, der in uns die Bewertungen der Welt emportreibt, muß nun als die letzte Einheit gedacht werden. Und damit ist die Religion in Philosophie umgewandelt. Wer unpersönlich und dadurch überpersönlich sich in die Welt versenkt, findet die Einheit letzthin nicht in dem Schöpfer der Welt, sondern im suchenden Selbst; wer aber vom überpersönlichen Selbst die Wirklichkeit ableitet, ist auf dem Weg zur philosophischen Weltanschauung, auch wenn er fortfährt, die Sprache der Religion zu sprechen. Der Buddhismus ist somit in seinem höchsten Sinne Philosophie. Und in gleicher Richtung zielt die Erlösungsreligion aller Zeiten, sobald die unpersönliche Versenkung in die Weltwesenheit lebhafter einsetzt. Der Neuplatonismus bekundet es deutlich.

Das Judentum begann mit stark persönlicher Forderung an die
Welt. Der Widerstreit ward somit lebhaft empfunden und durchaus der gegebenen Welt selbst zugerechnet. Nur ein Gott jenseits
der Welt konnte diese Zerrissenheit des Erlebnisses ausgleichen.
Da kann noch der Sündenbock in die Wüste gesandt werden und
die schuldige Seele dadurch Ruhe finden. Da sichern die Gott
wohlgefälligen Gebotserfüllungen noch das irdische Wohlergehen,
in dem sich alle Konflikte der Innenwelt harmonisch lösen. Das
erhoffte Reich, das da kommen soll, ist zunächst durchaus in dieser
Welt. Das Jenseits des Erlebnisses ist dies Erlebnis der Zukunft.
Erst spät setzt im Judentum der Glaube an das Leben nach dem
Tode ein, ein Glaube, der in den griechischen Mysterien, im persischen und ägyptischen Volksbewußtsein lebendig war und
schließlich im Christentum in den Mittelpunkt der Vorstellungen
trat. Nicht ein Reich auf Erden, sondern ein Gottesreich wird
kommen, in dem körperliches Menschendasein und Glückseligkeit
und Gerechtigkeit und Friede sich zusammenfinden. Die Eintracht
der logischen, ästhetischen und ethischen Werte in der eigenen
Innenwelt ist im Christenglauben an ein Jenseits vollständig verwirklicht. Das irdische Leben mit seinen Gegensätzen ist nun als
ein harmonischer Teil in ein größeres Ganze eingefügt. In diesem
unendlichen Ganzen sind alle Erfahrungsschranken und alle Er-
fahrungskämpfe aufgehoben; und dieser höchste Wert, der alle
Werte harmonisch in sich vereinigt, ist gewisser als die Erfahrung
selbst, denn die Überzeugung des Glaubens umspannt ihn. Auch
im Islam kehrt alles das wieder.

Daß es für die Gemeinde Jesu und Mohammeds auch eine
Hölle mit ihren Martern neben dem Himmel gibt, entspricht genau
dem Sinn der Werte, die ja niemals bejaht werden können, ohne die
Verneinung denkbar zu machen. Den schlechthin letzten Wert
kann die Seele nur erreichen, wenn sie überhaupt Werte will.
Der sittliche Wert ist der einzige, der durch eigene Tätigkeit geschaffen werden muß; wer ihn durch sündhafte Tat verneint, der
will keine Einheit in seinem tiefsten Wollen und vernichtet dadurch
für sich selbst die himmlische Gewißheit. Mag auch die Phantasie
den Qualen unendlichen Inhalt geben, die tiefste Qual bleibt doch, daß
die Einheit des Wollens nicht erreicht wird, der Himmel verschlossen bleibt. Daß ein himmlisches Reich in voller Werteinheit

da ist, das ist das Entscheidende; dein Reich komme, das ist das Gebet der nach Erlösung verlangenden Seele. An dieser höchsten Vollendung des Innenlebens ist im Grunde auch dann nichts geändert, wenn im Paulinischen Sinne die künftige Auferstehung nicht auf den Körper sondern auf den Geist bezogen und der Tod des Gekreuzigten als Sühnopfer gedacht wird. Das stellvertretende Leiden Christi vermittelt nunmehr die Erlösung, aber der Zustand des Erlöstseins trägt die gleichen Züge.

Die Unsterblichkeit. Auch der christliche Erlösungsgedanke drängt über sich selbst hinaus oder richtiger drängt von der rein religiösen zu der philosophischen Betrachtung hinüber. Wohl hat das sittliche Bewußtsein sich oft gegen die stellvertretende Sühne gesträubt, das ästhetische Bewußtsein gegen die endgültige Verdammnis derer, die Menschenantlitz getragen, das logische Bewußtsein gegen alle anschaulichen Folgerungen aus dem Auferstehungsgedanken. Wenn es aber gilt, den Glauben an die zukünftige Auferstehung nach dem Tode als den allerletzten Abschlußwert einzusetzen, in dem alle Werte zur Einheit kommen, so ergibt sich das Verlangen nach · philosophischer Weiterführung doch aus ganz anderem Bedenken. In der unphilosophischen Form steht und fällt dieser Glaube mit der Voraussetzung, daß unser Innenleben ein Vorgang in der Zeit sei, ein Vorgang, der durch unbegrenzte zeitliche Verlängerung dann zum möglichen Träger unendlicher Werte wird. Gerade diese Voraussetzung aber trifft nicht zu. Als wir vom Wesen der Wissenschaften sprachen und die geschichtliche Betrachtung von der naturwissenschaftlichen sonderten, da überzeugten wir uns, wie alle historische Wirklichkeit auf Willenstaten beruhe, die nicht beschreibbare und erklärbare Dinge sind, sondern Akte der Stellungnahme, die gedeutet, verstanden, beurteilt werden wollen.

Als solche lebendige Wirklichkeiten sind die menschlichen Erlebnisse somit nicht im Ursachenzusammenhang und deshalb nicht in der Zeit; ihr Wesen ruht in ihrem Sinnzusammenhang, der als solcher dem Reich der Freiheit angehört und die Frage nach Ursache und Zeitdauer so wenig zuläßt wie die nach Raumform oder Gewicht oder Farbe. Unsere Geisteswelt kann freilich, so sahen wir, auch als Objektreihe ·behandelt werden; das Ich wird dann zum passiven Zuschauer und das Erlebnis zum kausalen Bewußtseinsinhalt: gerade das erkannten wir als Aufgabe der Psychologie.

Aber damit ist die Lebenswirklichkeit preisgegeben; es ist eine Umwandlung, die für die Zwecke der Kausalbetrachtung notwendig ist und die das seelische Leben dann sofort auch dem körperlichen parallel setzt. Wer das Innenleben aber nicht erklären, sondern in seinem Sinn und seinen Werten verstehen will, muß versuchen, es nicht psychologisierend zu zerlegen, sondern nacherlebend zu verstehen.

In dieser, Zielen zugerichteten, Wirklichkeit ist unser Geistesleben zeitlos. Wohl wendet unser Geist sich Dingen zu, die ihm als gegenwärtig gelten, während andere die Vergangenheit und Zukunft ausmachen, aber der Geist selbst wird dadurch nicht ein Ding und den gegenwärtigen Dingen nicht gleichzeitig. Der Geist selbst bleibt außerhalb der Zeit, weil er selbst erst die Zeit in allen ihren Richtungen setzt und umfaßt; im zeitlosen Geistesakt ist die gesamte unendliche Zeit der Dinge eingeschlossen. Eine Unsterblichkeit, welche nur eine Verlängerung eines zeitlichen Vorgangs ist, kann sich somit nur auf das psychologosierte Bewußtseinsding beziehen. Der freie zeitlose Geist, dessen Akte unser wirkliches Leben bedeuten, kann nicht andauern, da er überhaupt nicht in die Zeit eintreten kann.

Wie sollte denn auch ein wirklicher Wert entstehen, wenn die geistige Wirklichkeit selbst sich in der Zeit abspielt? Alles in die Zeit Gebannte ist schlechthin nichtseiend, sobald es nicht im gegenwärtigen Augenblicke liegt; die Vergangenheit und die Zukunft sind gleichermaßen ungreifbar. Die Wirklichkeit verwandelt sich so in eine unendliche Prozession von Einzelaugenblicken, und jedes bloße Augenblickliche ist in sich schlechthin wertlos. Wir sahen ja, daß jeder Wert von der gleichsetzenden Beziehung zwischen getrennten Inhalten abhängt. „Ein Augenblick gelebt im Paradiese" wäre wertlos; der Wert könnte erst dann einsetzen, wenn wenigstens zwei Augenblicke gegeben sind und der zweite die identische Erhaltung des ersten ist. Aber auch dann wäre es weitere Voraussetzung, daß ein Wille da ist, der zwischen den zwei Augenblicken die Beziehung erfaßte. Das ist aber nur dann möglich, wenn die beiden getrennten Inhalte in einen einheitlichen Akt aufgenommen sind, der erste also noch nicht unwirklich geworden ist, wenn der zweite einsetzt, die Augenblicke also nicht zeitliche Begebenheiten, sondern geistig gesonderte Teile eines zeitlosen Willensaktes sind.

Ist aber ein einzelnes, zeitlich gedachtes und somit psychologisiertes Geisteserlebnis an sich wertlos und in der zeitlichen Ordnung unfähig, in einen Wert einzutreten, so kann sich durch die bloße Vervielfältigung nichts daran ändern. Eine Kette von zeitlichen Bewußtseinsinhalten bleibt somit wertgleichgültig, auch wenn sie ungezählte Millionen von Jahrtausenden umfaßt. Die bloße Ausdehnung unserer psychischen Erscheinungen in der Zeit würde für den Persönlichkeitsgehalt genau so zufällig, äußerlich und im letzten Grunde wertlos bleiben, wie etwa die Ausdehnung unseres Körpers im Raum; unser Leben würde nicht des Lebens mehr wert sein, wenn unser Arm bis zu dem fernsten Fixstern reichte. Im zielstrebig Zeitlosen liegt unsere persönliche Wirklichkeit und die einheitliche Umfassung der Werte in unserer Innenwelt kann somit auch nur außerhalb der Zeit liegen.

Das seelische Jenseits beginnt somit nicht nach Äonen oder nach dem körperlichzeitlichen Ereignis unseres Todes, sondern muß selbst in unseren zeitlosen Willenszusammenhang eingeschlossen sein. Ein Jenseits ist es, weil es alle wirklichen Willenslagen unerfahrbar übersteigt, und im Erlebnis niemals vollständig erfaßt werden kann; es ist ein Ideal, das als wirklich geglaubt werden darf, weil unsere Überzeugung an der Möglichkeit solcher vollkommnen Willenserhöhung festhält. Die wahre Erlösung im Sinne des Christentums ist somit das siegreiche Erstehen jener Willenstat in uns, durch welche jeder Gegensatz der Werte überwunden ist und die volle Einheit des Wahren, des Einträchtigen und des Guten in unserer Seele errungen ist; es ist die Erlösung durch die zeitlose Seligkeit.

Jedes Verstehen dieser letzten Einheit führt dann aber in die Tiefe der eigenen Seele. Die Erlösung erfolgt nun nicht mehr als Wirkung einer göttlichen Handlung, sondern durch unser eigenes Hinschreiten zu einem höheren reineren Leben. Das Jenseits unserer Innenwelt liegt also im Grunde unseres Selbst und damit nimmt der religiöse Gedanke die Wendung zur Philosophie. Trotzdem aber bleibt der christliche Gedanke auch in dieser Formung wirkliche Religion, und zwar Religion, die endlich den logischen Konflikten entwunden ist. Es bleibt Religion, weil im Mittelpunkt die Gewißheit steht, daß dieses neue Bewußtsein der Werteinheit durch den Glauben an Gott getragen wird. Der Glaube an die werteinende

28*

Macht des Göttliehen ist jetzt selbst die erlösende Tatsache. Und
wieder ist das nicht im psychologischen Sinne zu verstehen. Das
Entscheidende bleibt ungesagt, wenn die psychische Erscheinung des
Glaubensvorganges als Ursache, die Erweiterung des Seelenlebens
als Wirkung beschrieben wird. Wieder handelt es sich vielmehr
um den Sinnzusammenhang der freien Wollungen: Gott bejahen,
Gott lieben bedeutet da für die Innenwelt die schlechthin gültige
Aufhebung der Gegensätze; die zerrissene Erfahrung des Selbst ist
im Glauben zu sinnvoller Einheit geworden, der innere Kampf
zur Ruhe, die hilflose Gebundenheit zur Freiheit durch die Erlösung.

Zwölfter Abschnitt.

Die Grundwerte.

Religion und Philosophie. Vom frommen Gemüte wird Gott
gefunden in dunkler Sehnsucht nach der Einheit der Werte; diese
Einheit der Werte in begriffsklarer bewußter Arbeit zu finden, ist
die letzte Aufgabe aller Philosophie. Das Ziel bleibt so ein gemeinsames, aber der Weg ist ein durchaus anderer und besonderer. Zu
leicht wird diese Verschiedenheit verkannt, und doch hat der Gott,
zu dem das Gebet empor dringt, sein tiefstes Wesen eingebüßt,
wenn er sich etwa in den Allgeist der Idealisten verwandelt;
der Urgrund, den die Philosophie sucht, der soll nicht Schöpfer
und nicht Offenbarer und nicht Erlöser sein. Gewiß hat auch die
Religion ein schlechthin Letztes ergriffen: es gibt kein Wesen,
das noch hinter der Gottheit stände. Wenn es gilt, die gegebenen
Welten des Wahren und des Einheitlichen und des Guten als eins-
seiend aufzufassen, so kann nur der Glaube an Gott Gewißheit
bringen und kein philosophisches Umdenken kann diesen Abschlußgedanken ergänzen oder gar ersetzen. Nur durch die Beziehung
auf Gott werden die gegeneinanderprallenden Welten so vereinigt,
daß in der einen sich die andere erfüllt und so ihre Gesamtheit selbst
zum reinen Wert wird.

Aber die Voraussetzung für die Glaubenstat bleibt dabei doch,
daß diese, zunächst widerstreitenden, Welten gegebene und fertig
erfahrene Wirklichkeiten sind. Von den Lebensgütern, die wir vorfinden, von der wirklichen Natur und Geschichte, von der Liebe
und dem Glück, das Menschen erfahren, von der sittlichen Ordnung,
die uns gegeben ist, dringt unser Verlangen empor zu dem Heiligen,
das überwirklich ist und das nun alles Gegebene zusammenschmilzt.
Von diesem Ausgangspunkt kann die Einheit nur so errungen
werden; keine andersartige Betrachtung kann diesen Glauben zer-

sprengen. An der Gegebenheit der werterfüllten Erfahrungen wird durch den Überbau der Gotteswelt nichts geändert. Sobald aber die Einheit der Wertgebiete planmäßig und zielbewußt gesucht wird, muß notwendig die Voraussetzung selbst geprüft werden und so das Gegebene und die Erfahrung selbst zum Problem werden. Dadurch wird die Richtung der Betrachtung aber vollkommen umgewendet, denn wer die Erfahrung selbst untersucht, wird vom Erfahrenen zum Erfahrenden, vom Wert zum Bewertenden, von der Welt zum Ich und seiner Vernunft gelenkt. Sind aber die Wertgebiete durch die geistigen Taten der Vernunft bestimmt, so kann ihre Vereinigung nun nicht mehr ein Vereinigen der getrennten Erfahrungen bedeuten, sondern muß vielmehr ein Vereinigen der wertsetzenden Vernunftkräfte sein. Statt der Auswärtsbewegung zur unerfahrbaren Überwelt, die der Glaube sucht, tritt dann also eine Einwärtsbewegung zur unerfahrbaren Grundwelt ein, in der die gesonderten wertschaffenden Kräfte ihren einheitlichen Ausgang nehmen.

Diese neue Richtung zum Urgrund hin durch eine Prüfung der geistigen Wertbedingungen kann nun in der Tat nur dann einsetzen, wenn das Verlangen nach letzter Einheit zu zielbewußter planmäßiger Denkarbeit führt. Nur solche absichtliche bewußte Herausarbeitung von Werten wollten wir als Kultur im engeren Sinne bezeichnen; Philosophie ist daher Kulturleistung wie Wissenschaft und Kunst und Recht. Religion dagegen schafft ihren Wert mit jenem naiven unmittelbaren Lebensgefühl, das der Gewißheit des Daseins, oder der Freude an Liebe und Glück, oder dem Glauben an die Entwicklung und den Fortschritt zugrunde liegt. Gewiß nimmt auf höherer Stufe die Religion zahllose Kulturwerte in sich auf; so mag die Natur, die Gott schuf, auch vom Gläubigen so gedacht werden, wie die Kulturarbeit der Physik und Chemie sie ausgestaltet hat; der Glaube mag von allen Kulturmitteln der Sprachkunst und der Musik, der Malerei und der Baukunst Gebrauch machen; die Kirche mag durch rechtliche und sittliche Kulturarbeit gesichert und verbreitet werden, aber die eigentlich religiöse Glaubenstat bleibt dabei doch stets eine unmittelbare Werterfassung. Die Religion ist uns daher ein Lebenswert, die Philosophie ein Kulturwert; von einer wechselseitigen Verdrängung kann da so wenig die Rede sein, wie zwischen dem naiven Einheitswert der Liebe und dem planmäßigen Einheitswert der Kunst.

Daß die grundsätzliche Untersuchung der möglichen Wertgebiete wirklich zum bewertenden Geist zurückführt, das bedarf nun hier keines weiteren Beweises mehr. Unsere gesamte Betrachtung war ja nur ein einziges durchgeführtes Beispiel solchen Verfahrens. Und die Wahl stand uns dabei nicht frei. Wollten wir das Wesen des Wahren und Schönen und Guten und Heiligen prüfen, mit Rücksicht auf das, was sie eint und was sie scheidet, so mußten wir notwendig vom scheinbar fertig Gegebenen zu den Seelenkräften zurückgehen, die aus dem Gewühl der Erlebnisse erst die getrennten Wertreihen schaffen. Wer nun gar fragt, wie weit die Werte selbst auf eine Einheit zurückführen, der wird das Einende und Trennende von vornherein im Auge behalten und wird so unbedingt die Werte prüfen, indem er die Vernunftgrundlagen der Wertsetzung selbst untersucht.

Die Einheit der Bewertungsakte. Die Vereinigung der Werte durch die Ineinssetzung der Bewertungen, so sagten wir, ist das eigentliche Ziel der Philosophie. Aus der Untersuchung der einzelnen Bewertungsarten ergeben sich einzelne Teile der philosophischen Aufgabe, die Logik und Ästhetik und die Religionsphilosophie, die Natur- und Geschichtsphilosophie und so weiter. Das Ganze der Philosophie ist aber mehr als die Summe dieser Teile. Sie alle finden ihren letzten Zusammenhalt in der abschließenden Untersuchung über die innere Einheit der Bewertungen: nur durch solche Ineinsfügung wird das Weltganze selbst zum Wert, und dann allein erzeugen wir Weltanschauung. Und die Weltanschauung trägt den Sinn unseres Lebens.

Wer solcherart die Aufgabe der Weltweisheit deutet, nimmt dadurch nicht für eine Richtung der Philosophie gegen andere Richtungen Partei. Als wir die Aufgabe der Religion als Einheit der Werte bestimmten, waren dadurch Grenzen gesetzt, innerhalb deren wir Raum für Buddhismus und Griechenkultus und Christentum fanden. Wenn wir nun das Ziel der Philosophie als Einheit der Bewertungen bestimmen, ist wiederum keine Weltanschauung von vornherein ausgeschlossen. Selbst wer da leugnet, daß wir eine wertvolle Anschauung von den letzten Zusammenhängen gewinnen können, und somit es ablehnt, wirklich zu philosophieren, bestreitet dadurch nicht das Recht solcher Auffassung der philosophischen Aufgabe. Die Grundfrage der Philosophen, die Frage nach dem wahren Sinn,

nach dem tiefsten Wesen, nach dem Urgrund der Wirklichkeit hat
ja meisthin in der Geschichte der Philosophie ganz andere Fassung,
und doch ließe sich ohne tiefgreifende Ummodelung der historischen
Lösungen zeigen, daß die Frage im Grunde eigentlich stets ein Verlangen bedeutete nach endgültiger Ausgleichung aller Widersprüche
in den Bewertungen.

Selbstverständlich ist dadurch noch durchaus nicht gefordert,
daß ein unerfahrbarer Urgrund jenseits der wirklichen Bewertung
anerkannt werden müsse. Im Gegenteil, fern von jeglicher Metaphysik kann sich die Ausgleichung der Wertwidersprüche vorbe-
reiten. So ist etwa der Widerspruch zwischen der gesetzfordernden
Erkenntnisbewertung und der freiheitfordernden Sittlichkeits-
bewertung vollständig beseitigt, sobald es klar wird, daß sich beide
gar nicht auf dieselbe Welt beziehen. Vor allem ist im Kreise des
Erfahrbaren die Einheit hergestellt, sobald eine einzige Bewertung
allen anderen grundsätzlich übergeordnet wird.   Wer etwa die
Zusammenhangswerte der Außenwelt für die einzigen hält, deren
Bewertung schlechthin gültig ist, wird dadurch zu einer naturalistischen Weltanschauung kommen, in der es keinen Konflikt der
Bewertungen geben kann.   Gewiß wird solche Viertelphilosophie
sich schnell als unzureichend erweisen, da sie diese Bewertung der
Natur nicht selbst aus der Natur ableiten kann. Alle übrigen Wert-
setzungen aber würden dann innere Begleiterscheinungen der
bewegten Materie sein und somit grundsätzlich der Natur untergeordnet und dadurch der Weltanschauung eingeordnet sein.

In gleicher Weise kann natürlich jede andere Bewertungs-
gruppe über alle übrigen erhoben werden und so die Einheit des
Einherrschertums darstellen. Wird statt des Zusammenhangs der
Außenwelt der Zusammenhang der Mitwelt bevorzugt, so ergibt sich
eine nicht minder einseitige Weltanschauung, in der die geschichtliche Kulturentwicklung allein grundsätzlich bewertet wird und
alle übrigen Bewertungen aus ihr sich als historische Taten entwickeln. Wird der Zusammenhang der Innenwelt als psychischer
Inhalt überbewertet, so tritt eine positivistische Philosophie der
Bewußtseinserscheinungen auf, die wieder alle übrigen Werte leicht
in ihren Dienst zwingt. Reicher und tiefer, wenn der Zusammenhang
der Innenwelt in seinen Willensbeziehungen erfaßt und zum Ausgangspunkt für alle anderen Bewertungen gewählt wird.   Aber

selbst dann bleibt es bei der einseitigen Willkürlichkeit, daß die Bewertung von Zusammenhängen, kurz Erkenntnis, grundsätzlich über alle anderen Bewertungen hinausgehoben wird.

Die scheinbar größten Gegensätze in der Philosophie begegnen sich also in ihrem Bemühen, die Erkenntnisbewertung als Träger aller überhaupt möglichen Bewertungen zu bevorzugen; nur Zusammenhänge, nicht Einheiten oder Betätigungen sollen Urwert beanspruchen. Dem gegenüber mögen ästhetische oder ethische Weltanschauungen, um der bloßen Verstandeskultur entgegenzutreten, ebenso einseitig den entgegengesetzten Weg gehen. So ordnet die Romantik alles der Einheitsbewertung unter, und wieder mag es die Einheit der Innenwelt sein, die alles beherrscht oder die Harmonie der Mitwelt oder die liebende Hingebung an den Einklang des Weltalls. Die Philosophie der Pflicht dagegen wird alle Erkenntnis, alles bewertende Urteilen, als Sonderfall des sittlichen Sollens deuten. So öffnen sich zahllose Möglichkeiten, die Einheit der Bewertungen im Kreise der Erfahrung dadurch zu sichern, daß eine einzelne Bewertungsart allen anderen übergeordnet wird.

Für uns nun ist aber gerade solche Lösung des Problems unmöglich geworden. Wir haben die Bewertungen geprüft und mußten, als Ergebnis, dessen gewiß sein, daß die Werte einander nebengeordnet sind. Wir haben das Recht verloren, eine Wertgruppe von einer anderen abhängig zu denken; jede Bewertung tritt mit gleichem vollgültigen Anspruch aus der unmittelbaren Lebensgewißheit hervor. Die Welt in ihrer Selbstbetätigung, in ihrem Fortschritte und in ihrer Leistung zu erfassen, ist nicht mehr und nicht weniger ein letzter Wert als sie in ihrer Harmonie und Schönheit zu verstehen oder sie in ihrer Daseinssicherheit und ihrer Gesetzmäßigkeit zu erkennen. Unsere Auffassung der philosophischen Aufgabe läßt sich somit sehr wohl mit jeder beliebigen Weltanschauung vereinigen; unsere Kritik der Werte schließt aber für uns jegliche Philosophie aus, welche die Gleichberechtigung der logischen, ethischen und ästhetischen Bewertungen mißachtet. Das „Dasein“ ist für uns nicht früher und nicht grundsätzlicher da als das Gutsein oder das Einigsein.

Damit ist uns nun aber auch der weitere Weg schon vorgezeichnet. Wenn die verschiedenen Werte gleichberechtigt sind, so kann keiner als der eine Grundwert dienen, aus dem die anderen sich

ableiten lassen. Wir müssen also entweder auf Ineinssetzung verzichten oder sie alle gemeinsam aus einem ferner zurückliegenden
Urgrund ableitbar denken. Auf die Einheit verzichten, kann uns
nun aber nichts anderes bedeuten als die Welt in ihrer Gesamtheit
für grundsätzlich widerspruchsvoll und deshalb wertwidrig zu
halten. Wohl bleibt das Einzelne in jedem einzelnen Wertgebiet
wertvoll, aber nur in Beziehung auf das besondere Gebiet; die
einzelne sittliche Tat bleibt wertvoll innerhalb der sittlichen Erfahrung. Auf das Weltganze bezogen, verliert dann aber jegliches
seinen reinen Wert, wenn dieses Ganze den Gegensatz zwischen
sittlicher und wahrer und schöner Wirklichkeit nicht überwinden
kann. Wert haben bedeutete sich im Anderssein als identisch erweisen, und so hat die Welt als Ganzes nur dann Wert, wenn die
gesonderten Wirklichkeiten sich im letzten Grunde als Gestaltungen
einer in sich identischen Urwirklichkeit darstellen.

Nun können wir ja sicherlich durchs Leben gehen, ohne uns
um den Wert des Ganzen als solchen zu kümmern: die Welt stückweise zu erkennen, zu genießen und zu würdigen, ist Mehrheitsart.
Aber wer überhaupt erst einmal die Frage in sich erlebt, kann nicht
bei einer Verneinung stehen bleiben. Die Antwort, daß die Welt
keine Einheit besitzt, daß also die Wertungen auseinanderfallen
und eine Ganzheit, die sich selbst behauptet, gar nicht gegeben sei,
das ist im Grunde gar keine Antwort. Denn wer nach Werten
fragt, will ja gar nicht auf ein Fertiges verwiesen werden und
fragt daher nicht, ob es vorhanden sei oder nicht, sondern er fragt,
wie es zu schaffen sei: die Werte sind Aufgaben, die erfüllt sein
wollen. Auch die Werte des Wahren und Schönen und Guten waren
ja nicht fertig irgendwo versteckt und nun einfach zu entdecken;
der fand sie, der sie schuf. Ein wertvolles Ganze zu finden, ist in
gleicher Art dann nur eine Aufgabe: die Aufgabe, die Welt so aufzufassen, daß wirklich alles, was wir anerkennen, alle Werte darin
notwendig enthalten sind und die Welt trotzdem durchaus mit sich
selbst einig bleibt.

Solcher Aufgabe gegenüber kann es sich dann aber nur darum
handeln, ob wir erfolgreich sind in der Erfüllung oder nicht. Die
Aufgabe, die Welten des Wahren, Guten, Schönen als ein sich
selbstvollendendes wertvolles Ganze zu erfassen, verlangt unsere
Arbeit so wie Wissenschaft und Kunst und Recht sie verlangten.

Dem Suchenden die wertvolle Ganzheit der Welt abzustreiten, ist so sinnlos wie es sinnlos wäre, dem Naturforscher zu sagen, daß er vergebens sich bemüht, weil die Teile der Natur gar nicht wirklich in ursächlichem Zusammenhang stehen. Er weiß, daß das Erlebte durch seine logische Arbeit erst zur ursächlichen Natur werden kann, da ihr Zusammenhangswert von der denkenden Ineinssetzung abhängt. So ist denn auch die wertvolle Weltganzheit nicht ein fertig Vorhandenes, das der Philosoph nur von einer irreführenden Hülle befreit, sondern ein Ziel der Auffassung, das er anstrebt. Seine Frage nach solcher wertvollen Weltallheit ist daher, wenn er sich selbst recht versteht, nicht, ob es eine Ureinheit gibt oder nicht, sondern nur wie sie beschaffen sei, oder richtiger wie die Welt aufgefaßt werden muß, um sie herzustellen und so zu finden. Daß sie zu Recht bestehe, ist somit bereits in der Frage vorausgesetzt. Wer nicht fragt, kann sie nicht kennen; wer aber fragt und somit sucht, besitzt bereits die Gewißheit ihrer Wirklichkeit, und sein Suchen bezieht sich nur auf ihre Herausarbeitung.

Die philosophische Überzeugung. An der Schwelle bereits sei auch ein anderer Einwand zurückgewiesen. Wenn die philosophische Betrachtung das letzte Wesen der Welt als Wert und somit als sich selbst behauptende Einheit hinstellt, so muß sie ihr Ergebnis begrifflich festhalten und in Urteilen aussprechen. Dadurch scheint die Gleichberechtigung der Werte doch wieder aufgehoben, denn dadurch wird das Ganze schließlich wieder zur Erkenntnis und somit der logischen Bewertung untergeordnet. Aber so liegt es doch nicht. Zunächst: wenn die Wissenschaft einen Zusammenhang herstellt, beispielsweise zwischen Wahrheit und Schönheit, so ist das Ergebnis freilich Wahrheit, aber doch nicht in dem Sinne, als wenn innerhalb dieses Zusammenhanges selbst die Wahrheit nun die Schönheit unterdrückt hat. Auch der Zusammenhang aller denkbaren Werte mag Wahrheitswert haben; aber auch dann würden die zusammenhängenden Werte selbst als gleichberechtigt gedacht werden können. Trotzdem würde nun für das denkende Bewerten ein letzter Vorsprung übrig bleiben, wenn das logische Erkennen des Zusammenhanges wirklich die abschließende Handlung des Ich wäre. Aber offenbar ist sie abschließend nur für den Erkenntnissuchenden als solchen; das Ich umspannt aber mehr als Erkenntnisstreben. Auch für den Denker, der solchen abschließenden Denkwert erreicht hat, enthält die Mannigfaltigkeit des Lebens doch neben diesem Wahrheitsbewerten noch das Werten der Schönheit, der Sittlichkeit: kurz, wir stehen dann von neuem vor einer Vielheit, für die wir von neuem eine Einheit denken und doch dieses Denken aufs neue nur als eine Bewertung neben anderen in uns fänden. So gelangen wir scheinbar in eine endlose Bewegung, die uns nie erlauben. würde, einen Abschluß zu finden.

Tatsächlich wäre aber dabei der grundsätzliche Unterschied außer acht gelassen, der zwischen der Wissenschaft von den Erfahrungen und der Philosophie vom letzten Wesen besteht. In allen Wissenschaften, in den Naturwissenschaften wie in der Mathematik, in den Geschichtswissenschaften wie in den philosophischen Einzelwissenschaften hatten wir stets mit der Verknüpfung des Gegebenen zu tun, mit der Verbindung der Dinge untereinander oder der Wesen oder der einzelnen Bewertungen. Bei der Herausarbeitung des tiefsten Allweltwesens handelt es sich aber um etwas ganz anderes. Die Ineinssetzung der getrennten Wertgruppen sollte und konnte ja nicht durch Verbindung des Gegebenen erreicht werden, sondern dadurch, daß sie eingebettet werden in ein Erfahrungsjenseits. Die großen Bewertungstaten müssen als Teile eines in sich gleichbleibenden Urgrundes erfaßt werden, der selbst somit nur gefordert und nicht erfahren wird. Nannten wir die Ineinssetzung der Erfahrungen unsere Erkenntnis, so ist die Ineinssetzung der Erfahrung mit einem geforderten Urgrund nicht auch wieder als Erkenntnis zu behandeln. Eine ganz andere Tat des Ich hat da eingesetzt: es ist ein Akt der Überzeugung. Aus dem tiefsten Wesensgrunde der Persönlichkeit bricht diese Forderung hervor. Nur wenn solch selbstbehauptender Urgrund eingesetzt ist, aus dem alle gesonderten Bewertungen hervorgehen, nur dann ist das Weltganze wirklich ein Wert. Diese Bewertung der Ganzheit ist also ein Wert besonderer Art, ein metaphysischer Überzeugungswert, der vom logischen Zusammenhangswert grundsätzlich zu trennen ist und der aufs engste mit dem religiösen Glaubenswert zusammengehört. Ohne tiefste Entscheidung, ohne Einsetzung der ganzen Persönlichkeit, kurz, ohne Überzeugung gibt es keine letzte Philosophie.

Dieser letzte Überzeugungswert ist nun in der Tat den logischen, ästhetischen und ethischen Wertgruppen übergeordnet. Die von solcher Überzeugung getragene Philosophie hebt also durchaus nicht die logische Bewertungsart über die anderen Bewertungen heraus, weil die Gewißheit der Überzeugung gar nicht auf logischer Erkenntnis beruht. Sämtliche Werte, die logischen, ästhetischen, ethischen und religiösen bleiben somit gleichberechtigt nebeneinander geordnet; nur der Wert der Überzeugung, daß sie alle letzthin gemeinsam einem einsbleibenden Urgrund zugehören, ist allen anderen grundsätzlich übergeordnet. Daß diese Überzeugung sich ebenfalls in Begriffen, Urteilen und Sätzen zum Ausdruck bringt, verwandelt sie noch nicht in eine wissenschaftliche Erkenntnis. Auch der Dichter, der Priester, der Richter, der Staatsmann verwertet dieselben sprachlichen Hilfsmittel, mit denen der Forscher seine Bewertungen mitteilt.

Die Aufhebung des Ich. Wir stehen nun also vor einem neuen, allerletzten Werte: dem Absoluten der Philosophie, dem schlechthin Letzten, das in sich alle Wirklichkeit trägt, dem Urgrund. Es ist das Unerfahrbare, in dem sich alle Erfahrung vollenden soll; kein Wissen reicht heran, nur die Überzeugung ergreift es. Und doch ist diese Überzeugung auch nur wieder eine besondere Art der Bewertung, und das heißt, eine besondere Art der Ineinssetzung: nämlich Ineinssetzung aller übrigen Werte. Diese Identität der einander widersprechenden Werte wird aber von der Überzeugung dadurch gewonnen, daß alle Werte als Ausdrucksformen oder Betätigungen eines sich gleichbleibenden Letzten verstanden werden. Die Welt der in unsere Erfahrung tretenden Werte ist dann die sich selbst treu bleibende Verwirklichung und Betätigung des einen Allgrunds. Jede logische, ästhetische und ethische Erfahrung gewinnt dann ihren vollen Sinn erst durch ihre Beziehung auf diese letzte Urwirklichkeit. Und nichts kann Geltung haben, das nicht von diesem Letzten getragen wird, sobald die von der Überzeugung geforderte Aufgabe gelöst ist, das All der Werte selbst zum Wert zu erheben.

Wie können wir nun von der Welt der bewerteten Erfahrungen zum Urgrund vordringen, damit die Forderung erfüllt werden kann? Daß es sich dabei, auf dem Boden planmäßiger Philosophie, nicht etwa um phantastische Träume handeln darf, ist selbstverständlich. Wir könnten mit gleichem Recht es dem Phantasiespiel überlassen, die Lösung einer kubischen Gleichung zu finden. Ganz bestimmte außerordentlich verwickelte Tatbestände sind gegeben, und von ihnen aus soll das Sichgleichbleibende gewonnen werden. Daß

diesem Allerletzten Tatsächlichkeit und Gültigkeit gegeben wird,
muß freilich Tathandlung der Überzeugung bleiben, aber seine
Wesensbestimmung verlangt erst logische Arbeit, ehe die Überzeugung das Letzte verankert. Und diese logische Arbeit muß auch
wieder mit Begriffen vollzogen werden, die von Erfahrungen abgeleitet sind. Nur das Ergebnis muß grundsätzlich über jede mögliche Erfahrung hinausführen, denn wenn der Urgrund selbst erfahrbar oder erfahrungsartig wäre, so würde er Gegenstand des
Wissens und somit von der logischen Bewertung abhängig sein.

Durch alles das ist uns nun aber auch unser Weg bereits vorgezeichnet. Was wir suchen, soll in seinem Inhalt scharf bestimmt
sein und soll den ganzen Reichtum unserer Erfahrung in sich tragen,
soll aber selbst nicht erfahrbar sein. Meine Erfahrung ist nun das
Erlebnis meines persönlichen Ichs, und was überhaupt als erfahrbar
gedacht sein soll, muß einem Ich zugehörig sein können. Die Bedingung der Erfahrbarkeit ist daher aufgehoben, sobald die Ichheit,
die Beziehung auf die Einzelpersönlichkeit, aufgehoben ist. Meine
Erfahrungsinhalte, die gesamten Welten meiner Werte, sind also
ein Unerfahrbares geworden, sobald ich die Beziehung auf mein Ich
preisgebe, das Ich sich selber aufhebt. Mit dem Ich aber fällt das
Du und mit der gesamten Persönlichkeitsbeziehung fällt der Gegensatz des Ichs und der Dinge. Wer die Schranke der Innenwelt aufgibt, hebt also dadurch auch die Mitwelt und die Außenwelt als
solche auf; der Erfahrungsinhalt hat dadurch aufgehört, Erfahrung
zu sein: er ist unpersönliche Mannigfaltigkeit geworden — das
Ich hat sich zum All erweitert. Unerfahrbares, das wir überhaupt
nicht kennen, würde außerhalb jedes denkbaren Interesses liegen.
Das Unerfahrbare, das in unsere Überzeugungen mit begrifflicher
Bestimmtheit eingehen kann, ist nur die wirkliche Erfahrung, für
die, durch Aufhebung jeder Ichbeziehung, der Charakter der Erfahrbarkeit ausgeschaltet ist. Wir haben so eines sofort gewonnen.
Wenn Innenwelt, Mitwelt und Außenwelt durch Aufhebung des
Ich in ein Überpersönliches, Unerfahrbares sich verwandelt haben,
so wissen wir von diesem Unerfahrbaren von vornherein eines, nämlich daß, sobald es in sich ein Ich setzt, es dadurch auch die Gegenübersetzung von Ich und Mitwelt und Außenwelt und somit die
ganze uns bekannte Erfahrung herstellt.

Sofort sei darauf hingewiesen, daß solche unerfahrbare Wirklichkeit natürlich in ganz anderem Sinne überpersönlich oder unpersönlich ist als es die einzelnen Werte waren. Auch für das Wahre, Schöne und Gute war es ja durchaus wesentlich, daß sie nicht, wie etwa das Angenehme und Nützliche, auf die Zustände der eigenen Persönlichkeit bezogen sind. Ihre Bewertung war unabhängig vom Ich, weil sie nur dann reine Werte sind, sobald sie für jedes andere Ich gleichermaßen gültig sein müssen; der reine Wert ist notwendig und allgemein. Die Loslösung von unserem zufälligen Ich bedeutete dort aber niemals eine Aufhebung der Ichbeziehung überhaupt. Im Gegenteil der Wert war Wert für Persönlichkeiten, nur nicht für diese oder jene, sondern notwendig für jede denkbare Persönlichkeit. Hier aber handelt es sich darum, die Beziehung auf jede Persönlichkeit fortzudenken.

Damit müssen sich aber die weiteren Schritte denn auch von selbst ergeben. Was bleibt uns von der Gesamterfahrung unseres Ich, wenn es sich zur Unpersönlichkeit erweitert hat? Zunächst muß offenbar alles wegfallen, das die eigene Persönlichkeit in ihrer Zufälligkeit, in ihrer Lust und ihrem Leid zum Inhalt hat. Ist der besondere Ichstandpunkt aufgehoben, so haben Lust und Leid ihren eigentlichen Sinn verloren; sie waren ja nur die Anzeichen dafür, wie das Ich in seinem Sonderinteresse die Welt erfaßt. Aber offenbar ist damit noch nicht genng geschehen, daß diese Gefühlsakte der persönlichen Stellungnahme ausgeschaltet werden. Nicht minder gehört der besonderen Persönlichkeit alles das in unserer Erfahrung zu, was außerhalb der reinen Werte liegt. Der Wert beruhte ja überall darauf, daß sein Inhalt von jedem denkbaren Ich anerkannt werden muß; der Unwert, etwa der Irrtum, der Unfriede, der Rückschritt, das Unrecht ist also etwas, das nicht von jedem, sondern nur von besonderen Ichs festgehalten werden kann und somit mit dem Einzel-Ich steht und fällt. Ist das Einzel-Ich erloschen, so kann mithin aus der Gesamterfahrung des Ich nur das übrig bleiben, was jedem denkbaren Ich gemeinsam wäre: das Reich der Werte.

Aber auch hier können wir nicht stehen bleiben. Auch in den Werten begegnet sich doch noch ein Persönliches mit einem allgemein gültigen. Allgemein und vom einzelnen Ich unabhängig ist in jedem Wert das Festhalten des Identischen, jenes Streben nach Ineinssetzung im Anderswerden, jenes Verwirklichen des Gegebenen in der neuen Form. Gleichviel ob es sich um logische oder ästhe-

tische, um ethische oder religiöse Werte handelte, stets fanden wir
die Bewertung von diesem Verlangen nach Einssetzung getragen.
Das erwies sich stets als grundsätzlich unabhängig vom besonderen
Ich, und das kann somit vollständig in das unpersönliche Grundwesen eingehen. Dagegen sind die gleichgesetzten Inhalte, es mögen
Teile der Außenwelt oder der Mitwelt oder der Innenwelt sein, bei
jeder Bewertung doch wieder in der besonderen Form der Ichbeziehung gegeben. Ihre räumliche und zeitliche Lage, ihre Gruppierung, ihre Lebhaftigkeit ist vom besonderen Standpunkt des
einzelnen Ich abhängig. Soll alles aufgehoben werden, was durch das
Einzel-Ich erst gesetzt ist, so verschwindet die Scheide zwischen
Innenwelt, Mitwelt und Außenwelt und nichts bleibt deshalb in der
besonderen räumlich-zeitlichen Beziehung, die durch den besonderen persönlichen Standpunkt bedingt ist. Das als identisch Festgehaltene ist jetzt also nicht mehr eine dem festhaltenden Willen
gegenüberstehende Außenwelt, sondern ist ungesondert im Willen
selbst enthalten. Der Wille ist sich also selber Inhalt.

Erst jetzt haben wir die von der Ichheit befreite und dadurch
unerfahrbar gewordene Gesamterfahrung vor uns. Es ist ein Streben,
das sich selbst Inhalt ist und das seinen Inhalt festzuhalten strebt.
Ein persönliches Ich kommt diesem Grundstreben nicht zu. Trotzdem ist es mit dem Ich nicht unvergleichbar, da ja auch im Ich
dieser Wille zum Festhalten, zur Identität alle wertvolle Erfahrung
trug. Der wesentliche Trieb des Ich ist somit auch nach der Aufhebung der Persönlichkeit erhalten geblieben, und dieser Zusammenhang soll nicht verwischt werden. Wir können das Gemeinsame
vielleicht dadurch andeuten, daß wir das zum All erweiterte Ich
als Grund-Ich oder Über-Ich bezeichnen. Es wäre somit das Über-
Ich aus der Aufhebung des Persönlichen in der Gesamterfahrung
des Ich entstanden. Umgekehrt, sobald das Über-Ich in sich ein
begrenztes persönliches Ich setzt, so muß sein ungeschiedener
Inhalt sich in Ich, Mit-Ich und Nicht-Ich sondern.

Das Wesen der Grundwelt. Noch einmal vergegenwärtigen wir
uns die letzte Strecke unseres Anstiegs. Unsere bewertete Erfahrung
ist voll von Widersprüchen und ohne innere Einheit; die logischen,
ethischen, ästhetischen Werte in der Außenwelt, Mitwelt und
Innenwelt erscheinen als getrennte, voneinander unabhängige
Wertreiche. Wir verlangen aber, die Weltganzheit als Wert auf-

zufassen und das heißt, wir fordern, daß auch das Weltganze mit
sich selbst einig bleibt. Die getrennten Welten unserer Erfahrung
müssen daher als verschiedene Teilinhalte und Ausdrucksformen
einer Grundwelt verstanden werden, die jenseits aller möglichen Erfahrung liegt und die in allem Werden und Wandeln mit sich selbst
einig bleibt. Es galt daher zu prüfen, wie weit die Erfahrung auf
ein Unerfahrbares hindeutet, aus dem sie selber abgeleitet werden
kann. Wir fragten deshalb, was von der Erfahrung übrig bleibe,
wenn die Bedingungen der Erfahrbarkeit, das heißt, die Beziehung
auf ein persönliches Ich aufgehoben wird. Wir fanden, es bleibt
dann als Über-Ich jene Strebenstat, welche wir als Grundakt aller
Bewertungen erkannten, nämlich das Streben nach einem Neuen,
das mit dem Alten eines ist. Solch Wille zum festhaltenden Ineinssetzen hat in der Übererfahrung keinen äußeren Gegenstand, da der
letzte Urgrund nicht noch etwas neben sich haben kann. Sobald aber
in seiner Entfaltung ein Ich entstände, so würde dadurch die vielfältige Innenwelt, Mitwelt und Außenwelt gesetzt sein, und durch
die Wirksamkeit jenes Urtriebes würden dann die Teile dieser
Welten sich in logische, ethische, ästhetische Wertreihen umsetzen,
kurz aus dem einen einheitlichen Grundwollen zum Einsbleiben
würde dann die gesamte uns bekannte wertvolle Erfahrung mit ihren
getrennten und widersprechenden Wertwelten entstehen. Das in
sich einige Über-Ich, das wir durch Überzeugung setzen, würde so
zur Quelle der von einander unabhängigen und uneinigen Erfahrungen, auf die sich unser Wissen, unsere Freude und unsere Würdigung bezieht.

Das Wesen der Grundwelt läßt sich nun weiter verfolgen. Zunächst wissen wir dieses: es ist ein Streben. Das Über-Ich, das alle
denkbare Erfahrung in sich schließt, ist also nicht etwa ein Ding, das
Dasein hat, auch nicht ein Geschehen, das abläuft: alles Ursein ist
Leben, Wirksamkeit, Tat. Wir wissen ferner: es ist ein Streben nach
Festhaltung, denn das war ja die in allen allgemein gültigen Werten
gemeinsam wirkende Tat. Das Über-Ich kann also niemals über das
ursprünglich Gegebene hinaus führen, da sein eigenstes Wesen im
Festhalten besteht. Wir wissen ferner: dem Über-Ich steht keine
Erfahrungswelt als Material gegenüber, denn jeder Erfahrungsinhalt
ist abhängig von der Ichheit, die im Über-Ich aufgehoben ist.
Andererseits kann das Über-Ich auch keine unerfahrbare Welt

sich gegenüber finden, da die Forderung unserer Überzeugung ja gerade die war, daß wir im Über-Ich die letzte einheitliche Grundwelt ergreifen. Das Streben des Über-Ichs kann sich also nur auf sich selber richten.

Wir wissen schließlich: die wertbildende Ineinssetzung bezieht sich niemals auf ein bloß Unverändertes. Im Gegenteil, gleichviel ob wir logische, ästhetische, ethische oder religiöse Werte prüften, gleichviel ob in der Außenwelt, Mitwelt oder Innenwelt: stets war das Gleiche doch auch wieder ein Anderes und nicht nur ein Anderes, sondern ein Gesteigertes. Bald trat uns die Steigerung so entgegen, daß das Erfaßte lebhafter wurde, bald so, daß es sich äußerlich betätigte, bald so daß es in neue Raum-Zeitwerte eingearbeitet war, aber immer war es in der neuen Gestalt ein Ansatzpunkt zu neuer Handlung und Tat. Wir sagten daher geradezu: sich verwirklichen bedeute dasselbe bleiben und doch Anhalt zu neuer Tat verleihen. Soll diese wertsetzende Kraft im Über-Ich wirken, so muß also auch das auf Selbstbehauptung gerichtete Streben nicht nur sich selbst erhalten und sich mit sich selbst stets einssetzen, sondern gleichzeitig sich verwirklichen, sich steigern, sich zu immer neuen Anhaltspunkten neuer Tat fortbewegen. Aber gerade das müßte ja von vornherein gefordert werden. Wenn ein Streben sich verwirklichen, also sich erfüllen soll, und trotzdem sich erhalten soll, so ist damit ja bereits die Notwendigkeit ausgesprochen, daß die Verwirklichung derart sein muß, daß sie zu neuem Streben hinführt. Würde mit der Erfüllung kein neues Streben herbeigeführt, so würde das Streben ja durch die Erfüllung erlöschen und somit aufhören, Streben zu bleiben; das Über-Ich ist ja aber ein Streben, das dahin wirkt, sich stets gleich zu erhalten. In der Forderung des sich selbst erhaltenden Strebens liegt es also bereits, daß jedes erreichte Ziel Ansatz zu neuem Streben ist und so das Streben sich selber stetig steigert.

Wir können von hier aus schon weiten Ausblick nehmen. Sobald das Urstreben, das Über-Ich, in sich den begrenzten Ichstandpunkt erzeugt, und so die Innenwelt, Mitwelt und Außenwelt sondert, dann muß, wie wir sahen, aus dem Streben die ganze Fülle der Erfahrungswerte entstehen. Durch seine eigene Tat verwirklicht so das Urstreben sich stetig in den reinen Werten des logischen, ästhetischen, ethischen und religiösen Lebens. Das Über-Ich trägt

also die Erfahrungswelt und betätigt sich in ihr. Dann aber sind die
Bedingungen erfüllt, durch die das Ganze in seiner Gesamtheit zum
Wert wird, denn nun ist das unerfahrbare Urstreben und die Erfahrungswelt der Werte schlechthin ineinsgesetzt, wie Absicht und
Verwirklichung. Das Urstreben bleibt sich selbst treu, indem es
sich in der Welt der erfahrbaren Werte ausdrückt; die Wertmannig-
faltigkeit ist jetzt kein wertaufhebender Zwiespalt mehr, denn in
allen Werten wirkt das eine sich gleichbleibende Wollen zur Selbstbehauptung. Die Gesamtwelt ist somit schlechthin wertvoll, da
alles, was wir von ihr kennen, das strebende Über-Ich, das von der
Überzeugung gesetzt wird, und das Wahre, Schöne, Gute, das mit
der Erfahrung gesetzt ist, zu vollkommener Einheit zusammenklingt. Das eine betätigt sich im anderen, und unser Wille zur Ineinssetzung wird somit allgemeingültig und notwendig befriedigt.

Darüber hinaus noch weiter nach dem Wert der Welt zu fragen,
hat offenbar keinen möglichen Sinn. Die Werte der Erfahrung
waren als Gesamtheit nicht wertvoll, weil die eine Wertgruppe nicht
identisch mit der anderen Wertgruppe gesetzt werden konnte.
Diese Wertwidrigkeit des Weltganzen wurde nun dadurch aufgehoben, daß die Erfahrung auf ein Unerfahrbares zurückgeführt
wurde, das sich in den Erfahrungen betätigt, aber mit sich selber
identisch bleibt. Das All ist dadurch nun völlig einig mit sich selbst,
es ruht in sich und läßt somit für die Auffassung kein Verlangen nach
Einssetzung unbefriedigt. Dieser in sich ruhende Wert ist notwendig der letzte. Wollten wir weiter fragen, ob es denn nun überhaupt einen Wert hat, daß solche in sich wertvolle Allwelt wirklich
ist, so widersprechen wir uns selber. Denn nach dem Wert der Allwelt suchen, würde bedeuten, daß wir wieder ein Andres suchen,
das mit der Allwelt identisch gesetzt werden kann und das sich in
ihr betätigt. Wenn solch ein Anderes aber noch wirklich wäre, dann
wäre die Allwelt kein All mehr; die Voraussetzung wäre also aufgehoben. Der Wert der Welt kann nur, wie jeder denkbare Wert, in
der Wechselbeziehung der gesonderten Teile ruhen; ein schlechthin
Einfaches kann niemals an sich Wert haben, selbst wenn es ein Welt-
ganzes ist: in der Ineinssetzung seiner eigenen Taten vollendet sich
der unendliche Wert der Welt.

Die Grundwelt und das Ich. Das Gegenspiel bekundet sich, wenn
wir vom Standpunkt unseres Ich auf das Über-Ich hinblicken.

Unsere gesamte widerspruchsvolle Erfahrung gewinnt jetzt durch die Rückbeziehung auf das Ursein ihre Einheit, ihre Ruhe, ihren Sinn. Das in der Erfahrung voneinander Unabhängige und deshalb Zufällige wird jetzt zum harmonischen Gefüge der Tathandlungen eines Urwillens, der sich aus innerer Notwendigkeit heraus betätigt. Die Werte der Erfahrungswelt sind dadurch aber im tiefsten Grunde der letzten Wirklichkeit verankert. Und damit hat sich ein ganz neuer Sinn der Werte selbst erschlossen. Wertvoll war uns bisher diejenige Beziehung der Erfahrungsteile, die allgemein und notwendig jedes mögliche Ich befriedigt. Jetzt aber greift der Sinn des Wertes noch über das Verlangen und Befriedigen aller denkbaren Ichwesen hinaus und zeigt seinen Zusammenhang mit der Grundwelt des Über-Ich. Die Erfahrung entnimmt ihre Ideale somit einem Erfahrungsjenseits, das freilich nicht, wie ein Gott, jenseits der Dinge zu finden, ist, sondern als Grundkraft unpersönlich in uns selber wirkt. Wertvoll ist somit schließlich das, was dem Willen des Über-Ich gemäß ist.

Wir sind damit scheinbar in einen Zirkelschluß geraten. Wir erkannten das Über-Ich an, weil dadurch die Welt für uns zum Wert wird, und nun finden wir, daß ein Wert das ist, was dem Über-Ich entspricht. Das Urwesen soll also von der Wertsetzung und die Wertsetzung von dem Urwesen bedingt sein. Eines muß da offenbar der letzte Ausgangspunkt sein. Ein solcher kann aber für unsere kritische Untersuchung nur in der wirklichen Erfahrung des Ich gegeben sein. Das Verhältnis ist demnach einfach dieses: das Ich setzt durch einen Akt der Überzeugung das Über-Ich, weil es ein schlechthin notwendiger Wert für jedes denkbare Ich ist; in dem durch diese Setzung nun entstandenen metaphysischen Weltbild ist dann das Über-Ich das einzige Grundwesen und alles, was seinem Wollen entspricht, ist wertvoll. Die Tathandlung unseres Ich trägt also schließlich das Über-Ich, aus dem jedes Ich hervorgeht; das Ich muß sich selbst zum Über-Ich erweitern, damit es im Über-Ich Ruhe, Sicherheit und Zugehörigkeit zum letzten Ganzen findet.

Hier wäre es ja auch am nächstliegenden, den Wert wieder mit dem Begriff des Sollens zu verbinden. In der Tat, wenn alle Werte aus der Tätigkeit des überpersönlichen Urwillens stammen und das Ich den Sinn seines Eigenlebens darin findet, sich nach dem unendlichen All zu richten, so gelten die Werte für den Willen des Einzelnen als ein Sollen, das aus höherer Willenslage an sein Ich herantritt. Dennoch hilft uns auch in diesem Zusammenhang der Sollensbegriff kaum weiter. Gehen wir von der metaphysischen Weltanschauung, vom Urwillen aus, so finden wir in ihm Streben und wertvolle Betätigung, aber sicherlich kein Sollen, sondern stets nur ein Wollen. Auch wenn dieses Wollen in sich den verengten Gesichtskreis des Ich setzt, so wirkt das Urwollen notwendig im Ichwollen, und nichts veranlaßt die Umbiegung zum Sollensverhältnis. Gehen wir dagegen vom wirklichen Ich aus, so ist das Über-Ich selbst Ereignis einer Wertsetzung, und dieser Überzeugungsakt selbst findet daher noch nicht das Über-Ich vor, kann also noch nicht durch den Urwillen genötigt sein, kurz die Überzeugung ist allgemeine und für jedes Ich schlechthin befriedigende Willenstat, ohne innere Beziehung auf ein Sollen.

Wir haben damit, zu erster Verständigung, den Anlaß zum Über-Ich verdeutlicht; sein Wesen und seine Wirkung kann aber doch erst dann klar hervortreten, wenn wir die Erfahrung nun im einzelnen auf die Übererfahrung beziehen. Um die Erfahrungswerte zu vereinigen, wurde das unerfahrbare Über-Ich von der Überzeugung gefordert; wir müssen also verfolgen, wie sich die Erfahrung verändert, wenn sie in dies Urstreben eingeschmolzen gedacht wird. Wieder trennen wir dabei Außenwelt, Mitwelt und Innenwelt und untersuchen für jede, wie sie in der Beziehung zur Grundwelt ihren Sinn erweitert, bis alle sich gemeinsam als das Leben des Über-Ichs bekunden, das sein Streben stetig steigert, sich selber treu bleibt und zum einzigen Ziele den Wert hat.

A. Das Weltall.

Das Material der Welt. Aus dem Gewühl der Eindrücke hatte sich die wertvolle Außenwelt unserer Erkenntnis herausgehoben. Das waren nicht mehr die Zufallserlebnisse dieses oder jenes, sondern die daseienden und zusammenhängenden Dinge, die für jeden in ihrer Wirklichkeit gültig sind. Und dann wieder erhob sich die wertvolle Außenwelt unser reinen freudigen Hingebung. Das waren nicht mehr die Zufallsgenüsse dieses oder jenes, sondern die in sich harmonische und in ihrer Schönheit sich entfaltende Umgebung, die für jeden in ihrem Einklang gültig ist. Und schließlich stand vor

uns die wertvolle Außenwelt unserer Erhebung und Würdigung.
Das waren nicht mehr die Zufallsziele dieses oder jenes, sondern die
sich entwickelnden und zu immer höherer Wertdienstbarkeit sich
steigernden Gewalten, die für jeden in ihrem reinen Fortschritt gültig
sind. Aber die eine Welt wußte nicht von der anderen. Die eine
wirkte in Notwendigkeit, die andere in Freiheit; die eine war stets
vollendet, die andere stets unvollkommen; was wirklich war, war
vielleicht nicht schön; oder schritt nicht vorwärts; was sich entwickelte, zerstörte die Harmonie; was schön war, fügte sich nicht in
den Zusammenhang. Und doch muß schließlich das Weltall in sich
einig sein, wenn es nicht als Ganzes wertlos werden soll; und würde
das Ganze wertlos, so wäre auch der Wert der Teile zum Schein-
wert herabgezerrt.

Nun wurde diese letzte Einheit wirklich begreifbar. Wir müssen
nur verstehen, daß jene gesonderten Welten der Erfahrung lediglich gesonderter Ausdruck, gesonderte Betätigung einer sich gleichbleibenden Grundwelt sind. Solche Auffassung bot sich aber natürlich dar, nachdem wir einmal erkannt hatten, daß jene Wertwelten
der reinen Erfahrung nur durch bestimmte Stellungnahmen in der
Auffassung entstehen und diese verschiedenen Stellungnahmen
letzthin alle auf ein gemeinsames Willensverhalten zurückgeführt
werden konnten. Es sind also gar nicht wirklich getrennte Welten,
sondern getrennte Taten eines einzigen Willens. Dieser Urwille liegt
dann aber jenseits der Erfahrung, jenseits jedes möglichen Einzel-Ich,
und die vom Ichstandpunkt abhängige Außenweltform ist dann
aufgehoben. Das Jenseits der Erfahrung ist dann ein einheitlicher Urgrund und wenn es wirklich Wille ist, der das Ich und die
verschiedenen logischen, ästhetischen und ethischen Auffassungsformen des Ich aus sich hervortreibt, so muß es auch wieder dieser
Urwille selbst sein, der für die getrennten Welten des Ich den Stoff,
das Auffassungsmaterial gibt.

Das liegt weit ab von der spielerischen Willensphilosophie, die
sich auf äußere Ähnlichkeit zwischen den Dingen und uns selbst
stützt. Die Dinge, sagt man, bewegen sich gleich uns; ihr Inneres
kennen wir nicht, aber wir kennen uns selbst als Wille, und so
trauen wir denn dem Schluß, daß in entsprechender Weise auch
die Dinge in ihrem Inneren Wille sind. Mit solchen Gleichnissen
hat unser Ergebnis nichts gemein. Die naturwissenschaftlich

geformten Dinge haben keine Innenseite; sie sind und bleiben
allezeit genau das, als was sie sich innerhalb solcher Auffassungsform darbieten. Sie gelten als Wille erst dann, wenn sie Inhalte des
Über-Ich sind und somit gar nicht mehr zu irgend einem persönlichen Ich in Beziehung stehen und somit eben nicht mehr die ursächlich zusammenhängenden Dinge der Erfahrung sind. Daß sie
aber im letzten Unerfahrbaren nur Wille sein können, ergab sich
uns daraus, daß die Außenwelt überhaupt erst mit dem Ich aus dem
Urgrund erstand. Nun hatten wir aus der Prüfung der Bewertungsakte das erkannt, daß unserem Ich nichts als ein Verlangen, ein
Wollen zugrunde liegt. Der Urgrund, das Ich ist also nur Wille;
da aber, der Forderung gemäß, der Urgrund ein Einziges und Einheitliches ist, so ist auch das, was zum Inhalt der Natur wird, aus
diesem Einen geschöpft, ist also auch durchaus Wille.

Wenn sich der Urwille durch das Ich ästhetisch oder ethisch
anschaut, so ist das Streben der Dinge auch noch deutlich und lebhaft empfunden. Hätten die Dinge kein Wollen, so gäbe es für sie
weder Harmonie noch Entwicklung. Daß sie trotzdem keine Wesen
sind wie die Mitmenschen begriffen wir durchaus; wir sahen, daß
zum Dasein des Wesens ein Sichineinssetzen verschiedener Willensakte nötig war, und gerade das fehlt den Dingen; ihr Wollen erschöpft sich in ihrem jedesmaligen Erscheinen. Aber auch bei
solcher ästhetischen oder ethischen Betrachtung ist der Wille nicht
eingekapselt im Dinge, sondern das Erfahrene selbst ist das Wollen.
Von diesem Standpunkt aus gesehen, können wir ganz wohl behaupten, daß auch die naturwissenschaftlich aufgefaßten Dinge
uns als Wille begegnen, insofern als sie die Bestimmtheit ihrer Eigenschaften festhalten. Es wäre ein Streben, das nicht über sich selbst
hinausginge und in sich selbst befriedigt wird. Aber selbst dann
ist es das Erfahrene selbst, das sich als Wille darbietet, nicht ein
Wille, der in äußerer toter Schale versteckt ist. Die Dinge der Erfahrung haben nicht einen Willen in sich, sondern ihr Erfahrenwerden ist ihr Wollen. Ein Inneres der Natur kann es nicht geben,
wenn damit nicht der Geist gemeint ist, der durch seine Bewertung
die Natur erst als solche aufbaut.

Nur scheinbar bleibt bei alledem doch noch **die quälende Frage**,
was denn nun im letzten Grunde das Material des Weltalls sei.
Selbst wenn der bewertende Geist und die bewertete Natur ein und

derselbe Urwille in der Unendlichkeit seiner Absichten ist, so wollen
wir doch dieses Letzte prüfen wie der Chemiker seine Stoffe erforscht.
Aber da verketten sich Irrtümer. Zunächst ist das Wollen kein Sein,
sondern eine Tat. Erst wenn das Urwollen sich selber auffaßt und so
zur Erfahrung macht, kann es zu einem Inhalt werden, dem das
bewertende Ich schließlich Daseinswert beilegt. Aber selbst dann,
wenn alles Willenstat ist, mag die Phantasie unwillens sein, vor
solcher Schranke stehen zu bleiben. Dieses Weltwollen muß doch
selbst irgendwie beschaffen sein. Aber hier wird das Fragen sinnlos,
nicht weil die mögliche Kenntnis versagen muß, sondern weil solche
Frage die Voraussetzung selbst aufhebt. Die Frage nach dem „Stoff"
der Welt kann nur dann Sinn haben, wenn es verschiedene Stoffe
gibt; wenn aber alles gleichermaßen Wille ist, so kann es keinen
Sinn haben zu ermitteln, was dieses Wollen eigentlich ist, da es
nichts gibt, worauf es bezogen, nichts, womit es verglichen werden
kann. Für unser Denken kann nur die Beziehung der Teile zueinander wichtig werden, also die Beschreibung der einzelnen Wollungen als Tat und als Naturinhalt; um darüber wirklich hinaus zu
wollen, müßten wir eine Welt von anderem Stoff daneben haben.
Wenn wir bei der Anerkennung der Stoffgleichheit schließlich stehen
bleiben, ohne zu fragen, aus welchem Stoff die Willenstat gefügt ist,
so ist es also nicht, weil wir da eine Schranke finden, sondern weil
jedes denkbare logische Interesse erfüllt ist.

Das eine also wissen wir: am Anfang war die Tat! Aber der
Anfang liegt dann nicht in der Zeit, denn die Zeit ist ja erst die Form
der Erfahrungswelt, die von der Urtat geschaffen wird. Und ebenso
ist die Tat keine zeitliche Aufeinanderfolge gesonderter Ereignisse.
Die Tat ist durchaus ein Einheitliches, das in seinem Erlebniswert
aufgehoben ist, wenn es zerlegt wird. Die beschreibende Psychologie muß die Willenshandlung in ihre getrennten einander folgenden
Teile sondern, weil sie das Seelische als Begleiterscheinung der Dinge
auffaßt; das geschichtliche Leben kennt diese Zerstücklung nicht;
von diesem wirklichen Erleben der geschichtlichen Persönlichkeit
aber, und nicht von dem Kunstprodukt des zerlegenden Psychologen, müssen wir ausgehen, wenn wir die Urtat des Über-Ich-be-
greifen wollen.

Die Tat gilt uns also auch im Erfahrungsjenseits als die Verwirklichung der Absicht, als die Erfüllung des Verlangten, als das

Wollen, das sich durchringt und siegt. Nun soll dieses Urwollen aber das Ganze aller Wirklichkeit sein; es kann also nichts außerhalb seiner selbst vorfinden oder ergreifen oder erstreben. Das einzige Ziel, das der Wille in seiner Tat erreichen will, kann also nur das Wollen selbst sein. Ein Ziel erreichen, bedeutet aber das von der Absicht Erfaßte in neuer lebhafter, von neuen Absichten erfüllter Form festhalten. Der Wille ergreift also ein Ziel, dessen Erreichung ein neues Wollen darstellt, und so muß der Wille notwendig ohne Unterlaß sich stetig in seinem Wollen steigern und doch in jeder Steigerung sich selbst erfüllen; die neue Steigerung ist zugleich die Befriedigung seines Verlangens. Der Sinn der Welt ist so ein Hinstreben zu einer größeren Strebensfülle, die doch mit dem Ausgangsstreben einig ist; es ist ein Sichselbstentfalten des Wollens. Was aus diesem Grundverhältnis für den Sinn der Grundwelt folgt, wie das Urstreben deshalb ewig und doch in sich abgeschlossen, unendlich und doch bestimmt ist, das müssen wir wenigstens andeutend noch verfolgen, sobald wir uns schließlich dem Über-Ich zuwenden werden. Hier gilt es, jetzt abzubiegen und auszuschauen, wie aus dieser Grundtat die Welt der Dinge entstehen muß.

Der Aufbau der Welt aus der Grundtat. In der Tat unseres Einzelerlebnisses sind das dem Streben Gegebene, dann der Strebensakt selbst, und schließlich das Strebensziel, das sich verwirklicht, zu einer vollkommenen Einheit verschmolzen oder richtiger, sie sind ein Ganzes, das nur in seiner Ganzheit den Tatsinn hat. Die Auseinanderlegung in die Bestandteile kommt erst der tatauflösenden Betrachtung zu. Alles das muß auch von der Urtat gelten im Über-Ich: die Welt als Urwirklichkeit ist die ungelöste Einheit dieser ewigen Tat. Aber auch von dieser Urtat muß es dann gelten, daß wenn das Streben sich aus dem Tatganzen herauslöst, es sich dem Strebensausgangspunkt und der Strebensabsicht gegenüberstellt. Der Ausgangspunkt ist das, was das Streben nicht mehr will, wenn es das Ziel sucht; das Ziel ist das, was das Streben noch nicht erreicht hat; das Streben ist die Bewegung von dem Wollen, das als Wollen erledigt ist und nicht mehr gewollt wird, zu dem neuen Wollen, das sich noch nicht entfaltet hat.

In der Tat selbst ist das Nochnicht und das Nichtmehr eines; ihre zeitlose Wechselbeziehung gibt der Tat Einheit und Sinn. Dem herausgelösten Streben dagegen muß das Nochnicht und das Nicht-

mehr somit gesondert gegenüberstehen. Dadurch wird das Streben
selbst zum Ausgangspunkt für ein entgegengesetztes Richtungs-
paar. Solchen Ausgangspunkt nennen wir das Jetzt; von solchem
Gegenwartsstandpunkt aus wird das Nichtmehr zur Vergangenheit und das Nochnicht zur Zukunft. Mit der Heraushebung des
Strebens aus dem zeitlosen Tatganzen ist so die Zeit als die Beziehung zwischen Ausgangspunkt und Ziel, zwischen Strebensanhalt
und Strebensinhalt gegeben. Das Nochnicht des einen Aktes wird
aber in seiner Verwirklichung zum Nichtmehr des anderen; das
Jetzt des einen Aktes kann also nicht das Jetzt des anderen Aktes
sein; das Streben selbst verteilt sich so auf getrennte Zeitwerte und
dadurch hört es auf das eine ewige Streben zu sein: es sondert sich
in eine unendliche Reihe von Strebenseinheiten.

Dazu kommt ein anderes. Wenn das Streben sich von dem Inhalt ablöst, so wird damit noch eine weitere Gegenübersetzung
vollzogen, die von dem Nichtmehr und Nochnicht ganz unabhängig
ist. Gerade weil das Streben beim Übergang vom Vergangenen zum
Zukünftigen seinen Inhalt festhält und so das Willensmaterial
von der alten zur neuen Form beharrt, wird dieser Inhalt als ein
Selbständiges und Unabhängiges vom Streben anerkannt. Es ist
nicht Teil des Strebens selbst, ist somit außerhalb des strebenden
Bemühens, und so wird ein Nichthier dem Hier entgegengesetzt.
Nur die Zeit hat sofort ein Doppelantlitz, vom Jetzt blickt sie
rückwärts und vorwärts. Der Raum kennt zunächst nur eine
Gegenübersetzung: hier und draußen. Nun bezieht sich das Draußen
aber auf die ganze Mannigfaltigkeit der gleichzeitigen Inhalte; mit
jedem der zusammen gegebenen Inhalte färbt sich der Draußensinn
und wird zur besonderen Raumrichtung. So entsteht, sobald erst
einmal das Streben sich aus der Tat abhebt, die unendliche Mannigfaltigkeit der Raumrichtungen; daß für bestimmte Festsetzungen
drei Raumrichtungen aus den unendlich vielen ausgesondert werden,
hat keine metaphysische Bedeutung. Auch für den Raum aber gilt
es, daß für den einen Akt hier ist, was für den anderen draußen ist
und somit der Hierwert des Strebens sich in eine unbegrenzte Zahl
gesonderter Strebensmittelpunkte auflöst.

Wenn aus der Urtat sich das Streben vom Inhalt sondert, so
ist damit also notwendig die Zeitbeziehung und Raumbeziehung
des Inhaltes und die unendliche Zerlegung des Strebens in unab-

hängige Einheiten gesetzt. Und damit sind wir bei uns selbst in unserer Ichwirklichkeit angelangt. Die einzelnen Akte unseres Ich sind solche Ablösungen und unendliche Auflösungen des einen Strebens innerhalb der Urtat. Daß Gruppen solcher, aufeinander bezogenen Ichakte sich dann zu einheitlichen Persönlichkeiten zusammenschließen, haben wir verfolgt, als wir vom Dasein der Wesen sprachen. Und wenn wir von der Menschheit reden wollen, müssen wir dazu zurückkehren. Zunächst aber kümmert uns nur die andere Seite: mit demselben Akt, mit dem sich das Streben innerhalb der Urtat in strebende Einzelwesen zerlegt, hat sich der Willensinhalt innerhalb der Urtat in räumliche und zeitliche Verhältnisse umgesetzt. Und aus der Gesamtsumme dieser Verhältnisse arbeitet das beziehende Streben schließlich den einen Raum und die eine Zeit heraus, die alle denkbaren Strebensinhalte umfassen.

Die Welt in Raum und Zeit — und das ist es, was wir als Weltall bezeichnen — hat somit Wirklichkeit nur für die Auffassung der unendlich vielen Einzelichs, die sich als strebende Kräfte aus der Urtat ausgesondert haben. Aber zunächst freilich ist es noch keine Welt, sondern nur eine Mannigfaltigkeit. Da aber jedes Einzel-Ich Teil des Urstrebens ist und somit die Eigenart der Urtat in sich bekunden muß, so wird nun auch die räumlichzeitlich gestaltete Vielheit sich dem Grundwesen des Wollens gemäß ordnen: was ergriffen wird, muß strebend in ein Neues übergeführt werden und doch im Neuen als das Alte festgehalten werden. Das kann nun — wir haben es aufs eingehendste verfolgt — in dreifach verschiedener Richtung geschehen, und so entsteht für jedes Ich, das wirklich die Grundart der Urtat in sich vertritt, eine Raum-Zeitwelt des logischen Erkennens, eine Raum-Zeitwelt der ästhetischen Freude, und eine Raum-Zeitwelt der ethischen Würdigung.

Es ist dasselbe einheitliche Urstreben, das durch das Ich hindurch diesen mannigfaltigen Weltaufbau vollzieht und dann die verschiedenen Ichtaten in der Einheit eines Ichwesens zusammenfaßt, so daß dem einen Ich scheinbar verschiedene wirkliche Welten gegeben sind. Wir wissen, wie beim Erkennen das Streben sich zunächst darauf richtet, die Inhalte herauszuarbeiten, die beim Übergang zu einem anderen Ich als Inhalt festzuhalten sind. So gewinnen wir das Dasein der Dinge. Dann aber sucht das Streben beim Über-

gang vom Nichtmehr zum Nochnicht im Ich selbst den Inhalt festzuhalten, und wir gewinnen den Zusammenhang der Dinge. Das
Neue, der Übergang von einem Inhalt zum anderen, der im Dasein
und im Zusammenhang gesucht wird, vollzieht sich also derart, daß
von einem Ich zum anderen Ich oder von einem Zeitpunkt zum
anderen Zeitpunkt übergegangen wird, von einem Neuwerden des
Inhalts selbst aber völlig abgesehen wird. Nun war ja jeglicher Inhalt
selbst ein Teil der Urtat, selbst also Wollen; wenn das Ich aber im
Erkennen der Welt von jeder Umsetzung des Inhaltes selbst absieht, so kommt das Wollende gar nicht mehr in seinem Wollen in
Betracht. Es ist gewissermaßen erloschenes Wollen, das gar nicht
mehr ein anderes sein will; als ein Insicherledigtes und in seiner
Selbsterfüllung Anerkanntes geht es unverändert in andere Ichs
und andere Zeitpunkte ein. Die Natur, welche Gegenstand der Da-
seins- und Zusammenhangserkenntnis ist, ist somit ein erstarrtes
Wollen, das nicht über sich selbst hinaus will und sich in seinem
Wollen nicht entfalten kann: eine Welt, deren Teile nur räumlichzeitlich da sind und sich erhalten. Erstarrt aber ist der Willen, weil
das Ich beim Erkennen nur den Übergang zum anderen Ich und
zur anderen Zeit betrachten will und nur das herausarbeitet, was
aus der Festhaltung des Inhaltes bei diesem besonderen Übergang
erfolgt.

In der Welt der ästhetischen Freude kommt nun dieser Übergang zum anderen Ich und zur neuen Zeitlage nicht in Betracht;
jede Rücksicht darauf ist ausgeschaltet. Dagegen handelt es sich
jetzt um die Beziehung zwischen den mannigfaltigen Inhalten. Ihr
Wollen ist jetzt durchaus nicht erloschen; als ein Wollen erfaßt das
Ich da jeden Einzelinhalt und kann nun doch beim Übergang vom
einen Inhalt zum anderen das Alte im Neuen festhalten, wenn sie
das Gleiche wollen und so harmonisch ineinanderklingen. Die
Schönheit und Gefügtheit der Natur und der bildenden Kunst
werden dann lebendig. In der Welt der Betätigung schließlich wird
die Absicht der Dinge zur Wirklichkeit. Der Wille des Inhalts steht
also auch hier im Vordergrund; das Ich sucht nun aber den Übergang nicht von einem Wollen zum anderen, sondern von dem Wollen
zur Erfüllung; das heißt von einem Wollen, das über sich hinaus
zielt, geht das Ich über zu einem Wollen, das in sich vollendet ist
und so mit dem Daseinswert in neue Taten eintreten kann. Auch

in diesem Übergang von Absicht zur Erfüllung sucht nun das Ich, seinem Urwesen gemäß, die Gleichheit; in der Naturentwicklung und in der wirtschaftlichen Stoffentwicklung kommt sie zum Ausdruck.

So sind die drei Welten denn die Wirkungen der einen Strebensleistung des Ich. Die drei Richtungen der Strebenswirkung gehören aber notwendig zusammen, denn in sie zerlegt sich einfach die ursprüngliche Tat. Die Urtat bestand doch darin, daß der Wille zu gesteigertem Wollen strebte, aber in dem Übergang zum Neuen sich selber festhielt, sich selber treu blieb, und so sich selbst entfaltete. Sonderte sich in dieser einheitlichen Tat der Wille als Streben von dem Willen als Inhalt, so wurde der Inhalt eine Mannigfaltigkeit in Zeit und Raum, das Streben aber zerlegte sich in unendlich viele Ichs. In jedem einzelnen Ich muß nun das ursprüngliche Tatganze auseinanderfallen; durch die Zersplitterung des einen Wollens in viele Ichs und in räumlich-zeitliche Gestalten, muß der festhaltende Wille den Inhalt auf den verschiedensten Übergängen verfolgen. In der Urtat hält sich der Wille ja selbst fest; in der Ichtat ist das Festgehaltene ein fremdes Gegenüberstehendes und so entsteht jene dreifache Möglichkeit: das Gewollte wird ohne Rücksicht auf sein Wollen weiter verfolgt zu den anderen Ichs oder zu den anderen Zeiten und Räumen, oder das Gewollte wird mit Rücksicht auf sein Wollen weiterverfolgt in anderes Wollen, oder das Gewollte wird in seinem Wollen weiterverfolgt bis zu seiner Erfüllung. Alle drei Übergänge sind notwendige Teile der einheitlichen Tat, in der das Wollen sich erhält, weil es Wollen ist, in sich übereinstimmt, weil es eines ist, und sich erfüllt, weil es Tat ist. Es sind die drei Wesensmomente der Urtat, die in jedem Ich gemeinsam enthalten sein müssen, in jedem Ich aber auch auseinander treten müssen, weil die Welt durch das Ich eine Mannigfaltigkeit geworden ist. Erst in der metaphysischen Überzeugung treten die drei Momente wieder zur Einheit zusammen, indem das Ich sich zum Über-Ich erweitert.

Natur als Zusammenhang, Natur als Harmonie und Natur als Entwicklung sind so die drei nur durch die Enge des Ich gesonderten Seiten der einen ursprünglichen Tat des Über-Ich. Der Begriff des Weltall mag ihre Einheit zum Ausdruck bringen. Die Notwendigkeit des Zusammenhangs, die Einheit der Harmonie und der Fort-

schritt der Entwicklung sind im Weltall versöhnt; alle drei gehören
zu der freien Tat des Grundwillen und sind so gleichermaßen
Schöpfungen der Freiheit. Als Schönheit fragt die Natur nicht nach
dem Dasein, als notwendiger Zusammenhang fragt sie nicht nach
der Entwicklung. Aber nur das Ich kennt diesen Zwiespalt, der
überwunden ist, sobald die Überzeugung das Ich und so die Raum-
Zeit-Begrenztheit aufhebt und so alles Natursein in der Urtat des
einen sich selbst treuen und sich selbst steigernden Allwillens
verankert.

B. Die Menschheit.

Die Entstehung der Persönlichkeiten. Auch die Mannigfaltigkeit der Ichs erschien verschieden im logischen, im ästhetischen,
und im ethischen Mitweltbild. Das eine Mal stand die Mitwelt in
ihrer historischen Bedingtheit vor uns, das andere Mal in der Liebe
und Eintracht ihrer Glieder, das weitere Mal in ihrer rechtlichen
Treue und ihrem Gemeinschaftsfortschritt. Und die ganze Mitwelt
andererseits tritt der Außenwelt wie der Innenwelt gegenüber. Auch
hier aber müssen nun alle inneren Widersprüche schwinden, sobald
wir die Mitwelt auf die letzte Willenswirklichkeit beziehen: erst
dann tritt rein der Sinn der Menschheit hervor. Wir müssen da nun
zusammenfassen, was wir von diesem tiefsten Zusammenhang
bereits erkannt.

Die Erfahrung hatte damit eingesetzt, daß wir der Innenwelt
unseres Ich eine Vielheit von fremden Ichs gegenüber fanden; sie
waren uns nicht Außenweltsdinge der Wahrnehmung, sondern
wollende Wesen, die unser Wille unmittelbar anerkennt. Die Übererfahrung, die sich unserer Überzeugung erschließt, senkt nun Ich
und Mit-Ich gemeinsam in den ewigen Willen der Grundwelt ein. Die
freie Urtat des Über-Ich läßt somit erst die Sonder-Ichs in ihrer Vielheit aus sich hervorgehen, und sein Urwollen setzt für ihre Sonder-
erfahrung die unaufhebbaren Bedingungen. Der tiefste Grundwille
ist somit in seiner Freiheit nicht nur Träger der Ichs, sondern auch
Träger der notwendigen Form ihrer Welten und das heißt ihrer
Welt der Erkenntnis, ihrer Welt der Freude und ihrer Welt der Betätigung. In ihrer Herausarbeitung einer Erfahrung, die das Wollen
der Grundwelt zum Ausdruck bringt, verwirklichen die Ichs somit
das überpersönliche Ziel. Die Werte, welche die Ichs für ihre Er-

fahrungswelt als gemeinsam anerkennen, sind so Bekundungen desselben einen Grundwollens, dessen selbsttreue Entfaltung der Inhalt
des Allweltgeschehens ist.

Hüten wir uns nur vor der irreführenden Vorstellung, als seien
die Ichs gewissermaßen Ausscheidungen oder Machwerke des Urwillens, so als hätten sie ihre Wirklichkeit außerhalb der ewigen
Grundtat. Der überpersönliche Urwille wäre dann wirkend und in
sich vollendet ohne Rücksicht darauf, daß er die vielen Einzel-Ichs
aus sich entlassen. Nein, die Ichs sind im Grundwillen wie die
Tropfen im Strom und die gesamte Kulturentwicklung der Menschheit ist Teil des Urwollens selbst. In der Religion findet der Glaube
einen Schöpfer, der dem Ich gegenübersteht, in einem Jenseits, in
das die Persönlichkeit eingeht, ohne aufzugehen; in der Philosophie
aber sucht die Überzeugung einen Grundwillen, von dem das Ich
selbst ein notwendiger Teil ist, in einer Übererfahrung, in die es nicht
eingehen kann, ohne sich selbst zum Über-Ich zu erweitern. Die
Religion ist Philosophie für das Ich, das auch dem All gegenüber
seine Ichheit wahrt; die Philosophie aber ist Religion für das Ich,
das in seiner eigenen Tat schließlich das All erfaßt und so im All die
Ichheit auflöst.

Wie die Tropfen im Strom! — und doch ist auch solches Gleichnis gänzlich mißdeutend, wenn es mehr besagen will, als daß die
Ichs nicht außerhalb der Urtat leben. Irreführend aber wird es,
wenn es daran erinnert, daß die Summe der Tropfen den Strom
selbst bildet: die Summe der Ichs und der Icherfahrungen ist durchaus nicht die Urtat selber. Für den Allwillen ist der Inhalt des
Strebens ja noch gar nicht in die Form der Erfahrung eingegangen,
da diese Form, wie wir sahen, vom Ichstandpunkt abhängig war.
Die Anhäufung von Icherfahrung brächte daher niemals den All-
willensinhalt zusammen. Und ebenso brächte die Summe einer
unendlichen Ichreihe stets doch nur Wiederholung des auf die Erfahrung gerichteten Wollens und nicht das Urtatwollen, das auf
das Willensganze gerichtet ist. Die Willensart dagegen ist im Ich
und im Über-Ich notwendig die gleiche; wir sahen ja, daß der Weltwille wie der Einzelwille gleichermaßen nur das eine Streben bekundet, den Inhalt zu neuem Willensansatz zu steigern und doch
den alten Inhalt festzuhalten. Als Streben ist das Ich dem All gleich;
nur durch die Beziehung auf Zeit und Raum entstand ja die Viel-

fältigkeit des Strebenden, und diese Zeitraumgestaltung erfolgte, wie wir sahen, aus der Ablösung des Strebens von seinem Inhalt.

Die Urtat, welche alle letzte Wirklichkeit ausmacht, war ein Streben, das sich selbst zu steigern strebt und doch sich selber festhält. Jeder erreichte Punkt ist somit Ansatz zu neuem Wollen für neues Ziel, und das neue Ziel ist wieder Wollen. Auf jeder denkbaren Stufe dieser zeitlosen ewigen Tat ist somit alles ein möglicher Inhalt des Strebens und alles zugleich ein Streben selbst. Sofern es nur als Inhalt betrachtet wird, nimmt es die zeitlichräumliche Erfahrungsform an; sofern es nur als Streben betrachtet wird, vervielfältigt es sich in die unendliche Reihe der die Erfahrung tragenden Ichs; und nur sofern Streben und Inhalt als eines erlebt werden, ist es die einzige überpersönliche Welttat des Allgeistes.

Unwillkürlich schiebt sich die Frage vor, weshalb der Urwille denn nun überhaupt zu dieser Trennung von Streben und Inhalt hinführt. Was ist der Zweck, den das Wollen anstrebt, wenn es seine Tat in das Wollen als Streben und das Wollen als Inhalt spaltet? Aber solche Frage verzerrt das Geschehnis. Es handelt sich ja nicht um eine zeitliche Folge, als wenn die Tat zunächst einheitlich vor sich geht und dann auf bestimmter Entwicklungsstufe eine Gabelung einsetzt, durch welche die strebenden Wesen und die erfahrenen Inhalte sich sondern. Im Gegenteil, die Einheit der Weltsetzenden Urtat bleibt erhalten in Ewigkeit, und andererseits bereits auf der tiefsten Stufe der Tat vollzieht sich innerhalb der einigen Tat die stetige Scheidung. Während die Tat in sich geschlossen und in sich vollendet als Ganzes geschieht, steht doch innerhalb dieses Ganzen der Wille, da er sich selbst erfassen will, im Gegensatz zu dem Erfaßten; das Streben im Gegensatz zum Ziel. Wir selber sind, als Ichs, jenes Streben innerhalb der Urtat und finden die Erfahrungswelt somit als Gegenstück. Könnten wir außerhalb der Ichs stehen, so wäre die Urtat in sich geschlossen und das Ganze würde sich für unseren Blick als Ganzes erfassen; da wir selber aber innerhalb der Urtat das Strebende sind, so bleibt der Wille als Inhalt für uns ein Anderes, und durch die Scheidung setzt dann jene Bewegung ein, die uns zum Ich macht und das Nicht-Ich zur Außenwelt. Für die Tat des Urwillens tritt somit nichts Neues hinzu, wenn, innerhalb seines eigenen freischwebenden Geschehens, die Wechselbeziehung, die in der Selbsterfassung des

Willens erzeugt wird, sich dadurch auflöst, daß sie von der einen Seite allein, von der Seite des Strebens, aufgefaßt wird. Wir sind das Streben und wir sind zugleich die ganze Tat.

Der körperliche Mensch. Wir sind aber auch schließlich Teil des Inhalts, denn wenn die Welttat der sich selbst festhaltende Wille ist, so muß jeder Willensteil auch zum Festgehaltenen, zum Gegenstand der Erfahrung gehören: wir sind dann Körper, und erst damit vollendet sich die Persönlichkeit, die in die Menschheit eintritt. Wir sahen ja, wie das Allstreben sich zum Ich verengte. Sobald erst der Inhalt des Strebens in die Zeitraumform eingespannt war, mußte das Streben selbst als Ausgangspunkt der Zeit- und Raumrichtungen von einem Jetzt und Hier aus der Welt gegenüberstehen. Gewiß ist nun damit der Standpunkt des persönlichen Strebens bestimmt, aber zum wirklichen Ich wird dieses Wollen doch erst durch seinen besonderen Erfahrungsinhalt, der durch das Hier und Jetzt allein noch nicht ausgewählt ist. Da setzt nun die Beziehung auf den Körper ein. Freilich dürfen wir an dieser Stelle nicht etwa an psychophysische Theorien denken. Nicht darum handelt es sich, daß unser Ich aus den Empfindungen besteht, die in seinen Gehirnzellen erzeugt werden. Wir hatten ja längst erkannt, daß solche wissenschaftliche Zusammenordnungen der erklärenden Psychologie weit ab liegen von der ursprünglichen Wirklichkeit und nur für bestimmte und begrenzte Aufgaben Geltung haben. Hier stehen wir ja noch ganz in dem Umkreis der Wirklichkeit. Das Ich ist uns also keine Empfindungsgruppe, sondern ein Wollen, und die Erfahrungen des Ichs sind keine Vorstellungen in uns oder gar in unserem Gehirn, sondern unsere Erfahrungen sind die über Raum und Zeit verstreuten Gegenstände unseres Wollens.

Wenn wir nun trotzdem sagen, daß unser Körper den Erfahrungsinhalt unseres Ich bestimmt, so ist es also sicher nicht im psychophysischen Sinne gedacht. Was wir dabei im Auge haben, ist vielmehr dieses: Veränderungen innerhalb der räumlichzeitlichen Welt können nur durch andere räumlichzeitliche Bewegungen erfolgen; der Wille kann in den Ablauf der Außenwelt daher nur dann eingreifen und kann somit nur dann sein Wollen betätigen, wenn die ursächliche Handlung eines Körperlichen mit dem Willen zusammentrifft. Nun wissen wir ja, daß jede innere Bewegung des Strebens, jedes Aufmerken, jedes Verlangen nach Verwirklichung,

zu einem Punkte hindrängt, auf dem der Willensinhalt Ansatz zu
neuer Betätigung bietet. Der Übergang beispielsweise zur Verwirklichung des Vorgestellten in der sinnlichen Wahrnehmung ist gerade
solch ein Übergang zu einem neuen Ansatz der Tat. Alles sinnlich
Wahrgenommene ist der Körperhandlung unterworfen; nur was
ich sinnlich sehe, kann ich durch den Schluß der Augen beseitigen
und durch eine Wendung des Kopfes verschieben; nur was ich
taste, kann ich durch meine Bewegungen weiter erforschen, kurz,
die Beziehung zur körperlichen Handlung ist es, die der Wahrnehmung ihre Bedeutung für das wollende Ich gibt.

In diesem Sinne entscheidet der handelnde Körper, was in der
Außenwelt zum Erfahrungsinhalt für das besondere Ich werden
kann. Zur sinnlichen Wahrnehmung erhoben oder zu neuer körper-
licher Gestalt umgewandelt werden kann durch unser Wollen nur
das, was durch die Bewegungen unseres Körpers beeinflußt wird.
Die Welt der Eindrücke und der Betätigungen hängt somit gemeinsam davon ab, daß ein besonderes Wollen von bestimmtem Hier
und Jetzt auch gerade dort und dann einen räumlichzeitlichen
Körperinhalt findet, in dem dieselben Wollungen als Bewegungen
vor sich gehen. Das Allstreben, das durch seine Loslösung sich selbst
als Raum-Zeit-Welt erfaßte, und sich dadurch in eine unendliche
Reihe möglicher Einzel-Ichs umsetzte, kann mithin aus dieser unendlichen Reihe nur bestimmte als Persönlichkeiten verwirklichen.
Nur dann nämlich sind die Bedingungen für ein wirkliches Ich
erfüllt, wenn das besondere Wollen als Wollen und als Gegenstand
den gleichen Raum-Zeit-Wert besitzt.

Nun handelt es sich dabei aber nicht um ein zufälliges Zu-
sammenfallen. Der Raum-Zeit-Wert des besonderen Ich ergab sich
ja nur durch die besondere Auswahl der räumlichzeitlichen Dinge,
zu denen das Wollen Stellung nahm; der Wille des Ich war hier und
jetzt nur in dem Sinne, daß gewisse Dinge vorher und nachher,
vorne und hinten waren. Nun sehen wir, daß die Auswahl der
Dinge von der Beziehung zum handelnden Körper abhängt. Das
Hier und Jetzt des besonderen Willens muß also mit dem Körper
selbst gegeben sein. Und so muß aus der unendlichen Reihe möglicher Ichs sich überall dann und dort eines verwirklichen, wo ein
handelnder Körper durch seine Bewegungen besondere Betätigungs-
beziehungen zu seiner Umgebung setzt. Die Weite der Erfahrungs-

welt ist dann durch die Mannigfaltigkeit dieser Betätigungen bestimmt: das Wesen mag ein Regenwurm oder ein Kulturmensch sein. Das Ich wird durch diese auslesende Abhängigkeit vom Körper nun aber niemals selbst ein Gegenstand wie der Körper, sondern bleibt ein freies Wollen, für das nur die Gegenstände begrenzt sind. Als solches Wollen aber wird es nicht wahrgenommen, sondern verstanden, anerkannt und gewürdigt, und nur auf dieser Beziehung von Wille zu Wille baut sich die Menschheit auf.

Der Sinn der Menschheit. Nur wenn wir die Menschheit so in ihrem metaphysischen Zusammenhang anschauen, erkennen wir ihres unendlichen Wirkens letzten Sinn. Durch die Verwirklichung von Werten stellt sich die Selbsterhaltung und Selbststeigerung des Wollens in der ewigen Urtat dar. Bleiben wir bei der logischen oder ästhetischen oder ethischen Auffassung, wie sie sich vom Standpunkt des Ichs ergibt, so tritt immer nur wieder der eine oder der andere Bestandteil des Allstrebens hervor; nur bei der metaphysischen Beziehung auf den Urwillen ergeben sich die verschiedenen Werte der Menschenwelt als die verschiedenen Seiten der einen einheitlichen Tat. Beim Auffassen der Mitwelt kommt es ja freilich nicht wie bei der Außenwelt zur Ausschaltung des Wollens und so zur Erstarrung des Geschehens in der Natur. Der Mensch bleibt bei jeder Mitweltbetrachtung ein Wollendes, da die rein körperliche Auffassung der Menschen zur Naturbetrachtung gehört. Wohl aber werden verschiedene Elemente bei den verschiedenen Betrachtungen notwendig ausgeschaltet.

So setzte ja die Erkenntnis damit ein, daß wir die Wollungen festhielten und ineinssetzten, die sich vom gleichen Körper aus auf verschiedene Inhalte bezogen; wir erhielten so den Daseinswert der Wesen. Und im historischen Zusammenhang hielt die Erkenntnis das auf gleiche Ziele gerichtete Wollen im Übergang von Mensch zu Mensch fest. Es war also ein bestimmtes gleiches Wollen, das von der logischen Betrachtung verfolgt wurde. Wurde dagegen der ästhetische Wert erfaßt, so war es die Wechselbeziehung der verschiedenen Wesen, bei der jeder das Wollen des anderen als eigenes Strebensziel findet: es ist die Ineinssetzung der Seelenharmonie, Freundschaft und Liebe. Wurde schließlich der ethische Standpunkt gewählt, so wurde das nach Verwirklichung — und das heißt nach Steigerung — strebende Wollen festgehalten, um mit der neuen Willensstufe, der Tat, ineinsgesetzt zu werden. So gelangt in jeglichem Menschheitswert die selbststeigernde Selbsterhaltung des Wollens zum endgültig wertvollen Ausdruck; kein einziger Wert aber stellt die Ganzheit dieser Tat dar. Die Tat ist eben zerspalten, sobald das Streben sich von dem Strebensinhalt gesondert hat und so das Allstreben in die unendlichen Einzelwesen in Raum und Zeit zersplitterte. Zur Ganzheit wird die Tat erst wieder, wenn die Einzelwesen die Schranke aufheben und ihre letzte Wirklichkeit im überpersönlichen Allwollen ergreifen.

Erst aus dieser tiefsten Quelle fließt dann auch das rechte Verstehen der menschlichen Aufgabe und der Stellung des Einzelnen in der Menschheit. Erst in der Gewißheit dieses Zusammenhangs mit der Grundwelt wissen wir grundsätzlich, daß wir und jeglicher einzig ist, und unersetzbar und notwendig für die Erfüllung des Weltplans. Kennen wir das Leben nur aus dem Alltagsgewühl, so mag der eine in dem Menschengewimmel vom anderen nicht unterscheidbar sein; wenige besagen ein neues und mancher mag überflüssig und zufällig scheinen. Nur aus der Ganzheit heraus verstehen wir, daß dieses All ein einziges Drama ist, in dem jedes Geschehnis seine notwendige Stelle hat. Nur aus der Einheit dieses Ganzen wissen wir, daß kein Ich in irgend einer anderen Welt wiederholt sein kann. Die Welt ist ein lebendiges wollendes Wirken und kein totes Zufallsgeschehen; unsere eigene Tat wird dadurch zur verantwortlichen unersetzbaren Anteilnahme. Und während durch die Beziehung aufs Ganze unser Ich im Ewigen aufgeht, wird gleichzeitig doch dadurch für unser Ich ewige und unerschöpfliche Bedeutung gewonnen: in unserem eigenen winzigen Lebensplan wollen wir nun das große unendliche Ganze; kein anderer kann unseren Willen befriedigen und kein anderer kann von unserer Pflicht uns entlasten.

In anderem Sinne aber bringt dieser tiefste Zusammenhang den Menschen näher an den Menschen. Wir sind einzig als Ichs, aber sind doch nun im letzten Grunde alle in dem einen umspannenden Über-Ich; ja wir alle sind dasselbe eine Über-Ich und trennen uns erst durch die Beziehung auf die Raumzeitwelt, die selbst nur aus der Zerspaltung der Grundtat in Streben und Inhalt entstand. Das soll für uns nicht etwa, wie es so oft geschah, der Weg zur Ethik sein; das Mitleid mit dem anderen, dessen Schmerz wir mit-

empfinden, weil er letzthin mit uns eines ist, hat für uns keine
sittliche Bedeutung: Lust und Schmerz, und so Mitfreude und
Mitleid, liegen für uns außerhalb der sittlichen Werte. Wohl aber
einigt dieses letzte Einssein uns in der gemeinsamen Daseinspflicht.
Daß allen Gliedern der Menschheit die wahren Werte gemeinsam
sind, das fanden wir auch schon bei der Prüfung der Erfahrungs-
kreise; das wertsetzende Wollen in uns erkannten wir ja als das
Apriori der gemeinsamen Erfahrungswelt. Wollen wir eine Welt
aufbauen, die nicht nur persönlicher Traum und zufälliges Chaos
ist, so muß es die Welt der Werte sein. Und doch, erst aus dem
Urtatgefühl kommt uns die höchste Weihe dieses gemeinsamen
Wollens: die Wertwelt aufzubauen ist nun nicht nur notwendiger
Wille jedes Wesens, das als Ich anerkannt werden will, sondern ist
eine Aufgabe, die der Ichwerdung selbst vorangeht und der Ichheit
wie dem Erfahrungsinhalt überhaupt erst Sinn gibt.

Auch für den Erfahrungsstandpunkt erkannten wir die Entwicklung und Leistung der Menschheit, ihr Glück und ihren Frieden,
ihre Erkenntnis und ihre Kunst, als etwas schlechthin Wertvolles;
aber doch nur in dem Sinne, daß es wertvoll für jedes mögliche Ich
sein muß. Welch andere Weite und Würde gewinnt die Menschheitsgeschichte nunmehr, da sie sich als Entfaltung eines ewigen
Wollens enthüllt. Jede Wahrheit und jedes Kunstwerk, jede Rechts-
tat und jeder sittliche Sieg, jeder wirtschaftliche Fortschritt und
jede religiöse Erhebung wird jetzt zu neuer Steigerung eines ewigen
Wollens. In jeder Zusammenarbeit wertwirkender Menschen, in
der Familie und der Horde, in der Gemeinde, im Staat, im weitesten
Kulturkreis, bekundet sich nun ein stetiges Wachstum der einen
lebendigen weltsetzenden Kraft. In jedem Vorkämpfer für neue
Werte, in jedem Führer der Menschheit ringt sich nun ein Tiefstes
empor. Gleichsam aus dem dunklen Unterbewußtsein der Menschheit steigt es auf und tritt in das lichte Feld der Aufmerksamkeit,
um dort lebhaft zu bleiben, bis neue lebhaftere Bewußtseinsinhalte der Menschheit es hemmen und ablösen.

Wenn so aber der Sinn der sozialen Wertarbeit sich metaphysisch vertieft, so muß sich gleichzeitig dadurch das wertauf-
hebende selbstische Gegenwollen in seinem Widersinn verschärfen.
Das Unwahre und Unschöne festhalten, das Unrechte und Unsittliche schaffen, die Entwicklung hemmen und die Harmonie zer-

stören, um Eigenlust zu genießen, bedeutet jetzt mehr als nur ein
Gegenstemmen gegen die Arbeit der anderen; es bedeutet metaphysische Vereinsamung. Das Leben, das die Lust zum Zweck
erhebt, sieht nun um sich und unter sich eine unendliche Kluft. Es
hat den Zusammenhang mit dem Weltganzen verloren; der Weltwille, der alles Dasein trägt und der Wirklichkeit Sinn gibt, ist
durch die bewußte Wertverleugnung grundsätzlich für das Ich
dann aufgehoben: und plötzlich ist alles sinnlos, ziellos, haltlos —
das Ich, das nur seine Lust sucht, erstarrt so in ewiger Einsamkeit.

Nur sei das nicht mißdeutet, als sei wertwidrig jedes Ich, das
in seinem Schaffen sich selbst sucht.. Nur wer seine Lust dem Wert
entgegensetzt und damit das rein um des Ich willen Verlangte dem
schlechthin Gültigen vorzieht, zerstört den metaphysischen Halt.
Die starke Persönlichkeit dagegen, die von Leidenschaften getrieben
nur sich selbst zu suchen scheint, sucht in Wahrheit die Werte,
nur sucht sie den Werten das Gepräge der eigenen besonderen Tat
zu verleihen. Gerade dadurch wird im Allwillen immer neues
Werten erzeugt und immer neu die tiefste Kraft gesteigert. Solch
mächtiges Sichselbstwollen und Sichselbstfühlen im Kampf gegen
die Gesellschaftsschablone, solch eigenwilliges Schaffen nach eigenem
Vorbild ist sicherlich dem Weltwillen nicht entgegengerichtet. Es
ist ein Umwerten — freilich nicht in dem Sinne, als wenn dadurch
die Vergänglichkeit und der Wandel der reinen Werte selbst bewiesen würde. Die Werte bleiben unwandelbar. Aber die Erfüllung
des Wertes, der Inhalt der Wertbeziehung, wir sahen es, muß
wechseln, damit der Weltwille sich von Stufe zu Stufe steigern
kann. Wert kam ja niemals einem Vereinzelten zu, sondern stets
nur einer Beziehung, stets nur der Ineinssetzung des Gesonderten,
und zu neuen und neuen Gleichsetzungen der Welt muß der Wille
fortschreiten, denn die Welt selbst schreitet stetig fort, da sie selbst
der Wille ist. Wer so umwirft, damit er sich selber in seiner Stärke
setze, Werte verstößt, damit er aus der eigenen Tiefe neue Werte
dem Allwillen entreißen und in das Menschheitsgeschehen hinein
schleudern kann, der ist im ewigen Recht, und die Masse, die nur genießen will, ist so dem großen Selbstmenschen gegenüber im Unrecht.
So stammt alle Kraft und aller Wert unseres Ich aus dem unendlichen
Allwillen — und doch stammt das Sein und die Gültigkeit dieses Allwillens für alle Ewigkeit aus der Überzeugung unseres eigenen Ich.

C. Das Über-Ich.

Das Ich im Über-Ich. Wir stehen vor der letzten Frage: was wird das Ich selbst, die Innenwelt, wenn es nun ebenfalls wie Außenwelt und Mitwelt auf den Allwillen bezogen wird? In gewissem Sinne freilich hat die Frage bereits ihre Antwort gefunden. Denn als uns die Erfahrungsmitwelt, bei der Beziehung auf das Urgeschehen, zur einheitlichen Menschheit wurde, da schloß sie notwendig auch unser Ich in ihrer Mitte ein. Wir sind ein Glied der Menschheit, und die Bedeutung unseres Einzelselbst liegt so in dem Anteil, den wir an der Herausarbeitung der Werte nehmen; nur als Wertmitschöpfer erfüllen wir die Aufgabe, die der Weltwille in sich trägt und durch die Menschheit verwirklicht. So sind wir ein einzelnes winziges Glied in der Gesamtheit, die unserer logischen Erkenntnis als notwendiger Geschichtszusammenhang, unserer ästhetischen Hingebung als Seelengemeinschaft, unserer ethischen Würdigung als freie zielstrebige Entwicklung sich darbot.

Unser Ich war uns aber nicht nur ein zufälliges Einzelnes in der Masse neben den anderen, sondern es bleibt uns stets zugleich die in sich geschlossene Innenwelt. Auch als solche Innenwelt wurde das Ich von Widersprüchen zerrissen. Die logische Selbstauffassung erkannte als das eigentliche Ich die Vernunft mit ihrem notwendigen Zusammenhang der Bewertungen; die ästhetische Selbstanschauung suchte ein Ich, das die vollendete Einheit des Glücks darbot. Die ethische Selbstgewißheit erkannte nur das Ich an, das sich selber betätigt. Erst wenn auch die Innenwelt als Ausfluß eines tiefer liegenden Wollens erfaßt ist, das in den verschiedenen Werten nur von verschiedenen Seiten betrachtet wird, nur dann können die Scheingegensätze schwinden; nur dann wird das Gesamt-Ich mit all seinen Werten sich selbst als einen einheitlichen Wert erfassen.

Das Ich kann dieses tiefere Wollen aber doch nur als Überzeugungsinhalt in seinem eigenen Erlebnis finden. In sich selber also muß es sich ineinssetzen mit dem Umfassenden, das alles ist; in sich selber muß es seine Ichheit somit aufheben, um sich in eins zu setzen mit dem All, das ihm Unendlichkeit verleiht: das Ich erweitert sich durch eigene Tat zum Über-Ich. Die Begrenztheit der einseitigen Betrachtung ist damit ausgelöscht: im Wollen des Über-Ich ist notwendiger Zusammenhang, harmonische Einheit und selbsttreue Betätigung unlösbar in einer und derselben Tat

gesetzt. Der Urwille war ja der Wille zur Selbstentfaltung des
Wollens; er mußte sich deshalb selbst erhalten, dadurch steigerte
er sich, betätigte sich so, schritt dabei notwendig von Stufe zu Stufe
und erfüllte so harmonisch all sein Verlangen. In der verengerten
Icherfahrung zerlegt sich das in gesonderte Werte; im Über-Ich
umfaßt die eine Grundtat sowohl Notwendigkeit wie Freiheit
sowohl Einheit wie Fortschritt.

Vielleicht mag der metaphysische Gedanke hier noch einen
Schritt weiter wagen. Die gesonderten Werte in der Icherfahrung
verlangen die Möglichkeit des Gegenstrebens, der Nichtbefriedigung,
des Inhalts, der überwunden werden soll. Ein Suchen nach Wahrheit
wäre sinnlos, wenn die Möglichkeit des Irrtums ausgeschlossen;
ein Suchen nach Einheit verlangt die Möglichkeit des Zwiespalts
und des in sich Widerstreitenden; Streben nach sittlicher Leistung
verlangt die Möglichkeit des Unrechts und der Sünde. Nun kann es
ja in der Wirklichkeit nichts geben, daß nicht dem werteschaffenden
Weltwillen letzthin angehört. Auch die ethische Sünde und die
ästhetische Zerrissenheit und die logische Unordnung, die wir erleben müssen, um den Wert suchen zu können, muß somit in der
Welt der Werte seinen Platz finden. Ist es nicht nur der in der
Begrenztheit des Ich begründete Gegensatz der Einzelwerte, der
ein in sich Wertvolles zum Wertwidrigen macht, sobald es in ein
Wollen einbricht, das auf einen anderen Wert gerichtet ist? Das
ethisch Wertwidrige mag wertfeindlich nur sein, wenn der Wille auf
den sittlichen Wert gerichtet ist, dagegen mag es durchaus den logischen Wert des Daseins und des Zusammenhangs bewahren.
Das logisch Wertwidrige mag wertfeindlich für den erkennenden
Willen sein und doch einen reinen ästhetischen Wert darstellen,
der nur in dem gesuchten Zusammenhang nicht in Frage kommt.
Und was unseren ästhetischen Sinn verletzt, vielleicht unser Verlangen nach Liebe und Glück zerknickt, fügt sich vielleicht in den
logischen und nur zu oft in den ethischen Zusammenhang. Alles
Irren und Freveln und Wertezerstören ist somit nicht eine Willenstat, die von jedem möglichen Willensansatzpunkt aus notwendig
wertlos wäre; nur mit dem Wollen, das tatsächlich gewollt ist, und
das in der besonderen Lebenslage allein entscheidend ist, ergibt sich
der vernichtende Widerspruch. Und so könnte schließlich vielleicht
jede Wertverletzung als wertvoll in einem anderen Wertgebiet

gedacht werden, auch wenn unser beschränktes Erfahren zunächst
unfähig ist, den Inhalt in irgend eine Wertgruppe einzuordnen.
Dieser Gegensatz, der den Wert im Ich zum Gegenwert macht,
könnte nur dann verschwinden, wenn die logischen, ästhetischen
und ethischen Werte in uns vollständig sich deckten und in eins
zusammenschmelzen. Dann gäbe es freilich keinen Irrtum und
keinen Zwiespalt und keinen Frevel mehr. Aber wenn sich die
gesonderten Erfahrungswerte zur Einheit verschmelzen, dann wird
aus ihnen die letzte Grundtat der Welt, die für kein Ich Erfahrung
sein kann: das Ich ist damit in das Über-Ich zurückgeflossen.

Die Weltanschauung. In uns selber also finden wir, in der
verschmelzenden Allheit der Werte, das Über-Ich, sobald die Ich-
schranke fällt. Blicken wir zunächst nun vom Ich auf das Über-
Ich hin, um dann schließlich zum letztenmal vom Über-Ich auf das
Ich zurückzuschauen. Wir wollen, mit anderen Worten, noch einmal den reinsten Sinn unserer Weltanschauung deuten, um von
da aus zum letztenmal auf die Lebensauffassung der Persönlichkeit
einzugehen. In der Tat, erst jetzt hat sich die Weltanschauung für
uns vollendet, nachdem wir begriffen, wie das Weltall und die
Menschheit und das Ich für Ewigkeit in der Urtat eingebettet sind.

Für Ewigkeit! Erst jetzt haben wir den Höhepunkt erreicht,
auf dem der Sinn der Ewigkeit sich enthüllen kann und damit
erschließt sich so recht das Tiefste des Allweltvorgangs. Die dreifache Bewertung von Zusammenhang, Einheit und Betätigung ergab sich als bloße Zerlegung eines einzigen Tatvorgangs, der in der
Übererfahrung wahrhaft ein einziger ist. Andererseits die drei Weltinhalte der Außenwelt, Mitwelt und Innenwelt ergaben sich ebenfalls als bloße Sonderung dieses selben Tatvorgangs. Die Zerlegung
in die verschiedenen Werte ergab sich, sobald wir gewissermaßen
einen Querschnitt durch die Urtat legten, und die Zerlegung in die
verschiedenen Weltinhalte, wenn wir gleichsam einen Längsschnitt
machten. In der Urgrundwelt sind alle jene Scheidungen wieder
aufgehoben; das Nicht-Ich, das Mit-Ich und das Ich sind im Über-
Ich eins geworden und das logische, das ästhetische und das ethische
Bewerten bilden in diesem Über-Ich ein einziges sich selbst ent-
faltendes Wollen, und somit eine einzige Tat.

Die Welt ist eine Tat, von hier aus erleuchtet sich alles. Eine
Tat ist die Verwirklichung des Gewollten. Eine Tat ist nicht bloß

ein schließliches Geschehen, als wäre es ein bloßer Vorgang; das
Geschehen ist Teil der Tat nur dann, wenn es dem Gewollten entspricht. In jeder Tat werden das Gewollte und das Erreichte in
eins gesetzt. Als ein Gewolltes ist das Ziel ein Nochnicht, ein Zukünftiges; als ein Erreichtes ist das Gewollte ein Nichtmehr, ein
Vergangenes; nur wenn beide vollkommen eines werden und zu-
sammenfallen, haben wir eine Tat: in der Tat ist so Vergangenheit
und Zukunft eines und das allein ist der Sinn der Ewigkeit. Die
Welttat ist in der Zeit ewig, sowie der Kreis im Raume unendlich
ist. Nirgends ein Anfang, nirgends ein Ende im Kreis: in der Ewigkeit der Welttaterfüllung gibt es für den Allwillen kein Vergangenes,
das nicht Zukunft, kein Zukünftiges, das nicht Vergangenheit wäre.
Die Welt ist ewig, weil sie in keiner Faser ihrer letzten Wirklichkeit
je etwas anderes als Tat ist und in der Tat Zukunft und Vergangenheit ineinsgesetzt sind.

Die Welt ist eine Tat. Tat aber ist Ineinssetzung. Und nun
begreifen wir, warum jegliches Wollen, das aus der Tiefe des Welt-
willens empordrang, im Grunde ein Streben nach Ineinssetzung
blieb. Hier liegt der letzte Grund für Form und Gehalt unserer
Werte. Denn alle Werte erkannten wir ja als solche Beziehung der
Ineinssetzung und alles wertsetzende Streben der Persönlichkeit
war von diesem Verlangen getragen. Diese Ineinssetzung aber war
gleichbedeutend mit dem Verlangen nach der Selbstbehauptung
der Welt. Im Bewußtsein gibt es ein solches Verlangen nicht; nur
im Tun selbst bekundet es sich, und aus dem Ergebnis, der bewerteten Welt, läßt sich diese unaufhebbare Tat erschließen.
Die Persönlichkeit aber muß von solcher Tat getrieben werden, denn
alles Wollen und Verwirklichen in der Erfahrung muß Teil haben
an der Tatnatur der ewigen Grundwelt. Und die Tat verlangt, daß
alles wertlos bleibt, was nicht den Inhalt festhält und so dem eigenen
Wollen treu ist.

Die Welt ist eine Tat. Tat aber ist Verwirklichung und Verwirklichung erkannten wir als Erfüllung des Wollens in einer Form,
die neues Wollen verlangt. Verwirklichung ist somit Steigerung
des Wollens. Auf keiner Stufe kann die Tat des Über-Ich still
stehen. Und niemals könnte sie rückwärts gehen, da jede Verwirklichung ja zu einem neuen Wollen hinführt, das alle früheren Stufen
zur Voraussetzung hat. Jede neue Stufe verwirklicht so den letzten

Sinn der vorangegangenen. Das aber war uns gerade der Fortschritt. In jedem wertvollen Geschehen steigert sich das Wollen der Welt. Und doch bedeutet das nicht, daß das neue Erreichte in sich wertvoller ist als die verlassene Stufe. Der Wert lag ja stets nur in der Beziehung, in der Verwirklichung, in der Ineinssetzung. Jede einzige Steigerung ist somit schlechthin wertvoll, und nichts kann noch wertvoller sein als das schlechthin Wertvolle. Der Wert liegt in der Steigerung des Wollens, aber der Wert selbst wird dadurch nicht gesteigert. Auch die höchste Stufe, die der Wille erreicht, ist doch jedesmal nur wertvoll mit Rücksicht auf die frühere oder auf den Anfang; in sich ist sie bedeutungslos: nur die Beziehung ist wertvoll, weil nur sie die Erfüllung des Wollens ist. Der Zielpunkt der Welt liegt zwar im Unendlichen, und doch kann somit auch der fernste Endpunkt in sich nicht wertvoller sein als das Überwundene: nur die Bewegung zum Ziel, die Festhaltung, und Steigerung ist unendlich wertvoll.

Die Welt ist eine Tat. Tat aber ist Erfüllung und Vollendung. Soll die Welt Tat sein, so muß sie also jederzeit in sich vollendet sein, und doch sollte ihr Ziel im Unendlichen liegen. Ein Widerspruch ist das nicht: es ist das innere Gegenspiel des ewigen Wollens. Im Unendlichen liegt die letzte Stufe der Welt, aber niemals kann dieser Welt eine Stufe zugehören, die nicht von vornherein zu ihrem Wollen und deshalb zu ihrem Wesen gehört. Was auch der Weltwille erstreben mag, es muß eine Selbstentfaltung des ursprünglichen Wollens sein: nie kann das Über-Ich sich selber untreu werden. Seine unendliche Entwicklung ist im Gesetz seiner eigenen freien Tat gegeben, wie die Kurve des Geometers in der Formel des kleinsten Teils gegeben ist. Wenn der Urwille sich selber ganz kennte, so würde er von Anbeginn die Welt in ihrer Unendlichkeit wollen müssen; alles Geschehen ist ein Selbstfesthalten dieses einen Wollens. So ist die Welt ein unendliches sich steigerndes Wollen und doch eine in sich vollendete Tat, da zu dem sich selbst festhaltenden Wollen kein Ungewolltes je hinzutreten kann. Mit der ersten Tatsetzung, welche die Welt ist, ist diese unendliche ewige Welt vollkommen abgeschlossen, und es ist sinnlos nach einer anderen Welt zu fragen.

Die Welt ist eine Tat. Die Tat in ihrer Ganzheit umfaßt Zusammenhang und Einheit und Leistung. Erst bei der Aufhebung

ihrer Ganzheit durch die Sonderung des Nicht-Ich vom Ich zer-
fielen jene drei Seiten der Tat und jede wurde Ausgangspunkt besonderer Weltbewertung: jede wurde zum Apriori einer besonderen
bewerteten Welt. Gerade deshalb aber können jene gesonderten
Bewertungen nur für die Erfahrungswelt gelten, die aus jener Gegenübersetzung von Ich und Nicht-Ich entstand. Für die Übererfahrung dagegen, für die letzte Wollenswirklichkeit, reicht dann weder
der logische, noch der ästhetische, noch der ethische Bewertungs-
maßstab aus; nur die innere Einheit aller drei Werte im metaphysischen Wert kann somit der Tat des Über-Ich begegnen. Die
letzte Wirklichkeit kann also niemals von der bloßen Erkenntnis
erfaßt werden, und jede Philosophie, die nur auf dem Denken beruht, muß grundsätzlich versagen. Sie kann aber auch niemals
von dem ästhetischen Gefühl allein getragen sein, das den Wert der
Einheit sucht oder vom ethischen Bewußtsein, das die Betätigung
bewertet. Jeder einzelne Versuch solcher Werteinseitigkeit muß
die Urwirklichkeit, die alle Erfahrung tragen soll, ins Reich der
Erfahrung herabzuziehen und aus der Tat des Über-Ich in das Leben
des Ichs zurückgleiten. Die Überzeugung allein, in der die Wert-
vielheit selbst in eins gesetzt wird, vermag das Letzte zu erfassen.
Als Überzeugungswert hebt die Urtat somit die metaphysische Vereinsamung des Ich grundsätzlich auf und trägt das Ich und das
Nicht-Ich, in ihrer Wahrheit, Einheit und Freiheit. Der Weltwille ist Wille zum Wert, aber als das Wahre, Einheitliche und Gute
erscheint der geschaffene Wert nur in der Erfahrung des Ich; in der
letzten überpersönlichen Wirklichkeit ist die Welt der Wille zum
Grundwert, der alle Erfahrungswerte zeugt. In der Glaubensüber-
zeugung von diesem Grundwert erweitert das Ich sich selber zum
Über-Ich, — zum Über-Ich, das in sich das Ich zusammen mit dem
Mit-Ich und dem Nicht-Ich setzt.

Die Welt ist eine Tat. Es ist kein Ding, kein Inhalt, kein bloßes
Sein, mit dem die Welt einsetzt und dessen Teile nun in dumpfer
Gleichgültigkeit andauern oder vermengt werden mögen. Es ist
kein toter Stoff, der in Zufallsteilen äußerlich zusammenklebt und
dessen Elemente kraftlos beharren können. Die Welt ist lebendige
Tat, und die Arbeit dieser Tat will getan sein: von hier aus bestimmt
sich die Aufgabe und der Gehalt unseres Einzeldaseins.

Die Lebensauffassung. Wer so vom schwankenden Wollen

wahrhaft zu Überzeugungen vorgedrungen, vor dessen Seele steht
das eine unerschütterlich: unser Leben hat Sinn und Ziel. Wir sind
nicht machtlos eingeschaltet in ein blindes Zufallsspiel, das die Werte
der Erfahrung zerschneidet, sondern mit unserer ganzen Lebenswirklichkeit gehören wir zu einer Welt, die sich zu Werten empor-
ringt. Die starre Notwendigkeit, die uns zwingt, hat sich selbst
als Wert erwiesen, den unser Wille setzt in seinem reinen Wollen zum
Weltziel. Verscheucht ist die Angst vor der sinnleeren Überwirklichkeit, innerhalb derer unsere Welt der Erfahrung mit allem
Wahren und Schönen und Guten doch nur zweckloses Aufbauen
wäre. Im Jenseits des Ich wirkt ein Wollen zum Wert, das selbst
unser Werten trägt und in keiner Unendlichkeit sich selber preisgeben kann.

Und dieses Leben in der Welt der Werte ist eine frohe Bejahung.
Wenn alles Dasein Wille ist, so soll nach pessimistischem Vorurteil
das Leben fast unertragbar sein; jedes Wollen ist Unbefriedigung
mit dem Gegegebenen, und wenn das Wollen erreicht ist, erstirbt
jedes Lebensgefühl; so wäre die Welt ein Pendeln zwischen Schmerz
und Langerweile. Wir wissen nun längst das Gegenteil. Gerade
weil die Welt und das Leben unendlicher Wille sind, ist das wahre
Leben erfüllt vom höchstmöglichen Maß der reinen Befriedigung.
Wir sahen ja, das Wollen selbst ist nicht Schmerz; nur die Verwirklichung des Ungewollten bringt Unbefriedigung. Das stete Wollen
ist also an sich durchaus kein Leiden; im Gegenteil, es ist die notwendige Bedingung für die Freude, die aus der Erfüllung quillt.
Die Erfüllung selbst aber hebt das Wollen nicht auf, beraubt uns
somit nicht der Möglichkeit neuer Befriedigung. Denn das betonten
wir immer aufs neue, daß Erfüllung und Verwirklichung nichts
anderes meint und meinen kann als Überführung zu neuem Willensansatz. Da die Welt nichts als Wille ist, will der Wille immer nur
neues Wollen, und jede Verwirklichung ist Erfüllung, gerade weil sie
neues Wollen hervortreibt. Wer den Wert setzt, trägt in sich eine
Freude, die sich notwendig in jedem Pulsschlag des Lebens erneuert,
und das Wollen selbst wird so zur unendlichen Quelle der Befriedigung. Kein Leid und keine Enttäuschung kann diesen ewigen
Quell verschütten. Nur dann versiegt er, wenn der Wert grundsätzlich verneint wird, die Einheit mit dem Über-Ich verleugnet
wird, der weltfreudige Sinn des Lebens so durch eigenes Wollen ver-

loren geht. Wer den Wert nicht will, will im Grunde sein eigenes
Wollen nicht, und damit ist das Leben selber preisgegeben; was
übrig bleibt, ist ein Scheinleben. ,,Das wahrhaftige Leben'', sagt
Fichte in seiner Anweisung zum seligen Leben ,,lebet in dem Unveränderlichen. Es ist in jedem Augenblicke ganz; — das höchste
Leben, welches überhaupt möglich ist. Das Scheinleben lebet nur
in dem Veränderlichen — so wird das Scheinleben zu einen ununter-
brochenen Sterben, und lebt nur sterbend, und im Sterben. Das
wahrhaftige Leben ist durch sich selber selig, das Scheinleben ist
notwendig elend und unselig.''

Sinnlos aber wäre es, vom Leben mehr zu erhoffen als die Erfüllung des eigenen Wollens. Etwas anderes als die Verwirklichung
des eigenen Verlangens könnte uns ja überhaupt nie Befriedigung
zutragen. Daß aber diese Erfüllung nicht erst in der Ferne liegt,
und unser Leben somit nicht ein Jagen nach einem letzten vielleicht
unerreichbaren Ziele ist, sondern daß jeder Schritt schon ein Wert-
ganzes erschließt und aus Wahrheit und Einheit und Sittlichkeit
Vollkommenes in jedem Wollen erzeugt werden kann: das gestaltet
dieses Leben zum besten und erfülltesten.

Solch Optimismus wird nun auch nicht mehr durch den inneren
Widerstreit der Werte bedroht. Längst haben sich die Gegensätze
für uns im Über-Ich aufgelöst. Wir wissen, daß die scheinbar gegeneinander stoßenden Bewertungen doch schließlich nur verschiedene
Seiten der einen in sich einigen Grundtat sind und daß nur in der
begrenzten Erfahrung des Ich, nicht in der letzten Wirklichkeit
dieser Streit unschlichtbar bleibt. Erfassen wir im Ich das Über-Ich,
so schließen sich die Teile zum Ganzen harmonisch zusammen.
Ist aber erst einmal der Allwille zum begrenzten Ich geworden und
die Urtat dadurch in ein Wollen der gesonderten Werte zerfallen, so
ist ihr Gegensatz notwendig. Und in diesem nur mit dem Ich auf-
hebbaren Gegensatz lag uns letzthin auch der Kampf zwischen dem
Wollen zum Wert und der Auflehnung gegen den Wert, zwischen
Sittlichkeit und Frevel, zwischen Glück und Trauer, zwischen Fortschritt und Tod. Daß unser Einzelleben von Leid und Enttäuschung
beschattet ist, daß Irrtum und Versuchung und Nichterfüllung sich
in unsere Tage drängen, kurz, daß Menschenlos schließlich doch nur
ein Menschenleben: das ist somit zugleich mit dem Willen gesetzt,
ein Ich zu sein.

Das freilich ist mit alledem schon verlangt und immer wieder klang es uns entgegen: das bloße Verlangen nach Lust und Vermeiden von Schmerz kann und darf nicht das Ziel unseres Lebens sein, wenn es überhaupt Sinn und Wert behalten will und nicht, in seiner Selbstsucht, sich vom Weltwillen loslösen will zu ewiger Einsamkeit. Auch die Lust, sahen wir, hat ihren ästhetischen Platz im unerschöpflichen Werte des Glücks, aber es war die Einheit des Erlebnisses, das schlechthin gültige Bewertung verlangte und nicht der Lustinhalt, der nur dem Einzelwillen zugänglich und als Tatergebnis grundsätzlich gleichgültig war. Es ist ästhetisch wertvoll, glücklich zu sein, aber es ist ethisch wertlos, nach Lust zu streben und ethisch wertwidrig, die Lust der Wertaufgabe des Wollens vorzuziehen.

Sittliche Aufgabe unseres Lebens ist es, schlechthin gültige reine Werte durch unsere Tat zu verwirklichen. In diesem Lebenswerke wissen wir uns als freie Schöpfer. Wir sind frei, da unser Wille uns in der Lebenswirklichkeit gar nicht als Glied des Ursachenzusammenhangs gegeben ist: es ist sinnlos, da nach seinen Ursachen zu fragen, er ist vollkommen durch seine inneren Beziehungen und seine Absichten bestimmt. Wir nehmen unseren Willen nicht wahr wie ein Ding, sondern erleben ihn in unvergleichlicher Weise: als eigenes selbstgewisses Streben, als freies Verwirklichen und jédes Verwirklichen galt uns als Steigerung des freien Wollens. Die Werte aber, die wir in Freiheit suchen, sind uns nicht gegeben, sondern aufgegeben, sind nicht Erfahrungen, sondern Neuschöpfungen aus dem Erfahrungsgehalt. Und dieses freie Lebenswerk ist einzig, denn als unersetzbar erkannten wir uns in dem einzigen Weltgeschehen der Urtat. Und dieses Lebenswerk, von Geburt bis Tod, ist in jeder Werttat ein Ganzes, in jedem Wertverwirklichen ewig — ein ewig wertvolles Glied im unendlichen zeitlosen All.

Ewig wertvoll aber ist es, weil der Wille im Wertsuchen sich selber festhält und so sich selbst treu ist. Denn das erkannten wir als das Grundwesen des reinen Wertes, daß das Ergriffene in der neuen Form das gleiche bleibt. Außer uns und neben uns und in uns hat Wert nur, was der Wille als Verwirklichung des Gewollten erfaßt; wenn wir uns nicht selber treu sind, werden wir selber wertlos und geben uns preis. Uns selber treu sein ist so die letzte Losung; uns treu sein heißt unseren Willen verwirklichen, und verwirklichen heißt im Neuen das Alte festhalten und es doch zum Ausgangspunkt neuen Wollens nehmen. Ein bloßes Überspringen von einem Zustand in einen anderen, hätte niemals Wert. Als Bettlerkind wunschlos einschlafen und als Königskind aufwachen ohne Erinnerung, ohne Ineinssetzung von Gegenwart und vergangenem Wünschen, ist weder Fortschritt noch Zusammenhang noch Glück. Das Neue muß im Alten gewollt und das Alte im Neuen ergriffen werden, um Wert zu sein. In Selbsttreue so unseren Willen steigern, indem wir schaffen, was wir im tiefsten wollen, und so eine Welt der Werte aufbauen helfen, in der das schlechthin Gültige zum Ausdruck unseres persönlichen Wollens wird, bleibt die eine umfassende Aufgabe unseres Daseins.

Eine Welt der Werte aufbauen! Nicht unseren vereinzelten Kräften ist das zugemessen. Wir dürfen nur mitwirken in der gemeinsamen Arbeit der Menschheit. Einig war sie in ihrem Glauben an die Werte, und auch diese Einheit war kein zufälliges Ereignis: wir sahen, nur der kann als Glied der Menschheit anerkannt werden, dessen tiefstes Wollen die Formen dieser Wertwelt als notwendig setzt. Sein eigenes Wollen in Selbsttreue entfalten bedeutet also für jeden, an der gleichen gemeinsamen Welt mitzubauen. In der Zusammenarbeit aber steigerte sich die Kraft; die Geschichte der Menschheit wird so zur unendlichen Entfaltung des eigensten Wollens. Auch für die Menschheit freilich hatte es zu gelten, daß nicht die Lust der Zielpunkt der Tat sein darf. Um der größtmöglichen Masse die größtmögliche Lust zu bringen, ist nicht der weite Umweg durch die Geschichte der Kultur von nöten. Das Lustverhältnis ändert sich kaum und bleibt wertgleichgültig auf jeglicher Stufe. Fortschreiten im Sinne der Willenserhaltung in der Willenssteigerung bleibt auch für die Menschheit der letzte Sinn der Pflicht. In Wissenschaft und Kunst, in Liebe und Friede, in Wirtschaft und Staat, in Moral und Recht, in Religion und Philosophie: entfalten soll die Menschheit in Freiheit, was in ihrem eigenem Wollen als willensnotwendig angelegt ist.

Und diesem Aufbau der Wertwelt in der Geschichte dient selbst die wirkende Natur. Zum Stoff und Werkzeug des wertenden Geistes beut sie sich willig. Im Wirtschaftsfortschritt steigt sie von Stufe zu Stufe zu immer reicheren Gestalten der Kulturdienstbarkeit. In ihrer Schönheit und in ihrer zielsicheren Entwicklung zeigt sie ihr Wollen, in ihrer Gesetzlichkeit verbürgt sie ihre Treue. Die ganze Außenwelt klingt so ein in das Wollen der Wesen. Nie aber wäre diese ewige Einheit von Außenwelt und Mitwelt und Innenwelt im ganzen Reichtum ihrer Zusammenhänge und Einheiten und Betätigungen möglich, wenn sie nicht alle aus einem in sich einigen Grundwollen fließen würden, aus der ewigen Grundtat des Über-Ich.

Daß aber das Über-Ich wirklich ist und sein Wollen wirklich unsere Wertwelt unabänderlich bindet, und unser pflichttreues Leben somit wirklich unendlich wertvoll ist, das kann uns kein Wissen sagen, und kein Wissen darf uns da genügen. Auf den Fels der Überzeugung ist diese Gewißheit gebaut, und auf der Überzeugung ruht so jeder Wert der Wahrheit, Einheit, Betätigung und Vollendung. Aber die Überzeugung selbst ist doch schließlich unsere eigene Tat; wir können sie nicht unvollführt lassen, wenn wir uns nicht selber preisgeben wollen, denn nur durch sie wird unser gesamtes Wollen zur Einheit zusammengeschlossen. Aber unsere eigene Tat bleibt sie doch. Im Wollen zur Einheit unseres Willens mit sich selbst, schließt sich somit die Welttat, in der jedes Verlangen befriedigt, jede Frage beantwortet, jedes Streben erfüllt ist. Sich selber treu sein in Ewigkeit — alle Werte der Welt sind in solcher Tat sicher geborgen.

Sachregister.

31*

Verlag von Johann Ambrosius Barth in Leipzig.

Grundzüge der Psychologie

von

Hugo Münsterberg

Professor an der Harvard-University in Cambridge. U. S. A.

Band I.

Allgemeiner Teil, Die Prinzipien der Psychologie

VII, 565 Seiten. 1900. Preis M. 12.—, geb. M. 13.50.

Deutsche Literaturzeitung: Ein ernstes Ringen mit den schwierigsten Problemen, ein Streben, sich nicht bei den herkömmlichen Ansichten zu beruhigen, sondern überall selbständig zu prüfen, eine ungewöhnliche Begabung für systematischen Aufbau ohne jede Neigung zu pedantischem Schematisieren, eine umfassende Vielseitigkeit des Wissens und der Interessen und ein sympathisches Bemühen, fremde Ansichten nicht einfach zu negieren, sondern als relativ berechtigt im eigenen System zu bewahren, das Alles wird kein Unbefangener verkennen. Die Darstellung ist durchweg von großer Gewandtheit und macht die Lektüre verhältnismäßig leicht . . . Schon um der allgemeinsten Tendenz willen ist dem Buche eine möglichst ausgebreitete Wirksamkeit zu wünschen. In eigenartiger Umkleidung tritt uns der transzendentale Idealismus in seiner Verbindung mit der Lehre vom Primat der praktischen Vernunft hier entgegen, und daß gerade ein Vertreter der physiologischen und experimentellen Psychologie es ist, der sich so rückhaltslos zu dieser „unmodernen" Philosophie bekennt, das wird vielleicht auch manchen von denen zum Nachdenken über diese Probleme anregen, die längst über sie hinaus zu sein wähnen.

Kantstudien: Es ist ein gedankenreiches Buch . . . Man merkt es jeder Seite an, daß sie auf ein fest gefügtes und umfassend angelegtes System der Philosophie zurückweist. Es ist eine Freude, wieder einmal ein solches Buch kennen zu lernen, das die größte Aufgabe der Philosophie, die Synthese, aufzugreifen den Mut und die Kraft hat. Schien es doch schon fast, als sei es bloß noch den populären Welträtsellösern vorbehalten, ihr Weltbild systematisch zu begreifen. Hier aber liegt eine Leistung vor, die von der Überzeugung getragen ist, daß der deutsche Idealismus seine Mission noch nicht erfüllt hat, sondern daß auch heute noch in der Tiefe von Kants und Fichtes Werk Anknüpfungspunkte gefunden werden können, von denen aus eine wahrhaft philosophische Durchdringung der Weltwirklichkeit möglich ist.

Zeitschrift für Psychologie: Der Wert des vorliegenden Buches, welches zu den bedeutendsten, aber auch seltsamsten Erscheinungen der modernen philosophischen und psychologischen Literatur gehört, besteht nicht nur darin, daß es der psychologischen Spezialarbeit eine Reihe neuer, sehr aussichtsreicher Betrachtungsweisen erschließt — es sei vor allem die „Aktionstheorie" erwähnt —; sondern auch darin, daß es eine notwendige Etappe im Entwicklungsgang der wissenschaftlichen Weltanschauung unsrer Zeit darstellt.

Allgemeine Zeitung: In philosophischer Hinsicht findet der Verfasser seine Anknüpfung bei Fichte, als sein Thema kann er in aller Kürze die Synthese von Fichtes ethischem Idealismus mit der physiologischen Psychologie unsrer Zeit bezeichnen. — Das ist ein hochbedeutsames Programm; wie es ausgeführt ist, läßt sich bei der hier gebotenen Kürze nicht wohl darlegen, aber schon die bisherigen Leistungen und die ganze wissenschaftliche Persönlichkeit des Verfassers werden diesem neuen großen Unternehmen das Interesse weiter Kreise gewinnen. Sicherlich wird das Buch eine lebhafte Diskussion hervorrufen; möge es kräftig zu geistiger Vertiefung wirken!

Verlag von Johann Ambrosius Barth in Leipzig.

Über
Aufgaben und Methoden
der Psychologie

von

Hugo Münsterberg

182 Seiten. — 1892. — Preis M. 6.—

bildet Heft 2 der Schriften der Gesellschaft für psychologische Forschung.

Die geistvoll geschriebene Abhandlung beschäftigt sich in acht Abschnitten mit der engeren und erweiterten Aufgabe der Psychologie, der Abgrenzung und Gliederung der psychologischen Methoden, der psychologischen Untersuchung unter natürlichen und künstlichen Bedingungen und der psycho-physiologischen Untersuchung. Sie verdient daher größere Aufmerksamkeit, denn sie vermittelt einen lohnenden Überblick über den gesamten Betrieb der Wissenschaft.

Biologisches Centralblatt: Das vorliegende Heft verdient die Aufmerksamkeit aller der Kreise, welche der Psychologie überhaupt Teilnahme entgegenbringen, denn es vermittelt einen lohnenden Überblick über den gesamten Betrieb dieser Wissenschaft . . . Zum Schluß ein paar Worte über die Ergebnisse der Münsterbergschen Methodenstudie für die wissenschaftliche Auffassung und den praktischen Betrieb der Psychologie. Wenn man die gewaltige Ausdehnung überblickt, die hiernach die Psychologie besitzt, so wird man von neuem zu der Forderung gedrängt, daß endlich dieser selbständigen Wissenschaft das Recht einer selbständigen Vertretung im Lehrplane der größeren Universitäten zuteil werde. Nur wenigen Bevorzugten ist es vergönnt, neben allen Disziplinen der Philosophie samt ihrer Geschichte die vielgliedrige Erfahrungswissenschaft Psychologie zu umspannen. Für das Durchschnittsvermögen der Lehrenden wie der Lernenden bietet die Psychologie allein schon den Anblick eines unermeßlichen Feldes, auf dem sich der einzelne bescheiden ein Stückchen absteckt.

Zeitschrift für Psychologie: Der Verfasser unterscheidet mit anerkennenswerter Klarheit Psychologie und Psychophysiologie, d. h. Wissenschaft von den Bewußtseinsphänomenen und Wissenschaft von den Beziehungen derselben zu physiologischen Phänomenen . . . Die Unterscheidung der Methoden ist lichtvoll und die Abgrenzung der Aufgaben, soweit nicht Münsterbergs Liebhaberei für Bewegungsempfindungen u. dgl. störend eingreift, anerkennenswert vorurteilsfrei. Vor allem hebe ich hervor die ausdrückliche Betonung der Selbstverständlichkeit, daß alle psychologische Einsicht schließlich direkt oder indirekt auf der vielfach schief aufgefaßten und dann mit scheinbarem Rechte geschmähten „inneren" Beobachtung beruht. Freilich versteht hier M. unter „Beobachtung" nicht ganz das, was man sonst darunter versteht.

Deutsche Literaturzeitung: Vor allem weist der Herr Verfasser hier mit Recht darauf hin, daß die Sorge für eine berufsmäßige Fachausbildung in der Psychologie nicht so wichtig ist wie die Sorge für eine allgemeine psychologische Durchbildung der Studierenden aller Fakultäten. In dieser Hinsicht wird die äußerst berechtigte Forderung aufgestellt, daß kein Mediziner oder Jurist, kein Theologe oder Pädagoge von der Universität in den Beruf übertreten darf, ohne in gründlicher, von der Philosophie unabhängiger Prüfung seine Kenntnis der psychologischen Erscheinungen erwiesen zu haben.